Doodsbericht

Van dezelfde auteur:
Doodstil

Reginald Hill

Doodsbericht

of

Paronomania!

een woordspelletje voor twee spelers

2001 – De Boekerij – Amsterdam

Oorspronkelijke titel: Dialogues of the Dead (HarperCollins Publishers)
Vertaling: Peter Barnaart
Omslagontwerp: Hesseling Design, Ede
Foto inzet: Kippa
Foto achtergrond: Hesseling Design

ISBN 90-225-3052-3

© 2001 Reginald Hill
© 2001 voor de Nederlandse taal: De Boekerij bv, Amsterdam

paronomania (de (v.) [oneigenlijk woord afgeleid van een combinatie van PARONOMASIA (de (v.); [«1658» Lat. Gr. *paronomasia*], het gebruik van homoniemen of veel op elkaar lijkende woorden als stijlmiddel, syn. *woordspel: varen maar met gevaar* + MANIA (zie ald.).
1. Een ziekelijke neiging tot woordspelletjes.
1760 George, Lord LYTTELTON *Dialogues of the Dead: No XXXV BACON*: Ligt daar niet uw collega Shakespeare, de schrijver? Waarom ziet hij zo bleek? GALEN: Wee, heer, hij is het. Een heel mooi voorbeeld van paronomania. Sinds hij hier is, heeft hij in zijn toneelstukken een cryptogram verwerkt om te bewijzen dat u ze geschreven hebt, en sindsdien geen woord meer gezegd. **1823** Lord BYRON *Don Juan Canto xviii* Zo paronomanisch is zijn warboel dat Hoods artsen vrezen dat hij zal sterven aan paronomania. HAL DILLINGER *Through the Mind-Maze: A Casebook*. De paronomania bij mr. X was in zo'n vergevorderd stadium dat hij heeft getracht zijn vrouw te doden vanwege een boodschap die middels een cryptische omschrijving in de kruiswoordpuzzel in de *Washington Post* tot hem zou zijn gekomen.
2. De eigennaam van een bordspel voor twee spelers, waarbij met behulp van op steentjes gedrukte letters woorden gevormd worden. Punten worden deels behaald door middel van vermeerdering van de aan elke letter toegekende waarde, maar eveneens door aan de overeenkomst tussen bepaalde geluiden en betekenissen toegekende waarden. Onder bepaalde variabele regels kan gebruikgemaakt worden van elke in Latijnse lettertekens weer te geven taal.
1976 *Skulker Magazine, Vol 1 No. iv* Hoewel de vurigste aanhangers van paronomania met de energie, het fanatisme en raffinement die we van hen gewend zijn, bezwaar aantekenden tegen de jaarlijkse kampioenschappen, is het vanwege de complexe en ongrijpbare aard van het spel niet waarschijnlijk dat het ooit tot de status van een nationale sport zal degraderen.

OED (2de druk)

Du sagst mir heimlich ein leises Wort
Und gibst mir den Strauss von Cypressen.
Ich wache auf, und der Strauss is fort,
Und's Wort hab' ich vergessen.*

Harry Heine (1800-1856)

Ik vrees dat in je woorden een afschuwelijk geheim schuilt
(en elke gedachtekronkel een doodskop méér betekent),
gelijk een in met onkruid overwoekerde kuil gevonden
lichaam, tussen keien, wortels en wriemelende slangen, dat
met zijn van taal verstoken mond rept van moord…

Thomas Lovell Beddoes (1803-1849)

---

* Een woord dat je heimelijk fluistert
Terwijl je me liefdevol een tuil cipressentwijgen schenkt.
Als ik ontwaak, merk ik dat ik de tuil ben kwijtgeraakt
En dat het woord me volkomen ontschoten is.

1

Eerste dialoog

Hé, hallo. Hoe gaat het met jou?

Met mij goed, geloof ik.

Ja, hoor. Dat is soms moeilijk te zeggen, maar eindelijk schijnt er wat schot in te zitten. Het is iets raars, leven, vind je niet?

Goed, dood zijn ook, maar leven...
Nog niet eens zo lang geleden zat ik vast, kon ik geen kant uit, zat ik muurvast, bij wijze van spreken, sijpelde verleden zonder enige kleur door in toekomst, zonder dat er iets gebeurde of voor opwinding zorgde die de geest kon scherpen...
Maar op een dag zag ik het opeens!
Vóór me, waar het nooit was weg geweest, begon het lange kronkelpad dat me zou leiden door mijn Grote Avontuur, waarvan het begin zó dichtbij lag dat ik mijn hand er maar naar hoefde uit te steken, en het einde, zó ver weg dat ik duizelig werd bij de gedachte aan wat ertussen lag.
Maar het is een grote stap van een duizelend hoofd naar een hoofd dat de realiteit aankan, en aanvankelijk bleef het daar steken – dat lange kronkelspoor, bedoel ik – in het hoofd, iets om de lange stille uren mee bezig te zijn. Toch hoorde ik hoe mijn hart al die tijd tegen me zei: 'In je hoofd reizen is allemaal goed en wel, maar je wordt er niet bruin van!'
En mijn voeten werden steeds rustelozer.
Langzamerhand begonnen de vragen in mijn hersenen rond te tollen zoals een screensaver op een computerscherm.
Zou ik echt...?
Durfde ik...?
Dat is het lastige met paden: heb je er eenmaal een gevonden, dan moet je het volgen ongeacht waar het naartoe leidt, maar soms is het begin – hoe zal ik het zeggen? – zo ongrijpbaar.

Ik wachtte op een teken. Niet per se iets wereldschokkends. Een klein zetje zou genoeg zijn.

Of een gefluisterd woord.

En op een dag kreeg ik het.

Eerst het gefluisterde woord. Van jou? Daar had ik op gehoopt.

Ik hoorde het, gaf er een draai aan, wilde het graag geloven. Maar het was nog steeds zo vaag...

Ja, ik ben altijd een bang kind geweest.

Ik had behoefte aan wat meer duidelijkheid.

En eindelijk kwam het. Eerder een dreun op mijn schouder dan een voorzichtig zetje. Eerder een schreeuw dan een gefluister. Je zou kunnen zeggen dat het me overviel!

Ik kon je bijna horen lachen.

Ik kon die nacht niet slapen omdat ik er steeds aan moest denken. Maar hoe meer ik dacht, hoe onduidelijker het werd. Om drie uur 's morgens had ik mezelf ingeprent dat het gewoon per ongeluk was geweest en dat mijn Grote Avontuur gedoemd was een loze fantasie te blijven, een toneelstuk op video dat zich achter de alerte ogen en meelevende glimlach bleef afspelen terwijl ik doorging met mijn dagelijkse beslommeringen.

Maar na een paar uur, toen de roze vingers van de dauw de donkere huid van de nacht begonnen te masseren en buiten mijn raam een vogeltje begon te tsjilpen, begon ik het allemaal anders te zien.

Misschien kwam het gewoon door mijn gebrek aan gevoel voor eigenwaarde dat ik zo aarzelde. En in elk geval was immers niet ik degene die het voor het zeggen had? Het teken, als het werkelijk een teken was, zou gevolgd moeten worden door een kans waartegen ik geen nee kon zeggen. Want natuurlijk zou het niet zomaar toeval zijn, hoe ongrijpbaar het naar alle waarschijnlijkheid ook zijn mocht. Natuurlijk, daar zou ik het aan herkennen. Althans in eerste instantie zou ik in dit Avontuur een passieve acteur zijn, maar als het eenmaal op gang was, zou ik zonder twijfel weten dat het voor mij geschreven was.

Ik hoefde alleen maar klaar te staan.

Ik stond op, waste me en kleedde me met bijzondere zorg, als een ridder die zich opmaakt voor een queeste, of een priesteres die voorbereidingen treft haar heiligste geheim te ontsluieren. En al is het gezicht verborgen achter een vizier of sluier, toch zullen zij die de gave bezitten te kunnen lezen, weten hoe ze het blazoen of de kazuifel moeten interpreteren.

Toen ik klaar was, ging ik het huis uit naar de auto. Het was nog heel vroeg. De vogels zongen uit volle borst en in het oosten kreeg de parelgrijze hemel een roze blos, zoals de wang van een maagd in een Disney-film.

Omdat het veel te vroeg was om de stad in te gaan, reed ik in een impuls naar het platteland. Dit was naar mijn gevoel niet een dag om impulsen te negeren.

Een halfuur later vroeg ik me af of ik me niet enorm aanstelde. Ik had nu al een hele tijd problemen met de auto, onder andere een sputterende motor en het feit dat hij het op hellingen dreigde te begeven. Elke keer dat het gebeurde, had ik mezelf beloofd dat ik hem naar de garage zou brengen. Maar dan leek het een tijdje goed te gaan en vergat ik het. Ditmaal wist ik dat het werkelijk ernstig was toen hij op een niet zo steile helling af begon te hikken, en ja hoor, bij de volgende weg omhoog, niet meer dan een pietepeuterig hobbeltje op een pietepeuterig krom bruggetje, kwam het ding zuchtend tot stilstand.

Ik stapte uit en schopte het portier dicht. Het had geen zin onder de motorkap te kijken. Motoren waren, hoewel Latijn, Grieks voor mij. Ik ging op de smalle brugleuning zitten en probeerde me te herinneren hoe ver het terug was naar een huis of een telefoon. Het enige wat ik me kon herinneren was een bord waarop stond dat het bijna acht kilometer naar het dorpje Little Bruton was. Op een of andere manier leek het bijzonder onredelijk dat een auto die het grootste deel van zijn tijd in de stad doorbracht het moest begeven op waarschijnlijk het dunst bevolkte reepje platteland binnen een straal van vijftien kilometer van de stadsgrens.

De wet van Murphy, zo noemen ze dat toch? Zo noemde ik het in elk geval, tot zich geleidelijk een nieuw geluid bij het vogelgetsjilp en gekabbel van water voegde en ik op dat smalle landweggetje een helgele bestelwagen van de wegenwacht zag naderen.

Nu begon ik me af te vragen of het allemaal niet tóch de wet van God was.

Ik maande hem tot stoppen. Hij was op weg naar een huis in Little Bruton waar een arme loonslaaf, pas ontwaakt en met nog kilometers voor de boeg vóór het slapengaan had ontdekt dat zijn motor met nog meer tegenzin van start ging als hijzelf.

'Machines slapen ook graag uit,' zei mijn redder monter.

Hij was al met al reuze monter, vol grappen, een prachtreclame voor de wegenwacht. Toen hij me vroeg of ik lid was en ik hem vertelde dat ik een afvallige was, grinnikte hij en zei: 'Geeft niks. Ik ben een afvallige katholiek, maar als het echt hopeloos wordt kan ik toch altijd weer terug? Hetzelfde geldt voor u. En u overweegt toch zeker om terug te komen?'

'O ja,' zei ik vurig. 'Als u die auto aan de praat krijgt, word ik misschien ook nog lid van de kerk!'

En ik meende het. Misschien niet dat over de kerk, maar zeker wat betrof de wegenwacht.

9

Want vanaf het moment dat ik zijn bestelwagen in het vizier kreeg, had ik me inderdaad afgevraagd of dit niet mijn kans zou zijn om schot te krijgen in méér dan alleen mijn auto.

Maar hoe kreeg ik zekerheid? Ik voelde mijn opwinding stijgen tot ik die suste met de troostende gedachte dat, hoe ongrijpbaar ook voor mij, de auteur van mijn Grote Avontuur ervoor zou zorgen dat de openingszinnen glashelder waren.

De wegenwachtman was een vlotte prater. We wisselden namen uit. Toen ik de zijne hoorde en die langzaam herhaalde, lachte hij en zei dat ik geen grappen moest maken omdat hij ze allemaal al had gehoord. Maar natuurlijk dacht ik niet aan grappen. Hij had me alles over zichzelf verteld – zijn verzameling tropische vissen – het praatje dat hij erover had gehouden op de lokale radiozender – zijn liefdadigheidswerk voor kinderen – zijn plan om geld voor hen in te zamelen door zich te laten sponsoren voor de marathon van Londen – de fantastische vakantie die hij net in Griekenland had doorgebracht – hoe hij had genoten van de warme avonden en het mediterrane eten – hoe verrukt hij was geweest toen hij bij terugkomst in de stad ontdekte dat er net een nieuw Grieks restaurant was geopend.

'Soms denk je dat daarboven iemand speciaal voor jou een oogje in het zeil houdt, hebt u dat ook?' zei hij spottend. 'Of misschien in mijn geval: daarbeneden!'

Ik lachte en zei dat ik precies wist wat hij bedoelde.

En dat meende ik, op tweeërlei wijze: de gewone koetjes-en-kalfjeswijze en de filosofische wijze met een diepere betekenis. Ik had namelijk heel sterk het gevoel dat mijn bestaan zich op twee niveaus afspeelde. Een oppervlakkig niveau waarop ik stond te genieten van het ochtendzonnetje terwijl ik toekeek hoe zijn beoliede vingers de vakbekwame verrichtingen uitvoerden waarvan ik hoopte dat ze me weer op weg zouden helpen. En een ander niveau waarop ik in contact stond met de kracht achter het licht, de kracht die alle angst wegschroeide – een niveau waarop geen tijd meer bestond, waar hetgeen er plaatsvond altijd had plaatsgevonden en altijd zal plaatsvinden, waar ik als een schrijver kan pauzeren, nadenken, verbeteren, bijslijpen tot mijn woorden exact weergeven wat ik wil dat ze weergeven zonder een spoor van mijn gezwoeg prijs te geven...

Een ogenblik houdt mijn wegenwachtman op met praten terwijl hij, met de lopende motor, nog even iets bijstelt. Hij luistert met de intense aandacht van een pianostemmer, glimlacht, zet de motor af en zegt: 'Volgens mij kunt u heen en weer naar Monte Carlo, mocht u daar trek in hebben.' Ik zeg: 'Dat is fantastisch. Hartelijk bedankt.' Hij gaat op de brugleuning zitten en begint zijn gereedschap in zijn gereedschapskist op te bergen. Als hij klaar is, kijkt hij omhoog naar de zon, zucht innig tevreden en zegt: 'Hebt u ooit van die momenten waarop u het gevoel krijgt: dit is het, dit mag altijd zo blijven? Het hoeft niks bijzonders te zijn, geen speciale gelegenheid of zo. Gewoon een ochtend als nu, dat je het gevoel hebt: hier zou ik nooit meer weg willen.'

'Ja,' verzeker ik hem. 'Ik weet precies wat u bedoelt.'

'Dat zou fijn zijn, hè?' zegt hij glimlachend. 'Maar ledigheid is des duivels oorkussen, helaas.'

En hij klapt zijn kist dicht en komt overeind.

En nu is zonder enige twijfel het teken gegeven.

Tussen de wilgen die aan het eind van de brug over het water hangen klinkt geblaf, van een vos geloof ik, gevolgd door een luid gekrakeel dat iets wegheeft van hees gelach; dan schiet uit het struikgewas erachter een mannetjesfazant te voorschijn, met verwoed fladderende vleugels om zijn zware lijf boven de rotsen uit de lucht in te hijsen. Het beest reikt maar net boven de reling aan de overkant en komt recht op ons af. De wegenwachtman doet een stap terug. De lage leuning achter hem raakt zijn kuiten. De vogel fladdert tussen ons in: ik voel het slaan van zijn vleugels, heftig als een preek van de pinkstergemeente. En de wegenwachtman fladdert met zijn armen alsof ook hij probeert het luchtruim te kiezen. Maar hij is al reddeloos uit zijn evenwicht. Als ik mijn hand naar de wankelende gestalte uitsteek – om te helpen of te duwen, wie zal het zeggen? – strijken mijn vingertoppen langs de zijne, net zoals die van God en Adam in de Sixtijnse Kapel, of die van God en Lucifer op de hemelkantelen.

Dan is hij verdwenen.

Ik kijk over de balustrade. Hij heeft in zijn val een salto gemaakt en is op zijn buik in de ondiepe stroom beneden beland. Het water is maar een paar centimeter diep, maar hij beweegt niet.

Ik klauter langs de steile oever naar beneden. Het is duidelijk wat er is gebeurd. Hij is met zijn hoofd tegen een steen op de bedding geslagen en is verdoofd. Onder mijn ogen komt hij in beweging en probeert zijn hoofd boven het water uit te tillen.

Een deel van mij wil hem helpen, maar dat is niet het deel dat enige beheersing over mijn handen en voeten heeft. Ik heb geen andere keuze dan werkeloos toe te kijken. Keuze is een schepping van tijd, en tijd is naar elders verdwenen.

Drie keer komt zijn hoofd even omhoog, en drie keer valt het terug.

Er komt geen vierde keer.

Even stijgen er luchtbellen op. Misschien benut hij die laatste paar ademstoten om te herintreden tot de katholieke kerk. Zeker voor hem zal

11

het nooit wanhopiger worden. Aan de andere kant: zijn wens dat die vol-
maakte ogenblikken altijd mogen duren wordt eindelijk vervuld, en waar
hij ook uiteindelijk zal komen te rusten, ik weet zeker dat het een geluk-
kig graf zal worden.

Eerst komen de luchtbellen snel, daarna steeds trager, als de laatste
stuipen van een ciderpers, tot die laatste languissante luchtzak aan het op-
pervlak komt drijven die, als de geestelijken gelijk hebben, de ziel bevat.

Heb een mooie loop, mijn marathonbode!

De bel barst open.
Hoog tijd dat ook mijn bewustzijn met al zijn ballast aan geest en ma-
terie, regels en wetten weer openbarst.

Ik klauterde de oever weer op en stapte in mijn auto. Toen ik wegreed,
zong de motor zo'n vrolijk deuntje dat ik de vaardige handen dankte die
hem tot dit timbre hadden gestemd. En ik was eveneens dankbaar voor dit
nieuwe leven, of eigenlijk mijn hernieuwde leven.

Mijn reis was begonnen. Er zouden ongetwijfeld obstakels op mijn pad
komen. Maar nu was dat pad duidelijk aangegeven. Een reis van duizend
mijlen moet beginnen met één enkele stap.

En juist door stil te staan en in u te vertrouwen, mijn leider, had ik die
stap genomen.

We spreken elkaar spoedig.

2

'GOEIE GOD,' ZEI DICK DEE.

'Wat is er?'

'Heb je dit gelezen?'

Rye Pomona zuchtte nogal nodeloos oorverdovend en zei met snijdend sarcasme: 'Aangezien we hebben besloten ze in tweeën te verdelen, en aangezien dit hier mijn stapel is en die daar jouw stapel, en aangezien de tekst in je hand afkomstig is van jouw stapel en ik uit alle macht mijn best doe me door mijn stapel heen te werken, geloof ik niet direct dat de kans groot is dat ik het gelezen heb, of wel soms?'

Een van Dick Dees goede eigenschappen was dat hij heel goed tegen een grote mond kon, zelfs van zijn allerjongste personeelslid. Hij beschikte zelfs over een heleboel goede eigenschappen. Hij kende zijn werk als conservator op de afdeling Naslagwerken bij de streekbibliotheek van Mid-Yorkshire op zijn duimpje en was blij dat hij die kennis mocht overdragen. Hij droeg zijn steentje bij, en hoewel ze hem soms bezig zag aan lexicologisch onderzoek voor, zoals hij dat noemde, zijn *minusculum opusculum*, gebeurde dat altijd tijdens zijn officiële pauzes en liep het nooit uit, ook niet als het heel rustig was. Tegelijkertijd gaf hij nooit blijk van ergernis als háár lunchuur wat uitliep. Hij gaf geen commentaar op haar manier van kleden en wendde evenmin preuts zijn ogen af als hij wellustig zijn blik liet glijden over het lange slanke bruine been dat uit de schamele schuilplaats van haar mini-jurk tevoorschijn kwam. Hij had haar in zijn flat ontvangen zonder het geringste spoor van geflirt (al met al wist ze niet wat ze daarvan vond!). En al had hij bij hun eerste confrontatie geen oog af kunnen houden van haar opmerkelijkste uiterlijke kenmerk, die ene zilvergrijze pluk die tussen de diepbruine lokken van haar haar schitterde, hij was er zó hoffelijk discreet over geweest dat ze uiteindelijk het onderwerp uit de weg had geruimd door het zelf aan te snijden.

Evenmin maakte hij misbruik van zijn positie door de allersaaiste karweitjes naar haar over te hevelen maar droeg zijn steentje bij, wat hem voorbeeldig zou maken als hij in de context van dít saaie karwei meer dan een paar bladzijden achter elkaar had kunnen lezen zonder haar één keer in zijn gedachten te betrekken. Hij grijnsde zelfs zó breeduit om haar geschamper dat ze zich onmiddellijk schuldig voelde en zonder verder protest de vellen papier van hem aanpakte.

Gelukkig waren ze getypt. Omdat dat vaak niet het geval was, was ze al spoedig tot de bij onderwijzers algemeen bekende ontdekking gekomen dat zelfs het netste handschrift soms even onleesbaar kan zijn als blaadjes van het orakel van Delphi, met daarbovenop het probleem dat, wanneer je er eindelijk iets zinnigs in hebt kunnen ontwaren, het je uiteindelijk geen nuttig goddelijke verwijzing naar toekomstige activiteiten had opgeleverd maar een allergruwelijkst stuk proza.

De korte-verhalenwedstrijd van Mid-Yorkshire was aan het eind van een met alcohol overgoten rondetafeldiner bedacht door de hoofdredacteur van de *Mid-Yorkshire Gazette* en de directeur van het Bibliotheekwezen van Mid-Yorkshire. De ochtend erna had het idee in het wrede daglicht een zachte dood moeten sterven. Helaas had zowel Mary Agnew van de *Gazette* als Percy Follows, de hoofdbibliothecaris, ten onrechte gemeend zich te herinneren dat de ander het leeuwendeel van het werk zou doen en het leeuwendeel van de kosten zou dragen. Toen ze beiden hun respectieve vergissing beseften, waren aankondigingen van de competitie al publiek domein. Agnew, die er zoals elke veteraan van de landelijke pers een meester in was uit elke ramp het beste te halen, had nu het initiatief genomen. Ze haalde haar baas over een geringe geldprijs beschikbaar te stellen voor de winnende inzending, die tevens in de krant gepubliceerd zou worden. Bovendien had ze zich verzekerd van de medewerking van een prominente jury in de persoon van de illustere Geoffrey Pyke-Strengler, wiens voornaamste algemeen bekende verdienste was dat zijn oeuvre als schrijver (een reeks overpeinzingen over een sportief leven dat in het teken stond van het afslachten van vissen, gevogelte en vossen) was gepubliceerd, en wiens particuliere verdienste was dat hij, omdat hij zowel chronisch krap bij kas zat als van tijd tot tijd de plaatselijke correspondent van de *Gazette* was, in een afhankelijke positie verkeerde.

Follows wilde zich nét gelukkig prijzen dat hij hier tamelijk goed vanaf was gekomen toen Agnew eraan toevoegde dat uiteraard niet verwacht kon worden dat de Weledelgeborene (wiens lectuurkeuze niet verder reikte dan de sporttijdschriften) zich door alle inzendingen heen zou werken, dat haar team van vooraanstaande journalisten het veel te druk had met het schrijven van eigen onsterfelijk proza om dat van anderen te lezen en dat zij daarom een beroep deed op de bibliotheekmedewerkers met hun alom bekende deskundigheid op het gebied van het geschreven woord voor het doorlezen van de inzendingen en het aanleggen van een lijst van de beste bijdragen.

Percy Follows wist wanneer hij voor het blok werd gezet en ging op zoek naar iemand van de bibliotheekmedewerkers die hij op zíjn beurt voor het blok kon zetten. Alle wegen leidden naar Dick Dee die, al was hij cum laude afgestudeerd in Engels, nooit geleerd scheen te hebben hoe hij nee moest zeggen.

Bij wijze van tegenwerping wist hij niets beters te bedenken dan: 'Tja, we hebben het tamelijk druk... Hoeveel inzendingen verwacht u?'

'Zoiets heeft een beperkte aantrekkingskracht,' zei Follows zelfverzekerd. 'Het zou me verbazen als we de twee nullen halen. Enige tientallen, hooguit. Je zou ze in je theepauze kunnen doornemen.'

'Dat worden dan slóten thee,' sputterde Rye toen de eerste postzak met geschriften bij de *Gazette* werd afgeleverd. Maar Dick Dee had bij het zien van de berg papier alleen maar geglimlacht en gezegd: 'Het is zonde van de tijd, Rye. Laten we maar beginnen met sorteren.'

Het aanvankelijke sorteren was dolle pret geweest.

Het plan om te weigeren iets te lezen wat niet getypt was had erg aanlokkelijk geleken, maar al snel begrepen ze dat dat te rigoureus was. Aan de andere kant wisten ze, toen er nog meer postzakken kwamen, dat ze toelatingseisen moesten stellen.

'Niets in groene inkt,' zei Dee.

'Niets kleiner dan een A-vijfje,' zei Rye.

'Niets in handschrift waarvan de letters niet aan elkaar zijn geschreven.'

'Niets zonder zinnige interpunctie.'

'Niets waarbij je een vergrootglas nodig hebt.'

'Niets wat van iets organisch aan elkaar plakt,' zei Rye, terwijl ze een vel papier oppakte dat zó van de bodem van een kattenbak leek te zijn gevist.

Toen ze bedacht dat de smerige vlek waarschijnlijk afkomstig was van een baby van wie de aan huis gekluisterde moeder uit alle macht probeerde de voedertijd creatief te besteden, protesteerde ze heftig uit plaatsvervangend schuldgevoel toen Dick erachteraan had gezegd: 'En niets openlijk seksueels of met drieletterwoorden.'

Hij moest met groot geduld haar liberale argumenten aanhoren zonder blijk te geven van bezwaren tegen haar impliciete beschuldiging dat hij op z'n zachtst gezegd een tut en op z'n ergst een fascist was.

Toen ze klaar was, zei hij mild: 'Rye, ik ben het met je eens dat er niets verdorvens, weerzinwekkends of zelfs smerigs is aan een goeie neukbeurt. Maar aangezien ik absoluut zeker weet dat er geen enkele kans bestaat dat er een verhaal met een beschrijving van de daad of iets wat naar het woord verwijst wordt gepubliceerd in de *Gazette*, lijkt het me een nuttig filtersysteem. Natuurlijk, als jíj elk verhaal woord voor woord wilt lezen...'

De komst van de zoveelste postzak van de *Gazette* had hem de mond gesnoerd.

Een week later, toen de verhalen bleven binnenstromen en de wedstrijd pas over negen dagen zou sluiten, was ze veel kritischer geworden dan Dee en liet ze vaak al na de eerste alinea, zelfs een openingszin, een verhaal in de vuilnisbak neerdwarrelen, in sommige gevallen zelfs al na de titel, terwijl hij de zijne bijna allemaal uitlas en een veel hogere stapel kanshebbers opbouwde.

Nu keek ze naar het geschrift waarmee hij haar had onderbroken en zei: '*Eerste Dialoog*? Betekent dat dat er nog meer komt?'

'Dichterlijke vrijheid, zou ik denken. Lees het nou maar. Ik ben benieuwd wat je ervan vindt.'

Een nieuwe stem onderbrak hen.

'Heb je de nieuwe Maupassant al gevonden, Dick?'

Opeens viel er een schaduw over hen heen toen er achter Rye een lange, magere gestalte opdook.

Ze hoefde niet op te kijken om te weten dat het Charley Penn was, een vaste klant van de afdeling Naslagwerken en zo ongeveer de grootste boekenwurm van Mid-Yorkshire. Hij had een tamelijk succesvolle serie geschreven over wat hij noemde historische avonturenromans en de critici voor wie geen keurslijfje veilig was, tegen de achtergrond van Europa ten tijde van de Revolutie tot 1848, waarvan de hoofdpersoon losjes was geïnspireerd op de Duitse dichter Heine. Daarvan was een populaire tv-serie gemaakt waarin het openrijten van keurslijfjes ontegenzeglijk een hogere waardering oogstte dan zowel historie als romantiek. Zijn regelmatige aanwezigheid op de afdeling Naslagwerken had niets te maken met het streven naar waarheidsgetrouwheid in zijn verhalen. Toen hij ooit een slok op had, had iemand hem over zijn lezers horen zeggen: 'Je plukt de knoeiers er zó uit. Wat weten díé nou?', al had hij zelf zijn brede kennis over de bewuste periode vergaard via het 'echte' werk waarnaar hij nu al zoveel jaar onderzoek deed: een omstreden uitgave van Heines poëzie in metrisch rijm. Rye was verbaasd geweest toen ze hoorde dat hij een jaargenoot van Dick Dee was. De tien jaar die Dick, die in de veertig moest zijn, jonger leek vanwege zijn gelijkmatige humeur leken over Penn te zijn uitgestort, die met zijn holle wangen, diepliggende ogen en onverzorgde baard iets weghad van een oude viking die iets te lang was doorgegaan met verwoesten en plunderen.

'Waarschijnlijk niet,' zei Dee. 'Maar ik zou graag je beroepsmatige mening horen, Charley.'

Penn liep om de tafel heen zodat hij op Rye neerkeek en ontblootte onregelmatige tanden in wat zij zijn grimlach noemde, omdat ze ervan uitging dat hij het bedoelde als een glimlach zonder te kunnen helpen dat die een grimmig effect had. 'Tenzij je opeens over een extra budget beschikt.'

Als het op beroepsmatige meningen aankwam, of elke aan zijn beroep verwante activiteit, werden advocaten door Charley Penn tot wanhoop gedreven doordat hij volhield dat tijd geld was.

'Waarmee kan ik je helpen?' vroeg Dee.

'Die artikelen die je voor me aan het opsporen was, heb je al iets?'

Penn had geen enkel probleem met het hardmaken van zijn stelling dat de arbeider zijn loon waard was door Dee bij zijn onderzoek als zijn onbezoldigde assistent te gebruiken, maar de bibliothecaris klaagde nooit.

'Ik zal even kijken of er vandaag iets bij de post zit,' zei hij.

Hij stond op en ging het kantoor achter de balie binnen.

Penn bleef staan, zijn ogen gefixeerd op Rye.

Ze keek zonder met haar ogen te knipperen terug en zei: 'Ja?'

Af en toe betrapte ze de oude viking erop dat hij naar haar keek alsof hij wederom de roep van de zee voelde, al had hij zich tot nog toe onthouden van verwoesting en plundering. Hij scheen als rolmodel zelfs de voorkeur te geven aan die vent in het toneelstuk (hoe heette die verdomme toch?) die door het hele Forest of Arden gedichten op bomen vastprikte. Van tijd tot tijd stuitte ze op fragmenten van Penns Heine-vertalingen. Als ze een dossier opensloeg of een boek pakte, trof ze een paar strofen over een wanhopige minnaar die zichzelf naar het raam van zijn geliefde of naar een eenzame poolspar omhoog zag turen, terwijl hij naar een onbereikbaar verre hand smachtte. Hun aanwezigheid werd verklaard, zo een verklaring vereist was, door nonchalance, vermengd met een veelzeggende versie van de grimlach die Penn haar nu schonk toen hij zei: 'Geniet ervan,' waarna hij Dee achterna ging.

Nu wijdde Rye haar aandacht volledig aan de 'Eerste Dialoog', die ze vluchtig doorbladerde, waarna ze hem nog eens en langzamer las.

Toen ze hem uit had, was Dee teruggekeerd en zat Penn weer op zijn gebruikelijke plaats in een van de aanpalende studeervertrekjes, vanwaaruit hij, zoals algemeen bekend was, scheldkanonnades placht te brullen naar jonge studenten wier opvattingen van stilte niet strookten met de zijne.

'Wat denk je?' vroeg Dee.

'Waarom lees ik dit in godsnaam? Dat is wat ik denk,' zei Rye. 'Oké, de schrijver probeert slim te zijn door met één enkele periode de verwachting te wekken dat er een heel epos zal volgen, maar het werkt niet echt, vind je wel? Ik bedoel, waar gaat het over? Een soort metafoor van het leven soms? En waar slaat die rare illustratie in godsnaam op? Ik hoop dat je me dit niet laat zien als het beste wat je bent tegengekomen. Zo ja, dan wens ik niet ooit nog meer uit je stapel kanshebbers onder ogen te krijgen.'

Hij schudde zijn hoofd, glimlachend. Absoluut niet grimlachend. Hij had een best leuke glimlach. Een van de leuke dingen daaraan was dat hij dezelfde glimlach opzette bij compliment en belediging, overwinning en nederlaag. Een paar dagen geleden zou bijvoorbeeld iemand van minder kaliber geflipt zijn toen een slecht aangebrachte plank doorzakte onder het gewicht van de twintigdelige *Oxford English Dictionary*, waardoor een gezelschap van ambtenaren, op rondleiding door het gemeentelijke, pas gerestaureerde Centrum voor Oude Kunsten en Literatuur, uiteenstoof. Slechts een der bezoekers werd getroffen doordat hij Deel II op zijn teen kreeg. Dat was raadslid Cyril Steel, een fervent tegenstander van het Centrum, wiens stem zich in het bestuur regelmatig had verheven tegen 'verkwisting van eerlijk geld van de gemeenschap aan een partij vederlichte, gebakken lucht'. Percy Follows had als een poedel in paniek rondgerend, bang voor een ramzalige pr, maar Dee had slechts in de tv-camera die het evenement voor BBC Mid-Yorks vastlegde geglimlacht en gezegd: 'Nu zal zelfs raadslid Steel moeten toegeven dat een beetje leren een gevaarlijke aangelegenheid kan zijn, en dat niet al onze gebakken lucht zo vederlicht is,' en hij was verdergegaan met zijn verklarende rede.

Nu zei hij: 'Nee, ik suggereer niet dat dit een kanshebber voor de prijs is, al is het niet slecht geschreven. En wat de tekening betreft, het is voor een deel verluchting, voor een deel verduidelijking, vind ik. Maar wat werkelijk interessant is, is dat het me op een of andere manier doet denken aan iets wat ik in de *Gazette* van vandaag heb gelezen.'

Hij pakte een exemplaar van de *Mid-Yorkshire Gazette* uit het krantenrek. De *Gazette* kwam tweemaal per week uit, op woensdag en op zaterdag. Dit was de midweekeditie. Hij sloeg hem open op pagina twee, legde die voor haar neer en wees met zijn duim op een nieuwsbericht.

WEGENWACHTMEDEWERKER KOMT OM BIJ TRAGISCH ONGEVAL

Het stoffelijk overschot van mr. Andrew Ainstable (34), in buitendienst bij de wegenwacht, is dinsdagochtend, waarschijnlijk verdronken, aangetroffen in een ondiepe beek onder Bruton Road. Thomas Killiwick (27), een plaatselijke boer die de ontdekking deed, was van mening dat mr. Ainstable, die naar is gebleken op weg was naar een afspraak in Little Bruton, waarschijnlijk had gepauzeerd voor een sanitaire stop, is uitgegleden en zijn hoofd heeft gestoten, maar de politie kon deze theorie in dit stadium bevestigen noch ontkennen. Nabestaanden van mr. Ainstable zijn echtgenote Agnes en zijn moeder, die weduwe is. Naar verwachting wordt de eerstkomende dagen een onderzoek ingesteld.

'Wat vind je ervan?' vroeg Dee nogmaals.

'Vanwege de stijl van dit verslag, denk ik dat ze er vast verstandig aan hebben gedaan de beoordeling over de literaire kwaliteiten van die verhalen aan ons over te laten,' zei Rye.

'Nee. Ik bedoel dat Dialoog-verhaal. Wél toevallig, vind je niet?'

'Nou nee. Ik bedoel, waarschijnlijk is het helemaal geen toeval. Schrijvers schijnen vaak ideeën op te doen uit wat ze in de krant lezen.'

'Maar dit stond pas vanmorgen in de *Gazette*. En dit kwam uit de zak met inzendingen die ze gisteravond hebben gebracht. Dus ik neem aan dat ze hem gisteren in de loop van de dag hebben ontvangen, de dag waarop die arme sloeber is gestorven, en vóór de schrijver erover had kunnen lezen.'

'Goed, dan is het tóch toeval,' zei Rye kribbig. 'Ik heb net een verhaal gelezen over een man die de lotto wint en een hartaanval krijgt. Ik durf te wedden dat er deze week een man iets in de lotto heeft gewonnen en een hartaanval heeft gekregen. Het is het zootje Pulitzer-Prijsauteurs van de *Gazette* ontgaan, maar het blíjft toeval.'

'Hoe dan ook,' zei Dee, die duidelijk met tegenzin van zijn gevoel afstapte dat het heel raar was. 'Nog iets: het pseudoniem ontbreekt.'

De deelnamevoorwaarden vereisten dat inzenders, in het belang van een onpartijdige jurering, een pseudoniem onder de titel van hun verhaal zouden zetten. Die moesten ze eveneens op een gefrankeerde envelop schrijven met daarin hun echte naam en adres. De enveloppen werden ten kantore van de *Gazette* bewaard.

'Dat heeft hij zeker vergeten,' zei Rye. 'Niet dat het iets uitmaakt. Hij gaat toch niet winnen? Dus wie kraait ernaar wie het heeft geschreven? Goed, kan ik verdergaan?'

Daar kon Dick Dee niets tegen inbrengen. Maar Rye merkte dat hij het getypte verhaal niet in de vuilnisbak stopte of op zijn stapel van kanshebbers legde, maar apart hield.

Hoofdschuddend richtte Rye haar aandacht op het volgende verhaal van haar stapel. Het heette 'Droomtijd', was met grote hanenpoten in paarse inkt geschreven waarvan er gemiddeld vier woorden op een regel pasten, en begon aldus:

Toen ik vanmorgen wakker werd, merkte ik dat ik een natte droom had gehad, en terwijl ik bleef liggen om me hem te herinneren, voelde ik dat ik weer opgewonden werd...

Met een zucht liet ze hem in de vuilnisbak glijden en pakte een volgend verhaal.

3

'WAT BEN JE GODDOMME VOOR SPELLETJE AAN HET SPELEN, ROOTE?'
gromde Peter Pascoe.

Grommen was niet de stijl van communiceren die hem gemakkelijk afging en het zichtbaar houden van zijn boventanden, terwijl de ploffende P een geluidseffect teweegbracht dat overduidelijk oosters was zonder navenant onverstaanbaar te zijn, evenmin. Voortaan moest hij tóch wat meer op het hondje van zijn dochter letten, dat niet veel van mannen moest hebben en naar hem gromde.

Roote schoof het notitieblok waarop hij had zitten krabbelen onder een exemplaar van de *Gazette* en keek hem aan met een gezicht dat vriendelijk doch vragend stond.

'Sorry, mr. Pascoe? Ik weet niet wat u bedoelt. Ik speel helemaal niks en ik geloof niet dat ik de regels ken van het spel dat u speelt. Heb ik óók een racket nodig?'

Hij glimlachte in de richting van Pascoes sporttas waaruit de steel van een squashracket stak.

Hét teken voor een zoveelste grauw in de trant van *Neem me niet in de maling, Roote!*

Dit werd zo nog een slecht tv-scenario.

Buiten het gesnauw had hij zijn best gedaan dreigend boven hem uit te torenen. Hij had geen idee hoe dreigend dat er voor een toevallige omstander uitzag, maar het was niet te harden door de verrekte schouderspier waardoor zijn eerste partijtje squash sinds vijf jaar tot een prematuur einde was gekomen. *Voortijdig?* Dertig seconden in de voorbereiding is niet prematuur, maar vernederend pre-embryonaal.

Zijn tegenstander was een en al bezorgdheid geweest, had voor insmeerspul gezorgd in de kleedkamer en voor een hartversterking in de bar van de University Staff Club, zonder ook maar een hint van gegrinnik. Maar toch had Pascoe het gevoel gehad dat er om hem werd gegrinnikt en toen hij door de prettig strak aangelegde

21

tuin naar de parkeerplaats liep en zag dat Franny Roote vanaf een bankje naar hem glimlachte, was zijn zorgvuldig onderdrukte irritatie losgebarsten en vóór hij de tijd had om redelijk na te denken was hij een en al dreiging en gesnauw.

Tijd om zijn rol te herzien.

Hij dwong zichzelf tot kalmte, ging op de bank zitten, leunde achterover, kreunde en zei: 'Oké, Roote. Laten we opnieuw beginnen. Wil je me alsjeblieft vertellen wat je hier uitvoert?'

'Lunchpauze,' zei Roote. Hij stak een bruine papieren zak omhoog en schudde hem uit op de krant. 'Baguette, salade met mayo, halvanaise. Een appel, Granny Smith. Een fles water, uit de kraan.'

Dat klonk logisch. Hij zag er niet uit alsof hij vet at. Hij was mager, op het uitgeteerde af, een hoedanigheid die werd geaccentueerd door zijn zwarte broek en T-shirt. Zijn gezicht was zo wit als een verweerd stuk drijfhout en zijn blonde haar was zó kort geknipt dat hij evengoed kaal zou kunnen zijn.

'Mr. Roote,' zei Pascoe voorzichtig, 'je woont en werkt in Sheffield, wat inhoudt dat dit me, vooral voor iemand met een ruime lunchpauze en een heel snelle auto, een excentrieke keuze voor een lunchlocatie lijkt. Ook is dit de derde, nee, volgens mij is dit de vierde keer dat ik je de afgelopen week in mijn omgeving heb opgemerkt.'

De eerste keer was het een glimp op straat geweest, toen hij vroeg in de avond van het hoofdbureau van de politie van Mid-Yorkshire naar huis reed. En toen hij een paar avonden daarna samen met Ellie opstond om de bioscoop te verlaten, had hij Roote een rij of vijf verder naar achteren zien zitten. En afgelopen zondag, toen hij met zijn dochter Rosie in Charter Park was gaan wandelen om de zwanen eten te geven, wist hij zeker dat hij de in het zwart gehulde gestalte op de rand van de verlaten muziektent had zien staan.

Op dat moment had hij zich voorgenomen Sheffield te bellen, maar daar had hij het maandag te druk voor gehad, en dinsdag had het hem te onbenullig geleken om er een toestand van te maken. Maar nu, op woensdag, was daar als een zwarte vogel die ongeluk voorspelde, wéér die man, ditmaal te dicht in de buurt om louter toeval te zijn.

'O, goh, ja, ik snap het. Ik heb u eerlijk gezegd ook een paar keer gesignaleerd, en toen ik u zonet uit de Staff Club zag komen, dacht ik: gelukkig lijd je niet aan achtervolgingswaanzin, Franny, anders zou je nog denken dat inspecteur Pascoe je aan het stalken is.'

Dat was een omkering van zaken die hem paf deed staan.

Tevens was hier een zeer tactische waarschuwing op z'n plaats. Hij zei: 'Dus een toeval voor ons allebei. Het verschil is natuurlijk dat ik hier woon en werk.'

'Ik ook,' zei Roote. 'U vindt het toch niet erg dat ik begin? Ik heb maar een uur.'

Hij hapte in de baguette. Zijn tanden waren perfect, kunstmatig bijna, regelmatig, en ze waren van een schitterende witheid die je van de flitslichten op een Hollywood-première verwachtte. De afgelopen jaren was de tandheelkunde in de gevangenis zo te zien een stuk vooruitgegaan.

'Je woont en werkt hier?' vroeg Pascoe. 'Sinds wanneer?'

Roote kauwde en slikte.

'Sinds een paar weken,' zei hij.

'En waarom?'

Roote glimlachte. Weer die tanden. Als jongen was hij mooi geweest.

'Tja, dat is denk ik dankzij u, mr. Pascoe. Ja, je zou kunnen zeggen dat u de reden bent dat ik ben teruggekeerd.'

Een bekentenis? Een biecht wellicht? Nee, niet bij Franny Roote, de grote regelaar. Zelfs als je het scenario midden in een scène veranderde, had je nog steeds het gevoel dat hij de regie voerde.

'Wat wil dat zeggen?' vroeg Pascoe.

'Ach, weet u, na dat kleine misverstand in Sheffield ben ik mijn baan in het ziekenhuis kwijtgeraakt. Nee, denkt u alstublieft niet dat ik u daar de schuld van geef, mr. Pascoe. U deed alleen uw werk, en het was mijn eigen beslissing dat ik mijn polsen doorsneed. Maar die lui in het ziekenhuis schenen te denken dat dat het bewijs was dat ik ziek was, en natuurlijk zijn zieken wel de laatsten die je in je ziekenhuis wilt. Tenzij ze op hun rug liggen natuurlijk. Zodra ik werd ontslagen, werd ik... ontslagen.'

'Dat spijt me,' zei Pascoe.

'Nee, alstublieft, zoals ik al zei: niet uw schuld. In elk geval had ik ertegen in kunnen gaan, de ondernemingsraad stond klaar om in de bres te springen en al mijn vrienden waren me zeer tot steun. Ja, ik weet zeker dat een tribunaal zich ten gunste van mij uitgesproken zou hebben. Maar ik had het gevoel dat het tijd was om verder te gaan. Binnen deed ik niet aan religie, mr. Pascoe, niet formeel gesproken, maar ik ben zeker tot het inzicht gekomen dat er voor alles onder de zon een tijd is en dat het dwaas is de tekenen te negeren. Dus maakt ú zich maar geen zorgen.'

Hij geeft me absolutie! dacht Pascoe. Het ene moment ben ik

aan het grauwen en snauwen, het volgende op mijn knieën om absolutie te krijgen!

Hij zei: 'Dat verklaart nog niet...'

'Wat ik hier doe?' Roote nam nog een hap, kauwde en slikte. 'Ik werk bij de plantsoenendienst van de universiteit. Nogal een verandering, ik weet het. Maar zeer welkom. Portier bij een ziekenhuis is een nuttige baan, maar je bent het grootste deel van de tijd binnen, en een groot deel van de tijd met dooie mensen bezig. Nu ben ik buiten, en alles leeft! Zelfs nu de herfst eraan komt, is er zo veel leven en groei om je heen. Goed, de winter staat voor de deur, maar dat is toch niet het eind van de wereld? Gewoon even een winterslaap waarin energie wordt opgeslagen die wacht op het teken om weer open te barsten en tot bloei te komen. Maar net als de gevangenis, is het niet al te verheffend.'

Ik word hier in de maling genomen, dacht Pascoe. Tijd om te laten zien wie ik ben.

'De wereld is vergeven van tuinen,' zei hij nuchter. 'Waarom deze? Waarom ben je teruggekeerd naar Mid-Yorkshire?'

'O, neem me niet kwalijk, ik had het moeten vertellen. Dat is mijn andere baan, mijn echte werk... mijn thema. Kent u mijn thema? *Wraak en Vergelding in het Engelse Drama*? Natuurlijk wel. Daardoor bent u immers op het verkeerde been gezet? Ik snap wel waarom, met die bedreigingen van mrs. Pascoe, en zo. Dat hebt u toch wel uitgezocht? Nee, er stond niet veel in de kranten.'

Omdat er uit veiligheidsoverwegingen een zwijgverbod was, maar Pascoe was niet van plan daarover uit te weiden. Maar zo geïrriteerd als hij was door Roote en tot in zijn tenen wantrouwend omtrent zijn motieven, toch voelde hij zich schuldig bij de herinnering aan wat er was gebeurd. Toen Ellie via een onbekende bron werd bedreigd, had hij navraag gedaan over mogelijke verdachten. Toen hij ontdekte dat Roote, die hij een paar jaar geleden had laten vastzetten wegens medeplichtigheid aan moord, nu vrij was en in Sheffield, waar hij werkzaam was als ziekenhuisportier, bezig was aan een verhandeling over wraak, had hij ervoor gezorgd dat Zuid-Yorkshire hem een beetje had wakker geschud en was hij zelf een babbeltje gaan maken. Toen hij daar aankwam, had hij Roote in het bad aangetroffen met doorgesneden polsen, en toen hij later had moeten toegeven dat Roote in geen enkel opzicht betrokken was bij de zaak die hij in onderzoek had, was de reclassering er als de kippen bij geweest het geestelijke terreur te noemen.

Nou, hij had kunnen aantonen dat hij niet buiten zijn boekje was gegaan. Op het nippertje. Maar hij had dezelfde mengeling van schuld en woede gevoeld die hij nu voelde.

Roote was weer aan het woord.

'Kortom, mijn supervisor in Sheffield heeft hier net een nieuwe baan op de universiteit. Is net dit cursusjaar begonnen. Hij is ook degene die me die baan als tuinman heeft bezorgd, dus u ziet hoe het allemaal in elkaar sluit. Ik had wel een andere supervisor kunnen krijgen volgens mij, maar ik ben net aan het interessantste gedeelte van mijn essay gekomen. Ik bedoel, de perioden onder Elizabeth I en Jacobus I waren natuurlijk fascinerend, maar die zijn zo afgetrapt door de scholieren dat het moeilijk is met iets heel nieuws te komen. Maar nu ben ik bij de romantiek: Byron, Shelley, Coleridge, Wordsworth zelfs, die hebben namelijk allemaal ooit iets met drama gedaan. Maar wie me werkelijk fascineert is Beddoes. Kent u zijn toneelstuk *Death's Jest-Book?*'

'Nee,' zei Pascoe. 'Moet dat?'

Maar terwijl hij dat zei, schoot hem te binnen dat hij de naam Beddoes kortgeleden had gehoord.

'Hangt ervan af wat u bedoelt met "moeten". Hij verdient een grotere bekendheid. Het is fantastisch. En aangezien mijn supervisor een boek over Beddoes aan het schrijven is en waarschijnlijk meer van hem weet dan welke levende sterveling ook, moest ik bij hém blijven. Maar zelfs in een fatsoenlijke auto is het een lange reis van Sheffield, en de enige die ik kon betalen was er een die vaker boven z'n theewater is dan onderwijzers in de binnenstad! Het was echt verstandiger dat ik ook ging verhuizen. Dus is het in alle opzichten voor beide partijen uiteindelijk het beste zo.'

'Die supervisor,' zei Pascoe, 'Hoe heet hij eigenlijk?'

Dat had hij niet hoeven vragen. Het was hem te binnen geschoten toen hij Beddoes' naam hoorde noemen, en hij wist het antwoord al.

'Hij heeft een geweldige naam voor een leraar Engelse literatuur,' zei Roote lachend. 'Johnson. Dr. Sam Johnson. Kent u hem?'

'Op dat moment heb ik een smoes verzonnen en ben ik weggegaan,' zei Pascoe.

'O werkelijk? En waarom dan wel?' vroeg hoofdinspecteur Andrew Dalziel. 'Waardeloos kloteding!'

Dat had Dalziel, hoopte Pascoe, tegen de videorecorder die kreunde onder het geweld van zijn stompe vingers, en niet tegen hem.

'Omdat Sam Johnson degene was met wie ik net gesquasht had,' zei hij, waarbij hij over zijn schouder wreef. 'Omdat het er alle schijn van had dat Roote de boel in de maling nam en ik zin kreeg om hem een dreun te verkopen, ben ik regelrecht weer naar binnen gegaan en trof ik Sam.'

'En?'

En Johnson had elk woord bevestigd.

De lector bleek de achtergrond van zijn student te kennen zonder details te weten. Het feit dat Pascoe bij de zaak betrokken was overviel hem, maar eenmaal bijgepraat, was hij meteen begonnen over het achternazitten en had gezegd: 'Als je denkt dat Fran hier met bijbedoelingen is teruggekomen: vergeet het. Tenzij hij zo veel invloed heeft dat hij geregeld heeft dat ik hier een baan kreeg, is het louter toeval. Ik ben verhuisd, hij had geen zin om te moeten reizen voor toezicht en de baan die hij in Sheffield had liep ten einde, dus het was logisch dat hij ook moest verkassen. Ik ben blij dat hij het gedaan heeft. Hij is een zeer intelligente student.'

Johnson was tijdens de grote vakantie in het buitenland geweest en had daardoor de geschiedenis over Rootes vermeende zelfmoordpoging gemist, en de jongeman had kennelijk niet tegen hem gejeremieerd over gewelddadig politieoptreden in het algemeen en Pascoes gewelddadig optreden in het bijzonder, wat een punt in zijn voordeel zou moeten zijn.

De lector besloot met te zeggen: 'Dus heb ik hem die baan als tuinman bezorgd, vandaar dat hij buiten in de tuin is, en hij woont in de stad, vandaar dat je hem in de stad tegenkomt. De wereld hangt van toeval aan elkaar, Peter. Vraag maar aan Shakespeare.'

'Die Johnson,' zei Dalziel, 'hoe komt het dat jullie zo dik zijn dat jullie samen onder de douche staan? Was hij soms je slaafje op Eton of zo?'

Dalziel geloofde nu eenmaal graag dat de studentenwereld waaraan Pascoe zijn graad te danken had ergens in het zuiden over één locatie beschikte waar Oxford, Cambridge en alle belangrijkste openbare universiteiten knus onder één dak bij elkaar kropen.

In feite waren het niet Pascoes connecties in de wereld van universiteiten en de literatuur, maar die van zijn vrouw, waardoor Johnson in hun leven was gekomen. Een onderdeel van Johnsons functieomschrijving voor Mid-Yorkshire University was het helpen opzetten van een cursus creatief schrijven. Zijn kwalificatie was dat er een stel dichtbundeltjes van hem waren uitgegeven en hij een dergelijke cursus in Sheffield had helpen geven. Charley Penn, die af en toe bijdragen leverde voor de studies Duits en Engels, was gepikeerd geweest toen hij merkte dat zijn eigen blijken van belangstelling werden genegeerd. Hij leidde een plaatselijk toonaangevende literaire club die gevaar liep opgeheven te worden en had kennelijk het gevoel dat de aanstelling op MYU een acceptabel goedmakertje zou zijn voor het wegvallen van zijn honorarium bij het Instituut voor Streekonderwijs. Collega's die tot dat slag behoorden, wat in academische kringen niet ongebruikelijk was en die altijd overal graziger weiden meenden te zien, hadden Johnson aangeraden op zijn hachje te letten aangezien Penn een slechte vijand was, zowel op fysiek als verbaal niveau. Een paar jaar eerder had een voortvarende jonge journaliste volgens een universiteitslegende een pissige kritiek over Penns oeuvre geschreven in *Yorkshire Life*, de mooiste glossy van de streek. Het artikel eindigde als volgt: 'Men zegt dat de pen machtiger is dan het zwaard, maar als je een zoetekauw bent en een sterke maag hebt, is het beste gereedschap om je door het schuimige suikerwerk van onze mr. Penn heen te werken misschien een dessertlepel.' De volgende dag had Penn, tijdens een alcoholische lunch in een restaurant in Leeds, over een welgevulde desserttrolley heen de journaliste opgemerkt. Nadat hij een enorme portie met slagroom overdekte aardbeientaart had geselecteerd, was hij op haar tafel afgelopen en had hij gezegd: 'Dit, dame, is nou schuimig suikerwerk,' waarop hij de taart op haar hoofd had gedrukt. Voor de rechtbank had hij gezegd: 'Het was niet persoonlijk. Ik heb het niet gedaan vanwege hetgeen ze over mijn boeken heeft gezegd maar vanwege haar schrikbarende stijl. Engels moet in ere worden gehouden.' Waarna hij een boete kreeg van vijftig pond en onder toezicht werd geplaatst.

Sam Johnson had onmiddellijk contact opgenomen met Penn en gezegd: 'Ik geloof dat jij meer over Heine weet dan wie dan ook in Yorkshire.'

'Dat zou niet zo moeilijk zijn. Ze zeggen dat jij meer over Beddoes weet dan wie dan ook in The Dog and Duck rond sluitingstijd.'

'Ik weet dat hij aan de universiteit van Göttingen medicijnen heeft gestudeerd en dat Heine daar een rechtenstudie volgde.'

'Werkelijk? En Hitler en Wittgenstein zaten ooit bij elkaar in de klas. Wat zou dat?'

'Waarom zouden we onze kennis niet op een avond in The Dog and Duck ten beste geven?'

'Nou, vanavond hebben ze er een quiz. Je weet maar nooit. Wie weet komt het ervan.'

Zodoende was de wapenstilstand getekend voordat de vijandigheden fatsoenlijk begonnen. Toen het gesprek eindelijk op de schrijverscursus kwam, ging Penn na wat gemarchandeer voor de vorm akkoord bij gelegenheid als 'veteraan' op te komen draven, en opperde voorts dat, mocht Johnson interesse hebben in een bijdrage van iemand van de andere kant van de sociale ladder, hij geen slecht figuur zou slaan met Ellie Pascoe, van wie binnenkort een roman zou worden uitgegeven, een oude bekende uit de tijd dat ze op de universiteit werkte en die lid was van de bedreigde literaire groep.

Deze versie van die eerste confrontatie was bijeengesprokkeld naar aanleiding van de verschillende versies die Ellie van beide deelnemers ter ore kwamen. Tussen haar en Johnson had het meteen geklikt. Toen ze hem te eten vroeg, had de conversatie zich uiteraard beperkt tot literaire onderwerpen, en Pascoe had niet geweten hoe gauw hij in de bres moest springen toen Johnson zich terloops had laten ontvallen dat hij moeite had een squashpartner te vinden onder zijn meestal weinig sportieve collega's.

Zijn beloning voor zijn vriendschappelijke gebaar toen Johnson eindelijk vertrok, laat, in een taxi, was gekomen toen Ellie zei: 'Dat partijtje squash, je past toch wel op, Peter?'

Verontwaardigd had Pascoe gezegd: 'Ik ben niet invalide, hoor.'

'Ik heb het niet over jou. Ik doelde op Sam. Hij heeft het aan zijn hart.'

'En ook nog een drankprobleem? Jezus!'

In de praktijk bleek Johnson te lijden aan een milde, met medicijnen onder controle te houden vorm van hartkloppingen, maar Pascoe stond niet te trappelen het snelle en vernederende einde van zijn partij tegen iemand die hij onder de noemer alcoholische invalide schaarde aan zijn vrouw te beschrijven.

'Een vriend van Ellie, hè?' zei Dalziel, terwijl hij even naar adem hapte en een ruk gaf aan de videorecorder die, efficiënter dan een dossier van Bijzondere Zaken, Johnson onderbracht in de categorie radicale, subversieve, trotskistische oproerkraaier.

'Kennis,' zei Pascoe. 'Zal ik u daar een handje mee helpen, sir?'

'Nee. Volgens mij kan ik hem zelf wel uit het raam gooien. Je bent erg stil, meesterbrein. Wat vind jij?'

Brigadier Edgar Wield stond voor het hoge schuifraam. Zijn silhouet tegen het goudkleurige herfstige zonlicht, waarbij zijn gezicht werd overschaduwd, had de gratie en proporties die model konden staan voor het beeld van een Griekse atleet, bedacht Pascoe. Toen deed hij een stap naar voren en werden zijn gelaatstrekken zichtbaar, en je wist weer dat als dit een beeld was, het een beeld was dat iemand met een hamer had bewerkt.

'Volgens mij moet je naar het totaalbeeld kijken,' zei hij. 'Heel vroeger, toen Roote zogezegd op Holm Coultram College studeerde, vóór het bij de universiteit werd gevoegd, werd hij ingerekend als medeplichtige aan twee moorden, voornamelijk door jouw bewijsvoering. In de beklaagdenbank zegt hij dat hij zich verheugt op de kans je op een dag op een stille plek tegen te komen om jullie onderbroken gesprek voort te zetten. Net als de laatste keer dat je hem alleen sprak en hij je hoofd met een kei wilde inslaan, vat je dat op als dreigement. Maar we worden allemaal minstens eens per week bedreigd. Dat hoort bij het werk.'

Dalziel, die het apparaat observeerde als een sumoworstelaar die op een nieuwe strategie broedt, gromde: 'Kom op, Frankenstein, anders zou ik nog willen dat ik je niet onder stroom had gezet.'

Onverstoorbaar ging Wield in aangepast tempo verder.

'Als modelgevangene, afgestudeerd aan de open universiteit, krijgt Roote de maximale strafvermindering, komt vrij, krijgt een baan als ziekenhuisportier, begint aan het schrijven van een proefschrift, houdt zich aan alle regels. Dan maak jij je kwaad over die bedreigingen van Ellie en vanzelfsprekend is Roote een van die lui die je nader onder de loep neemt. Maar wanneer je hem gaat opzoeken, ontdek je dat hij zijn polsen heeft doorgesneden.'

'Hij wist dat ik in aantocht was,' zegt Pascoe. 'Dat was opzet. Hij was niet echt in gevaar. Gewoon een perverse grap.'

'Wie weet. Dat zag er anders uit toen bleek dat Roote absoluut niets te maken had met de dreigementen tegen Ellie,' zei Wield. 'Hij geneest, en een paar maanden later verhuist hij hiernaartoe omdat a) zijn supervisor hiernaartoe verhuisd is en b) hij hier werk kan krijgen. Jij zegt dat je het bij de reclassering hebt nagetrokken?'

'Ja,' zei Pascoe. 'Helemaal volgens het boekje. Ze wilden weten of er iets aan de hand was.'

'En wat heb je die sukkels verteld?' vroeg Dalziel, die reclasseringsambtenaren op één lijn zette met Schotse dwergen, vegetariërs en moderne technologie als het meten van het engelengeduld bij integere mensen.

'Ik zei nee, gewoon routine.'

'Verstandige zet,' zei Wield goedkeurend. 'Kijk maar wat voor indruk het maakt. Een man zit zijn straf uit, zet zijn leven weer op de rails, wordt zonder reden mishandeld door genadeloze politieman, flipt, probeert zichzelf iets aan te doen, herstelt, krabbelt weer overeind, valt niemand lastig en vervolgens begint diezelfde politie-man hem wederom te beschuldigen alsof hij een of andere stalker is. Jij bent degene die uiteindelijk de indruk maakt dat je of een neu-rotische malloot of een op wraak beluste klootzak bent. Terwijl Roote… gewoon een vent is die zijn schulden betaald heeft en niets anders wil dan een rustig leven leiden. Ik bedoel, hij wil niet eens de soesa van een zaak wegens geweld tegen je beginnen of een zaak te-gen het ziekenhuis in Sheffield wegens ten onrechte verleend ont-slag.'

Hij liep van het raam naar het bureau.

'Tja,' zei Dalziel peinzend. 'Daar maak ik me het meest ongerust over: dat hij geen heibel wil schoppen. Nou jongen, jíj moet het zeggen. Maar ik, ik weet wat ik zou doen.'

'En wat is dat, sir?' informeerde Pascoe.

'Z'n beide benen breken en hem uit de stad verjagen.'

'Volgens mij zou het omgekeerde beter zijn,' zei Pascoe be-dachtzaam.

'Denk je? Hoe dan ook, stop eerst dit waardeloze ding maar in z'n reet.'

Hij keek woedend naar de videorecorder die, bij wijze van reac-tie op die angstaanjagende blik met een klik in werking kwam, waarna op het tv-scherm een beeld opbloeide.

'Zo,' zei de Dikke Man triomfantelijk. 'Ik zei toch dat ik me niet zou laten kennen door een klomp blik en draden.'

Pascoe gluurde naar Wield, die kalm de afstandsbediening te-ruglegde op het bureau, en hij grinnikte.

Een omroeper zei net: 'En nu *Out and About*, uw regionale ma-gazine van BBC Mid-Yorkshire, gepresenteerd door Jax Ripley.'

Titels over een luchtopname van stad en omgeving, begeleid door een fanfare met de eerste maten van 'On Ilkla Moor Baht 'at', waarna het geheel overvloeide in de iele, bijna kinderlijke gestalte van een jonge blondine met blauwe ogen en een brede glimlachen-de mond waarin witte tanden blonken als het lemmet van een kromzwaard.

'Hallo,' zei ze. 'Vanavond heel wat leuks, maar eerst: krijgen we de politiezorg die we verdienen? De politiezorg waar wij voor beta-len? Zo ziet het eruit als je er de dupe van wordt.'

Een snelle montage van huizen die ten prooi gevallen waren aan inbraken en bewoners die, de ene boos, de andere in tranen, blijk gaven van hun gevoel dat de politie hen in de kou liet staan. Terug naar de blondine, die een lijst met statistieken afwerkte, om die vervolgens toe te lichten: 'Dus naar vier op de tien gevallen werd in de eerste vierentwintig uur niet omgekeken door de CID, zes van de tien moeten het doen met één bezoek, waarna ze niets meer horen, en acht van de tien zaken blijven onopgehelderd. De afgelopen maand stonden er zelfs meer dan tweehonderd onopgeloste zaken te boek bij de CID van Mid-Yorkshire. Gebrek aan efficiency? Gebrek aan geld? Gebrek aan personeel? Zeker, wij vernamen dat de beslissing een oudere CID-beambte die binnenkort de pensioengerechtigde leeftijd bereikt niet te vervangen heel wat vragen oproept of, anders gezegd, tot een gigantische rel leidde. Maar toen we iemand van het politiekorps van Mid-Yorkshire uitnodigden om die kwesties te bespreken, zei een woordvoerder dat men op dit moment geen commentaar kon geven. Misschien wil dat zeggen dat ze het allemaal te druk hebben met het bestrijden van de golf van misdaad. Dat hoop ik maar. Maar we hebben wél raadslid Cyril Steel, die zich al een hele tijd verdiept heeft in politieactiviteiten. Raadslid Steel, ik begrijp dat u van mening bent dat we niet de service krijgen waarvoor we betalen?'

Toen een kale man met een kwade blik zijn mond opendeed, kreeg de kijker bruine schots en scheve tanden te zien maar vóór hij zijn pijlen van kritiek kon afvuren, ging het scherm op zwart doordat Dalziel de stekker uit het stopcontact trok.

'Te vroeg op de dag voor een confrontatie met die Schrokker,' zei hij huiverend.

'We moeten tegen eerlijke kritiek kunnen, sir,' zei Pascoe ernstig. 'Zelfs van raadslid Steel.'

Hij zat expres te stangen. Cyril 'Schrokker' Steel, voormalig Labour-raadslid, maar nu, nadat de partij hem had geschorst met het oog op zijn steeds agressievere aanvallen op de leiding, waarbij hij met aanklachten strooide variërend van vriendjespolitiek tot corruptie, was hij de zelfgekozen leider van een kruistocht tegen het misbruik van geld van de gemeenschap. Onder zijn doelwitten viel alles van de bouw van het Centrum voor Oude Kunsten en Literatuur tot de bevoorrading van volkorenkoekjes op vergaderingen van de gemeenteraad, dus het zou nauwelijks verbazing wekken dat hij zich zou hebben opgeworpen om zijn gezag aan te wenden bij Jax Ripleys onderzoek naar de manier waarop de financiën bij de politie in Mid-Yorkshire werden beheerd.

'Ik heb geen last van zijn kritiek,' gromde Dalziel. 'Heb je ooit dicht bij hem gestaan? Tanden waarop je mos zou kunnen kweken en een adem als de scheet van een vegetariër. Zelfs op de tv kan ik het ruiken. De enige momenten waarop Schrokker niet praat is als hij eet, en dan nóg. Er luistert niemand meer. Nee, ik maak me zorgen om die verrekte Jax the Ripper. Ze heeft de gegevens van de laatste maand, ze weet van de beslissing George Headingley niet te vervangen en, als je ziet hoe een paar van die huizen eruitzien waar ze hebben ingebroken, moet ze daar met haar cameraatje zijn geweest vóór wij er kwamen!'

'Dus je denkt nog steeds dat er iemand uit de school klapt?' vroeg Pascoe.

'Dat is nogal duidelijk. Hoe vaak is ze ons de afgelopen maanden niet nét voor geweest? Het afgelopen halfjaar, om precies te zijn. Ik heb het opgezocht.'

'Afgelopen halfjaar? En jij denkt dat het iets betekent? Afgezien natuurlijk van het feit dat miss Ripley pas zeven maanden geleden met dat programma is begonnen?'

'Tja, het zóú iets kunnen betekenen,' zei Dalziel somber.

'Misschien is ze gewoon goed in haar werk,' zei Pascoe. 'En het is toch zeker niet erg dat de hele wereld weet dat we geen vervangende militaire inlichtingendienst krijgen? Misschien zouden we haar moeten gebruiken in plaats van dat wij ons het vuur uit de sloffen lopen.'

'Je gebruikt geen rat,' zei Dalziel. 'Als je het hol afsluit, vreet-ie zich er een weg doorheen. En ik weet verdomme heel goed waar ik dat hol kan vinden.'

Pascoe en Wield wisselden een blik. Ze wisten welke richting de verdenkingen van de Dikke Man uitgingen, wisten hoeveel betekenis hij hechtte aan die periode van een halfjaar. Die kwam zo ongeveer overeen met de tijd dat de nieuwste rekruut van de CID van New-Yorkshire, rechercheur Bowler, Hat voor zijn vrienden, bij het team was. Hij was van start gegaan met de zware handicap dat hij in sneltreinvaart was afgestudeerd en zonder dat Dalziels mening of goedkeuring werd gevraagd van de Midlands werd overgeplaatst. De Dikke Man in Mid-Yorkshire bekeek hem met argusogen, en het bericht dat de nieuwe rechercheur was gesignaleerd toen hij niet lang na zijn komst een borrel dronk met Jacqueline Ripley, was opgeslagen tot de eerste tekenen zich hadden voorgedaan waardoor ze werd omgedoopt tot Jax the Ripper. Sindsdien had Bowler de status van kandidaat numero één verkregen, al was er nog steeds geen bewijs van, wat, althans voor Pascoe, die wist hoe er werd opgelet, aangaf dat hij onschuldig was.

Maar hij was wél zo verstandig niet toe te geven aan een Dalziëleske obsessie. Bovendien had de Dikke Man gewoonlijk gelijk.

Opgewekt zei hij: 'Nou, volgens mij kunnen we beter een paar misdaden gaan oplossen, voor het geval we door een verborgen camera worden bekeken. Ik dank jullie allebei voor je medewerking bij mijn probleempje.'

'Hè? O, dat,' zei Dalziel grootmoedig. 'Volgens mij is het enige probleem waar jíj mee zit dat je niet weet óf je wel een probleem hebt.'

'O ja, dat weet ik zeker. Ik denk dat ik hetzelfde probleem heb waar Hector vorig jaar voor kwam te staan.'

'Hè?' zei Dalziel, verward doordat hij refereerde aan de beroemdste incompetente rechercheur die Mid-Yorkshire ooit gekend had. 'Ik zou het niet meer weten.'

'Weet je het niet meer? Hij ging dat pakhuis in, op zoek naar een vermeende indringer. Zowat op de drempel lag een waakhond, een enorme Rhodesische jachthond, naar ik meen.'

'O ja, ik weet het weer. Hector moest erlangs. En hij wist niet of het beest dood of gedrogeerd was, of zich alleen maar koest hield om elk moment toe te slaan. Dat was zijn probleem toch?'

'Nee,' zei Pascoe. 'Hij gaf hem een schop om daarachter te komen. En het beest deed zijn ogen open. Dát was zijn probleem.'

4

Tweede dialoog

Hallo.

Alweer met mij. Hoe is het?

Weet je nog, onze raadseltjes? Hier komt een nieuw.

Eender voor wie leeft of is overleden,
Over moer en dras dool ik zonder rust,
De geest vervuld met zin noch reden,
Maar zonder twijfel en welbewust.

Diep gekliefd in weke gronden
Lijkt iedere kris of kras naar strak systeem
Als van hogerhand gezonden
Van natuurs bewaarder van het veem.

Die spoort een weids en diep ravijn,
Omsluit een zomp, vindt ginds een slot,
En sneefden mensen, weerstonden pijn
In een streeftocht naar mijn wijs gebod –

– Iets schijnbaar goeds is somtijds slecht
En zelfs op zonbeschenen dagen
Blijkt de kortste weg niet altijd recht,
Vormt de rechtste weg een lint vol vragen.

Wie ben ik?

Weet je het al?

Je was altijd zo'n kei met raadsels!

In heb de laatste tijd heel vaak aan paden gedacht: de paden van de levenden, de paden van de overledenen, dat er misschien maar één pad bestaat en daar heb ik mijn voet op gezet.

Nadat mijn Grote Avontuur begon, heb ik het een paar dagen erg druk gehad, dus had ik weinig gelegenheid dat begin met een of andere plechtigheid te vieren. Maar toen het weekend in zicht kwam, kreeg ik de drang iets nieuws te doen, iets wat een beetje bijzonder was. En ik herinnerde me hoe mijn montere wegenwachtman me vertelde hoe hij in zijn nopjes was toen hij bij zijn terugkeer van Korfoe ontdekte dat er net een nieuw Grieks restaurant in de stad was geopend.

'In Cradle Street, de Taverna,' had hij gezegd. 'Lekker eten en achter is een patio waar ze tafels en parasols hebben neergezet. Natuurlijk is het niet hetzelfde als buiten zitten op Korfoe, maar op een mooie avond waarop de zon schijnt en de obers in klederdracht rondrennen en die jongen op zo'n Griekse banjo zit te tokkelen, kun je je ogen sluiten en je terugwanen aan de Méditerranée.'

Het was heel prettig iemand te horen die zo enthousiast was over het reizen en eten in het buitenland en zo. De meeste Engelsen hebben de neiging alleen maar naar het buitenland te gaan om bevestigd te zien dat ze boven alle andere wereldburgers staan.

Daar ook?

Je kunt de mens niet veranderen.

Enfin, het eten kon ermee door en de wijn viel mee, al zag ik na mijn eerste glas af van mijn retsina-experiment. In het begin was het wat frisjes toen ik op de binnenplaats onder de nepolijfbomen zat, maar algauw kreeg ik het warm van het eten en toen op tafel de kaarsen waren aangestoken, was de ambiance werkelijk een plaatje. In het restaurant zong binnen een jongeman, waarbij hij zichzelf begeleidde. Ik kon het instrument niet zien, maar er kwam een heel authentiek Grieks geluid uit, en zijn spel was een stuk beter dan zijn stem. Uiteindelijk verscheen hij op de binnenplaats en ging de tafels langs om de eters toe te zingen. Sommige mensen dienden verzoeknummers in, de meesten van hen voor Engelse of op z'n best Italiaanse liedjes, maar hij deed zijn best iedereen tevreden te stellen. Toen hij bij mijn tafel aankwam, barstte de intercom plotseling los en zei een stem: 'Hoog tijd voor Zorba!', waarop twee obers aan dat vreselijke Griekse dansje begonnen. Ik zag hoe de jonge musicus in elkaar kromp, waarna hij mijn blik opving en schaapachtig grijnsde.

Ik glimlachte terug en wees naar zijn instrument, en toen ik vroeg hoe hij heette, werd mijn nieuwsgierigheid gewekt toen ik hoorde dat zijn spreekstem net zo 'Grieks' was als zijn zangstem. Het was een bouzouki, zei hij met een vet Mid-Yorkshire accent. 'O, je bent dus geen Griek?' zei ik met teleurstelling in mijn stem om het enthousiasme te maskeren dat ik voelde. Hij lachte en bekende heel ruiterlijk dat hij geen buitenlander was: geboren en getogen in Carker, waar hij nog altijd woonde. Hij studeerde muziek aan de universiteit, waarbij hij, net zo min als zovelen van zijn soortgenoten, onmogelijk kon bestaan van het schijntje dat ze tegenwoordig toelage noemen en die wat aanvulde door bijna elke avond in de Taverna te werken. Maar hij mocht dan niet Grieks zijn, zijn instrument was dat wel degelijk, zo verzekerde hij me: een originele bouzouki die mee naar huis genomen was uit Kreta door zijn grootvader die daar in de Tweede Wereldoorlog had gevochten, dus was de bouzoukimuziek voor het eerst gehoord onder echte olijfbomen op een warme mediterrane avond vol geuren.

Ik bespeurde in zijn stem een verlangen naar die verre realiteit die hij beschreef dat even groot was als een afkeer die ik in zijn gezicht had gezien van de namaak waar hij deel van uitmaakte. Hij was dan wel geboren en getogen in Yorkshire, zijn ziel smachtte naar iets wat naar zijn overtuiging nog steeds te vinden was onder minder kille hemels. Die arme jongen. Hij had het open, hoopvolle gezicht van iemand die in de wieg gelegd was om teleurgesteld te worden. Ik had hem er het liefst voor willen behoeden dat zijn illusies aan scherven zouden vallen.

De ingeblikte muziek zwol aan en de dansende obers, die steeds meer klanten aanspoorden om zich bij hen aan te sluiten, kwamen dicht bij mijn tafel, dus stopte ik een paar geldstukken in de leren buidel die aan de tuniek van de jongen hing, betaalde mijn rekening en vertrok.

Hoewel het restaurant pas ver na middernacht sloot, zag ik er geen been in om in mijn auto te zitten wachten. Het is prettig om te kijken zonder bekeken te worden, vanuit de schaduwen de nachtbrakers te observeren. Ik zag diverse katten doelbewust naar de steeg naast de Taverna trippelen waar hun vuilnisbakken stonden. Een uil zweefde tussen de schoorstenen, ver en geruisloos als een satelliet. En nog nét zag ik, dat weet ik zeker, de volle staart van een stadse vos bij een huis de hoek om schieten. Maar voornamelijk ging mijn belangstelling uit naar de menselijke schepselen, de laatste gasten die de nacht in schreden, wankelden, zwierven of reden, fragmentjes Stimmungsbild – roepende stemmen, weerkaatsende voetstappen, slaande deuren, startende motoren – die een moment soleerden tegen de grootse symfonie van de nacht, vervolgens wegstierven alvorens die duistere muziek ongehinderd te laten voortklinken.

Daarna volgt een lange interval – het duurt een hele tijd – ik weet niet hoe lang omdat klokken nu geen gezicht hebben. Dan hoor ik in de steeg een motorfiets starten, en nu doemt hij op bij de ingang: een muzikant die zijn bijdrage levert aan de muziek van de nacht. Ondanks zijn helm weet ik dat hij het is – ook zonder het bewijs van de op zijn rug gebonden bouzouki.

Hij houdt even stil om te zien of de straat vrij is. Dan trekt hij op en rijdt weg.

Ik volg. Ik weet hem met gemak bij te houden. Hij blijft een eind onder de snelheidslimiet, weet waarschijnlijk uit ervaring hoe graag de politie jonge motorrijders lastigvalt, vooral laat op de avond. Als eenmaal duidelijk is dat hij linea recta naar zijn huis in Carker koerst, haal ik in en sla af.

Ik heb geen plan, maar aan het vrolijke gevoel dat in me opborrelt merk ik dat er een plan bestaat, en wanneer ik het bord 'einde snelheidsbeperking' op de stadsgrens passeer en zie dat ik op de antieke Roman Way zit, die weg met flauwe bochten die bijna acht kilometer lang kaarsrecht via een laan met beuken loopt, begrijp ik wat me te doen staat.

Ik laat de stadsverlichting achter me en voer de snelheid razendsnel op. Na een paar kilometer maak ik op de verlaten weg een U-bocht, schakel in de hoogste versnelling, zet mijn lichten maar niet mijn motor af.

Duisternis valt als zwart water over me heen. Het maakt me niet uit. Ik ben één met het donker. Dit is mijn eigen domein.

Nu zie ik hem. Eerst een gloed, dan een straling die op me af suist. Welke jonge man, zelfs een jonge man die gewoon is dat onbesuisdheid door de politie wordt bestraft, zou de verleiding kunnen weerstaan van zo'n verlaten weg zonder verkeer?

Ah, de wind op zijn gezicht, het ronken van de motor tussen zijn benen, en in zijn ooghoeken de voorbijschietende bomen die zich als een publiek van antieke goden hebben opgesteld om hem toe te juichen als hij voorbijkomt!

Ik voel zijn vreugde, deel zijn enthousiasme. Ik ben er zelfs zó van vervuld dat ik bijna mijn teken misloop.

Maar de goden spreken ook tot mij, en zonder zich bewust te zijn van het bevel van mijn geest trapt mijn voet op het gaspedaal en schakelt mijn hand de koplampen op hun felst.

Een fractie van een seconde rijden we recht op elkaar af. Dan gehoorzamen zijn spieren, net zoals de mijne, sneller dan zijn hersens, en hij wijkt uit, slipt, vecht om de boel onder controle te krijgen.

Eén seconde denk ik dat het hem lukt.

In ben teleurgesteld en opgelucht.

Goed, ik weet het, maar ik moet eerlijk zijn. Wat een vracht – wat een lange wacht – zou me van het hart vallen als dit uiteindelijk toch niet mijn pad zou blijken.

Maar nu begint de jongen te voelen dat het uit de hand loopt. Maar toch, zelfs op dit moment van ultiem gevaar, weet ik zeker dat het in zijn hart rondzingt en bonkt van opwinding. Dan glijdt de motor onder hem uit, hun wegen scheiden zich, en man en voertuig buitelen parallel aan elkaar over de weg, dicht bij elkaar zonder verder met elkaar in aanraking te zijn.

Ik stop en draai mijn hoofd om te kijken. In tijd uitgedrukt, duurt het misschien een paar seconden. In mijn non-tijd kan ik elk detail in me opnemen. Ik zie dat de motor als eerste tegen een boom knalt en in een vuurexplosie uit elkaar spat, bescheiden – zijn tank was waarschijnlijk zo goed als leeg – maar genoeg om een spookachtig licht op zijn finale moment te werpen.

Zelf komt hij tegen de dikke stam van een beukenboom terecht, lijkt die met zijn hele lichaam te omhelzen, waarbij hij zich er helemaal omheen strengelt alsof hij met alle geweld wil binnendringen in de gladde schors om te versmelten in de opstijgende sappen van de boom. Dan glijdt hij eraf en komt aan zijn wortels te liggen, als een van die wortels, op zijn rug, doodstil.

Ik rij achteruit naar hem toe en stap uit. Door de klap is het vizier van zijn helm verbrijzeld, maar door een schitterend lot zijn zijn zachte bruine ogen niet beschadigd. Ik constateer dat zijn bouzoukikist van de duozit van de motor is geslingerd en heel dichtbij ligt. De kist zelf is opengebarsten maar zo te zien is het instrument amper beschadigd. Ik haal hem eruit en leg hem dicht bij zijn uitgestrekte hand.

Nu is de muzikant een deel van de duistere muziek van de nacht en hoor ik hier niet. Langzaam rij ik weg, hem daar achterlatend met de bomen, de vossen en uilen, met zijn wijdopen ogen die heel spoedig naar ik hoop niet de kille sterren van onze Engelse nachten zullen zien maar het volle warme blauw van de mediterrane hemel.

Daar zou hij liever zijn. Dat weet ik. Vraag het hem maar. Ik weet het.

Ik ben nu veel te moe om nog verder te praten.
Dat komt spoedig.

5

Donderdagmorgen, met nog één dag te gaan voor de korteverhalenwedstrijd sloot, kreeg Rye Pomona hoop dat er leven was na onsterfelijk proza.

Dat weerhield haar niet om met volle overgave geschriften in de vuilnisbak te proppen, maar halverwege de ochtend werd ze doodstil, zuchtte verbijsterd, las de bladzijden die ze voor zich had over en zei: 'O Jezus.'

'Ja?'

'We hebben een "Tweede Dialoog".'

'Laat eens zien.'

Hij las het vluchtig door en zei: 'O god. Ik vraag me af of dit ook gebaseerd is op een ware gebeurtenis.'

'Ja, hoor. Dat is me juist direct opgevallen. Dat heb ik in de *Gazette* van gisteren gelezen. Hier, kijk maar.'

Ze liep naar het krantenrek om de *Gazette* te halen.

'Hier is het. Onder aan pagina twee. "David Pitman, negentien jaar, wonende in Pool Terrace, Carker, is zondagochtend in alle vroegte op Roman Way van zijn motorfiets geslingerd. Mr. Pitman, muziekstudent, reed naar huis van zijn parttimebaan als entertainer bij het Taverna-restaurant in Cradle Street. Hij liep diverse verwondingen op en werd bij aankomst in het Central Hospital dood verklaard. Volgens de politie was er geen ander voertuig bij betrokken." Arme stumper.'

Dee keek naar het artikel, en herlas vervolgens de Dialoog.

'Wat ontzettend luguber,' zei hij. 'Toch is het hier en daar niet slecht. Waagde onze vriend zich maar aan een wat meer conventioneel verhaal, dan zou hij best goede resultaten kunnen boeken.'

'Je denkt dus dat er niet méér achter zit?' zei Rye nogal agressief. 'De een of andere plurk die voortborduurt op krantenberichten?'

Dee trok zijn wenkbrauwen hoog op en glimlachte.

'Zo te horen hebben we elkaars tekst gepikt,' zei hij. 'Vorige week was ik degene die het te kwaad had en jij degene die water op het vuur goot. Vanwaar die kentering?'

'Dat zou ik óók kunnen vragen.'

'Tja, 'ns even zien,' zei hij met die bedachtzame ernst die ze soms irritant vond. 'Het zou kunnen zijn dat ik mijn bizarre vermoedens met de koele, rationele reactie van mijn slimme jonge assistente heb vergeleken en tot het besef ben gekomen dat ik me totaal belachelijk maakte.'

Toen brak op zijn gezicht een grijns door die hem wel tien jaar jonger maakte en zei hij: 'Of dergelijke onzin. En jij?'

Ze beantwoordde zijn grijns, waarna ze zei: 'Ik heb nog iets anders in de *Gazette* gesignaleerd. Wacht even... hier is het. Er staat dat het onderzoek naar de wegenwachtman is opgeschort om de politie de tijd te geven nadere informatie in te winnen. Dat kan toch alleen maar betekenen dat ze het behandelen als een sterfgeval onder verdachte omstandigheden?'

'Ja, maar je hebt verdacht en verdacht,' zei Dee. 'Elk geval van plotselinge dood moet grondig onderzocht worden. Als het een ongeval betreft, moeten de oorzaken worden bepaald om te zien of er soms iets over het hoofd gezien is. Maar zelfs als er een vermoeden van calamiteit bestaat, moet, wil zoiets van enige betekenis zijn...'

Hij stak de Dialoog omhoog en zweeg verwachtingsvol.

Een test, dacht ze. Dick Dee was dol op tests. Toen ze nog maar net haar baan had, had ze het gevoel gehad dat ze op haar vingers getikt werd, maar was daarna tot de ontdekking gekomen dat het een onderdeel was van zijn onderwijstechniek en dat ze dat veel liever had dan dat iemand haar dingen vertelde die ze al wist of haar iets niet vertelde wat ze niet wist.

'Eigenlijk betekent het niets,' zei ze. 'Tenminste, als die vent zomaar nieuwsfeiten gebruikt. Wil het iets betekenen, of ook maar in de verte toeval zijn, dan zou hij iets moeten schrijven van vóór het incident.'

'Voordat het incident is gemeld,' verbeterde Dee.

Ze knikte. Het was een futiel verschil, maar geen kommaneukerij. Wéér zo'n goede eigenschap van Dee. De details waarover hij zich druk maakte waren meestal eerder belangrijk dan egotripperij.

'En al die dingen over de grootvader en de bouzouki van de student?' vroeg ze. 'Daarover staat niets in de krant.'

'Nee. Maar als die kloppen, wat we niet weten, zou dat allemaal kunnen betekenen dat de verteller werkelijk ooit een babbeltje met David Pitman heeft gemaakt. Volgens mij is het een verhaal dat de jongeman aan talloze klanten van het restaurant heeft verteld.'

'En als blijkt dat de wegenwachtman echt op vakantie op Korfoe is geweest?'

'Ik kan tot sint-juttemis mogelijke verklaringen verzinnen,' zei hij ontwijkend, 'Maar waarom zou ik? De voornaamste vraag is: wanneer is deze laatste Dialoog eigenlijk bij de *Gazette* terechtgekomen? Ik betwijfel of ze zo efficiënt zijn om dat precies te kunnen achterhalen, maar iemand kan zich misschien iets herinneren. Laat ik maar eens even gaan praten, terwijl jij…'

'Terwijl ik doorga met het lezen van die verrekte verhalen,' viel Rye hem in de rede. 'Tja, jij bent de baas.'

'Zo is dat. Maar wat ik wilde zeggen was: terwijl jij best een praatje zou kunnen maken met je ornithologische bewonderaar.'

Hij wierp een blik naar de balie waar een slanke jongeman met een open jongensachtig gezicht in een scherpgesneden zwart pak geduldig stond te wachten.

Hij heette Bowler, voorletter E. Rye wist dat omdat hij, toen hij voor het eerst aan de balie verscheen om hulp in te roepen bij het in werking stellen van de cd-romdrive van een van de computers op Naslagwerken, zijn bibliotheeklidmaatschap had laten zien. Zowel zij als Dee had toen dienst, maar Rye had algauw ontdekt dat zij, wat IT betrof, de aangewezen expert van de afdeling was. Niet dat haar baas technologisch gezien incompetent was – ze vermoedde zelfs dat hij veel beter op de hoogte was dan zijzelf – maar toen ze het gevoel kreeg dat ze hem goed genoeg kende om verder te mogen vragen, had hij met dat lieve, treurige glimlachje naar de computer gewezen met de woorden: 'Dat is de grijze eekhoorn,' en daarna naar de planken vol boeken: 'Dat zijn de rode.'

De schijf die E. Bowler had willen gebruiken bleek een ornithologische encyclopedie te zijn, en toen Rye een beleefde belangstelling aan de dag had gelegd, had hij aangenomen dat zij een mede-enthousiasteling was, en wat ze ook tijdens zijn drie of vier daaropvolgende bezoeken zei, niets had hem uit de droom kunnen helpen.

'O god,' zei ze nu. 'Vandaag zal ik tegen hem zeggen dat ik alleen maar vogels wil zien als ze lekker bruin zijn en onder de sinaasappelsaus zitten.'

'Je stelt me teleur, Rye,' zei Dee. 'Ik heb me van begin af aan afgevraagd waarom zo'n intelligente vent net doet alsof hij zo'n oen is in computertechnologie. Het zijn kennelijk niet zomaar vogels die hem zo bezighouden, maar jij. Als jij je gebrek aan enthousiasme in zulke klare taal uitdrukt als je van plan bent, zal hij alleen maar een ander onderwerp zoeken dat jullie gemeenschappelijke interesse heeft. En die jij je nu vast wel kunt voorstellen.'

41

'Pardon?'

'Mr. Bowler is in werkelijkheid rechercheur van de CID van Mid-Yorkshire, dus de moeite waard om te vriend te houden. Het komt niet elke dag voor dat amateur-detectives als wij de kans krijgen in plaatselijke politieaangelegenheden rond te snuffelen. Zal ik hem dan maar aan jouw zorg toevertrouwen?'

Hij liep naar het kantoor. Die slimme Dickepik, dacht Rye, terwijl ze hem nakeek. En ik maar denken dat ík slim was; bij hem heb ik het nakijken.

Bowler kwam op haar toe. Ze bekeek hem met hernieuwde belangstelling. Ze wist dat te snel oordelen een gebrek van haar was dat haar vaak parten speelde. Zelfs nu bedacht ze dat hij, ook al was hij bij de politie en was zijn bezoek aan de bibliotheek waarschijnlijk door pure lust gemotiveerd, toch een *nerd* was.

Dat pak en het overhemd zonder stropdas gaven hoop. Het was geen Armani maar behoorlijk goeie namaak. En die hulpeloze, jongensachtige glimlach had nu in haar vers geopende ogen iets heel subtiel uitgekookts dat er bij haar ook mee door kon. De weg naar haar hart ging niet via haar moederinstinct, maar het was aangenaam te zien dat een vent zijn best deed.

'Hallo,' zei hij aarzelend. 'Neem me niet kwalijk als ik stoor… als u het te druk hebt…'

Het zou lollig zijn het een poosje mee te spelen, maar ze zat ook zonder dat korte-verhalengezeik werkelijk tot haar nek in het werk.

Kordaat zei ze: 'Ik heb inderdaad een hele hoop te doen. Maar als u het met een vluggertje af kan, rechercheur…'

De verlegen glimlach week niet van zijn gezicht, maar hij knipperde twee keer, waarbij de tweede keer elk spoor van verlegenheid uit zijn ogen wiste (die best wel mooi duifgrijs waren), waarvoor iets in de plaats kwam dat zonder enige twijfel uitgekookt was.

Hij vraagt zich af of ik zojuist van hem gevraagd heb van de rol van het jongetje-van-hiernaast over te schakelen op een caféversiertoer. Als dat zo is, kan hij oprotten. Die vogelnerd was erg, de ordi smeris was erger.

Hij zei: 'Nee, luister, neem me niet kwalijk, ik wilde alleen maar vragen: ik had gedacht aanstaande vrijdag naar Stangdale te rijden – een schitterende streek voor vogels, zelfs in dit seizoen, u weet wel, de hei, die rotsen en natuurlijk de vennen…'

Hij zag duidelijk dat hij geen vat op haar kreeg en schakelde met een gemak dat ze bewonderde over op een andere tactiek.

'… en na afloop, dacht ik, zouden we misschien ergens kunnen stoppen om te eten…'

'Aanstaande zondag… ik weet niet wat ik heb op…' zei ze, waarbij ze haar gezicht vertrok alsof ze haar best deed te bedenken wat ze over tweeënzeventig weken in plaats van tweënzeventig uur ging doen. 'En éten, zei u?'

'Ja, aan het eind van de randweg van de hei heb je de Dun Fox. Best goed eten. En nu de wet is aangepast, krijgen ze er net als op zaterdag ook op zondag discoavonden…'

Ze kende het. Een ouderwets rijtjeshuis aan de rand van de stad had kortgeleden besloten zich te richten op de lokale twintigers die wilden swingen zonder tot hun enkels in de pubers te staan. Het was dan wel geen Stringfellows, maar wel een stuk beter dan een stalfeest met vogelaars. De vraag was: had ze werkelijk zin in een date met rechercheur Bowler?

Ze bekeek zijn hoopvolle gezicht. Waarom niet? dacht ze. Toen ving ze een eindje achter hem een glimp op van Charley Penn, die zich in zijn gebruikelijke hokje had omgedraaid en het tafereel gadesloeg met dat grimmige gezicht waaraan je kon zien dat hij niet alleen hun dialogen maar ook hun gedachten kon horen.

Plotseling zei ze: 'Ik zal erover denken. Luister, ga zitten, als de wereld het tenminste even zonder u kan stellen in uw strijd tegen de criminaliteit.'

'Ik dacht dat u degene was die tot over haar oren in het werk zat,' zei hij terwijl hij ging zitten.

Dit werd een beetje cabaretesk.

'Dat is ook zo. En dit is werk. Misschien úw werk.'

Ze legde het zo beknopt mogelijk uit, wat helemaal niet zo beknopt was doordat ze, toen tot haar doordrong hoe idioot het allemaal klonk, wijdlopig dreigde te worden.

Je kon van hem zeggen wat je wou, maar in plaats van uit zijn stoel te vallen van het lachen vroeg hij of hij de Dialogen mocht zien. Ze liet hem de tweede zien, die hij las terwijl zij de eerste uit de la pakte waarin Dee hem had opgeborgen.

Die las hij ook, waarna hij zei: 'Die neem ik mee. Hebt u een plastic map of zo?'

'Voor vingerafdrukken?' vroeg ze enigszins spottend.

'Voor de netheid,' zei hij. 'Ik denk niet dat er veel vingerafdrukken te vinden zullen zijn nadat ze tussen u en uw baas van hand tot hand zijn gegaan.'

Ze pakte een mapje voor hem en zei: 'Dus u denkt dat dit iets zou kunnen opleveren?'

'Dat heb ik niet gezegd, maar we zullen het nagaan.'

Zonder een spoor van een verlegen glimlach, maar een en al zakelijkheid.

'Bij de *Gazette*, bedoelt u?' vroeg ze, lichtelijk geïrriteerd. 'Ik denk dat u tot de ontdekking zult komen dat Dick Dee, mijn baas, daar al mee bezig is.'

'Werkelijk? Hij denkt zeker dat hij privé-detective is,' zei hij, nu wel met een glimlach.

'Vraag het hem zelf,' zei Rye.

Dee was terug in de bibliotheek, en hij kwam naar hen toe.

Bij het zien van de doorzichtige map zei hij: 'Ik zie dat Rye er vaart achter heeft gezet bij u, mr. Bowler. Ik heb net een gesprek met de *Gazette* gehad. Bot gevangen, helaas. Ze hebben niets bewaard: geen notitie van de tijd, niet eens de gedateerde bon. Alles waar "Verhalenwedstrijd" op staat wordt regelrecht in een zak gedumpt, die als hij vol is hier wordt geloosd, met al het andere dat naar fictie ruikt.'

'Ik zou denken dat dat de helft was van wat ze afdrukken,' zei Bowler.

'Een opmerking die ik heb ingehouden,' zei Dee.

'Maar beter ook waarschijnlijk. Ze kunnen heel gevoelig zijn, die journalisten. Oké, ik neem deze twee mee en zal ze natrekken zodra ik even niets te doen heb.'

Omdat zijn nonchalante houding Rye irriteerde, zei ze: 'Natrekken? Hoe dan? U zei dat u betwijfelde of er vingerafdrukken op zaten. Wat gaat u er dan mee doen? De politiehelderziende erbij halen?'

'Dat is ook al eens geprobeerd, maar ik denk niet dat we hierbij gaan pendelen,' zei Bowler grinnikend.

Dit vindt hij leuk, hoor, dacht Rye. Hij denkt dat hij meer indruk op me maakt als stoere smeris dan als verlegen ornitholoog. Hoog tijd om hem met een vernietigende kat de grond in te boren.

Maar vóór het zover kon komen, nam Dick Dee het woord.

'Ik denk dat rechercheur Bowler van plan is na te gaan of de in de Dialogen verstrekte informatie a) waar is, en b) niet uit krantenverslagen te halen is,' zei hij. 'Bijvoorbeeld hoe de wegenwachtman zijn vakanties doorbracht of waar de bouzouki vandaan kwam.'

'Juist. Scherp denkwerk, mr. Dee,' zei Bowler.

'Wat inhoudt dat je in je denken de hele tijd op één lijn zat met mij en dat je dus misschien slimmer bent dan je eruitziet,' luidde Ryes analyse.

'Dank je,' zei Dee. 'Ik ben zo vrij geweest ook daarnaar te informeren toen ik een gesprek had met de *Gazette*. Nee, de artikelen die jouw belangstelling wekten, waren de enige onderwerpen die over die twee sterfgevallen gingen. En mocht je je zorgen maken, ik ben zo voorzichtig geweest hen niet attent te maken op mogelijke belangstelling van de politie. We hebben een computerprogramma over dingen van lokaal belang en ze zijn gewend dat we bij elkaar komen checken.'

Hij glimlachte naar Bowler, geen sluwe grijns maar een glimlach van ouwe-jongens-krentenbrood waaraan je onmogelijk aanstoot kon nemen, maar toch voelde de jonge rechercheur daar wél aanleiding toe, alleen zou het volgens hem geen slimme zet zijn in zijn campagne om Rye Pomona te imponeren.

Bovendien liet een goede politieman niet zomaar hulp lopen, van welke bron ook, vooral als die bron waarschijnlijk beter over iets geïnformeerd was dan die goede politieman zelf.

'Die vreemde tekening aan het begin van de Eerste Dialoog. Enig idee wat die voorstelt?' vroeg hij.

'Ja, dat heb ik me ook afgevraagd,' zei Dee. 'En ik heb zowaar iets bedacht. Ik was van plan het je te vertellen, Rye. Kijk hier eens naar.'

Hij ging naar het kantoortje en kwam terug met een grote map die hij op de tafel legde. Hij sloeg de bladzijden om, waarbij een reeks, in Hats ogen, bizarre maar prachtige tekeningen te zien was, vaak in warme, levendige kleuren.

'Ik moet het Keltische schrift leren lezen voor een onderzoek waarmee ik bezig ben,' legde hij uit. 'En daardoor heb ik ontdekt dat ze hun geschriften inleidden met een enorme reeks versierde hoofdletters. Daar deed de illustratie van de Dialoog me aan denken. O, hier, bekijk deze eens. De Dialoog-versie is natuurlijk niet in kleur en hij is heel erg vereenvoudigd, maar in feite komen ze een heel eind overeen.'

'Je hebt gelijk,' zei Rye. 'Het is opvallend, nu je erop hebt gewezen.'

'Tja,' zei Hat. 'Opvallend. Wat stelt het dan voor?'

'Het zijn de letters I, N, P. Deze versiering is overgenomen van een Iers manuscript uit de achttiende eeuw en is de inleiding tot het evangelie van Johannes. *In principio erat verbum et verbum erat apud deum et deus erat verbum.* En daarbij lijkt het alsof alle letters op dat hoopje onder de P zijn gevallen.'

'En wat betekenen ze… precies?' vroeg Hat, en dat laatste zei hij erachteraan om te laten zien dat het alleen zijn bedoeling was zijn eigen ruwe vertaling wat detail te verlenen.

'In den beginne was het Woord en het Woord was met God en God was het Woord, of het Woord was God, volgens de geautoriseerde versie. Een interessante dag voor onze dialoogschrijver om zich te introduceren, vinden jullie niet? Woorden, woorden, woorden, stapelverliefd op woorden.'

'O ja,' zei Rye, terwijl ze de map uit Hats handen pakte en van de versierde hoofdletter naar de zwartwitschets tuurde. 'Maar misschien betekent het iets anders. En de woorden ook.'

'Dat schoot me óók te binnen. Het is duidelijk illustratief. Dat zou de kromme brug kunnen zijn met die arme wegenwachter in het water...'

'En daar is een vogel, al lijkt-ie niet erg op een fazant... en moeten die dingen met horens koeien voorstellen?'

Hat, die het gevoel had dat hij op een zijspoor werd gezet, pakte haar de map uit handen en zei: 'Kunnen we niet beter wachten tot duidelijk is of er een misdrijf gepleegd is voor we naar aanwijzingen gaan zoeken? En als dat zo is, geen punt, dan zullen we die woordenliefhebber snel te pakken hebben. Jammer dat ze Alcatraz opgedoekt hebben.'

'Alcatraz?' vroegen ze allebei tegelijk.

'Ja, anders zou hij de Woordman van Alcatraz kunnen worden.'

Een lauwere ontvangst was niet mogelijk geweest.

Hij zei: 'Dat was een film... laatst nog op tv... over die man, Burt Lancaster, die iemand had vermoord en werd opgesloten.'

'Ja, ik herinner me de film,' zei Dee. 'Wel, wel, de Woordman. Heel grappig, mr. Bowler.'

Wederom klonk het niet als een domper, maar Hat voelde zich in de zeik gezet.

'Ja ja. Nou, bedankt voor het meedenken. We zullen het in gedachten houden,' zei hij, in een poging zijn beroepswaardigheid te herwinnen.

'Graag gedaan,' zei Dee. 'Kom, aan het werk maar weer.'

Hij ging aan de tafel zitten, pakte een volgend verhaal en sloeg aan het lezen. Rye volgde zijn voorbeeld. Bowler bleef staan, waarna hij geleidelijk aan van stoere smeris smolt tot minnaar in spe.

Er bestaan nog andere manieren van in de grond boren dan heftig verbaal geschut, dacht Rye opgewekt.

Dee keek op en zei: 'Neem me niet kwalijk, mr. Bowler, was er nog iets anders?'

'Alleen iets wat ik aan Rye, miss Pomona, had gevraagd.'

'Over de... Woordman?'

Hat schudde zijn hoofd.

'Aha, bibliotheekinformatie zeker? Ongetwijfeld in verband met uw studie van de ornithologie. Rye, zou je even kunnen helpen?'

'Niet een-twee-drie,' zei Rye. 'Het is iets waarover ik moet nadenken, mr. Bowler...'

'Hat,' zei hij.

'Pardon?'

'Mijn vrienden noemen me Hat.'

'Wat paronomatisch van hen,' zei ze met een blik naar Dee, die glimlachte en fluisterde: 'Je zou zelfs kunnen zeggen: paronomaan.'

'Ja, nou, en wat dan nog?' vroeg Hat, wiens irritatie over wat hij onderging als spotten met een privé-aangelegenheid hem snibbig maakte.

'Weet u wat?' zei Rye. 'Laat het maar bij míj achter. Misschien kunnen we verder praten als u terugkomt om ons te vertellen wat u wijzer bent geworden over het al dan niet kloppen van de Dialogen. Vindt u dat goed, mr. Bowler? Hat?'

Even fronste hij zijn voorhoofd, toen brak de glimlach door.

'Oké. Dat is prima. Jullie horen nog van me. In afwachting zou ik dit voor jezelf houden. Niet dat het waarschijnlijk is dat er iets in zit, maar je weet maar nooit. Tot ziens.'

Hij draaide zich om en liep weg. Hij bewoog zich goed, met een katachtige souplesse. Misschien verklaarde dát zijn belangstelling voor vogels.

Ze keek Dee aan. Hij glimlachte haar samenzweerderig toe. Toen sloeg hij zijn ogen neer op de vellen papier die hij vóór zich had en schudde meewarig zijn hoofd.

'De waarheid is eigenlijk zoveel interessanter dan fictie, vind je niet?' zei hij.

Ze liet haar blik zakken naar haar volgende verhaal.

Het handschrift was bekend: grote paarse hanepoten.

Het begon met: *Vannacht kreeg ik alweer een natte droom...*

'Je zou best gelijk kunnen hebben,' zei ze.

6

DE AFGEWOGEN BEROEPSMATIGE MENING VAN RECHERCHEUR BOWLER over de door de twee Dialogen gerezen vermoedens was dat ze geen barst voorstelden, maar als ze serieus nemen een van de wegen was die naar het hart of bed van Rye Pomona leidde, zou hij zijn lippen op elkaar klemmen en een uitgestreken gezicht opzetten. Maar alleen binnen haar gezichtsveld. Zodra hij de bibliotheek uit was, maakte hij een vreugdesprongetje omdat hij zo bofte, en toen hij een grillige formatie ganzen het rechthoekige stuk hemel tussen het politiebureau en het domein van de patholoog-anatoom zag oversteken, werd zijn humeur nog wat verder opgeschroefd.

Hij keek ze na tot ze uit het zicht waren verdwenen en rende toen vrolijk fluitend de trap op naar de etage van de CID.

'Jij klinkt vrolijk,' zei Edgar Wield. 'Je hebt zeker lord Lucan gevonden?'

'Nee, brigadier, maar ik heb iets wat bijna net zo raar is.'

Hij liet de brigadier de twee Dialogen zien en vertelde hem het relaas.

'Dat is zeker raar,' zei Wield, en hij klonk alsof hij 'geschift' bedoelde.

'Ik vond dat we het moesten uitzoeken,' zei hij. 'Gewoon, een gevoel.'

'Ja ja, een gevoel,' zei Wield, wiens donkere ogen in dat ondoorgrondelijke gezicht hem koeltje opnamen, alsof hij maar al te goed wist dat het gevoel in kwestie eerder te maken had met Rye Pomona en hormonen dan met speurneuzenintuïtie. 'Je bent nog wat nieuw voor gevoelens. Zelfs een brigadier mag dat pas na drie of vier jaar, onder gelijkwaardige volwassenen. Dit kun je beter uitproberen op iemand die wat meer strepen op z'n uniform heeft.'

Bowlers goede humeur stuitte op een airbag en zakte toen hij overwoog of hij met zo'n lichtgewicht sprookje bij Andy Dalziel kon komen aanzetten. Ze hadden het hem meer dan duidelijk gemaakt dat zijn voortijdige overplaatsing van de Midlands zonder

Dalziels goedkeuring in werking was getreden. 'We zullen zien of je vorderingen maakt,' was een halfjaar geleden de essentie van zijn welkom geweest. In zijn eigen ogen had hij flink wat vorderingen gemaakt, althans, hij had geen ernstige fouten gemaakt. Maar omdat hij zich niet in het minst in bochten wrong om bij de Dikke Man in het gevlei te komen, had hij de afgelopen paar weken geregeld omgekeken vanwege het gevoel dat die ijspriemen van ogen op hem gefixeerd waren met een uitdrukking die het midden hield tussen ordinair wantrouwen en regelrechte afkeer.

Aan de andere kant was het een troost dat de inspecteur de afgelopen week niet had geaarzeld hem eruit te pikken voor een delicaat onderzoek: de gangen nagaan van een of andere mafkees van wie hij dacht dat-ie hem lastigviel.

'Ja, ik dacht dat ik het er misschien met mr. Pascoe over moest hebben. Ik moet hem tóch spreken,' zei hij luchtig, in een poging de indruk te wekken dat er een speciale verstandhouding tussen groentjes bestond.

Wield, die die poging niet ontging, zei: 'Als je je volgende rapport over Franny Roote indient bedoel je?'

Het was niet verstandig om de jonkies uit het team de indruk te geven dat zíj iets wisten wat hij niet wist. Peter had de jonge Bowler waarschijnlijk op het hart gedrukt dat zijn belangstelling voor het reilen en zeilen van Roote informeel was en dat er niet over gepraat mocht worden in het bijzijn van de baas. In zijn huidige stemming scheen de Dikke Man te geloven dat je evengoed de schandaalbladen kon bellen als je Bowler iets vertelde.

'Heb je soms iets interessants gevonden?' drong Wield aan.

'Nog niet,' gaf Bowler toe.

'Blijf het proberen. Maar hou het buiten beeld. Iedereen weet dat hij de blik van een adelaar heeft.'

'O, maakt u zich daar maar geen zorgen over, brigadier,' zei Bowler zelfverzekerd. 'Ik zal zorgen dat er geen haan naar kraait. Maar wat vindt u van die Dialogen? Zal ik met mr. Pascoe gaan praten?'

'Nee,' zei Wield bedachtzaam. 'Ik denk dat je bij mr. Headingley moet zijn.'

Adjudant George Headingley had de naam een politieman te zijn die volgens het boekje werkte, rechtdoorzee was, voorzichtig met vermoedens omsprong en intuïtie koesterde. 'Een veilig paar handen,' had Pascoe hem ooit binnen gehoorsafstand van Bowler genoemd, waarop Dalziel had geantwoord: 'Welnee, ooit was dat zo, maar sinds hij de dagen aftelt tot zijn demobilisatie is hij veranderd in een veilig stel billen. Als je met iets bij George aanklopt, is de eerste gedachte die nu bij hem opkomt erop te blijven zitten tot hij er geen last meer mee kan krijgen. Ik vind die hele nieuwe instelling maar niks. Ik zou agenten van de verkeerde kant tot krijsens toe aan hun ballen ophangen, maar je kunt dit werk niet doen als je de hele tijd over je schouder moet kijken.'

Dit was een verwijzing naar het nieuwe klimaat van rekenschap afleggen. Weg, althans op de helling, was die goede oude tijd waarin een politieman die in de fout was gegaan 'om medische redenen' dankbaar een veilig heenkomen mocht zoeken. En zelfs lui die voortijdig met pensioen waren gegaan, waren niet langer veilig voor onderzoek achteraf en wijziging van pensioenrechten.

Dus misschien was het niet verbazingwekkend dat een zo voorzichtig iemand als George Headingley, die de laatste fase inging van een respectabele zij het weinig opzienbarende carrière, besloten zou hebben dat de beste manier was om zijn laatste bladzijden niet te bevlekken er zo min mogelijk op te schrijven.

Bowlers vermoeden dat wat Wield eigenlijk bedoelde – namelijk dat de beste plek voor zoiets geschifts als de Dialogen onder de dikke reet van de adjudant was – werd enigszins tenietgedaan toen hij erachter kwam dat de zaak betreffende de dood van de wegenwachtman zich daar reeds bevond. Toen de patholoog-anatoom tegen het gerechtelijk onderzoek in had geëist dat de politie de zaak nader ging onderzoeken, had de politie in uniform dat aan haar meerderen doorgegeven opdat de CID zich erover zou buigen. Headingley had er één blik op geworpen, had gegeeuwd, en wilde een en ander nét naar beneden terugspelen met de vereiste annotatie dat de CID geen bewijs had aangetroffen dat verder onderzoek vereiste.

'En nu kom jíj hiermee aanzetten,' zei de adjudant beschuldigend. 'Gebakken lucht. Ik snap niet waarom jij denkt dat het de moeite waard is.'

'Er moet toch een reden zijn waarom de patholoog-anatoom bezwaar maakte,' zei Bowler ontwijkend.

'Tja, ach, dat zal wel. Die ouwe gek is altijd al als de dood geweest een fout te maken, dus toen de familie amok ging maken, koos hij eieren voor zijn geld. Als er iets misgaat, is dat onze schuld.'

Ons kent ons, dacht Bowler, terwijl hij het onderzoeksrapport bestudeerde.

Algauw zag hij dat er meer aan de hand was dan Headingley had gesuggereerd, zij het niet veel. Op de vraag waarom Ainstable om te beginnen was gestopt, was geen bevredigend antwoord gegeven. Er was gespeculeerd over een sanitaire stop waarbij hij zijn evenwicht verloor toen hij over de lage leuning zijn blaas leegde. Maar zijn vrouw had in tranen tegengeworpen dat het niets voor haar man was om over een brug van een openbare snelweg heen te plassen, de patholoog-anatoom had erop gewezen dat zijn blaas nog tamelijk vol zat en agent Dave Insole, de eerste politiebeambte die ter plekke was, had bevestigd dat zijn gulp dicht zat.

Misschien had hij een duizeling gekregen voordat hij was begonnen, en was hij toen gevallen? Bij de sectie had men in het geheel geen aanwijzing voor 'een duizeling' gevonden, al zou de patholoog-anatoom diverse versies van dit syndroom kunnen bedenken die geen sporen zouden hebben achtergelaten, en het politierapport vermeldde tamelijk voorzichtig een paar krasjes op de brugleuning die er mogelijk op konden wijzen dat hij was gaan zitten en achterover was gevallen.

Maar echt een raadsel was zijn gereedschapskist, die op de rijweg bij de leuning was aangetroffen.

Volgens Headingley was dat niet significant.

'Zo klaar als een klontje,' zei hij. 'Onder het rijden voelt hij zich duizelig, stopt om een luchtje te scheppen, stapt uit, neemt ondertussen automatisch zijn gereedschapskist mee, want dat doet hij altijd en omdat hij duizelig is, kan hij immers niet goed nadenken? Hij gaat op de brug zitten, alles wordt zwart voor z'n ogen, hij valt achterover, stoot zijn hoofd tegen een steen, bewusteloos, verdrinkt. De patholoog-anatoom heeft toch geen sporen van malversaties gevonden?'

'Die zijn er toch niet, chef?' vroeg Hat eerbiedig. 'Althans als het misdrijf behelst dat men iemand laat sterven zonder te proberen hem te redden.'

'Moord door in gebreke blijven? Op basis hiervan?' Headingley zwaaide dreigend met de map met Dialogen door de lucht. 'Kom nou toch, jongen.'

'En die andere, chef? Die recht op dat kind op de motorfiets afreed? Als dat de Woordman was, nou, dan is dat toch niet in gebreke blijven? Dat is behoorlijk positief, vindt u niet?'

'Hoe noemde je hem?' vroeg Headingley om zijn antwoord op de vraag uit te stellen.

'De Woordman,' zei Hat. Hij legde het *in principio* uit, legde vervolgens het grapje uit, wat hem een nog drogere reactie opleverde dan in de bibliotheek. Het was duidelijk dat de adjudant vond dat je de auteur van de Dialogen meer gewicht gaf door hem een bijnaam te geven en het daardoor moeilijker maakte hem te negeren, zoals hij graag gedaan zou hebben.

Maar Hat was vastbesloten hem tot een beslissing te drijven.

'Dus u denkt dat we het maar naast ons neer moeten leggen, chef?' hield hij aan.

Met heimelijk plezier zag hij hoe onzekerheden elkaar als wolken over Headingleys brede open gezicht achternazaten.

'Och, volgens mij kun je er beter even naar kijken. Het is een Pietje precies, die patholoog-anatoom,' zei Headingley ten slotte. 'Maar verdoe er niet te veel tijd aan. Ik wil morgenochtend vroeg een volledig rapport op mijn bureau. Dat is de ware proef voor een theorie, jongen: in hoeverre je bereid bent die op papier te zetten.'

'Jawel, chef. Dank u, chef,' zei Bowler, die wel uitkeek voor openlijke ironie. Headingley mocht dan een saaie ouwe lul zijn die zich, nu hij op zijn pensioen afstevende, voor weinig anders interesseerde dan zijn vege lijf redden, hij was nog steeds niet uitgerangeerd. Daarbij kwam dat hij zich vele jaren had weten staande te houden onder het onverbiddelijke oog van Andy Dalziel, dus zo'n uil was het niet.

Hij liep naar zijn bureau, ging de namen en adressen na die hij nodig had en zette zich vervolgens aan zijn taak. Hij had twee redenen om nu uiterst precies te zijn – ten eerste om indruk te maken op Pomona; ten tweede om George Headingley tevreden te stellen. Niet dat hij een van die redenen nodig had om gemotiveerd te raken. Als hij als groen agentje één ding algauw had geleerd, was het dat je bijna pietepeuterig zorgvuldig moest zijn, wilde je niet dat een of andere ouwe zak die zich omhoog had geploeterd hoofdschuddend zei: 'Nee, ventje, dat je zo snel carrière maakt, wil niet zeggen dat je van alles mag overslaan.'

Hij begon bij agent Dave Insole, die achter het stuur had gezeten van de eerste politiewagen die ter plekke was. Nadat Bowlers relaxte manier van doen zijn aangeboren achterdocht had weggenomen dat de CID hem niet serieus nam, werkte Insole aardig goed mee. Naar zijn menig was de meest aannemelijke verklaring dat Ainstable was gestopt om te plassen, de oever af was geklauterd, uitgleed en eenmaal beneden aangekomen was gevallen.

'U had het in uw rapport over krassen op de brugleuning,' zei Bowler.

'Dat was mijn partner, Maggie Laine,' zei Insole grijnzend. 'Die wilde met alle geweld bij jullie komen werken. Eeuwig aan het spoorzoeken. Nee, hij moest nodig en heeft zich met zo'n haast vanaf de weg onzichtbaar willen maken dat hij uitgleed. Als hij op de leuning had willen zitten, eroverheen had willen pissen of wat dan ook, dan had hij zijn auto toch pal op de brug neergezet?'

'Zijn gereedschapskist stond toch tegen de leuning aan?'

'Jawel, maar tegen de tijd dat wij daar kwamen, stonden er een stuk of vijf heikneuters te koekeloeren, van wie iedereen dat ding verplaatst zou kunnen hebben.'

'Maar hem toch niet uit de bestelauto kan hebben gehaald?' zei Hat. 'Waar stond die ook alweer geparkeerd? Toch niet op de brug, neem ik aan?'

'Nee. Hij was er vlak vóór gestopt, net op de plek waar hij langs de oever van de beek naar beneden kon klauteren,' zei Insole triomfantelijk.

'Dus zo ongeveer waar hij gestopt zou zijn als er al een auto op de brug had gestaan?' vroeg Bowler.

'Ja, ik denk het wel, maar waar wilt u naartoe?'

'Vraag dat maar aan Maggie,' zei Bowler lachend, terwijl hij op de deur toeliep.

Huize Ainstable stond aan de rand van de stad: een twee-onder-een-kaphuis uit de jaren dertig. De pronte vrouw die opendeed bleek de zus van mevrouw Ainstable uit Bradford te zijn, die daar logeerde. Het eerste wat Bowler opviel, was een enorm aquarium met tropische vissen op het dressoir. Het tweede wat hem opviel was een bleek vrouwtje dat bijna onzichtbaar, ineengedoken op een enorme bank lag. Verdriet maakt meestal oud, maar in het geval van Agnes Ainstable had het de rijpe vrouw laten verworden tot een ziekelijk kind dat eerder leek op de dochter dan op de zus van haar zuster.

Maar toen ze haar mond opendeed, begreep Bowler algauw waarom de patholoog-anatoom ervoor had gekozen het verzoek om nader onderzoek af te breken. Haar stellingname was heel eenvoudig. Als zoiets futiels en toevalligs als het uitglijden van een voet haar van haar man had beroofd, wilde ze dat de omstandigheden haar tot in de kleinste, onomstotelijke details werden gepresenteerd. Niet dat haar eisen íéts rationeels bevatten, maar ze werden met zo'n felheid gesteld dat zelfs de meest gevoelloze kerel ervoor zou zwichten.

Het voordeel daarvan was dat ze al Bowlers vragen beantwoordde zonder de geringste nieuwsgierigheid aan de dag te leggen naar de motieven voor zijn vragen. Dat ze verband hielden met het verdere onderzoek dat de patholoog-anatoom haar had beloofd was voldoende.

Ja, Andrew had een keer in een programma voor de lokale omroep over zijn tropische vissen gepraat; ja, ze waren dit jaar met vakantie naar Korfoe geweest; ja, ze waren in de Taverna wezen eten.

Toen hij wegging, had de zuster bij de voordeur half verontschuldigend gezegd: 'Dat is nu eenmaal haar manier om hem bij zich te houden. Zodra ze toegeeft dat ze weet wat er te weten valt, is hij voorgoed weg, en daar is ze doodsbang voor. Al die vragen die u stelt, hebben die een bedoeling of is het gewoon routine?'

'Wist ik het maar,' had Bowler gezegd.

Niet dat hij niet integer was. Er waren talloos vele manieren waarop de schrijver van de Eerste Dialoog aan de details had kunnen komen die erin stonden. Hij had gewoon een kennis van Ainstable geweest kunnen zijn, een makker van zijn werk of iemand die ook van tropische vissen hield, op dezelfde georganiseerde reis naar Korfoe was mee geweest... de mogelijkheden waren, zo niet eindeloos, talrijk genoeg om de stroom verdenkingen nodeloos op gang te brengen. Alleen feiten om die in te perken, daar had een goede rechercheur oog voor. En hij had bij lange na nog niets wat hij zichzelf graag zou horen uitleggen aan een pietepeuterige patholoog-anatoom.

Nu reed hij naar het zuiden. Hij liet de stad achter zich en racete over Roman Way zoals de jonge David Pitman op weg naar zijn huis in Carker had geracet.

Huize Pitman was een grote witgepleisterde cottage met een enorme tuin eromheen, geheel andere koek dan de twee-onder-een-kap van de Ainstables, maar het verdriet dat er huisde kwam aardig overeen. Bowler bladerde een hartverscheurend uur lang samen met mrs. Bowler, de moeder van David, door een album met familiefoto's. Maar hij vertrok met de bevestiging dat alles klopte wat er in de Tweede Dialoog geschreven was over de bouzouki.

Toen hij over de Roman Way terugreed naar de stad, stopte hij op de plaats van het ongeval. Die was makkelijk te identificeren. Op de boom waartegen de motorfiets gebotst was, zat een geschroeid litteken als een slordig dichtgebrande wond. De knal waarmee de jongen met zijn lichaam tegen de boom ernaast was terechtgekomen, had minder zichtbare schade aangericht, maar van dichtbij was de beschadiging aan de gladde beukenbast onmiskenbaar.

Hij wist niet waarvoor hij was gestopt. Zelfs Sherlock Holmes had met geen mogelijkheid iets zinnigs uit de locatie kunnen opmaken. Zonder de Dialogen was er aan beide sterfgevallen weinig verdachts en in beide gevallen kon je zonder enige moeite wel manieren bedenken hoe de Woordman aan de daarin vermelde informatie had kunnen komen.

Dus eigenlijk had hij niets, precies zoveel als George Headingley hoopte. Maar hij was niet bij de CID komen werken om George te plezieren.

Hij richtte zijn blik omhoog om de lange rechte weg te overzien waarover de Romeinse legioenen zeventienhonderd jaar geleden voor het laatst hadden gemarcheerd toen het bevel kwam deze kille uithoek van het keizerrijk te verlaten en terug te geven aan de lastige inwoners. De stadsgrens was slechts anderhalve kilometer verderop, maar elk teken van stadsgewoel ging schuil achter de begroeiing van de heuvel. Slechts één gebouw was zichtbaar tussen de akkers die de weg flankeerden en dat was een oude grauwe boerderij die eruitzag alsof hij er al zo lang stond dat hij bijna één was met het landschap.

Daar zou je vanuit de ramen een perfect zicht op de weg hebben, dacht Bowler.

Hij startte de MG en reed over de oprit vol kuilen naar het huis, waar inscripties boven de deur de initialen I.A.L. en de datum 1679 vermeldden.

Hij had eenmaal gebeld, toen een vrouw opendeed. Op het eerste gezicht leek ze in Bowlers jonge ogen even oud als het huis. Maar de stem die wilde weten wat hij kwam doen, was krachtig, en nu zag hij dat hij door een pony van grijs haar werd geobserveerd door een paar helblauwe ogen, en ook al begon haar huid te rimpelen als de schil van een oud appeltje, ze had nog altijd de blos van een lekker jong ding op haar wangen.

Toen hij zich voorstelde, hoorde hij dat hij de eer had kennis te maken met mrs. Elizabethe Locksley. Toen hij over het ongeval begon, zei ze: 'Hoe vaak moet ik het jullie toch vertellen?'

'Is er iemand bij u geweest?'

'Ja. De volgende morgen. Een knaap in een uniform.'

Dan waren ze dus zorgvuldig te werk gegaan. Van dat bezoek werd in het rapport niet gerept, wat betekende dat het onder de beknopte opmerking *Geen getuigen te verwachten of getraceerd* was geschoven.

'En wat hebt u hun verteld?'

'Niets. Omdat er niets te vertellen was. Hier gaan we vroeg naar bed en we slapen vast.'

'Spreek voor jezelf,' riep een mannenstem binnen.

'Niks mis met je oren, hè?' schreeuwde ze terug.

'Ook niet met mijn ogen. Ik heb je verteld wat ik gezien heb.'

Toen Bowler de vrouw onderzoekend aankeek, zuchtte ze en zei: 'Als u uw tijd wilt verdoen...', waarna ze zich omdraaide en het huis inging.

Hij liep achter haar aan de zitkamer in die, afgezien van de aanwezigheid van een televisietoestel waarop *Mad Max* aan de gang was, de indruk wekte dat er sinds de zeventiende eeuw weinig aan veranderd was. Een man stond op uit zijn stoel. Het was een reus, minstens één meter vijfentachtig, en er was weinig ruimte tussen zijn hoofd en de onbedekte hanenbalken. Hij gaf zo'n stevige hand dat Bowler in elkaar kromp en zei: 'U komt naar de lichten informeren. Heb ik het je niet gezegd, Betty?'

'Vijftig keer maar, stomme ouwe sukkel die je bent,' zei ze, terwijl ze de televisie uitzette. 'Vertel het hem dan, anders zul je niet rusten.'

Er klonk weliswaar ergernis in haar stem, maar die was op geen stukken na zo overweldigend als de liefde die uit haar blik sprak toen ze de man aankeek.

'Reken maar,' zei hij. 'Ik stond op om te gaan plassen – ouwemannenkwaal, wacht jij maar, knaap, als jíj zo oud wordt. Ik keek uit het raam op de overloop en zag een koplamp die heuvel af komen, alleen maar één. Een fiets, dacht ik. En dat ding beweegt. Toen zag ik die andere koplampen, twee, een auto dus, die deze kant op kwamen. Uit het niets. Zó was het donker, zó waren ze er. Toen werd die ene koplamp hartstikke fel. Tot-ie opeens uitging. En toen kwam er een steekvlam.'

'En wat gebeurde er toen?'

'Weet ik veel. Als ik langer was blijven staan, had ik de trap af gepist en was ik de pineut geweest.'

Hij brulde van het lachen, waarop de vrouw zei: 'Zeg dat wel, jochie.'

'En hebt u dit verhaal verteld aan die politieman die hier was?' vroeg Bowler.

'Nee. Ik niet.'

'Waarom niet?' vroeg hij.

'Ik herinnerde het me later pas,' zei de man.

'Later?'

'Ja,' zei de vrouw. 'Later. Hij herinnert zich dingen pas later, áls hij ze zich al herinnert.'

Hier was iets gaande wat hij niet helemaal begreep. Hij besloot zich op de vrouw te concentreren.

'Dacht u niet dat het de moeite waard zou zijn ons op te bellen toen u mr. Dinges hoorde?'

'Mr. Locksley,' zei ze.

'Uw man?' vroeg hij, naar de bekende weg vragend.

'Tja, hij is níét mijn deurwaarder!' zei ze, wat ze allebei vreselijk grappig schenen te vinden.

'Kwam het niet in u op om contact met ons op te nemen?' hield Bowler aan.

'Hoezo? Sam, welke nacht heb je die lampen precies gezien?'

'Nee, meid, dat is niet eerlijk. In elk geval dit jaar, dat weet ik zeker.'

'En welke film heb je toen gezien, op die bepaalde dag?'

Hij dacht even na en zei toen: 'Waarschijnlijk *Mad Max*, dat is mijn lievelingsfilm. Vindt u die goed, meneer? Dat was ook een smeris.'

'Die heb je in alle soorten,' zei Bowler. 'Ja, ik heb hem op de buis gezien. Een beetje te veel geweld naar mijn smaak.'

Het begon hem te dagen. Uit diplomatiek oogpunt had hij de vrouw graag alleen gesproken, maar hij had het gevoel dat de vrouw niet gunstig zou reageren op een poging om achter de rug van haar man om te praten.

Hij zei: 'Dus u denkt dat mr. Locksley misschien wat die andere politieman zei door elkaar haalt met beelden van de films die hij ziet?'

Hij dempte zijn stem, maar de scherpe oren van de man hadden daar geen moeite mee.

'Daar zou je best eens gelijk in kunnen hebben, knaap,' zei hij opgewekt. 'Ik haal werkelijk alles door elkaar, en in wat ik me herinner van wat er toen gebeurd is, ben ik hopeloos. Meestal laat het me koud, maar er zijn een paar dingen uit het verleden die ik, nu ik oud word, graag zou bovenhalen. Ik kan me bijvoorbeeld niet herinneren wanneer ik voor het laatst lekker geneukt heb, en dat is triest.'

'Wat ben je toch een arme ouwe lul,' zei zijn vrouw liefdevol. 'Vlak voor je ontbijt nog, vanmorgen.'

'O ja?' zei hij, terwijl hij haar hoopvol aankeek. 'En vond ik het lekker?'

'Nou, je lustte er wel pap van,' zei ze.

Hun gelach werkte aanstekelijk en Bowler grinnikte nog na terwijl hij zichzelf uitliet. Toen hij wegreed, kwam mrs. Locksley naar de deur en riep: 'Zeg, dat zijn geheugen het laat afweten en hij een beetje in de war raakt, wil niet zeggen dat hij ongelijk heeft, hoor.'

'Dat,' zei Bowler, 'is nou juist het probleem.'

Maar niet zíjn probleem; het was het probleem van adjudant Headingley, of dat zou het binnenkort worden. Iets waardoor hij verplicht was een beslissing te nemen, zou als een beker hete koffie in Georges brede schoot vallen. Dat vooruitzicht was al met al niet onprettig.

Maar de adjudant was, als het erop aankwam, uitstekend in kat-en-muisspelletjes, en het zou niet verstandig zijn een gaatje vrij te laten waar hij doorheen kon glippen en beschuldigend zou kunnen zeggen: 'Maar jíj hebt vergeten dát te doen, rechercheur.'

Toen Bowler de mogelijkheden overzag, zag hij er één die hij over het hoofd had gezien. Het Griekse restaurant waar de Woordman beweerde gegeten te hebben op de avond dat hij met David Pitman had gesproken. Hij keek op zijn horloge. Tien over halfzes. Waarschijnlijk ging de Taverna op z'n vroegst pas om zeven uur, halfacht open. Hij had er nog nooit gegeten – jonge rechercheurs waren gewend tussendoor te eten en voelden zich ongemakkelijk als ze langer dan tien minuten aan een maaltijd spendeerden – maar vorige week was hij Franny Roote daar op een avond heen gevolgd, had hem daar zien binnengaan en gedacht: *De kolere, dit is niet officieel en geldt niet als overwerk*, waarop hij naar huis was gegaan, iets had laten aanrukken en naar een voetbalwedstrijd op de televisie had gekeken.

Wanneer was dat geweest? Opeens voelde hij zich onzeker. Woensdag had Pascoe hem de klus gegeven, dus moest het... Hij parkeerde langs de kant en haalde zijn agenda te voorschijn om de datum op te zoeken.

Shit! Dat was vrijdag geweest, dezelfde avond waarop de jonge Pitman zijn 'ongeluk' had gehad.

Hij kon het er maar beter niet over hebben, besloot hij. Dat zou het er alleen maar troebeler op maken. Hij was niet naar binnen gegaan, hij had geen andere klanten gezien, hij had alleen maar een minuut in zijn auto gezeten en gezien dat Roote er naar binnen ging. Als zijn eigen slechte vibraties over de twee sterfgevallen door de hoge pieten zouden worden omgezet in een uitgebreid onderzoek – wat hij betwijfelde, gezien George Headingleys vaste voornemen met de haven van zijn pensioen in zicht geen hoge golven te veroorzaken – dán zou hij misschien gaan praten. Misschien ook niet. Ergens vermoedde hij, vanwege de manier waarop Dalziel hem de laatste tijd aankeek, dat die vette zak met alle genoegen een zwart kruis achter zijn naam zou zetten, louter omdat hij vaag een mogelijk misdrijf op het spoor was.

Even, maar niet langer dan een seconde, had hij zelfs gedacht zijn plan om een bezoek aan de Taverna te brengen te schrappen. Dat hij geen risico wilde nemen, wilde niet zeggen dat hij minder nauwkeurig te werk ging. Toen, omdat hij een positief denker was en de dingen veel liever van de zonnige kant zag dan over mogelijke schaduwzijden nadacht, grinnikte hij plotseling toen hij een manier zag om het beste uit de situatie te halen.

Hij pakte zijn gsm en toetste het nummer in van de Centrale Bibliotheek. De telefoon ging heel lang over voordat er iemand opnam. Hij herkende de stem.

'Mr. Dee? Hallo, met rechercheur Bowler. Luister, is Rye daar?'

'Het spijt me, ze is naar huis, zoals elk verstandig mens,' zei Dee. 'De enige reden dat u mij hebt gekregen is dat ik vaak na sluitingstijd blijf om wat te werken.'

'Dat is heel nobel van u,' zei Bowler.

'Ik vrees dat u me meer eer aandoet dan ik verdien. Dat ik voor het algemeen welzijn bezig zou zijn, bedoel ik. Dit is een privé-onderzoek voor een boek dat ik aan het schrijven ben.'

'Aha. Een detective zeker?'

Dee lachte toen hij de ironie ervan inzag.

'Was het maar waar. Nee, het is de geschiedenis van de semantiek. Een soort woordenboek der woordenboeken, zou je kunnen zeggen.'

'Dat klinkt fascinerend,' zei Bowler weinig overtuigend.

Dee zei: 'Volgens mij zou u iets aan uw opvatting van oprechtheid moeten doen als u zich aan spionagewerk wilt wagen, mr. Bowler. Oké, kan ik soms iets voor u doen?'

'Alleen als u een nummer hebt waarop ik Rye kan bereiken,' zei Bowler.

Er viel een stilte, waarna Dee zei: 'Tja, ik heb haar privé-nummer, maar ik vrees dat ik die dingen niet zomaar openbaar mag maken. Maar als u wilt, zou ik een boodschap kunnen doorgeven.'

Lul! dacht Bowler.

Hij zei: 'Het was alleen maar in verband met mijn onderzoek. Ik ga vanavond naar de Taverna om een paar dingen na te trekken en ik dacht dat Rye, omdat ze zo geïnteresseerd was, misschien met me mee zou willen. Ik zal er om zeven uur zijn.'

'Dát klinkt pas fascinerend. Ik zal uw boodschap doorgeven. Ik ben ervan overtuigd dat Rye net zo geïntrigeerd zal zijn als ik.'

Maar jíj bent niet uitgenodigd, Dickepik, dacht Bowler.

Vervolgens, omdat hij een sportieve jongeman was wie zelfanalyse óók niet vreemd was, stelde hij zichzelf de vraag: ben ik jaloers? Maar snel, omdat hij in de eerste plaats een jónge man was, verwierp hij het idee dat een seniel persoon van minstens veertig hem in hartszaken reden tot jaloezie zou mogen geven, als belachelijk.

Gedoucht, geschoren en in zijn scherpste pak gestoken, was hij om kwart voor zeven in de Taverna. Hij bestelde een Campari-soda omdat de kleur hem aanstond en het hem een chic gevoel gaf. Om zeven uur bestelde hij er nog een. Een derde om tien voor halfacht. Om halfacht, de chic moe, bestelde hij een pils. Om kwart voor acht bestelde hij een tweede pils en vroeg de bedrijfsleider te spreken.

Dat was mr. Xenopoulos: klein, dik en door en door Grieks, al sprak hij Engels met een verontrustend Liverpool-accent. Nadat hij Bowler er aanvankelijk van verdacht dat hij een spion van de Keuringsdienst was, werd hij toeschietelijker toen hij vernam dat zijn onderzoek te maken had met Dave Pitman, al vroeg hij zich intussen wél af of het niet verstandiger zou zijn geweest als de detective, toen hij een uur geleden kwam, zijn personeel had ondervraagd in plaats van nu het druk werd in het restaurant. Zowel hij als de obers waren zo te zien oprecht verdrietig om het vreselijke ongeval dat hun bouzoukispeler het leven had gekost, maar konden zich niets met zekerheid herinneren over de gasten van die avond. Mensen die alleen aten waren niet ongewoon, want die kwamen af op de algehele vrolijke ambiance die dikwijls ontstond bij het vorderen van de avond en er gedanst ging worden.

'Maar waarom stelt u al die vragen?' informeerde Xenopoulos uiteindelijk. 'Het was toch een ongeluk?'

'Voorzover we weten wel,' zei Bowler voorzichtig. 'Maar het is mogelijk dat een van de gasten die avond misschien iets gezien heeft. Ik neem aan dat u aantekeningen van de tafelboekingen bijhoudt?'

'Logisch. U wilt zeker een kopie van die bladzij uit de reserveringsagenda?' zei de bedrijfsleider, vooruitlopend op Bowlers volgende vraag. 'Zó gepiept. Neemt u plaats aan de bar en drink iets van het huis, dan ben ik in *no time* weer bij u.'

Bowler dronk nog een pils en zat in zijn lege glas te staren als een Frank Sinatra die elk moment kon losbarsten in 'One More for the Road', toen een hand zachtjes op zijn schouder tikte, een muskus-

geur verleidelijk zijn neus prikkelde en een stem in zijn oor fluisterde: 'Hallo. Ik weet niet wat je in dat glas bent kwijtgeraakt, maar
volgens mij heb je het doorgeslikt.'

Toen hij zich met een ruk omdraaide op zijn kruk, ontwaarde hij
een kleine slanke blondine van midden twintig met doordringende
blauwe ogen en een gulle mond, met daarop een glimlach die even
breed was als de zijne, al week die bij haar niet zoals nu bij hem.

'O, hallo,' zei hij. 'Jax. Hoe is het met jou?'

Jax Ripley overdacht de vraag even voor ze zei: 'Goed. Met mij is
het goed. En jij, Hat. Hoe is het met jou? Helemaal alleen?'

'Ja zeker. Dat klopt. Alleen. En jij?'

'Met vrienden, maar toen ik jou aan de bar zag, dacht ik: iemand
die er zo goed uitziet, zou zo vroeg op de avond niet zo treurig mogen zijn. En vandaar dat ik naar je toe ben gekomen. Wat kom je
hier doen, Hat? Zaken of plezier?'

Discretie wedijverde met eergevoel. Ze had een jurk aan die weinig hoop gaf op het verbergen van zelfs maar het kleinste micro-
foontje, maar bij Jax the Ripper kon je nooit weten.

Hij zei: 'Plezier. Dat zou het geweest zijn, als ik geen blauwtje
had gelopen.'

'Mijn favoriete politieman? Vertel me hoe ze heet, en ik zal de
hele wereld laten weten wat een stomme koe het is.'

'Bedankt, maar liever niet. Ik ben erg goed in vergeven,' zei hij.

Even keek ze hem nadenkend aan, waarna haar blik zich naar een
plek over zijn schouder verplaatste.

'Mr. Bowler, hier is de bladzij waar u om gevraagd had. Ik hoop
dat-ie van pas komt, maar een groot deel van onze klanten komt op
goed geluk binnenlopen.'

Toen hij zich omdraaide, hield Xenopoulos een fotokopie voor
zijn neus.

'Ja, bedankt, fantastisch, hartelijk dank,' zei hij, vouwde het vel
papier op en liet het in de zak van zijn jasje glijden.

Toen hij zich weer naar de vrouw toekeerde, zag hij dat de uitdrukking op haar gezicht was verschoven van bedachtzaam naar
apert nieuwsgierig.

'Ik moest even mijn niet zo beste bui opvijzelen,' zei hij.

'Ja? Zou dat de mijne ook kunnen opvijzelen?' vroeg ze. 'Bij een
vriendschappelijk drankje?'

'Dat denk ik niet,' zei hij. 'Echt, Jax, het stelt niks voor.'

Onder haar vorsende blik voelde hij zich als een stout kind, dus
liet hij zijn blik over haar schouder zweven. En keek midden in het

61

gezicht van Andy Dalziel, die zojuist het restaurant was binnengekomen met de voluptueuze vrouw met wie hij volgens zeggen iets moois had. Maar op het gezicht van de Dikke Man viel te lezen dat hij eerder in de stemming was voor een slachtpartij dan voor seks.

Snel richtte Bowler zijn blik weer op Jax Ripley, wier ogen in vergelijking zacht en vriendelijk waren.

'Dat drankje,' zei hij, 'Graag een tequila sunset.'

'Je bedoelt sunrise?'

'Ik weet wat ik bedoel,' zei hij.

7

Bij adjudant George Headingley ging punctualiteit vóór alles. Nu het eind van zijn loopbaan in zicht kwam, mocht hij dan wellicht besloten hebben dat hij niets wilde doen wat hij niet wilde, maar dat wilde niet zeggen dat hij er zich in dat laatste geval niet punctueel aan zou houden. De volgende morgen zou hij om halfnegen achter zijn bureau moeten zitten, en om één minuut voor halfnegen was hij daartoe op weg met de doelbewuste tred die van heinde en ver te herkennen was.

Hij zag al dat het bureaublad, dat hij aan het eind van elke dienst altijd vol trots leeg achterliet, bezoedeld was met een document. De bezoedelaar had tenminste de moeite genomen het precies in het midden neer te leggen, waar het al die keurig nette orde waar Headingley zich al die moeite voor getroostte, eerder benadrukte dan verstoorde.

Hij hing zijn jas op, trok zijn colbert uit, dat hij over de rug van zijn stoel legde, ging vervolgens zitten en schoof het document naar zich toe. Het was een paar pagina's dik, en op de eerste viel te lezen dat schrijver dezes, rechercheur Bowler, in opdracht alle beschikbare informatie had verzameld waarmee adjudant Headingley zou kunnen vaststellen of daarin iets omtrent de sterfgevallen van Andrew Ainstable en David Pitman hem, te weten adjudant Headingley, aanleiding gaf een verder onderzoek in te stellen.

Hoe kwam het dat hem door iets in die woordkeuze de moed in de schoenen zonk?

Hij sloeg het document open en begon te lezen. En algauw zonk hem de moed nog dieper en sneller in de schoenen. Hij had een gedegen negatief advies gewenst zodat hij die geschifte Dialogen naar de prullenmand kon verwijzen, maar in plaats daarvan kreeg hij alleen maar manke veronderstellingen.

Toen hij was uitgelezen, bleef hij even zitten, schoof toen alle paperassen bij elkaar en ging op zoek naar Bowler.

Er was geen spoor van hem te bekennen. Toen hij Wield tegen

het lijf liep, informeerde hij naar de jonge rechercheur.

Wield zei: 'Ik heb hem zonet gezien. Ik geloof dat hij wegging om iets voor mr. Pascoe te doen. Was het dringend?'

'Was wát dringend?' vroeg Andy Dalziel, die je uit de verte soms tweemaal zo hard kon horen aankomen als de adjudant maar die aan de andere kant ook in staat was als de geest van de nakende kerst op te duiken, zo stilletjes als mist over de grond sloop.

'De adjudant is op zoek naar Bowler,' zei Wield.

'En de schooier is er nog niet?'

'Zó was-ie er, en zó is-ie weg,' zei Wield verwijtend.

'Aha, net als Speedy Gonzales,' zei Dalziel, waarbij zijn lip krulde als een weggegooide binnenband. 'Wat wil je met hem, George?'

'Nou, niks... alleen een vraag over een verslag dat hij voor me heeft geschreven,' zei Headingley, terwijl hij zich omdraaide.

'Over die moorden zeker?' zei Wield. 'In de bibliotheek.'

Headingley wierp hem een blik toe die van een zo goedmoedig man als hij bijna onheilspellend was. Hij koesterde nog steeds de hoop dat laatste restje wantrouwen de kop in te drukken of, mocht dat enig verschil maken, het op z'n minst op z'n beloop te laten tot hij al lang en breed weg was. Hoe minder Dalziel intussen wist, hoe beter.

'In de bibliotheek?' vroeg Dalziel. 'Niet een lijk in de bibliotheek, hoop ik? Ik word te oud voor lijken in bibliotheken.'

Headingley legde het zo rustig mogelijk uit. Dalziel luisterde en stak toen zijn hand uit naar het dossier.

Snel keek hij het door, en zijn neusvleugels trilden hevig toen hij aan het eind van Bowlers rapport was aangeland.

'Dus dáárom was die sukkel in de Taverna,' mompelde hij in zichzelf.

'Sorry?'

'Niks. Wat vind jíj, George? Is het alleen maar troep of is het iets belangrijks waar je iets mee kunt?'

'Weet ik nog niet,' zei Headingley zo bedachtzaam mogelijk. 'Vandaar dat ik Bowler wil spreken. Om een paar punten met hem door te nemen. Wat denkt u, sir?'

Hoopvol en ontwijkend.

'Ik? Het kan vriezen of dooien. Ik weet dat ik erop kan vertrouwen dat jij zal doen wat je doen moet. Maar zolang je daarover nadenkt, George: mondje dicht, hè? Als je uitglijdt vanwege zulke vage informatie slaan we een modderfiguur. Ik wil niet dat de hyena's van de media komen rondsnuffelen tot wij weten dat er lijken zijn gevallen en wij de lijken niet zijn.'

In Headingleys zak ging een gsm af. Hij haalde hem te voorschijn en zei: 'Ja?'

Hij luisterde, en wendde zich toen af van de andere mannen.

Die hoorden hem zeggen: 'Nee, kan niet... natuurlijk... tja, misschien... goed... twintig minuten.'

Hij zette het ding uit, draaide zich weer om en zei: 'Ik moet erop uit. Mogelijke informatie.'

'O, natuurlijk. Iets wat ik moet weten?' vroeg Dalziel.

'Ik weet niet, sir,' zei Headingley. 'Waarschijnlijk niks, maar volgens hem is het dringend.'

'Dat zeggen ze altijd. Wie neem je mee? We zijn een beetje onderbezet nu Novello nog ziek is en Seymour verlof heeft.'

'Ik kan wel mee,' zei Wield.

'Nee, laat maar. Dit is geen officiële verklikker,' zei Headingley beslist. Bij officiële verklikkers had je twee politiemannen nodig om te weten of je te maken had met valse informatie en uitlokking. 'Ik ben nog niet met hem klaar. Hij is een beetje schuw, en volgens mij smeert-ie 'm voorgoed als hij me met een hele meute ziet opdagen.'

Hij draaide zich om en wilde weglopen.

Dalziel zei: 'Zeg, George, vergeet je niet iets?'

'Hè?'

'Dit,' zei de Dikke Man, terwijl hij hem de map met de Dialogen voorhield. 'Zo makkelijk kom je er niet van af.'

Die sukkel is helderziend, dacht Headingley, niet voor het eerst. Hij pakte de map, stopte die onder zijn arm en beende het kantoor uit.

Dalziel keek hem na en zei: 'Weet je wat ik denk, Wieldy?'

'Ik zou het niet weten, sir.'

'Ik denk dat moeder de vrouw hem heeft helpen herinneren dat hij de was bij de stomerij moet ophalen. Je kunt veel van George zeggen, maar hij heeft ons altijd heel principieel bij zijn opvolging betrokken.'

'Ik dacht dat we geen opvolger kregen, sir?'

'Dat bedoel ik juist,' zei Andy Dalziel.

Hij ging terug naar zijn kantoor, bleef een minuut naar de telefoon zitten kijken en draaide een nummer.

'Hallo,' zei een vrouwenstem, met zelfs door de telefoon een en al zwoele hartelijkheid, die zich regelrecht naar zijn dijen verspreidde.

'Dag schat. Met mij.'

'Andy,' zei Cap Marvell. 'Wat leuk.'

65

En het klonk ook nog of ze het meende.

'Ik belde zomaar, om te vragen hoe het met je was. En sorry dat die tent je gisteravond niet beviel.'

Ze lachte en zei: 'Zoals je maar al te goed weet, was het niet de tent die me niet beviel, maar dat jij maar doorging over dat knappe jonge agentje en die mooie tv-poes. Ik dacht dat we een afspraak hadden. Geen gelul over het werk tot na de seks, zodat jij je naar hartelust kunt afreageren en ik kan gaan slapen.'

'We hadden het zo fijn kunnen hebben,' sputterde hij.

'Die kans vloog samen met mijn leuke avondje het raam uit. Ik ben er best voor in om met alle mogelijke soorten van voorspel te experimenteren, maar politiepolitiek vind ik een echte afknapper. Maar ik aanvaard je excuses als een excuus.'

'Fantastisch. Laten we dan iets anders organiseren. Jij mag het zeggen. Waar je maar wilt, en ik beloof dat je zou denken dat ik een burger ben.'

'Dat zeg jíj. Oké, ik heb vanmorgen een paar uitnodigingen gehad. Eén is voor het regimentsbal van mijn zoon. Dat wordt zondag over twee weken gehouden in Haysgarth, dat is het buitenhuis van Budgie Partridge, de korpscommandant van het regiment...'

Caps zoon uit haar mislukte huwelijk was luitenant-kolonel Piers Pitt-Evenlode, ceremoniemeester van de Yorkshire Fusiliers, die Dalziel kende als de Hero.

'Budgie? Kennen voetvolk als wij die niet als lord Partridge?'

'Niet dat ik weet. Ik ken hem uit een vorig leven.'

Dat andere leven was de periode waarin ze ingetrouwd was in de landadel, wat de Hero had opgeleverd, benevens zelfkennis, desillusie, rebellie, scheiding en uiteindelijk Dalziel.

'Zelf heb ik hem één keer in mijn leven ontmoet,' zei de Dikke Man, 'Maar ik betwijfel of hij zich mij herinnert. En die andere uitnodiging?'

'Dat is voor de voorbezichtiging van de tentoonstelling van ambachtelijke kunst in de Centre Gallery. Zaterdag over een week.'

'Is dat alles? Wil niemand dat je een nieuwe brouwerij opent, of zo?'

'Kies maar,' zei ze onverbiddelijk. 'Of de tinnen soldaatjes en champagnecocktails of naaktschilderijen en goedkope witte wijn.'

Hij dacht na en zei: 'Ik weet niet veel van kunst, maar ik weet waar ik van hou. Ik kies voor de vieze plaatjes.'

Hat Bowler gaapte breeduit. Hij had een onrustige nacht gehad, waarin zijn bed dobberde op een woelige oceaan van lagerbier en Campari, en alle matrode sterren aan de hemel net zo indringend en beschuldigend op hem neerkeken als Andy Dalziel. Hij was heel vroeg opgestaan en was naar het werk gegaan, waar hij zijn aantekeningen in een rapport verwerkte dat, niet zonder kwaadwillige opzet, George Headingley tegen de haren in moest strijken. Franny Rootes naam had niet op de reserveringslijst van de Taverna gestaan. Hij overdacht zijn redenen om hem niet te vermelden, had desondanks niet geheel gerust besloten dat die nog evenzeer golden als hij die ochtend vroeg had gevonden – misschien nog wel sterker na die confrontatie met Dalziels vorsende blik – was daarna, deels om te ontlopen dat de adjudant zijn rapport in zijn aanwezigheid zou lezen, deels om zich ervan te verzekeren dat Pascoe zich voor niets zou opnaaien, naar de buitenwijk gereden waar Franny Roote zijn flat had om zijn wacht te hervatten.

Er was, zoals hij tot zijn pech kon constateren, geen enkele reden om een jonge rechercheur wakker te maken. Voor een veroordeelde boef die verdacht werd van stalking leidde Roote in feite een ongelooflijk saai leven. Die vent stond 's morgens op, stapte in zijn oude brik (correctie: het ding zag eruit als een oude brik maar de motor klonk opmerkelijk soepel), en reed naar zijn werk om zich de hele dag uit de naad te werken. Meestal bracht hij de hele avond in de universiteitsbibliotheek door met lezen en aantekeningen maken. Zijn sociale leven leek te bestaan uit het bijwonen van de EHBO-lessen op St. John, af en toe een bezoek aan een restaurant (zoals de Taverna, godbetert!) of de bioscoop, steevast alleen. Nee, het was een ontzettend saaie figuur. En Wield had beweerd dat hij de blik van een adelaar had! De brigadier was iemand die je bewondering inboezemde en naar wie je luisterde, maar van vogels had hij niet veel benul, dacht Bowler zelfgenoegzaam, terwijl hij keek hoe Roote met zo'n eindeloze concentratie een rozenstruik snoeide, dat hij waarschijnlijk niet gemerkt zou hebben dat een voltallige filmploeg was opgedoken om plaatjes te schieten.

Tijd om te verstekken voor hij in slaap viel.

Terwijl hij bij de universiteit wegreed, liet Bowler zijn gedachten naar Rye Pomona gaan. Nu hij zijn bevindingen aan de adjudant had gerapporteerd, voelde hij zich verplicht ook háár vooruit te branden. Hij had zich ervan vergewist dat ze gisteravond zijn boodschap niet had gekregen. Waarschijnlijk had Dee, uit indolentie of onachtzaamheid of, wat eerder voor de hand lag, simpelweg uit onwil, geen contact met haar opgenomen. Hij zette zijn auto aan de kant, belde naar de bibliotheek en vroeg naar Naslagwerken.

Hij herkende haar stem onmiddellijk. Zij daarentegen herkende zíjn stem niet en leek zelfs diep in haar geheugen te moeten duiken voordat zijn naam tot haar doordrong.

'O ja. Agent Bowler. Boodschap, gisteravond? Ja, ik geloof dat ik een boodschap heb gekregen, maar ik had andere plannen. En wat kan ik nú voor u doen?'

'Tja, ik dacht dat u misschien wilde weten hoeveel ik opgeschoten was.'

'Opgeschoten? Waarmee?'

'Met de Dialogen die u me hebt gegeven.'

'O ja. De Woordman van Alcatraz.'

Zo te horen moest ze meer lachen om de herinnering aan zijn poging om grappig te zijn dan destijds bij de poging zelf.

Hij besloot dat dit een gunstig teken was.

'Precies. De Woordman.'

'Goed. Vertel maar. Bent u opgeschoten?'

'Eigenlijk is het behoorlijk gecompliceerd,' zei hij listig. 'Ik heb nu een beetje haast. Ik vroeg me af of u bijvoorbeeld rond de lunch een paar minuutjes vrij zou kunnen maken?'

Een stilte.

'Ik heb niet veel tijd. Er moet hier altijd iemand zijn. En meestal eet ik een broodje in de kantine.'

Een kantine was niet bepaald wat hij in gedachten had.

'Ik dacht misschien een café…'

'Een café?' – alsof hij een bordeel had voorgesteld. 'Ik krijg niet genoeg tijd om naar cafés te gaan. Misschien kunnen we elkaar bij Hal's treffen.'

'Hal's?'

'De snackbar op de entresol van het Centrum. Vraagt niemand tegenwoordig een politieman meer de weg?'

'Ja, ja. Dat vind ik wel.'

'Ik zal er geen gif op innemen. Kwart over twaalf.'

'Ja, kwart over twaalf is prima. Misschien kunnen we…'

Maar hij sprak alleen nog maar tegen zichzelf.

Om halfeen had Dick Dee zich geïnstalleerd achter de balie van Naslagwerken, waar hij bedachtzaam naar een computerscherm staarde, toen hij een sexy kuchje hoorde.

Omdat niet iedereen sexy kan kuchen, keek hij belangstellend op en zag een jonge vrouw met blond haar en blauwe glinsterogen naar hem glimlachen. Ze was klein en tenger, maar straalde het soort energie uit waar een man wel weg mee zou weten.

'Hallo,' zei hij. 'Kan ik u helpen?'

'Dat hoop ik,' zei ze. 'Ik ben Jax Ripley.'

'En ik ben Dick Dee, miss... Ripley was het toch?'

Jax dacht: die lul doet net of hij niet meer weet wie ik ben!

Of, erger nog, corrigeerde ze zichzelf, terwijl ze in die onschuldige ogen keek, hij weet écht niet meer wie ik ben!

Ze zei: 'We hebben elkaar vorige week ontmoet. Bij de rondleiding van de gemeenteraad... toen die boekenplank het begaf... Ik had u willen interviewen, maar waar we de camera ook op richtten, altijd leek die oude Percy in het kader te verschijnen, en maar zeggen hoe graag hij het Centrum zou zien groeien...'

Ze trok haar wenkbrauwen op, om hem aan te sporen in haar pret te delen over Percy Follows' overbekende publiciteitsgeilheid, vooral nu de gemeente in beraad was over de aanstelling van een algemeen directeur voor het Centrum.

Dee liet zijn blik van top tot teen over haar heen glijden, belangstellend zonder klef te worden, en zei: 'Natuurlijk. Miss Ripley. Fijn u weer te zien. Waarmee kan ik u van dienst zijn?'

'Het gaat over de korte-verhalenwedstrijd. Ik neem aan dat u verantwoordelijk bent voor de jury.'

'In de verste verte niet,' zei hij. 'Ik doe alleen maar de eerste schifting.'

'Ik weet zeker dat dat niet het enige is wat u doet,' zei ze, terwijl ze haar charmes tot volle sterkte opdraaide. Ze kende de mannen en meende onder zijn beleefd neutrale inspectie een onmiskenbare opborreling van belangstelling in de aderen te bespeuren. 'Wanneer sluit de inzendtermijn?'

'Vanavond,' zei hij. 'Dus u zult zich moeten haasten.'

'Ik pieker er niet over om mee te doen,' zei ze vinnig, waarna ze aan zijn vage glimlach zag dat hij haar in de zeik nam.

Nu ze erover nadacht, zag hij er niet gek uit, absoluut geen stuk maar zo'n man die je steeds mooier kon gaan vinden.

Ze schaterde het uit en zei: 'Maar vertel eens: mocht ik willen meedoen, is het niveau hoog?'

'De belofte is groot,' zei hij voorzichtig.

'Belofte? Moet ik dan denken aan politici, trouwen of de Bank of England?' vroeg ze.

'U zult moeten wachten tot de uitslag voor we dat kunnen beslissen,' zei hij.

'En wanneer is die?' vroeg ze. 'Ik zou graag een item maken voor *Out and About*, misschien interviews met de grootste kanshebbers. Of misschien zouden we de uitslag zelfs live in het programma kunnen bekendmaken.'

'Goed idee,' zei hij. 'Maar ik vermoed dat Mary Agnew zal willen dat het bericht over de winnaar in de *Gazette* wordt bekendgemaakt. Dan verkopen ze meer kranten, ziet u.'

'O, ik ken Mary goed. Ik heb vroeger voor haar gewerkt. Ik heb haar nét vanmorgen gesproken, en ik weet zeker dat we tot een regeling kunnen komen,' zei Jax met het vertrouwen van iemand die er als vanzelfsprekend van uitgaat dat televisie belangrijker is dan gedrukt nieuws. 'Waar ik op uit was, was wat inleidende informatie. Ik zou zelfs een trailer kunnen uitzenden in het programma van vanavond. Hebt u even tijd? Of mag ik u misschien een lunch aanbieden?'

Dee wilde net beleefd weigeren, toen de deur van de bibliotheek met een zwaai openging en een lange elegante man met een weelderige goudblonde haardos die een aapachtig klein gezicht omlijstte binnenkwam en met gespreide armen op hen afliep.

'Jax, schatje. Ze zeiden dat je ergens in het gebouw was. Je hebt een té beroemd gezicht om ongezien langs mijn bespieders te komen. Ik hoop dat je mij kwam opzoeken, maar ik kon het er niet op wagen.'

Hij legde zijn armen om Jax' schouders en ze wisselden ter begroeting elk drie kussen uit.

Jax had Percy Follows bij hun allereerste ontmoeting als een huppelkont afgedaan. Maar in de mannenwereld wilde een huppelkont niet automatisch zeggen dat hij dom was of niet in staat tot hoogten te stijgen vanwaaruit hij een ambitieuze jongedame een helpende hand zou kunnen reiken, dus zei ze liefjes: 'Ik was ervan uitgegaan dat je het veel te druk zou hebben met een belangrijke werklunch, Percy, waar ik mr. Dee trouwens probeer mee naartoe te tronen, maar hij was me net aan het vertellen dat jullie hem veel te hard aan het werk zetten voor dergelijke frivoliteiten.'

'O ja?' zei Follows, enigszins in verlegenheid gebracht.

'Dat schijnt zo. Hij schijnt niet eens tijd te hebben voor een pauze. En ik doe ontzettend mijn best een beroep op hem te doen in verband met een serie items die ik in mijn hoofd heb over die korte-verhalenwedstrijd die je hebt bedacht. Nét zo'n cultureel initiatief waar we in Mid-Yorkshire om zitten te springen. Natuurlijk zou ik jou later willen interviewen, maar ik begin altijd graag op werkvloerniveau…'

Ze is steengoed, dacht Dee toen ze stralend naar hem glimlachte, vergezeld van iets van een knipoog met het oog dat het verst van Follows af was.

'Werkelijk?' zei Follows. 'In dat geval moet je zeker gaan, Dick. Hierbij bevrijd ik je van je ketenen.'

'Ik ben alleen,' zei Dee. 'Rye is met lunchpauze.'

'Geen probleem,' zei Follows grootmoedig. 'Ik zal persoonlijk de honneurs waarnemen. We hebben hier een ware democratie, Jax: iedereen is bereid elkaars werk over te nemen. Ga, Dick, ga, zolang ik in een gulle bui ben.'

Dee, Harold Lloyd tegenover de Laurence Olivier van zijn baas, maakte het computerscherm vrij, trok zijn tweedjasje met leren elleboogstukken aan en nam met ouderwetse hoffelijkheid Jax' arm om haar de deur uit te leiden.

'Waar brengt u me naartoe?' informeerde hij toen ze de trap afgingen.

Haar hersens printten alternatieven uit. De pub? Te druk. De eetzaal van een hotel? Te formeel.

Zijn hand rustte lichtjes op haar arm. Tot haar verbazing betrapte ze zich op de gedachte: je mag hem overal laten rusten waar je wilt, lieverd.

Dat was totaal de omgekeerde wereld, dat gevoel hoe makkelijk het zou zijn om hem aardig te gaan vinden, hoe makkelijk je met hem zou kunnen praten. Zo zou híj zich moeten voelen!

De wijze woorden van Mary Agnew uit de tijd dat ze voor haar werkte schoten haar te binnen.

Een goed verhaal herken je aan wat je er voor over zou hebben om het te krijgen. Maar één ding… ga desnoods zelf op de tafel liggen, maar leg daar nooit je kaarten uit. Wat je meer weet dan anderen bewaak je strenger dan je maagdelijkheid. Bewaar het.

Al is er niks tegen om je intussen te vermaken.

'Jij mag het zeggen,' zei ze. 'Ik trakteer. Maar ik kan een heerlijk broodje klaarmaken als ik het juiste beleg kan vinden.'

'Leuk is het hier,' zei Bowler. 'Waarom heet het Hal's?'

Ze zaten tegenover elkaar aan een tafeltje op de overloop van het eetcafé waar ze het hele winkelgedeelte konden overzien. Op een heldere dag kon je zelfs de Boots-drogisterij zien. Het nadeel van de situatie was dat de losbandige jeugd uit de stad had ontdekt dat je beneden vanaf de rand van de fontein in het atrium met een beetje geluk een uitstekend zicht had op de korte rokken van degenen die boven zaten. Maar toen ze Hal's binnenkwamen, had ze Bowler ontdekt aan een tafel meer naar het midden, naast een tafel waaraan Charley Penn zat. Dat móést toeval zijn, maar omdat ze de voorkeur gaf aan nieuwsgierige jeugdige ogen boven oude oren op steeltjes, stelde ze voor om richting de rand te verstekken.

'Wat dacht je?' zei Rye. 'Heritage, Arts en Library.'

'Dat stelt me teleur,' zei Bowler. 'Ik dacht dat het misschien vernoemd was naar een kunstmatig brein dat uit de hand was gelopen en pogingen deed ons in zijn macht te krijgen.'

Ze lachte en zei: 'Dat had gekund.'

Daar moed uit puttend, zei hij: 'Weet je wat ik dacht toen ik je voor het eerst zag?'

'Nee, en ik weet niet of ik het wel wil horen,' zei Rye.

'Ik dacht "kopervleugel".'

'Uit "Indian Maid"?'

'Ken je dat liedje? Wat verkeer je in vreemd gezelschap, of speel je rugby? Niets zeggen. Nee, zoals in *turdus iliacus*, de allerkleinste lijster.'

'Ik hoop voor jou dat het een ontzettend fraai, hoogst intelligent vogeltje is.'

'Uiteraard. Vanwege zijn doordringende geluid ook bekend als windlijster of varkensfluit.'

'En *iliacus* omdat hij uit Troje stamt? De gelijkenissen met hoe ik mezelf zie, schijnen er niet groter op te worden.'

'Helena kwam uit Troje.'

'Dat is niet waar. Nadat ze werd ontvoerd, kwam ze daar terecht. Laat die honing dus maar zitten en vertel me wat het verband is, agent.'

'Heel eenvoudig en volledig vrij van honing,' fluisterde hij. 'De kopervleugel is een vogel met een prachtige kastanjebruine kleur en een prominent lichte streep boven z'n ogen. Dus toen ik dat zag, dacht ik "kopervleugel".'

Hij stak zijn hand uit en streek met zijn wijsvinger over de zilvergrijze pluk in haar haar.

Zo kan-ie wel, jochie, dacht Rye. Verbaal gehannes is één ding, maar mijn haar strelen is 'n tikkeltje te familiair.

'Dus je bent echt een vogelfreak?' vroeg ze. 'En ik maar denken dat het zomaar een verzinsel was. Nou ja, iedereen z'n meug.'

Ze zag dat ze duidelijk doel had getroffen en ze zou in haar sas moeten zijn, maar dat was ze niet.

'Hoe dan ook, het is een betere opening dan die man die zei dat het hem aan Silver Blaze deed denken,' ging ze verder.

'Pardon?'

'Silver Blaze. Het renpaard uit het verhaal van Sherlock Holmes? Krijgen jullie die niet allemaal te lezen in Hendon of is het ook een verzinsel dat je detective bent?'

'Nee, dat is ook menens, vrees ik.'

'O ja? Bewijs het dan maar.'

'Oké,' zei hij. 'Ten eerste is dat gedoe met die Woordman vertrouwelijk, oké?'

'Vertrouwelijk? Ik ben degene geweest die met die Dialogen bij jou is gekomen, weet je nog? En nu jij degene bent die een bijnaam voor hem heeft verzonnen, wil je míj vertellen dat het vertrouwelijk is.'

'Wat ik in de loop van mijn onderzoek heb ontdekt is een zaak van de politie en die kan ik je niet mededelen tenzij je accepteert dat het vertrouwelijk is,' zei hij met opzet gewichtig.

Ze dacht na, knikte en zei: 'Oké. Vertel maar.'

'Ten eerste is alles over Ainstable waar – de tropische vissen en de vakantie in Griekenland. Net zoals het verhaal over de afkomst van de bouzouki. Bovendien is er een getuige die wellicht koplampen van een auto gezien heeft vóór de motor te pletter sloeg. En het zou kunnen dat er vóór de plek waar de bestelwagen van de wegenwacht geparkeerd was een auto op de brug stond.'

'O, shit. Dus die gek heeft hem echt vermoord!' riep Rye geschrokken uit.

'Dat hoeft niet. Er bestaan andere manieren waarop de Woordman aan de informatie kan zijn gekomen en we kunnen met geen mogelijkheid weten of Ainstable gestopt is om iemand te helpen. En mijn getuige, die de koplampen zag, is seniel aan het worden en weet niet voor honderd procent zeker wat hij voor ontbijt gehad heeft.'

'Fantastisch! En hiervoor moet ik geheimhouding zweren?'

Bowler zei ernstig: 'Het is hoe dan ook belangrijk. Mocht er niets van waar zijn, dan zaaien we toch ook liever geen paniek en wanhoop over een voortvluchtige seriemoordenaar? En als er wél iets van waar is…'

'Ja ja,' zei ze. 'Dus je hebt gelijk, wat een irritante gewoonte zou kunnen zijn. Goed, Sherlock, wat is uit hoofde van je beroep je mening?'

'Mijn mening? Ik ben nog veel te groen voor meningen,' zei Bowler. 'Ik geef alleen dingen door aan mijn superieuren en die moeten beslissen wat er daarna moet gebeuren.'

Toen hij erbij glimlachte, zei Rye: 'Vind je dat je hier grappen over kunt maken?'

'Natuurlijk niet. Daar lach ik niet om. Ik denk alleen net aan mijn baas, wiens enige belang is dat hij rustig op zijn pensioen afstevent en er niet aan moet denken in zoiets lastigs als dit een beslissing te nemen.'

'Het doet me deugd dat het algemeen welzijn in zulke goede handen is.'

'Maak je maar geen zorgen. Hij is een geval apart. Je zou de lui in de leiding eens moeten zien.'

Zijn gezicht werd somber bij de gedachte aan Andy Dalziel. Waarom had die man zo'n hekel aan hem? Toch niet alleen omdat hij gestudeerd had? Pascoe was ook afgestudeerd, en hij en de Dikke Man leken te kunnen samenwerken zonder al te veel bloed op het tapijt.

'Hallo?' zei Rye. 'Ben je er nog of krijg je boodschappen van Mars?'

'Ja. Neem me niet kwalijk. Dat heb ik altijd als ik aan onze baas denk. Luister, ik zal je op de hoogte houden van verdere ontwikkelingen van het Woordmanfront, dat beloof ik. Ik neem aan dat er van jouw kant verder niets geweest is?'

'Nog meer Dialogen, bedoel je? Nee, natuurlijk niet, anders hadden we je wel gebeld. En de inzendtermijn sluit vanavond, dus veel tijd is er niet meer.'

Hij keek haar ernstig aan en zei: 'Als onze Woordman werkelijk mensen vermoordt, zal hij zich niet veel aantrekken van een sluitingstermijn voor een korte-verhalenwedstrijd.'

Ze keek geïrriteerd, echter om zichzelf en niet om hem, en zei: 'Bedankt dat je me het gevoel hebt gegeven dat ik een sukkel ben. Hoort dat bij je werk?'

'Nee. Bij het jouwe wel?'

'Wanneer heb ik dat dan gedaan?'

'Toen jij en Dee moeilijke woorden gingen gebruiken waarvan jullie, terecht, aannamen dat ik die niet zou begrijpen.'

'Bijvoorbeeld?'

'Toen ik jullie vertelde hoe de mensen mij noemden, zei je dat dat heel paranoïdisch was of zo.'

'Paronomastisch,' zei ze. 'Het spijt me. Je hebt gelijk. Dat is gewoon het adjectief voor paronomasia, wat op allerlei woordspelletjes slaat, zoals woordspelingen.'

'En wat Dee zei?'

74

"Paronomanisch".' Ze glimlachte en zei: 'Van "paronomania", wat slaat op een obsessie voor woordspelletjes. Het is ook de naam van een gezelschapsspel waar Dee dol op is. Zo'n beetje als scrabble, alleen wat moeilijker.'

Hij voelde niet zo'n behoefte om te horen hoe knap Dee wel was, en al helemaal niet om iets te horen wat duidde op intimiteit tussen haar en haar baas, maar toch vroeg hij: 'Hebben jullie dat para-weet-ik-veel dan wel eens gespeeld?'

Ze glimlachte hem koeltjes toe, wat scheen te betekenen dat ze exact wist welke kant zijn gedachten uitgingen, en zei: 'Nee. Blijkbaar zijn er maar twee die dat kunnen, en dat zijn Dick en Charley Penn.'

'De schrijver?'

'Is er nóg een Charley Penn?'

Hij besloot dat dit nergens toe leidde en zei: 'Oké, nu we elkaar allebei het gevoel gegeven hebben dat we sukkels zijn, wat vind je van zondag?'

Ze deed niet alsof ze niet begreep wat hij zei: 'Ik weet niet of ik zo'n sukkel ben. Waar staat de E voor?'

'Welke E?'

'E. Bowler. Op je bibliotheekkaart. Die E. Kom op. Wat verberg je in je hoge hoed, Hat?'

Hij keek haar aarzelend aan, waarna hij diep inademde en zei: 'Ethelbert.'

'Ethelbert,' herhaalde ze, de naam proevend als een donut met jam, waarna ze met haar tong over haar lippen streek alsof ze er de suiker van aflikte. 'Ik vind het mooi.'

'Echt?' Hij keek haar oplettend aan, op zoek naar een valstrik. 'Je zou de eerste zijn. De meesten vallen van hun stoel van het lachen.'

'Als je zelf een naam hebt die klinkt als een borrel, lach je niet om andermans naam,' zei ze.

'Rye Pomona,' zei hij. 'Ik snap wat je bedoelt. Maar het is een mooie naam. Is Pomona niet een plaats in Italië?'

'Nee,' zei ze. 'Maar het ís Italiaans. Pomona was de Romeinse godin van de fruitbomen.'

Ze was benieuwd of hij met een grap zou komen aanzetten of op een compliment zou gaan zweten.

Hij knikte en zei: 'En Rye, is dat een bijnaam of zo?'

'Afkorting van Raina,' zei ze.

'Hè? Nooit van gehoord.'

Ze spelde het voor hem en sprak het zorgvuldig uit, waarbij ze de drie lettergrepen uitrekte: *Rai-ie-na.*

'Raina,' zei hij haar na. 'Raina Pomona. Dát is pas mooi! Goed, het is ongebruikelijk maar het is niet stom, zoals Ethelbert Bowler.'

Ze merkte dat ze blij was dat hij niet uitgebreid ging vragen waar het vandaan kwam en er niet zo'n punt van maakte.

'Doe jezelf niet tekort,' zei ze. 'Positief denken. Ethelbert Bowler... het heeft iets artistieks... het klinkt als een onbekende aquarellist uit de Victoriaanse tijd. Heb je iets met kunst, Ethelbert? Onder een van je hoge hoeden?'

'Misschien zou ik er een ouwe Franse baret uit kunnen peuren,' zei hij voorzichtig. 'Hoezo?'

'Over twee weken gaat de nieuwe vleugel van het Centrum open met een tentoonstelling van plaatselijke ambachten. De zaterdag daarvóór is er een voorbezichtiging, rond lunchtijd. Zin om mee te gaan?'

Hij zei: 'Ga je omdat je dat zelf wilt of omdat je op de loonlijst staat?'

Zij zei: 'Wat maakt het uit? Oké, het is half plicht. Beleid van het Centrum, je zou het vast niet interessant vinden.'

'Kijk maar wanneer ik ga gapen,' zei hij.

'Goed. Het Centrum bestaat uit drie delen, oké? Oudheid, kunst en bibliotheek. De bibliotheek was geen probleem – Percy Follows was al hoofd Bibliotheek, dus gleed hij soepel in de nieuwe positie. En het zag ernaar uit dat Philomel Carcanet, die het gemeentemuseum annex galerie bestierde, in het Centrum op dezelfde manier de sector Oudheid en Kunst voor haar rekening zou nemen. Alleen bleek het wat te veel voor haar. Gaap je al?'

'Nee, ik haal alleen diep adem van spanning.'

'Prima. Philomel is héél goed met dode dingen. Alles wat leeft, jaagt haar de stuipen op het lijf. Ze was enorm opgetogen toen de bouwvakkers bij hun gegraaf die mozaïekvloer blootlegden. Daarna besloten ze het in te lijven bij dat Romeinse Verleden – je hebt er vast wel over gelezen: een markt in Mid-Yorkshire ten tijde van de Romeinse bezetting.'

Hat knikte, naar hij hoopte overtuigend.

'Ik geloof je,' zei ze, zonder haar best te doen overtuigend over te komen. 'Nu ja, dat betekende dat Phil moest overwegen levend publiek in te huren, wéér levende mensen, en dat is haar allemaal te veel geworden. Nu is ze met ziekteverlof. Intussen moest iemand de nieuwe vleugel opzetten. Normaliter zou onze Percy liever een marathon lopen dan extra werk op zich te nemen, maar er is een nieuwe factor. Volgens zeggen overweegt de gemeenteraad, afgezien van Schrokker Steel, een algemeen directeur voor het Centrum aan te stellen. En onze Percy verbeeldt zich dat hij vooraan in de rij staat voor die baan. Maar er dient zich een ander geluid aan. Van Ambrose Bird, de Laatste Acteur-Directeur.'

'Wie?'

'Waar heb je gezeten? Ambrose Bird, die de voormalige stadsschouwburg runde tot die vorige maand werd gesloten, voornamelijk vanwege het verzet van gemeenteraadslid Steel tegen de hoge subsidie die nodig was om het instituut weer aan gezondheids- en veiligheidseisen te laten voldoen. Vandaar dat de Laatste Acteur-Directeur (de titel waaraan hijzelf de voorkeur gaf) nergens anders kon acteren of directie over kon voeren dan de veel kleinere theaterzaal van het Centrum. Dat was toch echt een geeuw!'

'Nee, dat was de aanzet voor een onderbreking. Ik wilde net gaan raden dat die Woordman had besloten dat hij zich ook kandidaat wilde stellen voor de baan van Centrum-directeur.'

'Heb je er ooit over gedacht detective te worden?' vroeg Rye.

'Precies in de roos. Dus Bird en Follows zijn in een hevige strijd gewikkeld. Je lacht je rot als je ze ziet. Ze doen niet eens hun best te verbergen hoe ze over elkaar denken. Bij alles waar ze in het Centrum maar een claim op kunnen leggen, zijn die twee, als honden die achter een bot aan zitten. De Romeinse Galerij valt onder drama, zegt Ambrose, dus neemt hij de verantwoordelijkheid op zich voor geluidseffecten en traint de mensen die voor marktkramer spelen. Die arme Perce zit met taal en luchtjes opgescheept.'

'Luchtjes?'

'Reken maar. De authentieke geuren van het Romeinse Engeland. Een kruising tussen de kleedkamer van rugbyspelers en een abattoir, voorzover ik er verstand van heb. Luister, ik begin zelf te gapen. Het resultaat hiervan is dat Percy van de weeromstuit aan de haal ging met het leeuwendeel van de organisatie van de voorvertoning en, met typisch seksistische ongevoeligheid, al zijn vrouwelijke personeel zo gek heeft gekregen om met chardonnay en knabbeltjes rond te rennen. Einde verhaal. Je hebt je aardig geweerd, tenzij je als een paard met open ogen kunt slapen.'

'Maar waarom pikt een intelligente, pittige, zelfstandige moderne vrouw als jij al die onzin?' vroeg Hat, met naar hij hoopte overtuigende minachting.

Ze zei als verweer: 'Daar zit niet zoveel achter. Ik zou tóch wel gegaan zijn. Dick brengt een paar schilderijen in. Hij is zo'n beetje een kunstenaar.'

Ze zag dat hij zich moest bedwingen om geen spottende opmerking te maken, maar was blij te merken dat hij zo slim was om dat plan te laten varen.

'In dat geval,' zei hij, 'en aangezien ik ook op de loonlijst van de gemeente sta, waarom niet? Vrijetijdstenue zeker?'

'Trek iets artistieks aan,' mompelde ze. 'Waarmee me een heel belangrijke vraag te binnen schiet. Wat trekt een goedgeklede vogelspotter in Stangdale aan, Hat?'

Hij keek haar ernstig aan om te verbergen hoe blij hij was dat hij goed gegokt had, namelijk dat hem iets in ruil werd aangeboden, en zei toen: 'Tja, als we van binnenuit beginnen: bezit je thermisch ondergoed?'

8

De collega's van Jax Ripley hadden gemerkt dat ze die hele vrijdagmiddag in een afwezige of bedachtzame stemming was. Gewoonlijk wist ze bij de voorbereidingen van haar programma in de vroege avond van wanten en was ze regelrecht ongedurig tegen iedereen die haar niet kon bijbenen. Maar die dag scheen ze geen enkele beslissing te kunnen nemen. *Out and About* bestond meestal uit diverse van tevoren opgenomen fragmenten die door Jax aan elkaar werden gepraat, en eindigde met een live item in de studio over iets van lokaal belang. Het enige wat ze vandaag had neergekrabbeld was *trailer over krt. verh. wdstrd.?*

'Wie zijn de gasten?' vroeg John Wingate, de omroepdirecteur. Hij was een mollige man van rond de middelbare leeftijd met een mager, uitgehongerd gezicht, alsof zijn chronische staat van opwinding het op een akkoordje had gegooid met zijn lijf en een demarcatielijn om zijn hals had getrokken. Daaronder blaakten de zachte huidplooien van gezondheid en scheidden, verwarmd door zon en seks, een geur af die Jax deed denken aan haar kinderbed waaronder haar zorgzame moeder rijen appels had gelegd die hen door de winter van North-Yorkshire heen moesten helpen. Met Wingate neuken was zowel een genot als een opstap in haar carrière geweest.

'Geen gasten... Alleen ik.'

'Een paar minuten dus,' zei hij aarzelend. 'Dat is wel kort dag, Jax.'

'Nee, die tijd heb ik nodig.'

'Waarvoor? Hoe kun je in godsnaam zoiets saais als een korteverhalenwedstrijd uitspinnen tot een trailer van meer dan anderhalve minuut?'

'Vertrouw me nou maar,' zei ze.

'Voer je iets in je schild, Jax?' vroeg hij achterdochtig. 'Het bevalt me niet als je "vertrouw me nou maar" zegt.'

Eindelijk nam ze een besluit en stak haar hand uit, die op zijn dij kwam te liggen. Ze glimlachte en zei: 'Het komt allemaal in orde, John.'

In een leven vol verkeerde carrièrekeuzes wist John Wingate niet zeker welke plaats neuken met Jax Ripley daarin innam. Toen ze elkaar ontmoetten en de kans op een los neukpartijtje te mooi had geleken om te laten schieten, na afloop van een mediafeest waarbij zijn vrouw Moira niet aanwezig was omdat ze in Belfast haar zieke moeder bezocht, was ze journaliste bij de *Gazette*. En het wás mooi geweest. Hij werd nog warm nu hij eraan terugdacht en aan de ontmoetingen die erop waren gevolgd, vooral het samenzijn dat een paar weken daarna in zijn kantoor had plaatsgevonden toen ze zich kwam melden voor een sollicitatie. 'Ik kwam voor die baan,' had ze gezegd, terwijl ze op zijn bureau klom en haar benen voor hem spreidde. 'Wat dacht je hiervan om mee te beginnen?'

En onder het zonder twijfel goedkeurende oog van de vijftien veteranen van het rugbyteam van Unthank College, waarvan de foto met de Mid-Yorkshirecup die ze een paar jaar geleden onder zijn leiding hadden gewonnen het behang achter zijn stoel sierde, had hij het aanbod aangenomen, waarna zij de baan had aangenomen.

Ze leerde snel, en haar vlotte vorderingen waren gemakkelijk toe te schrijven geweest aan puur talent, zo stelde hij zich althans gerust als hij voor de zoveelste keer, zoals nu, toegaf aan haar wensen. Er was nooit enig blijk geweest van enige dreiging van Jax' kant en ze had zich altijd met de uiterste discretie gedragen, maar desondanks kon hij zich niet aan de indruk onttrekken dat hij, zowel beroepsmatig als privé, minder greep op zijn leven had dan vóór haar komst. Goddank hoefde hij tenminste niet bang te zijn dat ze op zijn baan uit was. Ze had veel hogere en verder strekkende doelen op het oog: in de graziger weiden van Wood Lane, en als wijze woorden van hem haar een extra zet zouden kunnen geven, des te beter.

Misschien was dat de verklaring voor haar afwezige gedrag van vandaag.

Hij zei: 'Grote dag dus, aanstaande maandag. Word je zenuwachtig? Nergens voor nodig. 'n Fluitje van een cent.'

Ze zei: 'Hè? O, de sollicitatie. Nee, ik zal wachten tot ik in de trein zit voordat ik zenuwachtig word.'

Hij geloofde haar. Die beheersing had ze volgens hem. Ze zou zichzelf misschien toestaan om zenuwachtig te worden als haar sollicitatie naar de baan bij de nationale nieuwsdienst in zicht kwam omdat gespannen zenuwen je scherper maakten, je extra adrenaline gaven. Maar ze zou precies weten hoe ver ze moest gaan.

Toch, ook al wist Wingate dat niet, had hij bijna in de roos geschoten.

Jax Ripley stond voor een beslissing. Wingates geruststellingen dat ze met haar staat van dienst en zijn aanbeveling de baan zou krijgen, deden haar erg goed en over haar vaardigheden koesterde ze geen valse bescheidenheid. Misschien zou ze seks in de strijd werpen, maar alleen om vlotter op de plek te komen die ze volgens haar verdiende. Maar al sloeg ze haar talenten hoog aan, ze was niet zo arrogant dat ze die als uniek aansloeg. Het was niet moeilijk geweest tot de voorste gelederen van het kleine kringetje van de showbusiness van Mid-Yorkshire toe te treden, maar in de provincie stikte het van oprukkend talent, en er zou zeker iets extra's nodig zijn om nationaal op te vallen in de gelederen van elkaar beconcurrerende klonen die allemaal stonden te springen om het te gaan maken.

En nu had ze het gevoel dat ze misschien dat beetje extra in huis had.

Maar er waren risico's.

Ze zou bruggen verbranden, dat stond vast. Ze had de eed van geheimhouding gezworen. Haar onthullingen zouden ditmaal onherroepelijk tot de bron worden teruggevoerd, en vanwege een dusdanig openlijk verraad zou zeker niemand in Mid-Yorkshire ooit weer een mond tegen haar opendoen, zelfs niet met de belofte dat ze haar benen voor hen zou spreiden.

Bovendien: als het allemaal misliep en niet meer zou blijken dan een journalistiek steekspel, dan zou ze uiteindelijk misschien zelfs door de plaatselijke BBC gedumpt worden.

Aan de andere kant was het een mooi verhaal. Een paar telefoontjes zouden vrienden in Londen wakker kunnen maken. Nationale zendtijd in het weekend plus de zondagsbladen die zich op Mid-Yorkshire zouden werpen om iets bijzonder sensationeels te onthullen – of te verzinnen – zouden een vloedgolf van berichten kunnen veroorzaken waarop ze maandag naar haar sollicitatiegesprek kon drijven. Als ze de baan eenmaal had, was het niet meer van belang wat er in Sleepy Hollow gebeurde. Daar kon het in de werkelijke wereld niemand een klap schelen of de scoop van vandaag morgen in de kattenbak lag. Zo ging het altijd. Niet de verontschuldigingen en rectificaties bleven de mensen bij, maar de vette koppen in de krant.

Dus waarom liep ze zo op eieren? In dit leven was je een speler of bleef je thuis zitten. En ik ben een speler! zei ze tegen zichzelf toen ze haar kantoor in liep om de nodige mensen wakker te bellen. Waarom zou je van een wolkenkrabber springen als je daar niet het benodigde publiek bij had?

Het was, naar de mening van de kijker achteraf, naar Jax Ripleys maatstaven een vrij traag programma. In haar inleiding en verbindende teksten leek ze nogal mat, zonder haar gebruikelijke pit. Meestal spatte ze bijna van het scherm. Maar vanavond niet. Vanavond had ze kennelijk iets anders aan haar hoofd.

Het laatste gefilmde item was een interview met Charley Penn over de nieuwe Harry Hacker-serie die de volgende week op de televisie van start ging. Het was een goed interview, waarin Jax haar verleidelijke en Penn zijn sombere zelf waren. Het eindigde ermee dat ze hem vroeg naar het *Doppelgänger*-effect waarvan hij zich in zijn boeken vaak bediende, waarbij Hacker geregeld het gevoel krijgt dat hij gewaarschuwd of geholpen wordt door een schimmige gestalte die een grote gelijkenis met hemzelf lijkt te vertonen.

'Vertel eens, Charley, is het volgens jou echt mogelijk dat iemand op twee plaatsen tegelijk is of ga je ons op een dag verrassen door te onthullen dat Harry een tweelingbroer heeft?'

Penn glimlachte haar toe, waarna hij recht in de lens keek.

'Ik weet niet of iemand op twee plaatsen tegelijk kan zijn, maar met het feit dat een karakter twee keer op dezelfde plaats kan zijn, heb ik geen probleem.'

Daar moest ze om lachen. Ze was een van de weinigen die in close-up met wijdopen mond eerder geil was dan een afknapper.

'Dat is me te diep, Charley. Maar ik ben weg van het nieuwe boek. En hoewel ik zoiets niet zou mogen zeggen: het te lezen is veel leuker dan tv-kijken.'

Einde filmpje. Overgang naar Jax live in de studio, waar ze niet langer relaxt met haar benen onder zich gevouwen op de witte nepleren bank naast haar te interviewen gasten hing maar er, met haar knieën tegen elkaar geklemd, vingers in elkaar geklauwd en gespannen, ernstige gezicht, uitzag als een jonge schooljuf die elk moment een strenge reprimande kan gaan uitdelen.

'Afgezien van *Doppelgänger*,' zei ze, 'is men het er over het algemeen over eens dat de werkelijkheid vreemder is dan fictie, maar ik wist niet hoeveel vreemder die kon zijn tot eerder deze week.

De fictie in kwestie vormt de inhoud van de inzendingen voor de korte-verhalenwedstrijd van de *Gazette*. De inzending sluit vanavond, dus degenen onder u die nog aan het krabbelen zijn, kunnen beter hun rolschaatsen onderbinden. Ik hoop de eerste vijf beste kandidaten bekend te kunnen maken en in het programma van de volgende week misschien enkele van de hoopvolle auteurs te interviewen.

Maar er is één persoon die materiaal aanlevert die waarschijnlijk niet staat te popelen om geïnterviewd te worden, de persoon die de politie de Woordman noemt...'

Terwijl ze verder sprak, gingen in het hele land de meeste luisteraars door met waarmee ze bezig waren, waarbij ze zich pas geleidelijk aan meer concentreerden op wat ze zei naarmate de inhoud tot hen doordrong. Maar enkelen onder hen staken de kop al omhoog bij de eerste aankondiging van de korte-verhalenwedstrijd, strekten hun hand uit om het volume op te draaien of stonden op uit hun stoel. En er waren er een paar die, terwijl ze verder sprak, hevig begonnen te vloeken, en er was één persoon die er eens echt voor ging zitten, in lachen uitbarstte en haar bedankte.

Nadat ze was uitgesproken en de fanfare het programma had besloten, bleef Jax een ogenblik roerloos zitten. Toen kwam John Wingate binnenstuiven.

'Jezus, Jax! Wat was dat in godsnaam? Is het waar? Dat kan niet waar zijn! Waar haalde je dat vandaan? Wat voor bewijzen heb je? Je had het eerst met mij moeten opnemen, dat weet je toch. Shit! Wat gaan we nou krijgen?'

'Laten we maar afwachten,' zei ze glimlachend, weer helemaal zichzelf nu de teerling was geworpen.

Ze hoefden niet lang te wachten.

Zelfs Jax was onthutst door de verpletterende reacties. Die kwamen in een wirwar van telefoontjes, faxen, e-mails en persoonlijke bezoeken, maar vielen onder te verdelen in vier duidelijke categorieën.

Eerst kwamen haar bazen, qua niveau van Wingate in hoogst eigen persoon tot de topmanagers in Londen en hun orakelende juristen. Zodra die, met alle gebruikelijke restricties en condities, hadden verkondigd dat er op het eerste gezicht niets strafbaars was aan wat ze had gezegd, veranderde ze bliksemsnel van potentiële verdachte in ster-in-de-dop. Dit was een ouderwetse primeur, wat men zelden beleefde op de nationale televisie, laat staan op een provinciale zender. Vandaar de belangstelling van categorie twee: de rest van de media.

Toen ze eenmaal had besloten door te gaan, had Jax het nieuwtje van haar plannen over diverse potentieel vruchtbare gronden uitgezaaid. Omdat men al lang een dikke huid had voor hypes, was niemand van zijn stoel gevallen van opwinding, maar nu de geur van bloed in de lucht hing, staken overal jakhalzen de kop in de lucht om die op te snuiven. Nu dit verhaal eenmaal in gang was gezet, was het gekkenwerk er niet als de kippen bij te zijn, en aan het eind van de avond had Jax een contract getekend voor een landelijke radiouitzending, een praatprogramma op de tv en een artikel in een zondagskrant, terwijl een meidenblad in onderhandeling was over een portret. Mary Agnew van de *Gazette* had eveneens opgebeld. Pragmatisch als ze was, liet ze er geen gras over groeien om het contact met haar voormalige werkneemster weer op te pakken om het verhaal vers van de pers uit te diepen.

'Mooi werk, meisje,' had ze gezegd. 'Je bent als een speer van start gegaan, maar nu heb je mijn hulp nodig.'

'Hoezo, Mary?'

'Omdat nu je het vuile werk hebt opgeknapt, je politiebron zal opdrogen als het kruis van een mummie,' zei Mary. 'En omdat die mafkees – áls er sprake is van een mafkees, wat ik betwijfel – zijn materiaal naar de *Gazette* stuurt. Dus als er nog iets komt…'

'Waarom denk je dat er nog iets zal komen, terwijl je zo sceptisch bent?' viel Jax haar in de rede.

'Jíj denkt het, liefje. Dat heb je zo goed als gegarandeerd. Ook al was het aanvankelijk een grap, jij hebt ervoor gezorgd dat elke mafkees in deze streek een graantje mee zal willen pikken, en god weet hoe ver sommigen van hen bereid zijn te gaan. Je hoort nog van me. Slaap lekker.'

Teef, dacht Jax. Zo maf als een deur, en nu probeert ze er zelf beter van te worden door míj te zeggen wat ik doen moet. Alsof ik háár nodig heb! Nee toch? Aan de andere kant: ik kan beter pas zeggen dat ze moet oprotten als ik zekerheid heb.

Maar de derde categorie, telefoontjes van het publiek, zetten haar aan het denken dat Agnew het waarschijnlijk bij het rechte eind had. Sommige waren bezorgd, andere beledigend, een paar ronduit geschift en een enkele regelrecht bedreigend, maar geen van alle van enig duidelijk nut. Ze werden allemaal op band opgenomen en daarvan werden kopieën gemaakt voor de politie. Eén bandje was echter duidelijk niet voor de politie bestemd. Dat was het telefoontje dat ze kreeg van gemeenteraadslid Cyril Steel, die uit was op eventuele extra kolen op het vuur waarmee ze hem kon steunen in zijn kruistocht tegen de politie. Net als Agnew stelde hij nationaal niets voor maar wist hij plaatselijk goed te scoren met zijn kruistocht tegen verspilling en corruptie. Hij had haar een heleboel goede hints gegeven en bovendien werd niet meer van háár verwacht dan dat ze in ruil de ijzervreter in hem bevredigde. Nu was hij verrukt over wat in zijn ogen een win-winsituatie was. Of de politie had haar plicht verzaakt door de gemeenteraad niet te vertellen dat er mogelijk een seriemoordenaar in de stad was, óf de meerderheid had zich daaraan schuldig gemaakt door het te verzwijgen. Omdat ze het, afgezien van haar maatje bij de politie, tot haar vreugde voor het kiezen had wat betreft steun uit de hoogste kringen van Mid-Yorkshire, liet Jax het onwelriekende gemeenteraadslid wel tien minuten doorratelen vóór ze hem afkapte met de belofte hem op de hoogte te zullen houden.

Nu zette ze zich schrap in afwachting van de laatste categorie telefoontjes.

Dat was de sterke arm. Het telefoontje dat ze van haar verklikker verwachtte, bleef uit, maar een uur na het eind van het programma belde de persattaché van Mid-Yorkshire, een gebruikersvriendelijke adjudant die iets gezellig knus over zich had waarachter een messcherp verstand schuilging, die zich afvroeg of enige samenwerking tussen de BBC en de politie niet in beider belang zou zijn. Bijvoorbeeld, als hij beloofde haar in beeld te houden, zou zij hem dan wellicht kunnen vertellen hoe ze aan haar informatie kwam? Ze had hard gelachen en hij had met haar mee gelachen toen hij zei: 'Zoals je wilt, hoor. Maar kijk niet vreemd op als je op dit eigenste moment een luid geblaf hoort. Dat zullen zij dan zijn die met rottweilers de trap opkomen.'

Uiteindelijk bleek de waarnemend commissaris geen hond te bezitten, al deed hij zijn best met zijn eigen tanden. Hij verzocht haar haar bronnen openbaar te maken. Ze weigerde op grond van journalistieke geheimhouding. Hij benadrukte de plicht die de wet eenieder oplegde die over informatie beschikte die relevant was in een hetzij reeds gepleegd, hetzij alsnog te plegen delict. Vervolgens wenste hij haar alle goeds in haar toekomstige carrière, hoopte dat die zich in haar belang verre van Mid-Yorkshire zou voltrekken, glimlachte bloeddorstig en vertrok.

Neem nou maar liever die baan in Londen aan, meid, zei ze tegen zichzelf. Ik denk dat het híér behoorlijk onplezierig voor je zou kunnen worden.

Maar de plussen waren te talrijk voor de negatieve factoren als Mary Agnew en de waarnemend commissaris, zodat ze niet lang bij de pakken neer bleef zitten, en toen ze eindelijk besloot dat het mooi geweest was voor die avond, borrelde ze vanbinnen als een fles champagne die op ploffen staat. John Wingate was er nog, maar hij leek wat minder opgedraaid nu het ernaar uitzag dat haar onthullingen in de uitzending eerder bijval dan scheldkanonnades zouden oogsten. Omdat seks een goede manier leek om haar energie te ontkurken, zei ze: 'Heb je zin om met me mee te gaan om op de overwinning te drinken, John?'

Hij keek haar aan, keek op zijn horloge, waarna alle opwinding terugkwam op zijn gezicht. Hij herinnert zich weer hoe het was, dacht ze. Hij denkt dat hij met een beetje geluk binnen de kortste keren helemaal van me af is, dus waarom niet nog een keertje om het af te leren? Ik zou mijn hand maar naar hem hoeven uit te steken en zeggen: 'Laten we het hier doen,' en dan zou hij zich in *no time* op me werpen. Maar ze had geen trek in een vluggertje op een vuile studiovloer.

Ze zei: 'Je hebt gelijk, John. Het gezin gaat voor, hè?', gaf hem een vluchtige kus op z'n wang en liep weg, wetend dat hij door het wiegen van haar achterste op haar terugtocht spijt als haren op zijn hoofd zou krijgen. Maar ze wilde geen vent die bij het klaarkomen dacht aan een rekening die hij te vereffenen had. Vanavond was een avond van alles of niets, en toen ze in gedachten de lijst met mogelijkheden doornam, begon het er steeds meer naar uit te zien dat het niets zou worden. Niemand leek precies aan de voorwaarden te voldoen... behalve misschien... maar nee, die kon ze niet opbellen!

Ze ging haar flat binnen en schopte de moordend hoge hakken uit die ze naar haar werk had aangehad. Ondanks of misschien dankzij het feit dat ze op mensen overkwam als Penthesileia op oorlogspad, was ze zich zeer bewust van haar lengte, vooral voor de camera. Haar kleren volgden. Die liet ze liggen waar ze neerkwamen, liet haar armen in haar dunne zijden peignoir glijden en haar voeten in een paar onflatteuze maar uiterst gemakkelijke zachte leren sloffen. Te opgedraaid om aan slapen te denken, ging ze naar haar computer en flanste een e-mail in elkaar voor de enige met wie ze in (bijna) alle vrijheid kon praten: haar zus Angie in Amerika. Het was wel geen seks, maar toch een vorm van ontlading haar woorden zo te hebben afgewogen als ze de afgelopen uren had gedaan.

Toen ze klaar was, ging de telefoon.

Ze nam op en zei: 'Hallo.'

Meteen begon een stem te spreken.

Ze luisterde, waarna ze vol ongeloof vroeg: 'En u hebt die derde Dialoog werkelijk bij u?'

'Ja. Maar die moet morgen ingeleverd worden. Als u hem wilt zien...'

'Natuurlijk wil ik hem zien. Zou u naar mijn huis kunnen komen?'

'Nu?'

'Ja.'

'Oké. Geef me vijf minuten.'

De lijn was dood.

Ze legde de hoorn neer en stak een vuist in de lucht, een gebaar dat ze altijd geschift had gevonden als ze dat voetballers en deelnemers aan tv-spelletjes zag doen. Maar nu wist ze wat ermee werd uitgedrukt.

'Ripley,' zei ze. 'Daarboven is iemand zéér op je gesteld.'

9

Derde dialoog

Ave!

Waarom niet?
  In het begin was het woord, maar in welke taal was dat?
  Geesten spreken op seances altijd Engels. Behalve in Frankrijk misschien. En in Duitsland. En waar niet?
  Dus welke taal spreken de doden werkelijk als, zoals ik aanneem, alle doden met elkaar kunnen spreken? Een soort esperanto uit de hel soms?

Nee, volgens mij verstaan de doden alles, anders begrijpen ze niets.
  Goed, hoe is het nu? Comment ça va? Wie geht's?

Met mij? Tja, het komt allemaal in een versnelling. Ja, het is zwaarder. Denk niet dat ik niet blij ben wat meer verantwoordelijkheid te krijgen, maar ik zal het niet onder stoelen of banken steken: het is zwaarder.
  Ik wist dat ze na de uitzending laat terug zou zijn, maar ik vond het niet erg om te wachten. Wat betekenen een paar uur op een reis zo lang als de mijne? En een deel van de pret bestaat uit het met spanning uitzien naar het moment waarop de tijd compleet stilstaat en alles in een oneindig heerlijk heden zal gaan gebeuren.
  Sinds de bouzoukispeler is zij natuurlijk steeds een van de mogelijkheden geweest, maar er waren anderen die evenveel rechten hadden. Ik moest voor de zekerheid naar hen allemaal luisteren. Het volk moet zich tot het volk richten, maar ik wilde juist horen hoe het ene individu tegen het andere sprak. En toen was zij op de buis, en al wist ze heel goed wat ze zei – zonder een moment de Wet uit het oog te verliezen – ik hoorde dat haar impliciete boodschap tot slechts één persoon gericht was. Schrijf nog een Dialoog voor me, zei ze. Alsjeblieft, ik smeek je, schrijf nog een Dialoog voor me.

Hoe kon ik tegenstand bieden aan zo'n duidelijke uitnodiging? Hoe zou ik er tegenstand aan dúrven bieden als die, net als die andere, me het gevoel geeft dat ik een uitverkoren instrument ben?

Vandaar dat ik in de auto zat te wachten om zeker te weten dat ze alleen zou thuiskomen. Een vrouw met haar begeerten zou allicht bijslaap mee naar huis kunnen nemen. Nadat ik had opgebeld, wachtte ik nog een tijdje. Ik had in een halve minuut bij haar kunnen zijn maar ik wilde haar niet het idee geven dat ik zo dichtbij was.

Toen ik bij haar aanbelde, reageerde ze meteen via de intercom.

'Ben jij het?'

'Ja.'

De voordeur zwaaide open. Ik ging naar binnen en liep de trap op.

Ik voelde al hoe de tijd langzamer ging tot die niet sneller ging dan olieverf die wordt uitgeknepen op het palet van een kunstenaar. Ik was de kunstenaar en ik stond op het punt mijn nieuwe spoor op dit doek achter te laten dat, eenmaal voltooid, me buiten die tijdsdimensie zal plaatsen waar alle grote kunst zich ophoudt.

De deur van haar flat staat open. Maar de ketting zit er nog op. Zo'n voorzorgsmaatregel juich ik toe. Ik zie haar gezicht door de kier. Ik steek mijn rechterhand op waarin ik een bruine folio-envelop heb.

Dan gaat de ketting eraf, gaat de deur wagenwijd open. Daar staat ze, vriendelijk glimlachend. Ik glimlach terug en zet een stap in haar richting, terwijl ik mijn hand in de envelop laat glijden. Ik zie haar lichte ogen glanzen van verlangen. Ze beleeft dat werkelijk schitterende, van verwachting vervulde moment.

Maar zoals Apollonius naar Lamis kijkt, zie ik door die schijn van eerlijkheid wat ze werkelijk is: de stookster, de bedriegster die leeft voor haar eigen genot – en tevens zichzelf te gronde richt, want in de kern van het allerslechtste in ons zit een pitje van die onschuld en schoonheid die eenieder van ons meevoert naar deze wereld, en al neem ik me voor het verderf eruit te kerven, dat pitje zal er, naar ik hoop, voor zorgen dat ze even mooi en onschuldig de wereld verlaat als ze ter wereld kwam.

Ik grijp het heft van het mes in de envelop en stoot het lange smalle lemmet in haar lichaam.

Ik heb gelezen hoe je moet stoten – onder de ribben en dan met een ruk naar boven – maar natuurlijk heb ik niet de kans gehad op levend vlees te oefenen. Zoiets merkt een mens. Maar vanwege alle moeite die het me bezorgt, had u kunnen denken dat ik uit een eeuwenoud maffiageslacht stam.

O, wat is het heerlijk als het woord zo naadloos samenvalt met de daad en theorie zo soepel overloopt in praktijk. De stroom stroomt door het snoer, en de gloeilamp gaat gloeien. Het ruimteschip in wankel evenwicht op zijn staart van vuur, waarna hij zijn reis naar de hemel aanvangt. Precies zo glijdt het lemmet onder de ribben door en weet bijna met een eigen wil via de long tot het kloppende hart door te dringen.

Eén moment houd ik haar zo vast: haar hele levenscyclus in wankel evenwicht op een punt van staal. Hier is het hele fulcrum der planeten, het zwaartepunt van de melkweg en alle onvoorstelbare tussenruimten van oneindig heelal. Stilte straalt van ons uit als rimpelingen in een bergmeer en overstemt de nachtmuziek vanuit de verte op windvlagen aangedragen verkeersgedruis dat al het levende, liefdevolle, slapende, wakende, stervende, barende gehijg en gekreun, gesnurk en gegrijns, geklets en tranen der mensheid overstemt.

Verder is er niets. Alleen wij.

Dan is ze dood.

Ik til haar in mijn armen, draag haar de slaapkamer in en leg haar eerbiedig neer, want dit is een plechtig, heilig moment in ons beider reis.

De ouders kijken nog steeds waakzaam toe, maar nu gaat het kind, onvast ter been en traag, haar eigen weg.

Ik smeek u, laat me niet struikelen. Wees de kracht van mijn leven; wie heb ik verder nog te vrezen?

Spreek spoedig, ik bid u, spreek spoedig.

10

Zaterdagmorgen kreeg Rye Pomona op weg naar de afdeling Naslagwerken van de bibliotheek zo veel vragen van haar collega's over Ripleys tv-programma te verwerken, dat ze tien minuten te laat kwam en ontdekte dat ze het begin van een half woedende ruzie in het kantoor had gemist.

De woedende helft was Percy Follows, wiens toornige tirade afketste op de onbewogen façade van Dick Dee waarop slechts een spoor van vage verwarring achterbleef.

'Neem me niet kwalijk, Percy, maar ik heb duidelijk de indruk dat je in geen geval belast wenste te worden met de korte-verhalenwedstrijd. Ik herinner me zelfs je exacte bewoordingen – je weet de dingen altijd zo onvergetelijk te zeggen. Je zei dat dit zo'n nederig klusje was dat je weinig reden zag daardoor de belangrijkste functies van de afdeling te laten verstoren en dat jijzelf er al helemáál niet mee lastiggevallen mocht worden, afgezien van de mededeling dat de zaak was afgerond.'

Rye was reuze trots op het optreden van haar baas. Vanwege zijn nietsontziende oog voor detail, waardoor hij zo'n efficiënte chef Naslagwerken was, ging hij ook zo griezelig nauwgezet te werk bij een ruzie. Omdat ze zo'n fijne opvoering niet wilde onderbreken, ging ze niet het kantoor binnen maar nam ze stilletjes plaats achter de informatiebalie. De ochtendpost van de afdeling lag er naast de al te bekende plastic zak met de nieuwste en (haar humeur werd nóg beter) waarschijnlijk laatste portie korte verhalen van de *Gazette*.

Boven op de zak, half erin en half eruit, lag één enkel vel papier waarop slechts een paar regels stonden. Nog steeds luisterend naar de onmin, haalde ze het eruit en las.

Ik zie u als een bloem,
zo mooi, zo puur, zo teer.
Ik kijk naar u, en een doem
Van droefheid bevangt mij zeer.

'Maar dat sloeg toch niet op de wedstrijd?' bulderde Follows. 'Voorzover ik kan beoordelen zijn die Dialogen daar per ongeluk tussen beland. Ripley zei dat ze waarschijnlijk bedoeld waren voor de nieuwsafdeling van de *Gazette*.'

Zeker een poging om de bibliotheek te beschermen tegen eventuele heisa over de Dialogen, dacht Rye, terwijl haar ogen verder over de strofen gleden.

> *Met vingers vervlochten in je haren*
> *zou ik willen bidden tot de Heer*
> *om jou voor rampspoed te sparen,*
> *zo puur, zo mooi, zo teer.*

In het kantoor informeerde Dee beleefd: 'Wil jij soms zeggen dat ik dit had kunnen weten en ze naar de *Gazette* had moeten terugsturen?'

'Dat vindt Mary Agnew althans,' zei Follows. 'Ze kwam gisteravond onmiddellijk naar me toe toen dat mens van Ripley klaar was. Ik denk niet dat ze me geloofde toen ik tegenwierp dat ik nergens van wist.'

'Ik weet zeker dat ze na rijp beraad geen enkele moeite zal hebben met die optie,' zei Dee.

Dat was grote klasse, en zo beleefd geponeerd dat Follows zichzelf alleen maar in diskrediet zou kunnen brengen door op die belediging in te gaan, dacht Rye. Dit gedicht was eveneens grote klasse. Het zou een aardige gedachte zijn dat Hat Bowler zijn versiertechniek had uitgebreid met een dergelijke ouderwetse benadering, maar op de een of ander manier kon ze geen hopeloos verliefde poëet in hem zien. Hoe dan ook, ze hoefde geen miss Marple te zijn om de ware bron van de stanza's te zien. Toen ze langzaam opkeek, was ze in het geheel niet verbaasd toen ze Charley Penn aan de andere kant van de bibliotheek zag, waar hij zich op zijn gebruikelijke plaats in zijn stoel omdraaide en haar met onverholen pret aankeek.

Ze liet het vel papier op de grond glijden, veegde haar hand af alsof ze iets kleverigs kwijt wou en wijdde zich aan het openen van de post. Er was niet veel en het vergde daardoor geen speciale aandacht van haar, dus richtte ze uiteindelijk met tegenzin haar aandacht weer op de zak met verhalen. Dit mocht dan de laatste klus zijn, de hoeveelheid deed vermoeden dat er op het laatste nippertje sprake was geweest van een enorme toevloed.

De ruzie was nog steeds aan de gang, al was er duidelijk van enige koers geen sprake.

Dee zei net: 'Als ik enig idee had gehad dat dit zo zou worden opgeblazen, had ik je natúúrlijk ingelicht, Percy. Maar de politie heeft ons absolute geheimhouding opgelegd, niemand uitgezonderd.'

'Niemand uitgezonderd? Vind je niet dat je eerst bij mij had moeten komen voordat je de politie erbij haalde?'

Eindelijk had Follows een punt veroverd op Dee, dacht Rye. Het ontbrak het hoofd Leeszaal echter aan inzicht om zijn vinger in de zwakke plek te wurmen en hij bleef maar heen en weer dribbelen omdat hij uit was op een knock-out.

'En hoe is Ripley dit in godsnaam te weten gekomen? Ze is gisteren met je gaan lunchen. Waar hebben jullie het over gehad, Dick?'

Geen slechte vraag, dacht Rye, terwijl ze de verhalen op de balie schoof.

'De korte-verhalenwedstrijd natuurlijk. Ze was duidelijk aan het vissen, waarbij ze vroeg naar rare, bijzondere inzendingen. Zonder rechtstreeks te refereren aan de Dialogen wekte ze bij mij de indruk dat ze er al heel wat van wist, maar ik heb absoluut niets aan haar kennis toegevoegd.'

Waar of niet waar?

Ze kon zich absoluut niet voorstellen dat Dick Dee uit de school zou klappen, tenzij met opzet. Aan de andere kant: bij een deal zou hij waarschijnlijk zijn scrupules hebben, zelfs al lagen de voorwaarden niet vast. En juist omdat hij nooit misbruik had gemaakt van de kansen die hun nauwe samenwerking bood voor zelfs maar een uitermate terloops fysiek contact, laat staan om even stiekem te voelen, waarom zou ze dan verbaasd – en zelfs een beetje jaloers – moeten zijn bij de ontdekking dat Jax Ripley met haar blauwe ogen, blonde haar en voluptueuze mond blijkbaar wel een belletje bij hem had laten rinkelen? Wat de journaliste zelf betrof, dacht ze minder ruimhartig, die zou in haar verzengende ambitie waarschijnlijk maar al te zeer bereid geweest zijn voor een goed artikel Dees klokkenspel te bepotelen.

Ze lachte bijna hardop om de weg die haar metafoor was ingeslagen en hoorde van dichtbij een aanvullend gegniffel. Penn was zijn stoel uit gekomen en stond nu aan de balie.

'Is-ie niet mooi?' fluisterde hij. 'Ik ben zo blij dat ik vroeg was. Ah, dáár is-ie. Ik had niet graag gezien dat-ie tussen die… ontboezemingen terechtkwam.'

Hij bukte zich en raapte het gedicht van de grond.

'Ik kwam naar de balie met een zooitje troep waarover ik Dick wilde spreken, maar toen brak nét de hel los, en ik wilde er niet tussen komen. Dit moet ertussenuit geglipt zijn. Een versie van 'Du bist wie eine Blume'. Ik vind het wel mooi. Wat vond jij ervan?'

'Ik? Ik heb het niet zo goed gelezen. Sorry hoor, ik heb het druk. Tenzij je me zou willen helpen je collega-schrijvers te sorteren?'

Hij grinnikte om de poging tot een sneer en liep weg met de woorden: 'Ik vrees van niet. Wat zou mijn bescheiden licht kunnen uitrichten tegen de gloed van al dat talent?'

Maar ze luisterde niet. Naar haar geheel eigen gewoonte was ze de met de hand geschreven en de getypte verhalen aan het splitsen, waarna ze van de eerste categorie alles zou weggooien wat niet beantwoordde aan haar steeds strengere leesbaarheidsnormen. Maar juist een getypt vel papier in haar handen las ze met stijgende opwinding.

'O shit,' zei ze.

'Enfin,' zei Dick Dee net, 'ik durf te wedden dat dit, ondanks miss Ripleys pogingen om de hele zaak op te blazen, uiteindelijk slechts een storm in een glas water zal blijken, waarna zij (om een ander beeld te schetsen) van een koude kermis thuiskomt en jijzelf geen kruimeltje op het smetteloos witte antimakassartje van je reputatie zult hebben opgelopen.'

Het was, wist Rye uit ervaring, een gewoonte van Dee zijn giftige ironie te omkleden met lagen bloemrijke taal, maar die belofte leek Percy Follows voldoende te kalmeren, een proces dat toen hij het kantoor uit kwam, daadwerkelijk werd bezegeld met het gladstrijken van zijn goudblonde haardos die in tijden van stress als door magnetische kracht overeind kwam als de staartveren van een hitsige paradijsvogel.

Bespaar je de moeite, Perce, dacht Rye.

Dee liep achter hem aan, glimlachte naar Rye en zei: 'Goedemorgen.'

'Môge. Sorry dat ik te laat was,' zei ze, met een blik op Follows, in de hoop dat hij de afdeling af zou gaan.

'Was je te laat? Dat kan ik onmogelijk nagaan. Ik schijn mijn horloge weer eens kwijt te zijn. Heb jij het gezien?'

Dees horloge was een giller op zich. Hij wilde met dat ding om niet op een toetsenbord werken, omdat het naar zijn zeggen zijn proza uit balans bracht, maar zodra hij hem had afgelegd, leek er wat Penn noemde *Fernweh* in te kruipen, een verlangen naar verre einders.

'Probeer de middelste plank. Daar schijnt hij heel lekker te liggen.'

Hij dook achter de receptiebalie en kwam glimlachend weer overeind.

'Wat slim van je. Ik zwem weer mee op de eeuwige stroom des tijds wat volgens mij inhoudt dat we aan het werk moeten. Percy, zijn wij klaar?'

Follows zei: 'Dat hoop ik, Dick. Ik hoop dat we nooit meer iets van die idiote geschiedenis zullen horen maar mochten er nieuwe ontwikkelingen zijn, dan wil ik de eerste zijn die het hoort. Ik hoop dat dat jou en je personeel duidelijk is.'

Hij keek beschuldigend naar Rye, die naar hem glimlachte, en dacht: *Oké, Perce, als je het zo wilt, zal ik je dag goedmaken*, waarop ze tegen Dee zei: 'Dick, ik vrees dat ik er nóg een heb.'

Ze hield de vellen papier voorzichtig bij één hoek omhoog.

Ze zag dat Dee haar onmiddellijk begreep, maar bij Follows drong het wat minder snel door.

'Nog een…? O god, je bedoelt toch niet nóg zo'n Dialoog? Laat eens kijken.'

Hij probeerde de vellen papier uit haar vingers te grissen, maar ze ontweek hem.

'Ik denk niet dat het slim zou zijn als iemand anders zich ermee bemoeit,' zei ze. 'Ik vind dat we dit direct naar de politie moeten doorspelen.'

'Vind je dat?' zei Follows, wiens haar weer rechtovereind stond.

Even dacht ze dat hij haar wilde bevelen de Dialoog af te staan. Hij ging er prat op dat het bibliotheekpersoneel één grote familie was maar, zoals Dick Dee ooit had opgemerkt, democratie was geen organisatievorm die binnen het gezin vaak werd toegepast.

Maar bij deze gelegenheid was Follows wel zo verstandig om de zaak niet tot een confrontatie te laten komen.

'Uitstekend,' zei hij. 'En misschien moeten we dan meteen ook een kopie voor die verrekte miss Ripley maken. Al zou het me verbazen als ze er al niet een had.'

'Nee,' zei Rye. 'Dat denk ik niet. Al weet ze er vást wel alles van.' Voorzichtig zwaaide ze met de vellen papier.

'Ik hoop dat het allemaal zieke fantasie is, maar als ik dit goed heb gelezen, denk ik dat de Woordman vertelt dat hij zojuist Jax Ripley heeft vermoord.'

11

Toen Hat Bowler het lijk van Jax Ripley zag liggen, voelde hij een steek van verdriet door zich heen gaan die hem even de kracht uit zijn benen dreigde te ontnemen.

Hij had tijdens zijn korte loopbaan al eerder een lijk gezien en had een paar trucs geleerd om de aanblik aan te kunnen; beheerst ademhalen, mentaal afstand nemen, je blik op oneindig zetten. Maar ditmaal was het voor het eerst dat hij het lijk had gezien van iemand die hij kende. Iemand die even jong was als hijzelf.

Je rouwt om jezelf, hield hij zich verwoed voor, in de hoop via cynisme zijn zelfbeheersing terug te krijgen. Maar toen het niet werkte, had hij zich afgewend, maar er wel voor wakend zich in zijn labiele toestand ergens aan vast te klampen.

George Headingley was eveneens ontroerd, dat zag hij. De potige adjudant had zich zelfs vóór Bowler omgedraaid en de kamer verlaten en zat nu in een fauteuil in de zitkamer van de flat zéér onwel te wezen. Hij had er al niet zo best uitgezien toen hij die ochtend op het werk kwam. Hij was zelfs vijf minuten te laat geweest, wat de meeste CID'ers die hoger in rang waren dan politieagent niet werd aangerekend maar in Headingleys gedragspatroon wereldschokkend was.

Toen Bowler zijn kantoor was binnengestormd met het bericht dat Rye hem zojuist telefonisch had gemeld, leek het met moeite tot hem door te dringen. Eindelijk, nadat Bowler had geprobeerd de tv-presentatrice in de studio te bereiken en daarna thuis had opgebeld, had Headingley zich ervan laten overtuigen dat ze naar Ripleys flat moesten gaan.

Zoals hij nu in de stoel in het niets zat te staren, zag hij er niet uit als een gezonde vijftiger die kalmpjes op een zelfgekozen pensionering afstevende, maar eerder als een gepensioneerde bejaarde die op zijn post zou blijven tot invaliditeit hem tot stoppen dwong.

'Sir, zal ik de zaak maar in gang zetten?' vroeg Bowler.

Hij vatte het zwijgen op als instemming en belde naar het bureau om een misdaadteam op poten te zetten, waar hij sotto voce bij zei: 'En waarschuw de inspecteur, wil je? Ik denk niet dat mr. Headingley dat vanmorgen kan opbrengen.'

Hij had de adjudant ervan weten te overtuigen dat een fauteuil in de flat van een slachtoffer van moord niet de aangewezen plek is om door een meerdere te worden aangetroffen en had hem de klamme ochtendlucht in gekregen vóór Peter Pascoe arriveerde.

'George, alles goed?' vroeg hij.

'Ja, hoor. Nou ja, 't gáát. Er dreigt een griepje. Ik kon vanmorgen amper m'n bed uit komen,' zei Headingley met onvaste stem.

'Als ik jou was, zou ik er dan maar weer in kruipen,' zei Pascoe monter.

'Nee, ik zal wel opknappen. Ik moet weer naar binnen om rond te kijken nu het spoor nog vers is…'

'George, je weet dat niemand naar binnen gaat voordat we klaar zijn met de dingen die gedaan moeten worden. Ga naar huis. Dat is een bevel.'

En om te verzachten dat hij op zijn strepen stond tegenover een oudere collega, die toen Pascoe als agentje bij het district Mid-Yorkshire kwam al adjudant bij de recherche was, zei Pascoe met gedempte stem, terwijl hij met Headingley meeliep naar diens auto: 'George, nu je de dagen kunt aftellen, zit je hier toch niet op te wachten? Ik bedoel, godweet, gaat dit eindeloos duren. Pak de centen en vlucht de zon tegemoet! En maak je niet ongerust, ik zal ervoor zorgen dat iedereen zal weten wat je tot nu toe hebt gedaan. De groeten aan Beryl!'

Hij keek de auto van de adjudant na toen die langzaam wegreed en liep toen hoofdschuddend terug naar het flatgebouw.

'Oké,' zei hij tegen Bowler. 'Vertel me nu maar alles over deze toestand.'

'Jawel, sir. Ik hoop dat u me niet kwalijk neemt dat ik heb gevraagd of u wilde komen. De adjudant voelde zich zo te zien echt niet goed…'

'Nee, je had helemaal gelijk,' zei Pascoe. 'Zelf zie je er ook niet al te fris uit. Ik hoop niet dat er iets heerst.'

'Nee, sir, met mij is het uitstekend. Gewoon wat geschrokken om Jax zo te zien… Miss Ripley… Ik kende haar een beetje, ziet u…'

'Ja,' zei Pascoe, terwijl hij hem peinzend aankeek. 'Je hebt gisteravond haar programma zeker gezien?'

'Ja. Een beetje veel poespas, vond ik. U hebt het zeker ook gezien, sir?'

'Eerlijk gezegd niet.'

Maar hij had erover gehoord toen Dalziel hem opbelde en in vreselijke bedreigingen had verwoord wat hij Ripley en Bowler zou aandoen, samen en apart, als hij hen in zijn handen zou krijgen.

Pascoe had hem gekalmeerd door hem te laten inzien dat het geen goede tactiek was in het openbaar een tv-persoonlijkheid aan te vallen. En dat, wat Bowler aanging, als bewezen zou kunnen worden dat hij de informatie had doorgespeeld, met hém afgerekend zou worden door de onderzoekscommissie, die er op z'n minst voor zou zorgen dat de Dikke Man zich verder geen haren meer uit zijn kalende schedel zou hoeven rukken.

Bij de inspecteur vatte de gedachte post dat Dalziel wellicht zijn raad in de wind geslagen had en dat het bleke voorkomen en misschien zelfs de dood van de vrouw regelrecht te wijten waren aan zijn interventie.

Maar toen het misdaadteam klaar was met zijn voorlopige onderzoek en hij eindelijk het lijk onder ogen kreeg, streepte hij de Dikke Man door op zijn verdachtenlijstje. De stiletto was als wapen niets voor hem. Hij zou haar kop hebben afgerukt.

Zulke frivole gedachten waren zijn normale strategie om zijn geest af te leiden van de directe confrontaties met de dode medemens die de minst geliefde bijkomstigheden van zijn beroep vormden. Een nog grotere afleiding wachtte hem. Die had hij aanvankelijk gehoord als een loeiende windhoos in de verte toen hij het gebouw betrad, waarna hij in de langwerpige spiegel boven het bed had gecontroleerd of zijn hoofd niet werd geteisterd door gespleten vuurtongen. Maar uiteraard was het enige wat de kamer bestormde de hoogst onheilige geest van Andrew Dalziel geweest.

'Kut,' zei hij, terwijl hij aan het voeteneind van het bed tot stilstand kwam. 'Kut met peren. Gisteravond heb ik haar doodgewenst, echt waar. Je moet nooit iets wensen, kerel, tenzij je zeker weet dat je ermee kan leven als het uitkomt. Hoe lang?'

'Acht tot tien uur, te oordelen aan de lichaamstemperatuur en het blauw zien, maar we zullen moeten wachten...'

'... tot de lijkschouwing. Ja ja, ik ken het. Altijd verdomme hetzelfde, die hospikken. Angstiger om zich vast te pinnen dan een geile inktvis. Wat een handige spiegel.'

Allang gewend aan zo'n plotselinge koersverandering, keek Pascoe peinzend naar de reflectie in de staande spiegel boven het hoofdeinde. Ripley lag er heel vredig bij. De zijden kamerjas die ze aanhad, was opzijgeschoven opdat degene die het medisch onderzoek verrichtte de dodelijke verwonding had kunnen bekijken, maar Pascoe had het kledingstuk weer over elkaar geschoven om haar romp te bedekken.

'Voor seks, bedoelt u?' vroeg hij.

'Nee zeg, ga je hersens met carbol spoelen! Je hebt weer in die schuine boekies zitten lezen. Hebben ze haar verplaatst?'

'Niet meer dan nodig om de medisch onderzoeker zijn werk te laten doen. Ik zei dat u haar *in situ* zou willen zien.'

'Werkelijk? Is dat zo'n Japans bed? Dit is zo te zien een ouderwets Mid-Yorkshire-ledikant. Lekker stevig aan de voet, waar een man zich lekker tegen kan afzetten. Nee, ventje, kijk eens in de spiegel naar haar. Wat zie je?'

Pascoe keek.

'Wortels?' Hij sloeg maar een slag. 'Had ze haar haar geblondeerd?'

'Ja,' zei Dikzak ongedurig. 'Maar dat zouden we in het lijkenhuis wel ontdekt hebben. Nee, ik bedoel onderaan.'

Pascoe keek naar de voeten van de vrouw tegen de voet van het bed waar Dalziel zo hoog over opgaf. Ze had gemakkelijke leren sloffen aan. Vanaf de voet van het bed waren ze niet te zien. Van de zijkant vielen ze niet op. Maar in de spiegel gezien, was er iets... moeilijk te zeggen, ze waren zo vormeloos, maar...

'Ze zitten andersom?' zei hij aarzelend.

'Precies. En hoe is dat zo gekomen?'

'Waarschijnlijk zijn ze van haar voeten gevallen toen de Woordman haar optilde en door de...'

'De Woordman? Tjee, waar komt die idiote naam trouwens vandaan?'

'Volgens mij was het de bijnaam die Bowler heeft gegeven aan de mafkees die die Dialogen schrijft.'

'Die zultkop bedoel je? En Ripley zou dat in haar programma hebben rondgebazuind?' sneerde Dalziel. 'Ik wil met die jongeman spreken. Waar is hij?'

'Ik heb hem naar de bibliotheek gestuurd om die nieuwe Dialoog te gaan ophalen, dat deel dat ons... hierop heeft gezet.'

'Je hebt hém gestuurd? Ach, nu ik erover nadenk, wat maakt het ook uit? Tegen wie moet-ie het verklikken nu Ripper dood is? Die Woordman heeft haar zeker van achteren naar voren genaaid, hè? Voor of na het gebeurde?'

Dalziels schijnbare rauwheid nu hij oog in oog stond met de dood was, hoopte Pascoe, zíjn manier om met zijn emoties om te gaan. Of misschien was hij gewoon een rauwdouwer.

'We zullen moeten wachten tot de uitkomsten van de sectie, maar bij het voorlopige onderzoek is geen enkel teken van seksueel misbruik gebleken. Sir, die schoenen...'

'Sloffen, jochie. De Woordman zal ze haar later wel weer aangetrokken hebben. Ergo, hij heeft eraan gezeten. En ze zijn toch niet op vingerafdrukken onderzocht?'

Hij had gelijk. Voor de rest lag er overal in de flat wél een laagje van het poeder.

'Ik zal ervoor zorgen dat dat gebeurt,' zei Pascoe. 'Daar komt Bowler net aan.'

De jonge rechercheur kwam gehaast de flat binnen, maar bleef met een ruk staan toen hij Dalziel zag.

'Jongen, het lijkt wel of je net te binnen schiet dat je eigenlijk ergens anders moet zijn,' zei de Dikke Man. 'Hangt die hand zo slap vanwege die Dialoog of vind je het alleen maar erg om me te zien?'

'Jawel, sir. De Dialoog, sir,' stamelde Bowler.

Hij gaf hem met de plastic map en al aan hem.

Dalziel keek het door en gaf hem daarna door aan Pascoe.

'Oké, Bowels,' zei hij. 'Laten wíj eens wat rondkijken om te zien of ze er een agenda of dagboek op na hield.'

Terwijl hij dat zei, speurde hij op het gezicht van de rechercheur naar een teken van enig kwaad geweten, maar nee, of het moest zijn dat het gezicht van de jongeman al zo ongelukkig stond dat er geen plaats meer was voor een andere expressie.

Toen de Dikke Man een afsprakenboekje vond, gooide hij dat naar Pascoe alsof hij bang was dat Hat het uit zijn hand zou grissen en opeten, waarna hij zei: 'Mooi, knul. Waarom ren jij niet naar beneden om tegen die lijkenpikkers te zeggen dat wijlen miss Ripley klaarligt voor de verhuizing naar het mortuarium?'

Toen hij weg was, wendde Dalziel zich tot Pascoe, die het boekje had doorgebladerd, en zei: 'Iets gevonden?'

'Relevant voor de moord? Zo te zien niet, sir.'

'Relevant voor wie al die berichten heeft gelekt,' snauwde de Dikke Man.

'Nu u het zegt, er staat een significant aantal afspraken in met iemand of iets die wordt aangeduid met GP,' zei Pascoe.

'GP? Wat is dat? Haar dokter soms?'

'In elk geval zie ik niet hoe u dat zou kunnen veranderen in rechercheur Bowler. Voorletter E. Bijnaam Hat.'

'Een code misschien,' zei Dalziel knorrig.

Toen hij zich omdraaide, hief Pascoe wanhopig zijn ogen ten hemel.

'Rol niet zo met je ogen, kerel,' zei Dalziel zonder ook maar te kijken.

'Ik bedenk net: zouden we ons niet wat meer moeten concentreren op het oplossen van de zaak, sir, dan uit te vinden wie de mol is?'

'Tja, dat is jóúw taak, Pete. Dit is een zaak van slim deduceren. Een ouderwetse pief als ik snapt daar niks van. Ik zal me op de achtergrond houden en hier de leiding aan jou overlaten.'

O ja? dacht Pascoe sceptisch. Uit ervaring wist hij dat de Dikke Man op de achtergrond meestal in het licht stond.

Hij ging door met het bestuderen van het afsprakenboekje en zei: 'Dat lost één mysterie op.'

'Welk mysterie?'

'Waarom ze het gisteravond allemaal openbaar maakte. Ze moet hebben geweten dat ze ons als een stenen muur tegen zich zou krijgen en haar politiecontact waarschijnlijk voor altijd zou afschrikken. Maar ze was bereid dat risico te lopen. Ze heeft… zou maandag een sollicitatiegesprek hebben bij BBC News in Londen. En zo'n belangrijk verhaal een paar dagen daarvóór zou haar kansen volgens mij niet bepaald kwaad gedaan hebben. Vandaar dat ze de hele zaak waarschijnlijk probeerde op te blazen.'

'Nou, dat heeft ze nu zeker voor elkaar gekregen,' zei Dalziel toen de mannen van het mortuarium in gezelschap van Bowler binnenkwamen en het lijk begonnen klaar te maken voor de verhuizing.

De drie politiemannen keken toe, in een stilte die pas werd verbroken toen de mannen hun treurige last de flat uit droegen.

'Dit is een les voor ons allemaal,' zei Dalziel.

'Hoe bedoelt u, sir?'

'Ambitie,' zei de Dikkerd. 'Kan dodelijk zijn. Oké, ik ben weg. Hou me op de hoogte.'

Hat keek hem met onverholen opluchting na.

Pascoe zei: 'Hat, ik heb het rapport ingekeken dat je voor mr. Headingley hebt opgesteld. Dat was goed. Er zaten echt aanwijzingen in dat er iets lelijks op tilt was. Tragisch dat het op deze manier bevestigd moest worden, maar niemand kan zeggen dat wij dat niet in de gaten hadden. Goed werk.'

'Ja, dank u, sir,' zei Hat, die de inspecteur erkentelijk was dat hij hem zo geruststelde, maar zich daardoor des te rotter voelde. 'Sir, er is nog iets, wat me eigenlijk nu pas te binnen schoot… Die Roote die ik van u in de gaten moest houden…'

Hij had Pascoes volle aandacht.

'Volgens mij... Ik bedoel het is zeker dat hij in de Taverna heeft gegeten op de avond dat David Pitman omkwam...'

En nu keek Peter Pascoe hem aan, zonder een spoor van vriendelijkheid in zijn ogen.

12

EEN VAN DE GOEDE EIGENSCHAPPEN VAN PASCOE WAS DAT HIJ NOOIT wrok koesterde, althans zo leek het, wat natuurlijk Pascoes slechte eigenschap was.

Hat had aangeboden Roote te gaan ondervragen over zijn bezoek aan de Taverna maar de inspecteur had nee gezegd en vervolgens, zoals bij hem te doen gebruikelijk – in tegenstelling tot de meeste meerderen – zijn motieven uitgelegd.

'Roote kent je niet van gezicht – tenzij je zijn aandacht getrokken hebt?'

'Absoluut niet, sir,' zei Hat zelfverzekerd.

'Laten we dat dan zo houden. Ik zal brigadier Wield sturen om hem te ondervragen. Hij is van ons allemaal de meest... hoe zal ik het zeggen... stoïcijnse. Als íémand Roote ervan kan overtuigen dat hij, net als iedereen die in de Taverna aan het eten was, zomaar een willekeurige getuige is, is dat Wield. Natuurlijk is Roote waarschijnlijk niet meer dan dat. Een willekeurige getuige.'

Ja ja, dacht Hat. Maar je hoopt als een bezetene dat hij heel wat meer is!

'Intussen,' zei Pascoe, 'breng jij een bezoekje aan de *Gazette*. Ripley is gisteravond laat vermoord. Tenzij de Dialoog van tevoren is geschreven, en zo te lezen krijg ik absoluut niet die indruk, moet die ergens in de tien uur vóór vanmorgen negen uur, toen hij werd gevonden, in de zak terecht zijn gekomen. Ik wil weten hoe. Ik zal het nog eens nagaan bij de bibliotheek. Kom daar naar me toe als je klaar bent. En Hat, hou je gedeisd, hè? De hel zal losbreken als de pers lucht krijgt van deze geschiedenis. Laten we het rustig houden zolang we kunnen!'

Hats bezoek aan de *Gazette* was van korte duur. Pascoes hoop op een adempauze bleek ijdel. Het bericht over de laatste Dialoog had de krant al bereikt en Mary Agnew was er eerder bij gebaat informatie in te winnen dan te verstrekken. Hoewel hij zo snel mogelijk bij haar uit de buurt wilde zijn, hield Hat zijn poot stijf tot hij kreeg waarvoor hij was gekomen. Het mocht amper baten. Vrijdagavond was altijd hectisch vanwege voorbereidingen voor de zaterdageditie, en door de uitzending van Jax Ripley was dat nog erger omdat die Mary Agnew op het laatste nippertje een openingsartikel had opgeleverd waar ze niet omheen kon. Dat betekende dat niemand enig bijeffect van Ripleys onthullingen had opgemerkt, namelijk dat deze om een of andere reden het accent gelegd schenen te hebben op haar herinnering aan de sluitingstermijn van de verhalenwedstrijd. De volgende morgen vroeg ontdekte de postjongen – die in het geheel geen weet had van alle opwinding aangezien hij op vrijdagavond wel iets beters te doen had dan televisiekijken – de minstens tien late inzendingen en hij stopte ze in de zak bij al die andere die vrijdag overdag waren binnengekomen. Blij dat het eind in zicht was van de in zijn ogen stomvervelende klus, leverde hij ze bij het Centrum af. Toen Mary Agnew, die na het zien van Ripleys programma uiteraard alles in de zak had nagekeken, zo furieus was nu eindelijk tot haar doordrong dat er later nog meer was bij gekomen en al haar woede afreageerde op het hoofd van de stomverbaasde postjongen, maakte Hat van de gelegenheid gebruik om weg te glippen.

Bij het Centrum aangekomen, dat op maar een paar minuten loopafstand lag, zag hij hoe de lange schriele gestalte van de inspecteur zich door de glazen deuren spoedde om hem in te halen.

'Jij was snel,' zei Pascoe verwijtend.

Hat, die complimenten verwacht had voor zijn snelheid, gaf een, vond hij zelf, zo ongeveer in de stijl van Wield zeer professionele samenvatting van zijn bevindingen, maar kreeg de ene belediging na de andere te horen toen Pascoe schijnbaar met alle geweld wenste te geloven dat hij het achterste van zijn tong had laten zien over de Dialoog. Hij verdedigde zich heftig maar dat bleek vruchteloos, want toen ze de afdeling Naslagwerken binnengingen, was daar het bewijs dat Agnew reeds van alles op de hoogte was in de broze, gebogen, van nicotine doortrokken gedaante van Sammy Ruddlesdin, hoofdredacteur van de *Gazette*.

Hij was blijkbaar in een verhit debat gewikkeld met Percy Follows en een kleine corpulente man in een ruitjespak, zo opvallend dat een bookmaker zich erin zou generen, en met een paardenstaart als de tamp van een ezel. Aan één kant stonden, als scheidsrechters op een veemarkt, Dick Dee en Rye.

Dee, die als eerste hun komst opmerkte, zei: 'Bezoek, Percy,' op gedempte toon die op een of andere manier over voldoende kracht beschikte om het debat te doorklieven. De drie mannen keken de nieuw aangekomenen aan. Follows' mond rekte zich tot een glimlach die bijkans te breed was voor zijn smalle gezicht en hij stelde zich, terwijl hij zijn glanzende manen achterover schudde, recht tegenover Pascoe op, waarmee hij de pogingen van Paardenstaart verijdelde zijn eigen lijf tussen hen in te wringen, maar de man niet kon verhinderen zich tussen hen in te dringen met zijn stem, die verbazend diep en galmend was, alsof die uit de krochten van een grot opsteeg.

'Inspecteur Pascoe, is het niet? Ik heb de eer uw vrouw te kennen, sir. Ambrose Bird. Wat een gruwelijke geschiedenis. Gruwelijk.'

Dus dit was Ambrose Bird, de laatste Acteur-Directeur. Hat dacht terug aan wat Rye had gezegd over de rivaliteit tussen Bird en Follows wat betreft het algemeen directeurschap van het Centrum. Dat, zo werd duidelijk, was het motief van zijn aanwezigheid. Toen het bericht over de moorden en de Dialogen het hele gebouw door gingen (je hoefde niet te raden naar de bron, dacht Hat, terwijl hij naar de ijdel kwekkende bibliothecaris keek), had Bird besloten dat hij zijn aan zichzelf toegekende directeurschap, al was hij nog niet als zodanig verkozen, zou onderbouwen door als woordvoerder van het Centrum op te treden in de media. Waarschijnlijk was hij degene die de telefoon had gegrepen om de *Gazette* te tippen.

Snel dirigeerde Pascoe met een soepele diplomatie, waarvoor Hat slechts bewondering kon opbrengen en kon hopen dat hij ervan zou kunnen leren, het drietal naar de openbare ruimte van Naslagwerken, terwijl Hat Rye Pomona en Dick Dee het kantoor in loodste.

Pascoe deed de deur dicht, keek nog eens door het glaspaneel naar de drie mannen, waarna hij Hat toefluisterde: 'Hou die lui in de gaten. Als een van hen te dichtbij komt, vooral Sammy, storm dan naar binnen en breek hun poten.'

Het kantoor had iets huiselijks. Een koffiezetapparaat, een blik koekjes, een oude leunstoel die, evenals het vierkante kleed, niet bij de gemeenteraad vandaan leek te komen en muren vol lijsten, waarvan sommige met reproducties, sommige met foto's, alle van mannen. Misschien was Dee wel een nicht, dacht Hat hoopvol. Maar dat zag je niet aan hem af, al was dat een gevaarlijke maatstaf voor eenieder die met Edgar Wield werkte. Zoekend naar een bewijs dat de bibliothecaris een gezin had, zag hij op het bureau een foto van drie schooljongens in een zilveren lijst. De ene rechts zag eruit alsof hij Dee junior zou kunnen zijn. Of misschien Dee senior toen die junior was. Eveneens op het bureau, op een groot ingeklapt bord, stond een doos met plastic steentjes met letters en cijfers erop en drie houten standaards. Waarschijnlijk was dit de paro-dinges, dat idiote woordspel waarover Rye hem had verteld.

Toen hij haar blik ving, waagde hij een glimlach.

Ze glimlachte niet terug.

Pascoe bracht haar en Dee met klinische precisie op de hoogte van de gebeurtenissen van die ochtend, terwijl Hat aantekeningen maakte, en keek van tijd tot tijd door het glas om zich ervan te vergewissen dat de journalist op veilige afstand bleef.

Toen ze zei dat het eerste wat ze uit de openstaande zak had gepakt Charley Penns vertaling van een gedicht van Heine was geweest, voelde Hat opnieuw een steek van die onnozele afgunst.

'Dus mr. Penn was al in de bibliotheek toen u kwam?'

'O, ja.'

'En heeft alles gezien?'

'Mr. Penn ontgaat niet veel,' zei Rye voorzichtig.

'Ik heb hem niet gezien toen we hier zonet kwamen,' zei Pascoe.

'Nee,' kwam Dee tussenbeide. 'Charley zei dat er in de bibliotheek waarschijnlijk zo'n heisa zou zijn dat hij beter af zou zijn als hij thuis werkte.'

Uit de flauwe glimlach waarmee hij dat zei, vermoedde Hat dat het een parafrase was van wat Penn werkelijk gezegd had.

'En waar is thuis?'

Toen Dee zijn tong brak over het adres, schoot Rye te hulp om het correct weer te geven. Betekende dat dat ze er werkelijk was geweest? vroeg Hat zich af, waarbij de afgunst opnieuw opborrelde zonder zich, naar hij hoopte, af te tekenen op zijn gezicht. Ze had al gemerkt dat hij jaloers was op het feit dat ze erg gesteld was op Dee. Als ze ook nog de indruk kreeg dat hij een of andere bezitterige gek was, zou dat zijn kansen helemáál verklooien.

Ten slotte wist Pascoe genoeg.

De beide bibliothecarissen in het kantoor achterlatend, liep hij samen met Hat naar buiten. Vlak bij de deur naar de bibliotheek waren Bird en Follows nog steeds aan het ruziën, terwijl Ruddlesdin, kauwend op een onaangestoken sigaret en der dagen zat, met onverschilligheid toekeek. De discussie staakte toen Pascoe riep: 'Heren!', waarop ze alledrie naar hem toe liepen.

Hij ging opzij om hen het kantoor binnen te loodsen.

'Ik ben hier klaar,' zei hij. 'Dank u dat u zo geduldig hebt gewacht.'

Vervolgens deed hij tot Hats blijdschap en bewondering zachtjes de deur achter hen dicht en liep in de richting van de uitgang in een tempo dat grensde aan rennen.

Vlak voor de deur van de lift naar de parkeergarage zich sloot, haalde Ruddlesdin hem in.

'Een quote, Pete,' zei hij hijgend. 'Geef me een quote.'

'Roken kan je gezondheid ernstig in gevaar brengen,' zei Pascoe.

'Waar gaan we naartoe, sir?' vroeg Hat toen ze in de auto stapten.

'Met Charley Penn praten natuurlijk,' zei Pascoe.

Penns flat bevond zich op de bovenste etage van een gerenoveerd herenhuis uit de tijd van Edward VII dat aan alle kanten in de steigers stond en waar geschreeuw, gedreun, getimmer en de radiomuziek klonken om de wereld te laten weten dat de Britse arbeider zijn brood aan het verdienen is.

Ze troffen Penn op weg naar buiten. Met een kwade blik van weerzin draaide hij zich om en ging hen voor naar zijn appartement met de woorden: 'Je zal verdomme niet geloven dat ik de bibliotheek ontvlucht ben – met de gedachte dat de muren er algauw zouden trillen van het gedreun van de gemeentelijke voetstappen waardoor werken er onmogelijk zou zijn – en dat ik deze hel trof toen ik thuiskwam!'

'Maar u wist toch wel dat er gewerkt werd?' merkte Pascoe op.

'Ze waren nog niet begonnen toen ik wegging, en ik dacht: zaterdagochtend, misschien weigeren die sukkels hun nest uit te komen, tenzij ze viermaal zoveel betaald krijgen.'

'Wat zijn ze dan aan het doen?'

'Mijn huisbaas knapt het gebouw op, denkt dat hij vijf keer zoveel kan vangen als wat hij een paar jaar geleden heeft betaald wanneer hij het als een enkele woning verkoopt.' De schrijver toonde zijn onregelmatige tanden in een bloeddorstige grijns. 'Maar dan moet hij eerst míj zien kwijt te raken, nietwaar?'

Onder het uitwisselen van die beleefdheden neusde Hat zo'n beetje rond.

De etage bestond, voorzover hij kon zien zonder al te zeer op te vallen, uit een slaapkamer, een badkamer, keuken en de kamer waarin ze zich bevonden. Door hoge plafonds en een nis met een raam dat (zelfs door het frame van de steigers heen) een fraai uitzicht bood op het interessante landschap van daken in het oudere stadsgedeelte, gaf de kamer een gevoel van ruimte die zelfs de puinzooi van een fervente boekenwurm niet kon verbergen. In de nis stond een enorm bureau dat geheel aan het oog werd onttrokken door stapels papieren en boeken die zich naar alle kanten een paar meter voortzetten. Aan de andere kant van de kamer stond een antieke, met groen geolied linnen overtrokken kaarttafel met een draaiblad waarop keurig een groot bord in de vorm van een vijfpuntige ster klaarlag met daarop vierkantjes, waarvan een aantal gekleurde en een aantal met vreemde tekens, met daaromheen een schaal vol lettersteentjes en drie houten standaards voor de steentjes.

Die moeten echt van dat spel houden, hij en Dee, dacht Hat. Ieder een bord! Misschien waren er wel meer. Waarschijnlijk stond er bij Dee thuis ook een, en god weet waar nog meer.

Toen werd zijn aandacht getrokken naar de muur vlak achter de tafel, waaraan een ingelijste foto hing. Daarop stonden drie jongetjes dicht bij elkaar, met de armen om elkaar heen. Dezelfde foto die hij op Dick Dees bureau had gezien, alleen was dit een veel grotere afdruk. Op de vergroting werd het wazige vanwege de onscherpe instelling geaccentueerd, waardoor een merkwaardig onwezenlijk effect ontstond, zodat de jongens droomfiguren leken. Ze stonden op gras, met op de achtergrond bomen en een kasteelachtig gebouw, als een kasteel in een nevelig bos. Het leek wel of de twee buitenste jongens op een verhoging stonden, de ene misschien zes à negen centimeter langer dan de andere, maar ze waren allebei minstens twintig centimeter langer dan het jongetje in het midden. Hij had dikke blonde krullen en een rond engelachtig gezicht dat onverholen koket in de lens glimlachte. De kleinste van de andere twee, degene die op Dee leek, glimlachte eveneens maar met een wat meer naar binnen gekeerde, heimelijk geamuseerde glimlach, terwijl het derde jongetje een ronduit kwaad gezicht trok dat Hat herkende toen een stem snauwde: 'Je geeft je ogen goed de kost, hè?' en toen hij zich omdraaide naar Charley Penn keek.

'Sorry, dat kwam door het spel,' zei hij, naar het bord wijzend. 'Rye, miss Pomona had het erover... een rare naam... paro-en-nogiets...'

'Paronomania,' zei Penn, terwijl hij hem oplettend aankeek. 'Dus miss Pomona heeft het erover gehad? Ja, ik herinner me dat het haar belangstelling wekte toen ze het mij op een dag met Dick zag spelen. Maar ik zei tegen haar dat je het, zoals met alle betere spelletjes, alleen met z'n tweeën kon spelen.'

Hij glimlachte wellustig, met zijn ogen op Hat, die voelde hoe hij bloosde.

'Een soort scrabble, is het niet?' zei Pascoe.

'Ja ja. Zoals schaken uit zetten bestaat,' sneerde Penn.

'Wonderlijk. Mijn dochtertje is dol op bordspelletjes,' mompelde Pascoe. 'Maar we mogen u niet langer ophouden dan nodig is, mr. Penn. Een paar vragen...'

Maar vóór hij kon beginnen, werd er hard op de buitendeur geklopt.

Toen Penn hen alleen liet, hoorden ze even later een luide, steeds fellere discussie oplaaien tussen de schrijver en de opzichter van de restaurateurs die toegang eisten tot de ramen van Penns flat en schenen te denken dat een paar geschreven instructies van zijn baas hun het recht daartoe gaf.

Pascoe liep naar een hoge archiefkast en bekeek de boeken op de planken. Al Penns series van Harry Hacker stonden er.

'Heb je er wel eens iets van gelezen, Hat?' informeerde Pascoe.

'Nee, sir. Ik heb wel wat beters te doen.'

Pascoe keek hem nieuwsgierig aan, waarna hij zei: 'Misschien zou je het moeten doen. Uit zijn boeken kun je een hoop over de schrijver te weten komen.'

Hij reikte omhoog, niet om een boek van de plank te pakken, maar een van twee in leer gebonden dossiers waarop stond: GLUIPERD. Toen hij die opensloeg, trof hij binnenin gebonden nummers aan van een tijdschrift met die naam. Het was duidelijk een amateuruitgave, maar goed ingedeeld en vormgegeven. Hij sloeg een willekeurige pagina op.

Raadsel

Mijn eerste staat in Hondenhok, al ligt hij niet goed in de markt:
Mijn tweede is verzameld tot een band:
Mijn geheel is in Simpson als hij niet in Bland is.

(antwoord op pag. 13)

Hat keek over zijn schouder mee.

'Een raadsel,' zei hij opgewonden. 'Zoals in de Tweede Dialoog.'

'Wind je niet op,' zei Pascoe. 'Dit is een ander soort raadsel, al is het niet het soort raadsel dat het op het eerste gezicht lijkt. Zo te zien moet het zo'n simpele spellingsstrikvraag voorstellen. Maar eigenlijk is het dat niet.'

'Wat is het dan wél?'

'Laten we naar het antwoord kijken om erachter te komen, oké?'

Hij sloeg pagina dertien op.

Antwoord: Eenzame tobbende lansier.

'Wat betekent dat in godsnaam?' vroeg Hat.

'Volgens mij is een puberale grap,' zei Pascoe.

Maar vóór hij verder kon speculeren, kwam Penn weer binnen.

'Doe gerust alsof jullie thuis zijn,' sneerde hij. 'Ik bewaar mijn privé-correspondentie in de dossierkast.'

'Natuurlijk, vandaar dat ik niet verwachtte iets persoonlijks op uw boekenplanken te vinden,' zei Pascoe hoffelijk. 'Maar mijn excuses.'

Hij zette het boekwerk terug en zei: 'Goed, die paar vragen…'

Snel herstelde Penn zich en bevestigde ruimhartig Ryes verslag van de reeks gebeurtenissen. Hij legde tot in de onnodige details uit dat hij, toen hij de afdeling Referenties van de bibliotheek binnenkwam, op zoek naar mr. Dee op diens bureau af was gelopen, maar omdat hij zag dat Dee in zijn kantoor bezig was, was hij naar zijn stoel teruggegaan waarbij hij per ongeluk zijn werk op de balie had laten liggen, waar miss Pomona het had gevonden. Hij haalde zelfs het vertaalde gedicht te voorschijn om het hun te laten lezen.

'Ik heb de indruk,' voegde hij er, met zijn ogen sardonisch op Hat gericht, aan toe, 'dat ze het aanzag voor een liefdesrijmelarijtje. Zo'n liefdesrijmelarijtje dat de meeste meiden graag krijgen, denk ik. Er is tegenwoordig toch bijna geen ouderwetse romantiek meer?'

Hats nauwverholen laatdunkendheid uitte zich in een vochtig gesputter, en zou misschien op een vijandige ondervraging uitgedraaid zijn als Pascoe niet had gezegd: 'Dat was heel nuttig, mr. Penn. Ik geloof niet dat we een schriftelijke verklaring nodig hebben. We komen er zelf wel uit.'

Op straat zei hij: 'Hat, het is geen goed idee onze persoonlijke animositeit jegens een getuige zo duidelijk te laten doorschemeren,' waaraan hij er om het verwijt te verzachten aan toevoegde: 'Ik spreek uit ervaring.'

'Inderdaad, sir. Het spijt me. Maar hij strijkt me werkelijk tegen de haren in. Ik weet dat het geen bewijs is, maar tóch heb ik het gevoel dat er iets raars met die man aan de hand is. Misschien hoort dat bij zijn werk, als schrijver.'

'O zo? Dus een schrijver hoort raar te zijn?' zei Pascoe lichtelijk geamuseerd.

Opeens herinnerde Hat zich Ellie Pascoe.

'O shit. Sorry, ik bedoelde niet…'

'Natuurlijk niet. Alleen mannelijke schrijvers van middelbare leeftijd die romantische gedichten laten rondslingeren voor jonge vrouwen die gemakkelijk te imponeren zijn, zijn raar, dat begrijp ik.'

Lachend stapten ze in hun auto.

Ach, zolang ik de hoge pieten maar aan het lachen hou, doe ik vast wel iets goed, dacht Hat.

De eerste paar dagen na een onderzoek in verband met een moord, vooral een zaak die zo complex beloofde te worden als de jacht op de Woordman, zijn altijd ongelooflijk hectisch. In dit stadium is het onmogelijk te zeggen wat uiteindelijk productieve bezigheden zijn en wat een totale verkwisting van energie zal blijken, dus wordt alles met een minutieuze tijdvretende aandacht behandeld. Het enige positieve dat het had opgeleverd was een gedeeltelijke duimafdruk, niet van Ripley, op haar linkerslof. Dalziel moest nagegeven worden dat hij niet zelfvoldaan keek, maar dat kwam misschien doordat de experts beweerden dat, zelfs al zouden ze een eventueel daarmee corresponderende afdruk vinden, die waarschijnlijk op geen stukken na zou voldoen aan de zestien punten van overeenkomst waaraan een afdruk moest beantwoorden om als bewijs te mogen doorgaan. Het computertijdperk maakte veel snellere controles mogelijk dan vroeger, maar tot nu toe hadden die niets opgeleverd.

De sectie had als doodsoorzaak bevestigd één enkele steekwond met een lang, smal mes. De mening van de medische deskundige ter plaatse dat hij geen uitwendig bewijs van een seksueel misdrijf kon zien, was eveneens bevestigd. Wie weet had ze die dag op een ander tijdstip beschermde gemeenschap gehad, maar als dat tegen haar wil was gebeurd, was ze te bang geweest om tegenstand te bieden.

Dus het voorlopige sectierapport had weinig geholpen, maar later had de patholoog-anatoom opgebeld om te zeggen dat een tweede onderzoek bewijs had opgeleverd van tandafdrukken op haar linkerbil, moeilijk zichtbaar omdat die dicht in de buurt kwam van de uiterste hypostase of lijkkleur. Er werd gesuggereeerd dat dat over het hoofd gezien zou zijn als de patholoog-anatoom niet zo plichtsgetrouw was geweest. 'Ik denk eerder dat het de assistent in het mortuarium of de werkster is geweest,' zei Dalziel cynisch. Er werden foto's genomen, die werden voorgelegd aan professor Henry Miller, forensisch tandtechnisch expert van Mid-Yorkshire, die zowel bij zijn studenten als bij de politie bekendstond als mr. Molar oftewel De Kies. De diagnose van de professor was even vaag als die van de expert Vingerafdrukken. Ja, hij zou met zekerheid kunnen zeggen van welke tand die afdrukken niét afkomstig waren, maar betwijfelde of hij verder zou kunnen gaan dan een gerede kans ten aanzien van tanden die leken te passen.

'Experts,' zei Dalziel. 'Ik heb schijt aan ze. Alleen met bloed, zweet en goed en eerlijk geploeter wordt die stinkerd gepakt.'

Van begin af aan was Hat Bowler een van de ploeteraars. De eerste de beste zaterdag gunde hij zich amper een minuutje tijd om Rye op te bellen om te bevestigen wat hij toen hij het lijk van Jax vond onmiddellijk geweten had: dat zijn vrije zondag niet meer vrij was en dat hun tripje naar Stangdale moest worden afgezegd.

Tot zijn vreugde zei ze: 'Maak je niet druk. De volgende week zijn de vogels tóch al met z'n allen weggetrokken.'

'Jezus, nee,' zei hij lachend. 'In elk geval zal ik ze een berichtje sturen dat ze moeten blijven.'

'Doe dat.'

Daarna hadden ze over de zaak gesproken, tot Hat zich bewust werd van Dalziels enorme gestalte die tegen de deurpost van de CID-kamer geleund stond en haastig een eind maakte aan het gesprek.

'Getuige?' vroeg de Dikkerd.

'Jawel, sir,' zei Hat.

'De tijden zijn veranderd. Vroeger viel er niets te lachen als je met getuigen sprak. Ik was op zoek naar brigadier Wield.'

'Die is ook in gesprek met een getuige, sir.'

'Ik hoop dat híj niet lacht,' zei Dalziel. 'Niet dat zo'n sukkel het zal merken.'

Edgar Wield lachte zéker niet.

De getuige met wie hij in gesprek was, was Franny Roote, en Wield deed dat met een volkomen uitgestreken gezicht. Hij wilde niet de geringste hint geven dat ze Roote geen moment uit het oog verloren. Wield vond dat zijn vriend Peter Pascoe wel erg link bezig was met Roote. Er was geen officiële aanklacht tegen Pascoe ingediend na de gebeurtenissen die hadden geleid tot de zogenaamde zelfmoordpoging van de jongeman, maar in bepaalde kringen had de pers hints laten vallen over onnodige pressie, en dat zou niet onopgemerkt blijven bij de rapporteurs van de politiemacht. Nog zo'n 'incident', en er zou waarschijnlijk een directere reactie volgen van beide organisaties. Dus was Wield heel zorgvuldig geweest met het aanstippen van de Taverna. Hij moest een reden hebben om te weten dat Roote daar die bewuste avond was geweest en had tot zijn opluchting ontdekt dat zijn rekening was betaald per creditcard. Bij het zien van de rekening werd tevens bevestigd dat hij daar alleen geweest was, maar zelfs aan de hand van een foto had geen van de obers een duidelijke herinnering aan hem.

Wield was toen alle anderen gaan ondervragen van wie bekend was dat ze daar die avond hadden gegeten, waarbij hij Roote bijna helemaal onder aan de lijst had gezet.

Maar ondanks al die moeite zag hij dat hij met een heel flauw, heel geslepen glimlachje werd begroet, alsof die vent elke centimeter herkende van de weg die hij naar zijn deur had afgelegd.

Hij antwoordde beleefd op de vragen.

Ja, hij was in de Taverna geweest, slechts één keer, niet zíjn soort eten. Ja, hij herinnerde zich de jonge bouzoukispeler. Nee, hij kon zich niet een bepaalde persoon voor de geest halen die een praatje met hem had gemaakt.

'En u, meneer, hebt u met de knaap gesproken?' vroeg Wield. 'Misschien een verzoeknummer aangevraagd?'

'Nee, niet míjn soort muziek.'

'Niet uw soort muziek. Niet uw soort eten. Neem me niet kwalijk dat ik het vraag, meneer, waarom hebt u dan in 's hemelsnaam dát restaurant uitgekozen?'

Dat werd beloond met Rootes verlegen glimlach.

'Geen idee eigenlijk. Ik denk dat iemand het me had aangeraden. Ja, dat was het. Een tip.'

'Aha. Kunt u zich herinneren wie?'

'Niet bepaald,' zei Roote. 'Gewoon, iemand die ik vluchtig heb ontmoet, denk ik.'

En dat was dat. Hij meldde zich bij Pascoe, die Hat had meegenomen om mee te luisteren.

'En geen van de andere mensen die daar aten en die wij gesproken hebben, kan zich herinneren te hebben gezien dat David Pitman gesproken heeft met iemand die alleen at?' vroeg Pascoe.

'Nee. Het spijt me,' zei Wield. 'Dood spoor. Nog iets gehoord over die afdruk die ze op Ripleys slof hebben gevonden?'

'Niets identieks in het archief,' zei Hat.

Wat, dacht Wield, betekende dat die afdruk niet van Roote was; als veroordeelde delinquent zouden zijn vingerafdrukken in het archief zitten.

Maar die observatie wreef hij niet in de wond.

Naarmate het weekend dichterbij kwam, ging het allemaal trager, wat de sfeer op de CID niet ten goede kwam maar Hat de hoop gaf dat hij zijn uitgestelde afspraakje kon laten doorgaan. Hij was ook vastbesloten zaterdag rond de lunch naar de voorbezichtiging te gaan, uit angst dat Rye, wanneer hij zich daar niet zou laten zien, zou afzien van hun uitgestelde middagtripje naar Stangdale.

Vrijdagochtend overhandigde hij zijn wekelijkse rapport over Roote aan Pascoe. Alle hoop die hij gekoesterd mocht hebben dat het onderzoek naar de moord op Ripley hem zou verlossen van zijn dodelijk saaie surveillance vervloog toen de inspecteur Rootes bezoek aan de Taverna had aangegrepen om de zaak officieel te verklaren. Dalziel, echter, had niet blij gekeken, en Wields rapport gaf, mét de negatieve uitslag van de vingerafdrukbewijzen, Hat reden te hopen dat het geen slepende zaak zou worden.

'En je weet zeker dat hij je niet in de smiezen had?' vroeg Pascoe, die nog steeds op zoek was naar een reden voor Rootes argeloze houding.

'Daar durf ik m'n kop onder te verwedden, sir,' zei Hat vol vertrouwen. 'Als ik nóg discreter geweest zou zijn, had ik mezelf niet meer kunnen zien in de scheerspiegel.'

Dat leverde een glimlach op van Pascoe. Waarop hij berustend zei: 'Oké. Volgens mij is het genoeg geweest voor vandaag. Bedankt voor al je harde werk. Je hebt het goed gedaan.' Wat Hat opvatte als een blijk dat de Dikke Man eindelijk in zijn maag zat met de surveillancetaak.

Maar hij keek wel uit om zijn interpretatie te laten blijken, vooral toen hij, moed vattend door de lof, de kans waarnam om, met uitleg, te vragen of hij vrij zou mogen hebben om naar de vernissage te gaan.

'Waarom niet?' zei de inspecteur. 'Zowat iedereen gaat erheen. En wie ben ik om de ware liefde in de weg te staan?'

'Dank u, sir,' zei Hat. En omdat hij niet al te pril en frivool wilde lijken, voegde hij eraan toe: 'Wat me te binnen schoot, sir: nu de Woordman de bibliotheek gebruikt om aandacht te krijgen voor zijn Dialogen, en aangezien die voorbeschouwing plaatsvindt in het Centrum, denkt u dat de kans bestaat dat hij daar opduikt?'

Waarop Pascoe moest lachen en zei: 'Je bedoelt: als wij allebei onze ogen de kost geven en in de aanslag staan om iedereen in de kraag te vatten die eruitziet alsof hij elk moment een moord kan begaan, slaan we misschien een enorme slag? Werkelijk, Hat, je krijgt in ons beroep niet vaak vrij. Mijn advies luidt: vergeet het werk en relax. Geen enkele reden waarom onze Woordman daar zou zijn. En zelfs áls hij komt, zal hij niets doen om zich van de rest van ons te onderscheiden. Wat inhoudt: kijken naar en genieten van wat daar ligt uitgestald. Heb ik gelijk of niet?'

'Volkomen, sir,' zei Hat. 'Het spijt me. Stom van me.'

'Niet stom, wél ontzettend overdreven plichtsbesef. Vergeet de Woordman. Zoals ik zei: relax en geniet van de vernissage.'

13

De vierde dialoog

Vernissage.
Een woord waarvan een geest van z'n stoel valt!

Ik moest er zelf ook om lachen. Het eerste wat ik opmerkte toen ik de galerie rondslenterde was dat niemand eigenlijk oog voor iets anders scheen te hebben dan voor het wijnglas in zijn hand en de mensen met wie hij over de rand van zijn glas in gesprek was.

En omdat de drukke menigte leek samengesteld uit de fine fleur van Mid-Yorkshire die elkaar waarschijnlijk al menig keer had bezichtigd, was moeilijk te bepalen wat het belang was van de vernissage op zich.

De enige uitstalling die meteen belangstelling trok, was een soort fallische totem: bijna twee meter hoog en met een elektrische zaag uit eikenhout gekerfd. Maar zelfs die werd, na een paar obscene commentaren, algemeen genegeerd, met uitzondering van lui die de ruw uitgehouwen richels benutten om hun glas op neer te zetten, al hoorde ik in het voorbijgaan de kunstcriticus van de Gazette *tegen zijn androgyne metgezel zeggen: 'Inderdaad, er gaat een zeker... hoe zal ik het zeggen... een zekere aura van uit.'*

Aura.
Tja, nóg zo'n woord.
Uit het Grieks, dat 'adem' of 'bries' betekent.
Maar in de medische wereld worden er de symptomen mee beschreven die de voorboden zijn van een epileptische toeval.
Weet je die ouwe Aggie nog, die aan epilepsie leed?

Ja, zij. Haar aura bestond niet uit de gebruikelijke tics in het gezicht of spiertrekkingen, maar een plotselinge euforie. Wetend waar dat de voorbode van was, riep ze dan: 'O god, wat voel ik me gelukkig!', met zo'n wanhoop in haar stem dat vreemden eerder in de war raakten door de con-

flictueuze botsing tussen gedrag en mededeling dan door de uiteindelijke toeval.

Later, toen ik via mijn ontluikende belangstelling voor de mysteriën van ons bestaan ontdekte dat de medici uit de oudheid toevallen interpreteerden als de reactie van het zwakke vlees der mensheid op de instroming van goddelijke energie wanneer die als middel voor profetieën werd aangewend, dacht ik aan Aggie, maar kon me niets van enige betekenis herinneren in de geluiden die ze tijdens haar toevallen voortbracht. Dat zou je haar tóch eens moeten vragen als je haar ziet.

Zie maar. Hoe dan ook, ik kan nu uit persoonlijke ervaring bevestigen wat de medici annex geestelijken van weleer als diagnose stelden.

Want ook ik voel een aura: een goddelijke adem die door me heen blaast, al zou mijn aura evengoed verwant kunnen zijn met het Latijnse aurum, dat 'goud' betekent, net als bij de Grieken. Want het begin van een nieuwe Dialoog is als een zomerdag die in mij aanbreekt. Ik voel hoe mijn hele wezen wordt omringd door een aureool van vreugde en zekerheid dat zich steeds verder verbreidt, waarbij de tijd stilstaat voor eenieder over wie zijn gouden straling zich uitstrekt.

Ik voelde het ontstaan terwijl ik in de galerie rondliep, maar moet tot mijn schande bekennen dat ik het aanvankelijk probeerde te ontkennen. Want hoewel ik wist dát ik in het licht van het aura niemand hoefde te vrezen, bleef mijn verstand vragen: hoe kan zoiets zich voordoen, hier, tussen al die mensen?

Hoe was het mogelijk?

Toen Hat op de vernissage kwam, was het al behoorlijk druk, maar tot zijn verbazing hielden Percy Follows, de gouden lokken vers gepermanent, en Ambrose Bird, de paardenstaart vers geroskamd, midden in een woordenstrijd op, als een ruziënd koppel dat door de pater is betrapt, en kwamen ze achter elkaar naar hem toe met elk een hartelijke glimlach die hun gezichten in tweeën spleet.

Pas toen ze allebei langs hem heen liepen, realiseerde hij zich enigszins opgelucht dat niet hij het object van hun verlangen was.

Achter hem was het Weledele burgemeestersechtpaar gearriveerd. Hij was Joe Blossom, een corpulente man van middelbare leeftijd die in plaatselijke zakenkringen bekendstond als Vliegenmeester omdat hij zijn kapitaal had vergaard met het kweken van maden voor de visliefhebbers. Zij was Margot Blossom, de tweede vrouw voor wie hij zijn eerste had verlaten en die ooit een worstelnummer in het variété had, tien jaar jonger dan hij, over wie hij met blinde bezitterigheid waakte en die hij bedolf onder alle geschenken waarmee hij haar zomaar een genoegen dacht te doen, of haar tenminste op het rechte pad zou houden, zoals dure vakanties in het buitenland, tepelklemmen met smaragden, een mondvol jackets en siliconenimplantaten. De laatste tijd had ze een reeks culturele pretenties ontplooid, waaronder een passie voor klassiek ballet, dure wijnen en het oeuvre van Charley Penn. Ondanks, of wellicht vanwege deze nieuwe, geestelijk verruimende preoccupaties was ze nog immer in staat te vervallen tot haar jeugdzonden en vloog eenieder in de haren die in haar aanwezigheid zo gek was te refereren aan de bron van de rijkdom van haar echtgenoot. Wie het risico aandurfde, bezigde haar naam volgens de lokale uitspraak – wat klonk als made – maar wie graag met de dood flirtte, deed dat in haar gezicht.

Bird en Follows streden om het hardst om de beste gastheer te spelen. Even zag het ernaar uit dat dat slecht zou aflopen, maar uiteindelijk werden er slechts verbale klappen uitgedeeld en verdeelden ze de buit, waarbij Bird aan de haal ging met de maden en Follows met de siliconen.

Toen hij de aftocht van het pak met de bonte ruiten zag, voelde Hat, die zich kopzorgen had gemaakt over zijn eigen keuze van wijnrode broeken met een leren wambuis over een lichtblauw T-shirt met daarop de uitnodiging 'Red de Leeuwerik', zich al een stuk beter.

Nu stond hij, zoals een goede politieman betaamt, even stil om de menigte te overzien voordat hij verder de galerie inliep. De toevallige passant had kunnen denken dat hij gezichten vergeleek met een album met politiefoto's in zijn hoofd, maar in werkelijkheid besteedde hij amper aandacht aan ieder apart tot hij had gevonden wat hij zocht: die volle, met zilvergrijs doorschoten bruine haardos.

Ze ging rond met een blad vol drankjes en knabbels voor de gasten. Alsof ze werd aangetrokken door zijn intense blik keek ze zijn kant op, knikte ter begroeting en kweet zich verder van haar taak.

Nadat hij zelf een glas wijn had gepakt van een andere jonge vrouw, die hem een glimlach schonk waarop hij gereageerd zou hebben als Rye niet even verderop had gestaan, begon Bowler nu de overvolle ruimte tot in de details in zich op te nemen.

Er was zo veel politie aanwezig dat hij zich afvroeg of hij geen overuren zou kunnen berekenen. De inspecteur was er met zijn vrouw, die Bowler wel aardig vond. Bij vorige ontmoetingen had Ellie Pascoe hem aan haar vrijpostige doch vriendelijke blik onderworpen op een manier die taxerend en goedkeurend was maar in geen enkel opzicht uitnodigend, en had ze hem Hat genoemd zonder aanzien te ontlenen aan de rang van haar man, waarmee bevestigd was dat ze tof was. Ze stond naast Charley Penn, zo'n beetje bij een groepje waarbinnen Follows net probeerde zijn burgervaderlijke lof te oogsten, dat de indruk maakte dat zíj die reeds had geoogst met haar weldoordachte oordeel van het tentoongestelde. Terwijl Hat toekeek, wendde Ellie Pascoe haar hoofd af om achter haar hand te geeuwen waarna ze hem opmerkte en glimlachte. Hij glimlachte terug, liet zijn ogen verder rondgaan en glimlachte op een gegeven moment naar zijn baas, die niet terug glimlachte. Kon hij nóóit aan die man ontkomen? Naast hem stond de vrouw met wie hij in de Taverna was geweest: een goedbedeelde dame maar veel meer een lichtgewicht in vergelijking met de zwaargewicht Dalziel. Maar in geen geval een slechte combi.

Hij rukte zich los van de slangenblik van de Dikke Man, maar het gevoel dat hij weer aan het werk was, liet hem niet los want nu doemden, misschien wel nóg verbazingwekkender, de onmiskenbare trekken van brigadier Wield voor hem op als een kobold die tussen een vlucht elfjes was verdwaald. Maar wat was daar zo verbazingwekkend aan? Iemand hoefde geen kunstwerk te zijn om van kunst te houden, en in elk geval waren er, zoals Bowler zelf wist, andere dan esthetische redenen die tot aanwezigheid noopten.

Rye was nog steeds onderweg, maar niet in zijn richting, dus liet hij zijn blik rondgaan.

Hij stuitte op de kalme, bedachtzame blik van Dick Dee die hem vriendelijk toeknikte, welk voorbeeld hij volgde. Oké, hij benijdde die man, maar dan hoefde hij hem nog niet het genot te gunnen te weten dat hij hem benijdde. Hij herkende een hele hoop anderen. Hij was goed in gezichten en had er sinds zijn aantreden in zijn nieuwe baan niet alleen voor gezorgd de fotoalbums met criminelen te bestuderen, maar ook het uiterlijk van alle anderen in zich op te nemen die belangrijk zouden kunnen zijn in het leven van een ambitieuze politieman. Journalisten bijvoorbeeld... zo'n Sammy Ruddlesdin van de *Gazette*: potig en uitgemergeld, en de verveling was duidelijk af te lezen aan zijn gezicht, waar hij van tijd tot tijd een sigaret in stak tot hij zich herinnerde dat hij qua leeftijd over de gevarenzone heen was en hem er weer uit haalde... Op het oog leed hij minder erg dan zijn hoofdredacteur Mary Agnew, die met afgewend hoofd in gesprek was met een kale man die van een hoog opgetaste schaal toastjes in zijn mond propte alsof hij net uit een kuuroord ontsnapt was. Hij zocht naar een naam... vond die... raadslid

Steel alias de Schrokker... iemand die men in alle opzichten diende te mijden, niet alleen vanwege zijn dodelijke adem maar omdat hij dikwijls was geschorst omdat hij geen goed woord overhad voor de politie en al die anderen die zogenaamd smeten met overheidsgeld. Maar zoals hij dat voer naar binnen schoof, zou hij niet lang op deze aarde vertoeven!

Rye was nu verdwenen. Misschien was ze haar dienblad gaan aanvullen. Dat moest wel als er veel mensen zo uitgehongerd waren als Schrokker. Of misschien sloeg ze hem heimelijk gade om te zien of hij intelligent genoeg was om interesse te hebben in het geëxposeerde. Hij voelde zich tóch al bekeken. Toen hij plotseling omkeek, vond hij de bron van dat gevoel. Niet dat die moeilijk te vinden was, omdat de man die hem bekeek van achter iets wat een gigantische houten fallus leek, niet schuldbewust wegkeek maar hem een vriendelijk knikje gaf.

Het was Franny Roote. Over wiens discrete bewaking hij gisteren nog tegen de inspecteur had opgeschept.

Maar als hij zo verdomd discreet was geweest, waarom glimlachte Roote naar hem als een ouwe gabber en kwam hij op hem toe?

'Hallo,' zei hij. 'Rechercheur Bowler, is het niet? Bent u geïnteresseerd in kunst?'

'Niet bepaald,' zei Bowler, ernstig in de war en in een poging het hoofd koel te houden. 'U?'

'Als verlengstuk van het woord misschien. Ik ben zéér op woorden, maar soms is het woord een zaadje dat moet opbloeien tot iets non-verbaals. Het is eigenlijk een cirkel. Eerst waren er natuurlijk plaatjes. Mooie grotschilderingen, waarvan volgens recent onderzoek de meeste werden gemaakt toen de kunstenaar high was van weed of wat ze in de prehistorie ook gebruikten. Het is niet moeilijk te snappen waarom hun schilderingen een religieuze betekenis hebben. Ze zouden ook van praktisch nut geweest kunnen zijn, bijvoorbeeld kunnen betekenen: *als je de grot uitgaat en linksaf in de richting van het dal loopt, vind je een mooie kudde antilopen voor het avondeten.* Maar als ze hadden willen zeggen: *Maak je uit de voeten, jongens, daar komt een Tyrannosaurus,* schoten schilderingen te kort. Dus is taal in wezen ongetwijfeld uit nood ontstaan. Maar algauw is taal waarschijnlijk tot bloei gekomen in liederen, in poëzie, in het gesproken woord, in het uitwisselen van gedachten, en daaruit zijn nieuwe, subtielere kunstvormen voortgekomen, die daarna weer... nou ja, u weet vást wel wat ik zeggen wil. Het is een cirkel, of een wiel misschien, omdat het bij het draaien een voorwaartse beweging maakt, en daar hebben we allemaal op een bepaalde manier mee te maken, al is het voor sommigen een reuzenrad en voor anderen een vuurhoepel.'

Hij zweeg even en keek Bowler aan alsof hij zojuist iets gezegd had in de trant van: 'Regent het nog buiten?'

Bowler, een beetje groggy, zei: 'Kennen we elkaar? Ik kan me u niet herinneren...'

'Nee, u hebt gelijk. We kennen elkaar eigenlijk niet, al denk ik dat we elkaar kortgeleden bijna ontmoet hebben. Roote. Francis Roote. Mijn vrienden noemen me Franny.'

'Waar kent u me dan van, mr. Roote?'

'Dat weet ik niet precies. Volgens mij zou een gemeenschappelijke vriend u eens aangewezen kunnen hebben. Brigadier Wield misschien. Of mr. Pascoe. Daar is-ie net.'

Hij wuifde even. Toen Bowler zijn blik volgde, keek hij recht in de verwijtende ogen van inspecteur Pascoe. Hij kon hem niet kwalijk nemen dat de man niet blij keek. Dan kóm je eens op zo'n toestand, en als je dan ook nog ziet dat de vent die je ervan verdenkt dat-ie je stalkt vrolijk in gesprek is met de agent die je had opgedragen zo discreet mogelijk navraag naar hem te doen, dat is genoeg om iemand een koekje van Dalziels deeg te geven.

Roote zei: 'Neem me niet kwalijk. De plicht roept, geloof ik. Jude Illingworth is hier om haar etstechnieken te demonstreren en dat wil ik niet missen.'

Hij liep naar een alkoof waar Bowler een grote haarloze vrouw zag die een kluwen mensen toesprak. Op hetzelfde moment zag hij uit zijn ooghoek Pascoe zijn kant op komen en bereidde zijn verdediging voor.

'Sir,' zei hij alvast toen de inspecteur hem had bereikt. 'Ik heb geen idee wat hij hier uitvoert. Zal ik de gastenlijst nalopen? Of misschien is hij met iemand meegekomen...'

'Kalm maar,' zei Pascoe. 'Ik denk dat ik wel weet hoe hij is binnengekomen. Hoewel ik graag zou willen weten hoe het komt dat je zo bevriend met hem bent.'

Bowler legde uit wat er was gebeurd.

'Ik heb echt geen idee hoe hij me in de gaten kreeg, sir,' besloot hij ongelukkig. 'Ik heb echt op mijn tenen gelopen...'

'Die man is een spin,' zei Pascoe. 'Niet een spin die een web weeft maar eentje die losse draden op de wind laat meedeinen. Bij de geringste aanraking weet hij dat je er bent.'

Dit was bijna net zo wazig als Rootes gebazel, dacht Bowler.

'Nou ja, fijn dat je kon komen, Hat. Ik zal je niet langer ophouden. Je zult wel staan te trappelen om te zien wat er te koop is. En
mocht je iets van je gading zien, pak het dan, dat is mijn advies. Ver-
spil geen tijd.'

Jezus, waarom maakte het zien van prille liefde zelfs in gevoelige
smerissen als Peter Pascoe de snaaksheid van een ongetrouwde tan-
te los? vroeg Hat zich korzelig af.

Toen zag hij waarnaar hij op zoek was geweest: Rye, die met een
vers opgetaste schaal knabbels haar rentree maakte.

'Nee, sir,' zei hij, terwijl hij bij Pascoe vandaan liep. 'Ik zal geen
tijd verspillen.'

*De tijd was nog niet verdwenen en ik zat er nog steeds aan vast, maar
terwijl ik rondliep en de mensen bekeek die er zonder het te weten aan
onderworpen waren, verscheen mijn aura in golven, of liever gezegd
schoksgewijs, alsof ze ontsprong aan een groot kloppend hart als de zon.
Twee-, driemaal werd zij zo heet en fel dat het bijna ondraaglijk was toen
ik eerst op dat gezicht stuitte, en vervolgens dáárop. Zouden ze allemaal
gedegradeerd zijn? Wie weet... maar hun tijd, of liever gezegd hun pauze, was nog niet... en kon toch onmogelijk al aangebroken zijn...*

En toen zorgde jij dat we oog in oog kwamen te staan.

'Raadslid Steel, ik zou graag een woordje met u wisselen,' zei Charley Penn.

'O ja? Normaliter zou ik zeggen dat woorden geen geld kosten,
in tegenstelling tot de woorden van schrijvers zoals u, neem ik aan?
Ik zag laatst bij Smith's hoeveel een boek van u kostte. Daar kun je
een gezin een week van te eten geven, werkelijk, van dat geld.'

'Niet úw gezin, zou ik denken,' zei Penn met een blik op het met
hapjes volgeladen bord in de hand van het gemeenteraadslid.

'Ik?' gromde Steel vol minachting. 'Mijn enige gezin ben ikzelf,
mr. Penn.'

'Dat bedoel ik ook.'

Steel lachte. Een van zijn politiek sterke punten was dat hij niet
te beledigen was.

Hij zei: 'U bedoelt dat ik van eten houd? Schrans zolang je de
kans krijgt, dat heb ik van mijn arme jeugd geleerd. Misschien als ik
net als u op een deftige school had gezeten, dat ik dan wat kieskeu-
riger zou zijn. Niet dat je vet zal worden van dat zangzaad dat ze je
hier te vreten geven. En wie betaalt het trouwens allemaal? En ook
de wijn. De belastingbetalers, hoor.'

'Nou, die kunnen het zich toch veroorloven? Van die miljoenen die ze zullen overhouden wanneer u de subsidie voor mijn leesclub gekort hebt. U zult wel tevreden over uzelf zijn nu u die kudde schapen in uw comité zover gekregen hebt dat ze ervoor zijn?'

'Niets persoonlijks, mr. Penn. Je moet de symptomen bestrijden tot je de kwaal kunt verhelpen.'

'En wat is de kwaal dan wel?'

'Burgerlijke melogamanie,' zei Steel, die het woord zorgvuldig verkeerd uitsprak.

'Wat is dat precies? Een te groot enthousiasme voor muziek?' vroeg Penn.

'Zei ik het soms verkeerd?' vroeg Steel ongeïnteresseerd. 'Geeft niet, u weet wat ik bedoel. Zo'n paradepaardje als dit centrum terwijl ze het gemeenteraadsbudget in tien jaar met zestig procent hebben gekort. Dat is melogamanie, hoe je het ook zegt. Als u wilt klagen over een handjevol modieuze warhoofden die geen geld krijgen voor het lezen van beduimelde boeken, moet u met de burgemeester gaan praten. Of met zijn vrouw. Ze is een grote fan van u, heb ik gehoord. Niet zo'n grote dat ze uw cursus redt, hoor, want stel je voor dat hij een hap minder te vreten krijgt. Maar ach, des te meer blijft er voor de rest over, nietwaar? Als je over de duivel spreekt, daar is-ie. Alles goed, Weledele? Wie past er op de maden?'

De burgemeester liep voorbij. Hij keek Steel vuil aan, terwijl zijn vrouw aan de andere kant van de zaal omkeek om Steel een boze blik toe te werpen die weinig goeds voorspelde en in een dweperige glimlach veranderde toen ze Charley Penn zag.

Steel betrok de glimlach op zichzelf en riep: 'Alles goed, Margot? Je ziet er goed uit. Zeg, meid, loop nooit een uitgehongerde persoon voorbij zonder hem een kruimel toe te werpen.'

Deze koerswijziging werd veroorzaakt doordat Rye Pomona binnen gehoorsafstand kwam, met haar blad dat het gemeenteraadslid met meer tempo dan smaak lichter maakte.

'Zal ik u nog meer brengen, mr. Steel?' informeerde Rye mierzoet.

'Nee, meisje. Tenzij je iets voedzamers te pakken kunt krijgen.'

'Wat dan?'

'Wat ribbetjes en een paar gepofte piepers zouden niet te versmaden zijn.'

'Ribbetjes en gepofte piepers. Ik zal het doorgeven in de keuken,' zei Rye ernstig.

'Dat doe je vást,' zei Steel, en hij lachte sputterend. 'U werkt in de bibliotheek, is het niet?'

'Dat klopt.'

'Vertel eens, dat serveren wat u nu doet, krijgt u daarvoor uw normale bibliotheektarief plus overuren of werksterstarief plus fooien?'

'Kijk uit, Steel,' gromde Penn. 'Zelfs voor jóúw lage normen is dat beledigend.'

Rye keek hem ijskoud aan en zei: 'Ik geloof dat ik wel voor mezelf kan opkomen, mr. Penn. Ik doe dit zelfs puur op vrijwillige basis, dus er wordt niet op gemeenschapsgelden geteerd. Maar uiteraard, als u graag een tip wilt geven...'

'Ach nee, meisje,' zei Steel lachend. 'De enige tip die ik je zal geven: ik vind gepofte aardappelen het lekkerst als ze bijna zwart zijn. Maar ik neem aan dat ik die hier niet zal krijgen, dus neem ik nog maar flink van dit spul, anders haal ik de lunch niet.'

Hij graaide naar een schaal vol worstjes, maar Rye schoof het blad onder zijn neus zodat hij het moest vastgrijpen om te voorkomen dat het tegen zijn borst werd geduwd.

'Weet u, voorlichter,' zei ze. 'Waarom neemt u het hele zaakje niet, dan kan u op uw gemak nemen wat u wilt? En dan kan ik de kunst gaan bekijken.'

Ze liet het blad los, gaf Steel een knikje, negeerde Penns complimenteuze glimlach en botste, toen ze zich omdraaide, tegen Hat Bowler op.

'Dus je hebt het gehaald?' zei ze. 'Kom op, ik wil je iets laten zien.'

Je hebt van die openbaringen die als een paal boven water staan zonder duidelijk te zijn.

Een fractie van een seconde – hoewel ik zeker wist dat dít 'm was – begreep ik niet hoe en waarom.

Maar zelfs vóór ik me kon schuldig maken aan blasfemie door naar het hoe en waarom te vragen, zagen mijn ogen dankzij mijn afgewende gezicht het enige antwoord, en bleef als enige vraag het wanneer.

Al kun je je afvragen of de vraag wannéér geen water naar de zee dragen is bij een gebeurtenis die niet aan tijd onderhevig is.

Misschien, zo schoot me te binnen, zou de stilstaande tijd me in staat stellen mijn plicht te doen en zouden al deze mensen, politiemannen en journalisten incluis, als de tijd weer in werking trad, tot hun verbijsterende gruwel zien dat een van hen dood in hun midden lag, zonder dat iemand iets had gemerkt!

Maar het mocht niet zo zijn. Mijn aura straalde nog altijd fel maar de tijd verstreek nog niet trager. Het was nog hier en nu.

Maar weldra...
Jawel, ik wist dat het weldra zou moeten gebeuren...

14

TOEN PASCOE ZAG DAT BOWLER IN DE RIJ AANSLOOT VOOR HET MEISJE van de bibliotheek, voelde hij dat hij glimlachte.

Wie had ook alweer gezegd dat de middelbare leeftijd intrad wanneer je de jeugd met vertedering ging bekijken, en de ouderdom wanneer je een vreselijke hekel aan dat tuig begon te krijgen?

Dalziel waarschijnlijk.

Hoog tijd om de kunst te gaan snuiven.

Daar was hij zonder veel enthousiasme een paar minuten mee bezig toen iemand hem op de schouder klopte en zei: 'Peter, hoe is het met de spieren? Voldoende hersteld om er weer tegenaan te gaan?'

Toen hij zich omdraaide, zag hij Sam Johnson naar hem grijnzen.

'Je neemt míj niet in de maling,' zei hij. 'Maar fijn je te zien. Ik wilde met je praten. Zonet heb ik Franny Roote gezien. Zijn jullie samen?'

Niet bepaald een subtiele aanpak, maar Johnson was te sluw voor afleidingsmanoeuvres, zoals Pascoe had ontdekt toen hij Rootes verhaal bij hem checkte. Nu dronk de docent zijn glas wijn leeg, pakte een vol glas van een langskomend blad en zei: 'Ik heb Franny een uitnodiging bezorgd, ja. Is dat een probleem?'

'Geen probleem. Gewoon beroepsdeformatie,' zei Pascoe luchtig. 'Jij ziet hem als een intelligente student, ik zie hem als een oude klant.'

'Ik zie hem ook als een vriend,' zei Johnson. 'Misschien niet een intieme vriend, maar dat kan nog komen. Ik mag hem erg graag.'

'Nou, dat is dan in orde,' zei Pascoe. 'Het kan weinig kwaad bij een intelligente student met een mentor die hem erg graag mag.'

Het kwam er wat scherper uit dan zijn bedoeling was geweest. Johnson had een enigszins irritante uitwerking op hem, waardoor hij zich waarschijnlijk ook had laten strikken voor dat belachelijke partijtje squash waarvan zijn schouder nog steeds zeer deed. Niet dat er iets opvallend irritants aan de jonge academicus was. Omdat hij jongensachtig was zonder kinderachtig te zijn, knap maar niet gladjes, intelligent en toch geen pedante klootzak, onderhoudend waarbij zelfspot de bovenhand voerde boven zelfingenomenheid, absoluut niet bedreigend, had hij op een of andere manier een rimpeling in Pascoes vijver teweeggebracht. De inspecteur had er lang en diep over nagedacht. Jaloezie? Was het soms zo onvergeeflijk dat een kerel een beetje jaloers was op iemand die zijn vrouw zo vaak aan het lachen maakte? Maar aangezien Ellie Pascoe de afgelopen maanden dingen had meegemaakt die haar geveld zouden hebben als ze niet zo sterk in haar schoenen stond, was voor Pascoe het horen van haar lach het gezegende bewijs dat alles in orde was. De lach die hij nu hoorde, en toen hij over Johnsons schouder gluurde, zag hij haar met een drietal bestaande uit Charley Penn, Percy Follows en Mary Agnew. Wie van hen Ellie aan het lachen had gemaakt, was niet duidelijk, maar Pascoe voelde alleen maar dankbaarheid. Niet dat een van de twee mannen eruitzag als eventuele kandidaat om jaloers op te worden. Penn met zijn verslindende ogen en ingevallen wangen vormde op het romantische vlak amper een bedreiging, terwijl Follows het type was dat Ellie onvriendelijk onderbracht in de categorie patsers, met zijn honingblonde lokken, zijn overdreven gebaartjes, zijn bloemrijke taal, zijn strikdasjes en opzichtige colberts. 'Het maakt me niet uit of hij al dan niet een nicht is,' had Ellie opgemerkt, 'maar als *fashion statement* zou ik iets anders kiezen.'

Nee, geen sprake van jaloezie, en zelfs niet in het geval van de veel appetijtelijkere jonge docent. Wat was het dan dat hem zo aan Johnson irriteerde?

Uiteindelijk was hij schoorvoetend tot de conclusie gekomen dat hij het gevoel had dat Johnson een bedreiging vormde voor, of beter gezegd misschien een spiegel ophield voor zijn manier van leven.

Jaren geleden, na afloop van zijn studie, was er een punt geweest waarop hij onzeker op een tweesprong had gestaan; daarna, na diep ingeademd te hebben en na menige bijna spijtige blik achterom, had hij zijn voet op het pad gezet dat hem naar zijn huidige staat had geleid.

De andere route had hem volgens hem hoogstwaarschijnlijk naar een vergelijkbare positie geleid als die van Johnson. Ze waren grofweg van dezelfde leeftijd, maar Sam zag er jonger uit, kleedde zich jonger, praatte jonger. Op de universiteit zou een toevallige passant waarschijnlijk moeite hebben hem te onderscheiden van de studenten aan wie hij lesgaf. Toch kon hij op conferenties of in de senaat bij zijn meerderen aanschuiven als gerespecteerde evenknie, als potentiële meerdere zelfs, die een veelbelovend begin achter de rug en een veelbelovende carrière in het vooruitzicht had. Op z'n allerminst het vooruitzicht dat hij zijn gloriejaren zou slijten in comfortabele vertrekken met uitzicht op een naar een rivier wegglooiend, gladgeschoren gazon waarop tijdens colleges rugbypunten gescoord werden en tijdens de lange vakanties zwanen rust kwamen zoeken...

Oké, dat was waarschijnlijk een paradijselijk beeld van het studentenleven dat niet bestond of, áls het bestond, Johnson niet aantrok. Maar in zijn eigen carrière waren zelfs zijn krankzinnigste fantasieën niet in staat een vergelijkbare herderlijke idylle op te roepen.

Zwoegen en sores, ongemak en ongerief tot hij onder de zoden lag, dat was de enige variatie op het thema dat zijn toekomst voor hem in petto scheen te hebben.

Aan de andere kant had hij geen drankprobleem en zijn hart, zo hadden ze hem bij zijn jaarlijkse keuring verteld, was in perfecte conditie.

Johnson keek hem aan alsof hij een reactie verwachtte.

'Sorry,' zei Pascoe. 'Moeilijk te verstaan met al dat lawaai.'

Overdreven articulerend, alsof ze zich in een immense zaal met een slechte akoestiek bevonden, zei Johnson: 'Ik zei net: we maken allemáál fouten, Peter. Gelukkig leggen de meesten van ons zich daarbij neer en pakken de draad weer op.'

Even kreeg Pascoe het gevoel dat zijn gedachten gelezen waren, waarna de docent verderging. 'En het kan niet leuk zijn voor Franny dat hij het gevoel heeft constant in de gaten te worden gehouden.'

Alsof het voor míj leuk is? vroeg Pascoe zich af. Maar omdat dat een dooddoener was, zei hij luchtig: 'Hangt ervan af wie dat doet. Volgens mij wordt een van ons geroepen.'

Ellie was aan het gesticuleren. Toen hij even wuifde, reageerde zij door met haar vinger in de richting van Johnson te priemen.

'Jij, denk ik,' zei Pascoe.

Hij volgde Johnson op z'n hielen. Charley Penn gaf hun allebei een knikje en Ellie glimlachte ter begroeting en zei: 'Sam, ken je Percy Follows die de uitleenbibliotheek leidt? En Mary Agnew, redactrice van de *Gazette*?'

'Hallo,' zei Johnson.

'Percy vertelde me net over de korte-verhalenwedstrijd die de bibliotheek en de *Gazette* samen organiseren. Ze hebben blijkbaar moeilijkheden met de jurering.'

'Inderdaad,' zei Follows. 'Om heel eerlijk te zijn, krijg ik de indruk dat Mary en ik hebben onderschat hoeveel belangstelling ervoor zou zijn. Mijn medewerkers doen de eerste schifting en dat bleek een hele klus voor ons te zijn, kan ik u vertellen. We hebben ruim zevenhonderd inzendingen, een heel hoge kwaliteit, en we willen er zeker van zijn dat onze winnaars tot het puikje van de zalm behoren.'

'Om een lang verhaal kort te maken,' zei Ellie meedogenloos, 'streefden Mary en Percy naar een panel van experts. Natuurlijk hebben ze onze Charley ingeschakeld als onze meest vooraanstaande plaatselijke coryfee, en toen hij zo vriendelijk was mijn eigen opstoot in de vaart der volkeren ter sprake te brengen, viel uiteraard jouw naam.'

'Inderdaad,' zei Agnew. 'Die schrijfcursus van jou: me dunkt dat een groot deel van de inzenders voor de wedstrijd uit potentiële klanten bestaat. Je zou het bijna kunnen beschouwen als een wervingsactie.'

Sam Johnson keek alsof hij wel een borrel kon gebruiken. Dat kon Pascoe hem niet kwalijk nemen. Sinds die cursus creatief schrijven van gestart was gegaan, had men bij de *Gazette* ter discussie gesteld of dat wel een verstandig gebruik van onderwijstijd, -personeel en -geld was, terwijl het hele land barstte van de jonge mensen die stonden te springen om diploma's in vakken die van enige betekenis waren voor de echte wereld.

Het was niet moeilijk te achterhalen wat er was veranderd.

Agnes en Follows hadden de korte-verhalenwedstrijd aanvankelijk zo serieus genomen dat de bibliothecaris de eerste schifting had willen overlaten aan Dick Dee, terwijl Agnew de uiteindelijke jurering had toegespeeld aan de Weledelgeboren Geoffrey Pyke-Strengler. Er waren twee dingen gebeurd. Ten eerste waren ze waarschijnlijk oprecht verbaasd over het aantal inzendingen. En ten tweede was de korte-verhalenwedstrijd, na het laatste programma van Jax Ripley en vervolgens door haar dood waar de Woordman de hand in had, op een fantastische manier onder de publieke aandacht gekomen. Oké, er was weinig verband met het onderzoek, maar de landelijke pers, als altijd tuk op elke kruimel die van zo'n rijke dis viel, zou zich helemaal concentreren op de uitslag. In een van de kleurenbijlagen was al een artikel over Pyke-Strengler verschenen.

Dat was nou net zo'n oubollige aristocraat van vóór het Wodehouse-tijdperk op wie de Britten dol zijn. Zijn antwoorden op de vragen van de interviewer waren doortrokken met een vage verbijstering over al die poespas, wat ook zijn gezicht op de foto's verried. Maar één ding was door al die vaagheid heen heel duidelijk te merken – dit was een man die als geen ander incapabel was een en ander op literaire merites te beoordelen.

Dus was een veteraan als Agnew opeens vreselijk gebrand op een jury die vanwege zijn literiaire kwalificaties haar krant niet totaal voor gek zou zetten. Charley Penn was een voor de hand liggende keuze. Hij had zijn portie doorgegeven aan Ellie, die op haar beurt Sam Johnson erbij had gehaald, die nu zei: 'Maar jullie hebben toch al een jury: mr. Pyke-Strengler? Hij is hier toch? Ik stond zojuist zijn aquarellen te bewonderen, naar ik aanneem geschilderd vóór hij die schepsels doodschoot. Is met hem overlegd over de voorgestelde veranderingen?'

'Mocht dat niet zo zijn,' zei Ellie, 'dan is dit je kans. Daar staat hij, in gesprek met mr. Dee. Misschien hebben ze het over de wedstrijd.'

Dick Dee en zijn gezelschap waren in elk geval diep in gesprek over iets en daar zou Agnew, althans zo kwam het op Pascoe over, het graag bij gelaten hebben, ware het niet dat Ellie zich in een baldadige bui niet liet afschepen en luid riep: 'Hallo! Mr. Pyke-Strengler! Hebt u een minuutje?'

Ze knipoogde naar Johnson, die naar haar glimlachte. Toen richtten alle blikken zich op de Weledelgeboren Geoffrey Pyke-Strengler, die op hen af schuifelde.

In de Weidse Verten, ver weg van de menselijke civilisatie, in de bergen, op veengrond of rivierbedding, was de Weledelgeborene volgens de meesten zichzelf: een wezen één met de natuur, met zachte tred, scherp van gehoor en gezicht, eindeloos vindingrijk in het verzinnen van methoden om de door hem zo geliefde vachtdrager, vis en gevogelte dicht genoeg te benaderen om de taak ze af te slachten te vergemakkelijken. Als kind zou hij, als zijn ouders geopteerd hadden voor het vroeger bij de *upper class* in zwang zijnde alternatief voor een dure kostschool door hem op een kille berg vast te houden, waarschijnlijk de eerste de beste wolf of beer die op roof uit was met zijn blote handen geveld en vervolgens opgegeten hebben. En, zoals Pascoe uit het artikel in het supplement had vernomen, toen hij amper tien was, hadden zijn ouders hem zelfs nog erger aan zijn lot overgelaten door hem aan de elementen bloot te stellen. Zijn vader, baron Pyke-Strengler van de Stang, was 'm met een Australische antropologe naar Tahiti gesmeerd als gevolg waarvan zijn op het godsdienstwaanzinnige af diepgelovige moeder was toegetreden tot de Californische commune van een veganistische sekte die ze pas vijfentwintig jaar later verliet, waardoor de Weledelgeboren Geoffrey het grootste deel van zijn erfenis gestaag zag wegebben vanwege de zéér aparte maar constante hoge financiële eisen van zijn afwezige ouders. Toen hij de volwassen leeftijd had bereikt, restte nog slechts het onbereikbare erfgoed, bestaande uit het ouderlijk huis (verhuurd als gemeentelijk rusthuis) plus grote lappen grond in Stangdale met een handjevol bouwvallige boerderijen.

Misschien geen wonder, gezien de voorkeuren van zijn ouders, dat de Weledelgeboren Geoffrey de natuur de oorlog had verklaard en in de Weidse Verten de gewelddadige vaardigheden had ontwikkeld waarmee hij terecht berucht was geworden.

Binnenskamers, echter, speelde zijn gewelddadigheid, hoewel niet minder destructief, slechts sporadisch op. Bij binnenkomst schopte hij een tafel omver waarop diverse houten kommen stonden uitgestald, manoeuvreerde behendig naar links om er niet op te trappen, stootte een meisje omver met een blad vol wijnglazen in haar handen, wist de daardoor ontstane regen van chardonnay te ontduiken en veroorzaakte met zijn uit het ruwste tweed sinds mensenheugenis gesneden voorwereldse jasje een lelijke schaafwond op de arm van de burgemeestersvrouwe.

Uiteindelijk kwam hij waar hij wezen moest, en glimlachte het groepje goedmoedig toe. Hij had een tamelijk aantrekkelijke hondstrouwhartige uitdrukking op zijn gezicht. Hij wekte zelfs de indruk dat hij bij de minste aanleiding zijn poten op je schouders zou leggen om je in het gezicht te likken.

Mary Agnew stelde hem voor. Toen ze de korte-verhalenwedstrijd ter sprake bracht, knikte hij wijs en zei: 'Tja, verhalen. Een schilderij is meer dan duizend woorden, zeggen ze toch? En een paar Purdy's vele duizenden woorden, zeggen ze. Maar het kan erger. Het had evengoed een roman- in plaats van een verhalenwedstrijd kunnen zijn. Jezus, dát zou pas moeilijk geweest zijn.'

'Is het niet Tsjechov geweest, die zei dat mensen alleen maar romans schrijven omdat ze geen tijd hebben om korte verhalen te schrijven?' zei Johnson.

'Volgens mij heb je het omgekeerd, jongeman,' zei de Weledelgeborene behulpzaam.

131

'Geoffrey,' zei Mary Agnew, 'ik dacht net: zou je geen hulp kunnen gebruiken bij het jureren van die verhalen...'

'Nergens voor nodig. Daarover had ik het net met Dick. Hij zegt dat hij me wel zal sturen. Een fijn mens, die Dick,' zei de Weledelgeborene, die blaakte van zelfvertrouwen. 'Hoe dan ook, iemand die kan beoordelen wat een goede terriër is, zou geen moeite moeten hebben met een paar schrijfsels.'

Pascoe bezag met milde interesse die kennelijke vertrouwelijkheid met Dee die, voorzover hij kon beoordelen, ogenschijnlijk niet het type was voor jacht of vissen.

'Niettemin,' zei Agnew met de beslistheid van iemand die zeker was van haar absolute autoriteit. 'Ik heb besloten dat je er niet alleen voor zou moeten staan, en ik heb net aan doctor Johnson en zijn collega's gevraagd of zíj een beoordelingscommissie wilden samenstellen. Met jou erbij, natuurlijk.'

'Nee, reken niet op mij,' zei de Weledelgeborene. 'Ik zou het zelf gedaan hebben, noblesse oblige, mijn afspraak zijn nagekomen en zo, maar dit ligt anders. Ik kan mijn afspraak niet nakomen. Veel geluk ermee, vriend.' (Dit laatste tot Johnson.) 'Kijk wel uit dat ze je het gangbare tarief betaalt.'

Johnson keek verbaasd omdat er over geld werd gepraat, maar Penns ogen lichtten op en hij zei: 'Wat is het gangbare tarief dan?'

'Geen idee,' zei de Weledelgeborene. 'Dat was op mij niet van toepassing. Ik behoor zo'n beetje bij de inventaris, snapt u? Dat was zo, althans.'

'Was?' echode Agnew, die hem aankeek alsof die gedachte haar niet onwelgevallig was.

'Ja. Dat wilde ik je net vertellen. Ik hoorde het vanmorgen. De ouwe is dood. Ongeluk met de boot. Treurig, maar ik heb hem in geen vijfentwintig jaar gezien, dus... nou ja. Enfin, dat houdt in dat alle grijpstuivers waar hij niet kon aankomen, mij toekomen en dat ik de column dus niet meer hoef te schrijven. En nu jullie een commissie hebben gevormd, hoef ik óók de jurering niet meer te doen, nietwaar?'

De welwillende glimlach was er nog, maar Pascoe had het gevoel dat hij hiervan genoot.

Ellie zei: 'Dus dat houdt in dat je nu lord Pyke-Strengler bent?'

'Van de Stang. Inderdaad. Maar normaliter gebruikt men de titel niet voordat de vorige titelhouder begraven is.'

'En wanneer is dat?'

'Tja, dat kan in dit geval lastig worden,' zei de Weledelgeborene peinzend. 'Het schijnt dat de haaien wat sneller bij hem waren dan de reddingsboten, zie je.'

O, wat is het leuk om naar hun gezichten te kijken en te zien dat ze zien wat je wilt dat ze zien, maar compleet over het pronkstuk heen kijken. Ze denken dat we ons met z'n allen over dezelfde brede snelweg voortbewegen, allemaal op een kluitje, terwijl ze zich allemaal verdringen om de beste positie, waarbij sommigen zich op de borst kloppen omdat ze degenen met wie ze van start zijn gegaan hebben ingehaald, terwijl anderen het gevoel hebben dat ze aan de kant zijn geduwd, in de goot zijn getrapt zelfs, maar zonder dat er één ontkent dat ze alleen kunnen kiezen tussen vechten om vooruit te komen en afhaken om vermorzeld te worden. En al die tijd volg ik de kronkelingen in mijn eigen pad waarvan ze net in het bestaan beginnen te geloven en de route met geen mogelijkheid kunnen traceren omdat het doel zo ver boven hun pet gaat. Ik kijk naar hen die naar die zogenaamde kunstwerken kijken en lach omdat ik weet dat de ware kunstenaars in dit leven zulke delicate penseelstreken en felle kleuren gebruiken dat die met het blote oog niet te bespeuren of te verdragen zijn…

'Wat vind jij hier eigenlijk van?' vroeg Rye. 'Best goed, hè?'

Ze was blijven staan voor een aquarel van een behoorlijk bouwvallig huis aan een meer, waarop de avondzon het water in wijn veranderde. Of in bloed.

'Gaat wel, maar ik kijk liever naar jou,' zei Hat.

'Je kijkt zeker erg vaak naar Cary Grant-films?' zei Rye met haar ogen strak op het schilderij.

'Liever niet. Oké. Laten we er niet langer omheen draaien.'

Hij duwde haar zachtjes aan de kant, wat hij als excuus gebruikte om haar aan te raken.

'O ja,' zei hij. 'Stangcreek Cottage.'

Nu keek ze hem aan, waarna ze haar ogen neersloeg en in de catalogus keek.

'Je hébt het al gezien,' zei ze beschuldigend.

'Nee. Ik heb de cottage gezien, en die zul jíj morgen zien. Dat is Stang Tarn, dat zoals te verwachten, net als Stang Creek en Stangcreek Cottage, in Stangdale ligt. Ze zijn even zuinig met hun woorden als met hun geld, daar in Yorkshire. Als je er zo graag naar kijkt, zullen we er een foto van maken, dan hoef je het schilderij niet te kopen.'

Als zíj de kunstkenner wilde uithangen, speelde hij net zo lief de kunstbarbaar.

133

'Is dat het enige wat schilderijen voor je betekenen? Een manier van vastleggen?'

'Wat is er mis met vastleggen? Dat dit een plek is waar ik op die en die datum om zo en zo laat op viel?'

'Meer betekent het niet? Het licht en de kleurstelling en welk uur van de dag het was, dat zegt je niets?'

'Natuurlijk wel. Het wordt donker, en misschien was het blauw en groen van de schilder op, maar hij heeft nog een heleboel rood. Of misschien is hij beter in bloed dan in water. Inderdaad, volgens mij moet hij zich bepalen tot bloed.'

'Goed, laten we het op bloed houden. Is er al een spoor naar de Woordman?'

Dat snoerde hem de mond, waarna hij zei: 'Zeg, ik heb nu geen dienst, weet je nog?'

'O nee? Het is duidelijk dat je het niet over Dicks schilderij wilt hebben, dus dacht ik dat jij zo'n zielenpoot was die buiten zijn werk nergens anders interesse voor heeft.'

'Dicks schilderij? Je bedoelt dat Dick dit heeft geschilderd?'

'Wist je dat niet? Ik dacht dat je daarom zo narrig was.'

De slimmerd. Ze had zijn antipathie voor haar baas opgepikt vóór hij het zichzelf had toegegeven.

Hij zei: 'Nee, dat wist ik niet... sorry. Ik dacht gewoon dat we een spelletje aan het spelen waren. Eerlijk gezegd, vind ik het heel treffend, weet je... sfeervol.'

'Je houdt wel van een spelletje, hè?'

'Reken maar,' zei hij. 'Zolang het geen patience is.'

Hoe ze zich ook wendde of keerde, ze kwam niet van hem af.

'Eh... die Woordman. Wat speelt híj voor spelletje?'

'Waarom denk je dat hij een spelletje speelt?'

'Die Dialogen. De enige reden om die te schrijven, is om er iemand anders bij te lappen.'

'Ze kunnen ook gewoon een verslag zijn.'

'Zoals dit schilderij?'

'Jij hebt me ervan overtuigd dat het meer is dan dat.'

'Bekijk dan die Dialogen eens... daarin speelt toch ook iets tussen de regels... een sfeer...'

'Zoals bloed op het meer, bedoel je?' vroeg Hat, terwijl hij naar het schilderij van Stangcreek Cottage tuurde.

'Bloed op het meer? Waarom ben ik daar niet op gekomen als titel?'

Hij was achter hen komen staan.

'Hallo, Dick,' zei Rye met de hartelijke glimlach die Hat was misgelopen. 'We zijn net je oeuvre aan het ontleden.'

'Ik voel me gevleid. Herinner je je Ambrose Bird?'

'Hoe zou ik de Laatste der Acteur-Directeuren kunnen vergeten?' zei Rye, met haar ogen knipperend op een manier waarin Hat, niet zonder opluchting, ironie herkende.

'Ja, natuurlijk, we hebben in Dicks kantoor kennisgemaakt. Helaas vielen, aangeslagen als we waren door de dood van miss Ripley, de gangbare beleefdheden in het water, maar al was ik nog zo van slag, ik herinnerde me dat ik me heb voorgenomen dat we elkaar beter moesten leren kennen,' zei Bird, die haar gespeelde bewondering betaald zette met zijn eigen theatrale galantheid. 'Laten we opnieuw beginnen. Dick, een officiële introductie, alsjeblieft.'

'Dit is Rye Pomona, die voor me werkt bij Naslagwerken,' zei Dee.

Mét, niet vóór, bedacht Bowler knorrig.

'Pomona… bent u soms familie van Freddie Pomona?'

'Dat was mijn vader.'

'Grote hemel. Dan moet hij u laat gekregen hebben. Die goeie ouwe Freddie. Hij was Titinius toen ik mijn eerste speer opbracht in *Caesar*. Ik herinner me nog hoe goed hij doodging, te goed eigenlijk, want als regisseur moest ik ervoor zorgen dat hij zich enigszins inhield. De bijrol mag niet een grotere Brutus zijn dan Brutus zelf.'

'U bedoelt dat hij een *actreur* was?' vroeg Rye.

Bird lachte en zei: 'Ik bedoel dat hij tot een oudere school van acteren behoorde dan men nu meestal ziet. Hoe dan ook: wie kan dat beter weten dan ik? Maar die goede Freddie wordt nog zeer gemist. En je moeder ook… Melanie heette ze toch? Ja, natuurlijk. Ik herinner me dat sir Ralph tijdens een lunch met de cast, georganiseerd door een buitengewoon gul management, zei: "Ik geloof dat ik begin met een plakje Melanie met een piepklein stukje Pomona." Zo'n schalk, die goede Ralph.'

Dick Dee, die lichtelijk bezorgd naar Rye had gekeken, zei scherp: 'Ik denk dat je om ons daarvan te overtuigen misschien met een beter voorbeeld van zijn geestigheden had moeten komen.'

'Het spijt me,' zei Bird, die deed alsof hij geschokt was. 'Misschien was het niet die goeie Ralph. Sir John misschien? G. uiteraard, niet M. Die was absoluut niet zo.'

'Ik doelde meer op het onderwerp dan de manier waarop,' zei Dee met een veelbetekenende blik op Rye.

'Hè? O, ik snap het. Kindje, het spijt me vreselijk. Ik wilde niemand beledigen. Ik herinner me dat Freddie zich er een ongeluk om gelachen heeft.'

'Ik zit er niet mee,' zei Rye met een glimlach.

'Zie je nou wel, Dick? Je bent veel te gevoelig. Zeg, is niemand van plan me voor te stellen aan deze schitterende jongeman wiens gezicht me eveneens merkwaardig bekend voorkomt?'

'Dat komt omdat hij rechercheur Bowler is, die inspecteur Pascoe zo kundig heeft bijgestaan op dezelfde dag dat je Rye ontmoette,' zei Dee.

'Wel, wel. Di Caprio, pak maar in,' zei de Acteur-Directeur, terwijl hij Bowlers hand pakte en er hard in kneep.

'Fijn u te ontmoeten,' zei Hat, terwijl hij zijn hand lostrok.

'Ik hoop dat ook wij elkaar nader mogen leren kennen,' fluisterde Bird. Daarna, als een groothertogin die het sein gaf dat de audiëntie voorbij was, draaide hij zich abrupt om naar het schilderij en zei: 'Zo, Dick, dus dit is een van jouw meesterwerken? Hmmm.'

Dat *hmmm* was het eerste wat Hat aan die man beviel. Er sprak een hele hooiberg aan reserve uit.

Toen beide mannen een stap dichter naar het schilderij toe deden, nam Hat Rye bij de arm en loodste haar weg met de woorden: 'Zullen we even bij die vrouw van de gravures gaan kijken?'

'Omdat het klinkt als metaalbewerking?' merkte Rye op. 'Ik durf te wedden dat je op school erg gebrand was op metaalbewerking.'

'Reken maar. Alleen maar tienen. Trouwens, die sukkel van een Ambrose bakt ze wel bruin, hè?'

'Bird? Die is totaal onschadelijk. Gewoon een act.'

'Een act, dat hij een groot acteur is, bedoel je?'

'Dat gebeurt zo vaak. Natuurlijk, als je het op het toneel niet hijst, val je snel door de mand. Maar Bird acteert dat hij een ouderwetse acteur-schouwburgdirecteur is, en dat is een veel gewichtiger rol. Maar iedereen moet toegeven dat hij het heel goed doet. Heb jij wel eens een productie van hem gezien?'

'Nog niet,' zei Bowler, terwijl hij zich afvroeg of hij zijn Shakespeare even hard moest gaan bijspijkeren als de kunst om deze vrouw te benaderen. Hij brandde van nieuwsgierigheid vanwege de onthulling dat ze uit een toneelgeslacht stamde, maar een grondige studie van de psychologie van ondervragen had hem geleerd hoe ontzettend belangrijk ritme en timing waren voor het behalen van resultaten. Dus niet alles tegelijk…

'Acteert hij ook dat hij een nicht is?' vroeg hij.

'Denk je dat hij op je valt? Dát is pas ijdel,' zei ze.

'Zoals hij me een hand gaf... Of hij valt op me óf hij is lid van een loge die mij niet bekend is.'

'Het is dus waar. Je moet een homofobe vrijmetselaar zijn, wil je verstand krijgen van smeerlapperij.'

Maar omdat ze het met een lieve glimlach zei, glimlachte hij terug toen hij antwoordde: 'Ik dacht dat iedereen dat wel wist. Kom, zullen we een paar etsen gaan bekijken?'

15

AAN ALLE GOEDE DINGEN KOMT EEN EIND. IN DE PROVINCIE DUREN vernissages wat langer, maar ook die kennen een natuurlijk verloop. De gasten hadden ieder zo hun reden voor hun komst – sommigen om iets te zien, sommigen om gezien te worden; sommigen uit verplichting, sommigen uit liefhebberij; sommigen uit belangstelling, sommigen uit verveling – maar ze hadden slechts een van twee redenen nodig om te vertrekken – óf ze hadden gekregen waarvoor ze waren gekomen, óf het was er niet te krijgen.

Het was zó gemakkelijk om aan het wapen te komen dat ik nauwelijks had gemerkt dat ik het gepakt had, laat staan iemand anders. Daarna wachtte ik mijn tijd af, in elke betekenis van het woord. Eindelijk begonnen de mensen geleidelijk uiteen te drijven, en toen ik zag dat het drijfhout van mijn keuze zich bij die vloed aansloot, ging ik er vlak achteraan, maar er niet zo dicht op dat het zou opvallen. Nu was mijn aura sterk, zo sterk dat ik het gevoel had dat ik op het felle schijnsel werd meegedragen als een stofje op de wind die op een atoomexplosie volgt. Adem op me neer, adem van God, zong ik inwendig, want ik wist zeker dat zó Zijn adem zou voelen. Het aureool zette me in een gloed, maar nog altijd voelde ik hoe sterk de stroom des tijds om me heen was. Toen zag ik dat hij zich van de hoofdstroming afwendde en voelde op hetzelfde moment hoe de tijd wegebde.

'Nou, het wordt hoog tijd om te vertrekken,' zei Andy Dalziel. '*Ars longa*'– hij molk de sisklank van de s uit – 'en als ik hier nog veel langer blijf, zal mijn buik denken dat mijn strot is doorgesneden.'

Cap Marvell liet haar blik op de vermaledijde strot in kwestie rusten en zei: 'Dan heeft je buik vast veel fantasie.'

Maar de burgemeester, die vond dat hij veel langer was gebleven dan de plicht van hem vergde, stond aan Dalziels kant.

'Je hebt gelijk, Andy,' zei hij. 'Als wij het voorbeeld geven, kunnen al die andere aardige mensen hier gaan lunchen, nietwaar?'

Zijn hartroerende vertrouwen dat, net als bij het koninklijk huis, niemand zou eten tot híj at of wegging voordat híj wegging, werd weersproken door de gestage stroom vertrekkende gasten naarmate het tegen enen liep. Maar zijn enthousiasme om zich bij hen aan te sluiten werd niet gedeeld door zijn vrouw, die zich had hersteld van haar aanvaring met het colbert van de Weledelgeborene en nu de recentelijke, tijdens een door de *Sunday Times* georganiseerd weekend van de Wine Society opgedane vinologische kennis tentoonspreidde. Nadat ze de mening te kennen had gegeven dat chardonnay die te lang op eiken had gestaan uit was, werd haar door Percy Follows een vers geopende fles rood gebracht.

'Niet zeggen wat het is,' riep ze, waarna ze diep aan het glas snoof dat ze tussen haar handen wiegde. 'Ah, dat is uitstekend, dit is interessant. Ik ruik exotisch fruit, ik ruik mangrovemoerassen, ik ruik koriander, ik ruik komijn, ik ruik rietsuiker.'

'Trek het je niet aan, meid,' zei Dalziel. 'Na vijftien pilsjes weet ik óók niet meer wat ik ruik. Kom, gaan we nog of hoe zit dat?'

'Het is een shiraz-merlotmix, volgens mij. West-Australië? Rond '97?' zei Margot.

Aller ogen richtten zich op Follows die, met zijn hand stevig over het etiket van de fles, zei: 'Midden in de roos, meisje. Wat heb jíj een neus.'

Het was inderdaad een neus om trots op te zijn. Als je een ara was, dacht Cap.

Toen ze zag hoe zich op Dalziels lippen een verwante gedachte vormde, nam ze hem in een als innige armverstrengeling vermomde houdgreep en zei: 'Je hebt gelijk, schat. Tijd om op te stappen.'

Ze liepen weg, op de hielen gevolgd door de burgemeester en zijn triomferende vrouw.

Ambrose Bird kwam op Follows af, rukte hem de fles uit de vingers, bestudeerde het etiket dat St.-Emilion vermeldde en zei welluidend: 'Slijmbal!'

En nu begon de galerie werkelijk snel leeg te lopen. Weldra waren er van de ruim honderd gasten nog maar een paar tientallen over. Onder hen Edgar Wield, het glas gekoelde witte wijn dat hij bij aankomst had gekregen nu warm in zijn hand. Hij had weinig belangstelling voor kunst maar zijn partner, Edwin Digweed, had graag willen komen. Toen die Wields tegenzin merkte, zei hij venijnig: 'Oké. Hier zal ik aan denken als je me de volgende keer bij een lijkschouwing wilt hebben.' Een realistischer argument zou Wield misschien op zijn achterste benen hebben gekregen, maar hierom moest hij glimlachen en hij gaf sportief toe, wat geen van beide voor een vreemde merkbaar was maar zowel het ene als het andere werd door Digweed opgevangen en begrepen.

Nu wachtte hij met een ironisch gezicht geduldig tot Digweed, die nog geen potlood kon slijpen zonder zijn vinger open te halen, klaar was met de diepe discussie die hij voerde met een stoere jonge houtdraaier over de kwaliteiten van iep en taxus, en verheugde zich op de rest van de dag als hij, ver weg van ontwrichte menigten, het genot van zijn partners gezelschap zou mogen smaken.

Hij zag Pascoe en Ellie bij de uitgang in gesprek met Ambrose Bird, of beter gezegd, Ellie en de Laatste Acteur-Directeur waren in gesprek. Wield wist dat Ellie één zwakheid had: de neiging idolaat te zijn van beminden die volledig onderhouden werden. Pascoe, die de mierzoete glimlach op zijn gezicht had die ongeduld maskeerde, ving Wields blik, trok een zuur gezicht en schuifelde vervolgens in zijn richting.

Wield zag hem naderen, met waardering voor de gratie waarmee hij bewoog, de hoffelijkheid waarmee hij bekenden groette, het algehele gemak en de oprechtheid die uit zijn slanke gestalte spraken. Die jongen deugde, ook als dit een receptie van hooggeplaatste diplomaten geweest zou zijn in plaats van provinciaal snobistisch gezeik. Dat hadden anderen waarschijnlijk ook opgemerkt. Hij had het goed gedaan, maar niet té, of beter gezegd niet te snel. Anderen hadden het heel wat sneller dan Pascoe tot inspecteur geschopt, maar wie te snel de top bereikte, had altijd de vraag opgeroepen: heb je ergens lang genoeg rondgekeken om vuile handen te maken? Je bent hoog opgeklommen, maar heb je je tijd gebruikt? Als hij als groentje had vooruitgekeken toen hij aan de steile klim begon die je vers van de academie te wachten stond, als Pascoe had voorzien dat hij zó lang bij de CID van Mid-Yorkshire zou blijven hangen, had hij waarschijnlijk het gevoel gehad dat de rek uit zijn carrière was. Maar nu niet. Hij liet niet het achterste van zijn tong zien, zelfs niet aan zijn beste vrienden, maar voor Wield had hij genoeg gezegd om te weten dat hij zijn eigen werkelijkheid goed kende. En nog beter wist dat sommige dingen in zijn leven veel belangrijker waren dan ambitie. Als hij er vaart achter gezet zou hebben, op jacht naar een glansrijke carrière, zou hij het waarschijnlijk al een eind geschopt hebben. Maar nu had hij andere plannen. Gegijzeld door kapitaal, dat had een slimme etter eens van vrouw en gezin gezegd, wat hij waarschijnlijk cynisch bedoelde. Nou, Pascoe was de afgelopen paar jaar bijna zowel zijn kind als zijn vrouw kwijtgeraakt, en nu wist hij zonder enige twijfel wat hij bereid was aan losgeld te betalen voor hun veiligheid, wat betekende: alles wat hij bezat of in de toekomst aan bezit zou kunnen verwachten. Dus zou er niets gebeuren waarbij hun geluk niet voorop zou staan.

Rosies overstap naar de middelbare school zou over een paar jaar een moeilijke periode worden, verwachtte Wield. De oude tijden van dwang-van-boven – *Néém die baan, anders kun je het verkeer gaan regelen!* – waren zo niet voorbij, dan toch wel aan het voorbijgaan. Een ander wist ook wel dat dat raam er was en stond in de aanslag om er, zodra het wijd openstond, z'n zoon doorheen te sleuren.

Uiteraard hadden ze daarvoor de toestemming van Dalziel nodig.

'Wieldy, je staat hier al zo lang, ik sta paf dat niemand je nog gekocht heeft.'

'Je kent me, Pete. Ik vind mensen altijd interessanter dan schilderijen.'

Achter hen hoorden ze stemverheffingen, die leken te komen uit de alkoof waar de grafica haar werk had uitgestald. Vervolgens werd het kabaal overstemd door een geluid, dat weliswaar in de verte maar in hun gevoelig geworden oren ernstiger klonk, dat van politiesirenes.

'De vleeswagen?' vroeg Pascoe.

'Ja. En het zijn onze jongens,' zei Wield.

'Heb jij verbinding?'

'Nee. Ik heb geen dienst,' zei de brigadier kordaat.

'Ik ook niet.'

'Maar het klinkt dichtbij.'

'Waarschijnlijk heeft een of andere stakker in het district gewinkeld tot ze erbij neerviel,' zei Pascoe, wetend dat Ellie, met haar fijne neus voor de gevaren die politiesirenes aankondigden, scherp oplette of hij aanstalten maakte om zich ermee te bemoeien.

'Neem me niet kwalijk,' zei iemand achter hem met een vette Yorkshire-tongval. 'Iemand vertelde me dat u bij de politie bent, klopt dat?'

Toen hij zich omdraaide, zag hij een magere vrouw in een rode jurk en zwarte kousen, met een geschoren hoofd waardoor ze leek op Sigourney Weaver in *Alien 3*. Hij herkende in haar Jude Illingworth, de grafisch kunstenares.

'Ja,' antwoordde hij met tegenzin. 'Is er iets mis?'

'*Aye*, inderdaad. Je verwacht dat misschien op een kunstbeurs in de openlucht, waar iedereen zomaar in mag. Wat niet vastgespijkerd zit, verdwijnt. Maar op een chique toestand als deze...'

Ik heb absoluut geen haast, want waar tijd niet bestaat, heeft haast geen zin. Ik volg alleen met mijn ogen en wacht. De deur gaat open, een man komt naar buiten. Ik kijk hem na tot hij niet meer te zien is en ga dan naar binnen.

En daar staat hij zoals ik had verwacht: alleen, gebogen over een wasbak, terwijl hij zijn gezicht wast.

Als ik van achteren nader, kijkt hij op en ziet me in de spiegel.

O, dit is prima. Dit is mijn beloning voor vertrouwen. Ik heb geen enkele keuze bij die dingen, maar als ik een keuze had, zou ik hiervoor gekozen hebben, want dit geeft me de gelegenheid zowel speler als publiek te zijn.

Ik kan zijn gezicht in de spiegel zien en ook het mijne: mijn lippen tot een glimlach geplooid, zijn ogen groot van verbazing maar niet van angst. Ik ben niet de brenger van nachtelijk duister maar een brenger van licht, en angst behoort niet tot mijn boodschap. Deze man die uit lust zijn eigen lijf volpropt terwijl hij de zielen van anderen laat smachten naar hun normale voedsel wordt niet gedreven door kwaad maar door een perverse goedheid die erger is. Ik ben gezonden om hem zowel te verlossen van zijn eigen pijn als van de pijn die hij anderen aandoet.

Dus spreek ik hem geruststellend toe door vriendelijk enkele milde woorden te zeggen. Vervolgens steek ik het wapen aan de onderkant van zijn schedel en ga ermee omhoog door ik weet niet welke lagen materie, in de zekerheid dat een andere hand dan de mijne de punt naar zijn bedoelde bestemming leidt.

Hij siddert, maar ik houd hem met gemak in bedwang. Als miljoenen engelen op de knop van een speld kunnen dansen, dan is één enkele man die tekeergaat rond mijn veel bredere punt een makkie.

En nu verslapt hij. Ik trek mijn wapen terug en laat hem op de grond glijden, op zijn buik, waar zijn kale hoofd onder het neonlicht glanst als staal.

Vóór Pascoe aan Jude Illingworth kon vragen waar ze het in godsnaam over had, kwam er opnieuw een onderbreking. Hat Bowler, die een tijdje geleden was weggegaan, kwam de galerie weer in, waarbij hij zich zonder omhaal tussen Ellie en Bird door wrong en recht op Pascoe afliep.

'Sir,' zei hij buiten adem. 'Kan ik u even spreken?'

Zijn gezicht was bleek.

Pascoe zei: 'Wat is er gebeurd?'

Jude Illingworth zei: 'Wacht eens, ik was eerst.'

Pascoe zei: 'Sorry. Wieldy, kun jíj even?'

'Natuurlijk. Vertel eens, miss…'

'Bent u ook bij de politie?' vroeg ze met een aarzelende blik op zijn verweerde, pokdalige gezicht.

'*Aye*. Brigadier. En…?'

'Een of andere gek heeft twee van mijn burijnen gepikt.'

'O ja? Dat gebeurt zeker vaak als u kousen draagt?' zei Wield.

Pascoe hoorde het gesprek terwijl hij met Bowler apart ging staan en onderdrukte een glimlach. Als je lang genoeg met Andy Dalziel omging, moest je er íéts aan overhouden.

'Zeg het maar,' zei hij tegen de rechercheur.

'Ik heb hem gevonden, sir,' zei Hat. 'Toen ik naar de Heren ging, lag hij op de grond. Hij was nog niet dood. Hij probeerde iets te zeggen en ik boog me heel dicht over hem heen om te horen wat dat was, maar het was onsamenhangend en daarna veranderde het zomaar in doodsgereutel. Ik heb zijn pols gecontroleerd en die was er niet, en ik heb van alles geprobeerd om te reanimeren, voor de zekerheid, maar niks, dus heb ik het hoofdbureau gebeld om assistentie te vragen en gezegd dat ze ook een ambulance moesten sturen, al dacht ik niet dat hij nog te helpen was, waarna ik een bewaker van het Centrum bij de deur heb gezet om niemand meer binnen te laten, en ik dacht dat het beter was om hiernaartoe te gaan om u op de hoogte te brengen, sir…'

Hij hapte naar adem.

Pascoe zei: 'Dat is prima, Hat. Je hebt assistentie ingeroepen en je hebt het terrein afgezet. Nu kunnen we misschien wat kalmer aan doen om wat benodigde details te achterhalen. Bijvoorbeeld: vertel me eens wíé je hebt gevonden?'

'Raadslid Steel, sir. U weet wel, bijgenaamd Schrokker.'

'Goeie god,' zei Pascoe. 'En hij is zo dood als een pier, zeg je? Wat was het volgens jou? Hartaanval?'

'Nee, sir. Het spijt me. Het is idioot maar ik ben er tamelijk van ondersteboven. Hij is vermoord. Dat had ik moeten zeggen: hij heeft een gat onder aan zijn schedel. En ik heb het vermoedelijke wapen op de grond gevonden. Ik heb de plek gemarkeerd en het in een zakje gestopt. Ik wilde niet dat iemand anders het zou zien, het is wat ongebruikelijk en ik vond het beter om het even onder ons te houden. Hier heb ik het.'

Hij haalde een doorzichtig plastic zakje uit de binnenzak van zijn wambuis en stak het omhoog. Wat erin zat leek op een soort gutsje.

'Heb ik juist gehandeld, sir?' vroeg de jonge rechercheur bezorgd.

Maar vóór Pascoe antwoord kon geven, duwde Jude Illingworth hem opzij.

'Dát noem ik nou service,' zei ze. 'Het kan me niet schelen wat jullie klanten over jullie zeggen, maar ik vind onze politie verrekte fantastisch. Waar hebt u hem gevonden?'

'Pardon?' vroeg Pascoe.

'Mijn burijn,' zei de vrouw, wier ogen Bowlers zakje met het bewijsstuk niet loslieten. 'Waar hebt u mijn burijn gevonden?'

Ik buk en breng mijn noodzakelijke merkteken aan.

Daar ligt hij nu, met een burijn naar god geholpen, die adem die duizenden vriendschappen heeft stukgemaakt voor eeuwig benomen, die eetlust die de hele aarde scheen te willen verslinden zou er weldra door verstikt worden. Ik kijk op hem neer en deel zijn stilte.

Maar dan word ik, gelijk de man uit de Ilias die bij de eerste aanraking van de bora de zijden huid van de Adriatische Zee ziet rimpelen, opeens ongerust. Hier is alles vredig, maar buiten op de gang voel ik beweging, alsof werkelijk de bora opsteekt...

Maar de Macht die mijn lot stuurt, zal toch niet toestaan dat er iets misgaat?

Ja, ik weet dat ik het had kunnen vragen, maar op dit moment lijkt er maar één manier om erachter te komen.

Ik loop snel naar de deur en trek die open.

En ik lach hartelijk als ik besef dat het enige wat ik voelde de terugkeer van de tijd is geweest, die de gang door snelt terwijl de dijk breekt.

Ik trek een neutraal gezicht en stap de kolkende stroom in om me mee te voeren naar zijn bestemming, ervan verzekerd dat hij me veilig aan land zal zetten op elke landtong, elk eiland dat is voorbestemd voor onze volgende spannende Dialoog.

Ik spreek spoedig weer!

'Hij probeerde te praten, zei je,' zei Pascoe, terwijl hij samen met Bowler de trap afsnelde. 'Kon je er iets uit wijs worden? Denk goed na nu het nog vers in je geheugen zit.'

'Jawel, sir. Ik heb het geprobeerd. En... nou, het is wel idioot... maar wat hij probeerde te zeggen, klonk als...'

144

'Ja?' drong Pascoe aan.
'*Rosebud*. Het klonk als *rosebud*.'

16

'*ROSEBUD*?' ZEI ANDY DALZIEL. 'HIJ GAAT ZEKER VAAK NAAR DE BIO-scoop, die jongen van Boiler?'

'Nee, sir,' zei Pascoe, opgelucht dat hij de beslissing niet hoefde te nemen of hij Dalziel al dan niet moest uitleggen dat *rosebud* het laatste was wat uit de mond kwam van de stervende miljonair in *Citizen Kane*. De Dikke Man kon vreselijk sarcastisch worden als hij het gevoel had dat zijn ondergeschikten hem de les lazen. 'Bowler heeft die film nooit gezien, dus dat zei hem niets. Belangrijker is natuurlijk of het voor het raadslid wél iets betekende.'

'Wie weet. Maar ik zie Schrokker niet naar de bioscoop gaan, tenzij de popcorn gratis was. Jij zegt dat Bowler hem mond-op-mondbeademing heeft gegeven?'

'Dat heb ik begrepen,' zei Pascoe.

'Dan is hij moediger dan ik,' merkte Dalziel op. 'Ik had mijn twijfels over dat joch, maar ik vind dat iemand die Schrokker Steel mond-op-mondbeademing kan geven genomineerd moet worden voor een lintje!'

Pascoe keek angstig om zich heen om te zien of iemand binnen gehoorsafstand zich beledigd betoonde, maar de entresol, waar zich Hal's bar en een boeken- annex souvenirwinkel bevonden, was op een paar uniformen na uitgestorven. Hij had het Centrum liever niet volledig gesloten, maar toen hij terugkwam, was Dalziel rigoureus geweest.

De Dikke Man keek omhoog naar een bewakingscamera, alsof hij overwoog die van de muur te rukken.

Dat zou geen enkel verschil hebben gemaakt.

Een van de eerste dingen die Pascoe had gedaan was Wield naar het bewakingskantoor op de bovenste verdieping sturen in de hoop dat er iets op video stond. Zijn eigen geoefende oog had hem geleerd dat het systeem bij lange na niet zo ultramodern was als je van zo'n nieuw complex zou mogen verwachten. Ouderwetse immobiele camera's, en een beetje weinig. Maar hij was niet voorbereid op het nieuws waarmee Wield bij hem terugkeerde.

'Dit zul je niet leuk vinden,' zei hij tegen Pascoe. 'Het systeem staat overdag niet aan.'

'Wat?'

'Nee. Volgens hun theorie is het zien van de camera's preventief genoeg. Als Schrokker het voor het zeggen had gehad, zouden ze ook na acht uur niet aangestaan hebben.'

'Schrokker?'

'*Aye*, is dat niet ironisch? Elke cent die ze hebben uitgegeven om dit hier te bouwen hebben ze op Schrokker moeten bevechten. Een paar overwinninkjes moesten ze hem laten boeken, anders hadden ze het nooit klaar gekregen. Bewaking was daar een van. Hij heeft ervoor gezorgd dat tachtig procent werd gekort op het budget voor installatie, gebruik en onderhoud. Het was óf dat óf een paar medewerkers ontslaan.'

'Shit,' zei Pascoe. 'Maar dat betekent wél dat de dader wist dat hij niet op *Candid Camera* was. Dat is tenminste al íets.'

'Schrale troost voor Schrokker, waar hij ook uithangt: te weten dat hij, als hij niet zo'n krentenkakker was geweest, nog onder ons had kunnen zijn,' had Wield peinzend gezegd.

'Hoe lang zou die verrekte melkmuil werk hebben?' wilde de Dikke Man weten, waarna hij zijn aandacht van de nutteloze camera op de zijgang richtte waar de Heren aan lag. 'Wat spookt hij daar in godsnaam uit? De zakken van Schrokker doorzoeken op kleingeld?'

Die verrekte melkmuil was de medische onderzoeker van de politie, die op dat moment het lijk van het gemeenteraadslid aan het onderzoeken was. Toen Bowlers mening dat Steel zo dood was als een pier door de paramedici was bevestigd, had Pascoe hun opgedragen het lijk te laten waar het was: zowel om verdere verstoring van de plaats van het misdrijf te voorkomen als om de in aantocht zijnde hoofdinspecteur, die naar verluid met klem had beweerd dat een moordscène zonder lijk gelijkstond aan een ei eten met een onverzorgde snor, een plezier te doen.

'Ik weet zeker dat hij elk moment kan komen,' zei Pascoe.

'Over plee gesproken, waar is onze pleefiguur nu?'

'In de galerie met Wieldy, waar hij verklaringen afneemt.'

Er was enig gemopper toen hij de resterende gasten van de vernissage had medegedeeld dat ze niet weg mochten tot ze verhoord waren, maar hij was onvermurwbaar geweest. Vanwege de bijna-zekerheid dat het moordwapen de burijn was die Jude Illingworth was kwijtgeraakt, was iedereen in de galerie een potentiële getuige. Het achterhalen van de vertrokken gasten zou heel wat manuren op-slorpen, dus was het logisch degenen die zich nog in de galerie op-hielden niet te laten lopen.

'Niet zo slim als hijzelf een sleutelgetuige is, Pete. Ik ben juist benieuwd naar zíjn getuigenis. Ga hem halen, wil je?'

Pascoe had geleerd zich niet te verdedigen tegen Dalziels reper-cussies. Ook al stond je volkomen in je gelijk, je won het nooit. Daar stond ook iets tegenover, namelijk dat, mocht iemand tegen jóú in-gaan, de Dikke Man meestal zijn eigen lijf in het geweer bracht, zelfs als je het volkomen mis had.

In dit geval had Pascoe, toen hij zag hoe ondersteboven de jonge rechercheur was vanwege de ontdekking van het lijk, het beter ge-vonden ervoor te zorgen dat hij het razend druk bleef hebben. Nu ging hij hem persoonlijk halen. Dat was zowel aardig als professio-neel. Bowler wist vast wel dat hij op dat moment niet de lievelings-zoon van de Dikke Man was, waardoor hij van de weeromstuit iets stoms zou kunnen doen. Dus zou een beetje liefdevolle bemoedi-ging hem zowel opvrolijken als een bruikbaardere getuige van hem maken.

In de galerie ontdekte hij dat de gasten een weerbare groep rond de fallische totempaal hadden gevormd, als een kudde antilopen die een roofzuchtige leeuw roken. Een uitzondering daarop vormde Edwin Digweed, die met een uitdrukking van beheerste woede op zijn gezicht om de groep heen ijsbeerde, eerder als een leeuw dan als een hert. Bowler en rechercheur Dennis Seymour hadden zich bij de drempel gestationeerd, waarschijnlijk om te voorkomen dat men zou vluchten, en waren druk bezig details te noteren. Bowlers getuige was een man die van de zenuwen zo breedsprakig was dat Pascoe er een paar minuten bij kwam staan, waarna hij uiteindelijk tussenbeide kwam door hem met een hand onder de elleboog uit zijn stoel te bewegen en hem door de uitgang te loodsen, al die tijd clichés van dank prevelend.

'Bedankt,' zei Hat met een gezicht dat betrok toen Pascoe tegen hem zei dat de hoofdinspecteur hem wilde spreken.

'Vertel hem maar wat je mij hebt verteld,' zei Pascoe. 'Je kent mr. Dalziel, hij hoort het allemaal graag uit de eerste hand. Ik heb hem al verteld dat je naar mijn mening verstandig en doelmatig hebt ge-handeld en alles volgens het boekje hebt gedaan.'

Nu de jonge knaap wat geruster leek, vroeg Pascoe: 'Waar is bri-gadier Wield trouwens?'

'Dáár,' zei Bowler, terwijl hij wees naar een van de kleine zijgalerijen die op de grote expositieruimte uitkwamen. 'Een paar mensen hebben de expositie verlaten maar we hebben er een paar te pakken weten te krijgen vóór ze het Centrum uit gingen en het leek hem het beste hen apart te houden van deze mensen, omdat ze ons misschien iets kunnen vertellen over wat het raadslid beneden heeft uitgevoerd.'

Bovendien waren het, dacht Pascoe, aangezien ze uit de galerie waren vertrokken, zowel potentiële getuigen als potentiële verdachten. Hij slenterde de galerie door en tuurde de zijzaal in. Onder degenen die zich daar hadden verzameld, zag hij Sam Johnson en Franny Roote in een geanimeerd gesprek verwikkeld, evenals Dick Dee en Rye Pomona die vergelijkbaar bezig waren. Hij overwoog er binnen te wandelen om Wield voor te stellen vooral Roote in de gaten te houden, maar liet dat plan varen, deels omdat dat een neurotische indruk zou maken, maar vooral omdat hij er zeker van was dat je Wield niet extra hoefde te porren.

'Kunnen we je hier even alleen laten, Dennis?' vroeg hij aan Seymour.

'Geen probleem,' zei de roodharige rechercheur opgewekt. 'O, tussen haakjes, ik heb mrs. Pascoe als eerste door de molen gehaald, en ze vroeg me tegen u te zeggen dat ze u straks thuis verwacht.'

'Heel attent van je,' zei Pascoe oprecht, wetend dat de mogelijkheid niet in Seymours hoofd zou opkomen zich in te likken door de vrouw van de inspecteur een dienst te bewijzen. 'Ik zou willen voorstellen snel mr. Digweeds verklaring af te nemen, anders denk ik dat hij uit elkaar spat.'

'Goed,' zei hij, terwijl hij samen met Bowler de galerie verliet. 'Vertel me onderweg de gang van zaken maar.'

'Uitstekend. Welnu, we gingen naar buiten en liepen de trap af zoals wíj nu doen…'

'Wie zijn wij?'

'Ik met Rye, dat is miss Pomona die op de afdeling Naslagwerken in de bibliotheek werkt.'

'Mooi. En kwamen er nog andere mensen tegelijkertijd de trap af?'

'O ja. Behoorlijk veel, voor en achter ons.'

'Is je iemand in het bijzonder opgevallen? Ik weet dat ik je dat al gevraagd heb, maar nu we op dezelfde trap lopen…'

Bowler schudde zijn hoofd.

'Niet echt. Zoals ik zonet al zei, we waren nogal diep in gesprek, Rye – miss Pomona, bedoel ik – en ik…'

'In godsnaam, noem haar het een of het ander. Je romantische escapades interesseren me niet,' zei Pascoe.

'Sorry,' zei Bowler. 'Nou ja, toen we hier kwamen, begonnen de mensen alle kanten uit te lopen.'

Ze waren bijna ter hoogte van de entresol die, gezien vanuit het standpunt van een onderzoeker, het enorme nadeel had dat die het middelpunt van het Centrum was. Vanhieruit kon je alle kanten uit – binnen het gebouw, maar ook naar de ondergrondse garage of het winkelcentrum. Zelfs de vermaledijde plee was gesitueerd aan een gang tussen de entresol en een bordes waar trappen toegang gaven tot de rest van het Centrum. Dalziel had meteen zijn vinger op de zere plek gelegd. 'Het is hier verdomme een doolhof,' had hij gezegd. 'Alleen een getrainde rat zou hier de weg naar de kaas vinden.'

Over Dalziel gesproken, die was nergens te bekennen. Hij was waarschijnlijk ongeduldig geworden en op een holletje die verrekte melkmuil achter de broek gaan zitten.

'Heb jij raadslid Steel eigenlijk gezien?' vroeg Pascoe.

'Ik denk dat hij me wel zou zijn opgevallen, dat kale hoofd, bedoel ik, als hij een eindje voor ons uit de trap af was gegaan, maar ik zou het niet durven zweren,' zei Bowler. 'Ik was, u weet wel…'

'Ja, in diep gesprek met miss Pomona,' zei Pascoe. 'Hoe lang duurde het voordat je eigen roep der natuur zo urgent werd dat je je van haar moest losrukken?'

'Een paar minuten, nee, misschien wat langer. Sorry,' zei Bowler, duidelijk geïrriteerd vanwege zijn eigen vaagheid. 'Rye liep weg om haar jas te halen en spullen die ze op haar afdeling had laten liggen…'

'Aha. Is ze toevallig via de gang gegaan waaraan de wc ligt?'

'Nee, ze ging díé kant op,' zei Bowler, wijzend naar een deur waarop stond VERBODEN VOOR ONBEVOEGDEN. 'Dat ging sneller, als u het mij vraagt.'

'En jij?'

'Zoals ik al zei: ik heb een paar minuten bij de boekwinkel rondgehangen…'

'Of misschien wat langer?'

'Of misschien wat langer. Toen dacht ik van de gelegenheid gebruik te maken om te gaan plassen en ben naar de wc gegaan…'

'Waarom díé wc?' vroeg Pascoe. 'Als je daar bij de boekwinkel stond, daar is een andere heren-wc, overduidelijk aangegeven, vlak daarnaast.'

'Tja,' zei Bowler slecht op zijn gemak, 'eerlijk gezegd, had ik mr. Dalziel daar net zien binnengaan…'

Pascoe lachte luid. Hij kon zich een tijd herinneren, kort nadat hij in Mid-Yorkshire was gekomen, toen hij vóór hij het wist naast de angstaanjagende gestalte van de Dikke Man in een pissoir stond en er – ondanks een overvolle blaas en het meestal inspirerend stimulerende geluid van een stevige straal in de pisbak naast hem – geen druppel uit kon krijgen. Het was niet onplezierig te merken dat die relaxte jongelui van tegenwoordig niet geheel gespeend waren van blokkades.

'Dus je liep de gang door,' zei Pascoe. 'Was er nog iemand anders te zien, voor of achter je?'

'Absoluut niet, sir,' zei Bowler, blij dat hij eindelijk op veilige grond was.

'En je ging naar binnen en zag raadslid Steel,' zei Pascoe. 'Nou, dit is de tweede keer dat je het míj hebt verteld. Voor mr. Dalziel moet elk woord van je kloppen. Heb je er nog iets aan toe te voegen?'

'Ik denk het niet, sir. Behalve, nou ja, u denkt toch niet dat dit iets te maken zou kunnen hebben met de Woordman-moorden, sir?'

'Op dit moment wijst niets in die richting,' zei Pascoe. 'Waarom vraag je dat?'

'Om geen enkele reden eigenlijk. Alleen, nou ja, als je drie moorden hebt gehad, en er komt nog een vierde…'

'Die fout wordt makkelijk gemaakt,' zei Pascoe. 'De Woordman-moorden vormen één zaak, dit is een geval apart. Als je ze zonder bewijzen op één hoop probeert te gooien, loop je de kans dat je beide onderzoeken verknalt. Oké?'

'Jawel, sir. Neem me niet kwalijk.'

'Fijn, jongen. Nog iets, mocht de baas ernaar vragen. Je zei dat je hém de andere plee in zag gaan. Toen je het lijk vond, heb je er toen niet aan gedacht hem erbij te halen? Hij was waarschijnlijk nog in de buurt.'

'Ik heb er niet aan gedacht, sir,' zei Bowler. 'Maar toen ik reanimatie had geprobeerd en assistentie had ingeroepen en het personeel van het Centrum had gealarmeerd, was hij waarschijnlijk allang weg, terwijl ik wist dat u en de brigadier nog altijd hier waren en ik dacht alleen maar dat ik beter het zekere voor het onzekere kon nemen.'

Wat betekende dat hij, omdat hij er niet zeker van was dat hij het allemaal volgens het boekje gedaan had en zich ervan bewust was dat hij ietwat ondersteboven was, geen zin had om naar adem happend de straat op te rennen om zich door Dikke Andy te laten schofferen.

'Volgens mij is het misschien simpeler om niets te zeggen over het feit dat je de baas naar de wc hebt zien gaan,' zei Pascoe. 'Wat jou betreft, was hij allang weg. Aha, zo te horen, komt-ie er nu aan.'

Toen de deur van de heren-wc openzwaaide, verscheen er een klein mannetje met een okerachtig gezicht dat de indruk maakte dat hij liever golf speelde, waar hij inderdaad op gekleed was, met in zijn kielzog Dalziel.

'En dat is alles, dokter, hij is dood? Nou, het spijt me dat ik uw wedstrijd heb onderbroken. Hoe ging het trouwens?'

'Eerlijk gezegd, was ik dormie drie tegen die wanstaltige zwager van me van wie ik in geen vijf jaar heb gewonnen, en hij sloeg in een bunker en ik was op de fairway toen mijn pieper afging.'

'Een morele overwinning dus.'

'Wanneer je met mijn zwager te maken hebt, is er geen sprake van moreel. De wedstrijd is ongeldig. Wat het onfortuinlijke raadslid betreft: het spijt me, ik kan u niet vertellen wat ik niet weet. Hij is vermoord, zeker binnen het afgelopen uur en waarschijnlijk met een klap onder aan zijn schedel met een smal scherp voorwerp. De verwondingen boven op zijn hoofd zijn gering en zo te zien waarschijnlijk eerder na dan vóór het fatale letsel toegebracht, hoewel ik wat dat betreft niet eens kan speculeren. Voor een meer overwogen oordeel moet u de sectie afwachten. Voorlopig wens ik u een goedendag.'

'Nou, dank u, dokter Caligari,' zei Dalziel tegen diens rug toen hij vertrok. 'Rechercheur Bowler, fijn dat u gekomen bent. Kom binnen en laat me zien hoe het er hier uitzag voordat jij en al die andere sloebers bij hem in de buurt kwamen om met die arme Schrokker aan de slag te gaan.'

Bowler liep de deur van de wc door. Hij vermeed naar de gestalte op de grond te kijken, zich er terdege en onaangenaam van bewust dat Dalziel elk van zijn bewegingen volgde in de spiegel die de hele muur tegenover hen besloeg.

'Hij zat in elkaar gezakt bij de wasbakken, enigszins naar rechts overhellend. Ik kreeg de indruk dat hij zijn handen stond te wassen toen hij werd aangevallen.'

'O ja? Is dat een slag in de lucht of hoor je stemmen?'

'Nee, sir. Ik zag dat zijn handen nat waren – en zijn gezicht ook, merkte ik toen ik probeerde mond-op-mondbeademing op hem toe te passen.'

'*Aye*, dat heb ik gehoord. Dus hij had geplast, waste zijn handen en plensde water in zijn gezicht. Wat is er volgens jou daarna gebeurd?'

'De deur ging open, de aanvaller kwam binnen. Het zijn maar twee of drie stappen en aangezien het raadslid zijn handen stond te wassen, zou de aanvaller al achter hem gestaan kunnen hebben voor hij opkeek en hem in de spiegel zag. Toen was het waarschijnlijk al te laat.'

'Het had tóch niets uitgemaakt,' zei Pascoe. 'Als je iemand een openbaar toilet binnen ziet komen, denk je niet: *die vent gaat me attaqueren*, tenzij het schuim hem om de mond staat en hij een bebloede bijl in zijn hand heeft. Zoiets kleins als die burijn zou je niet eens opmerken als hij die in zijn hand had.'

'Inderdaad, sir,' zei Bowler. 'Daar heb ik over nagedacht. Als je een dergelijk wapen recht op het hoofd richt... van wat ik me van anatomie kan herinneren, zou je een echte expert moeten zijn of veel geluk moeten hebben om iemand met één klap te vermoorden of ook maar uit te schakelen.'

Toen hij even zweeg, zei Dalziel ongedurig: 'Kom op, knul, draai er niet omheen als sir Peter Quimsby, kom terzake.'

'Nou, het is misschien verstandig als we ervan uitgaan dat dit niet met voorbedachten rade is gebeurd. Ik bedoel, alsof iemand hier binnenwandelde die toevallig een burijn in zijn hand had, Steel vooroover zag staan en dacht: *hé, ik geloof dat ik hem ga steken*. Maar onze verdachte had niet toevállig een burijn, die heeft hij moeten jatten. Dat was op zichzelf al riskant. Ik bedoel, wie weet vinden we tegen de tijd dat we iedereen hebben ondervraagd die in de galerie was, iemand die in de buurt van het stalletje van Jude Illingworth iets verdachts heeft opgemerkt, maar niet verdacht genoeg om "Houd de dief!" te roepen, maar iets wat hij zich herinnert wanneer we vragen gaan stellen.'

'Misschien heeft hij hem niet gestolen als wapen maar om een andere reden,' zei Pascoe. 'En kwam dat ding mooi van pas toen hij plotseling besloot raadslid Steel te attaqueren.'

'Ja, sir, mogelijk, al zou ik op een schaal van onwaarschijnlijkheid zeggen... niet dat ik wil zeggen dat het niet kan, alleen...'

'*Nay*, we vinden bij een onderzoek naar moord manieren niet zo belangrijk,' onderbrak Dalziel. 'Als jij denkt dat de inspecteur uit z'n nek lult, zeg dat dan.'

'Dat zou ik niet direct willen zeggen...'

'Nou, ik wel. Ik vind dat je daar het recht toe hebt, knul. Onze vriend besloot die ouwe Schrokker om zeep te helpen: hij had een wapen nodig en in zijn haast kon hij niets beters te pakken krijgen dan die burijn.'

'Wat zou betekenen dat het voorbedachten rade was, maar niet zo ver van tevoren,' zei Bowler. 'Er moet iets op de expositie gebeurd zijn waarom hij het raadslid zo nodig moest vermoorden.'

'Je bedoelt bijvoorbeeld iemand die hem voor het eerst zag eten en zich zorgen ging maken over uitgehongerde kindertjes in Ethiopië?' vroeg Dalziel.

'Of misschien om iets wat hij zei,' viel Pascoe hem in de rede, omdat hij zich buitengesloten voelde door dit onverwachte onderonsje tussen de Dikke Man en Bowler. 'Het raadslid was erg goed in onrust zaaien, zoals wíj helaas maar al te goed weten.'

'Ja, het is maar goed dat wíj het toevallig zijn die ons met dit onderzoek bezighouden,' zei Dalziel. 'Ik bedoel, nu Jax the Ripper en Schrokker zo snel na elkaar uit de weg geruimd zijn, komen wij als je gaat zoeken naar iemand met een motief om hun het zwijgen op te leggen, volgens mij hoog op de tipparade.'

Pascoe keek Bowler aan, omdat hij moest denken aan zijn recente preek over het leggen van onlogische verbanden en zei: 'U wilt toch niet echt zeggen dat er een verband zou kunnen zijn met de Woordman?'

'Ga je mond spoelen, jongen!' barstte Dalziel uit. 'Het komt door jouw onbenullige praatjes dat de CID een slechte naam krijgt. Nee, als het even meezit, hebben we hier te maken met een ouderwetse simpele moord, en zodra we alle gasten van de expositie ondervraagd hebben, hebben we alles in kannen en kruiken, keurig netjes, nog vóór *Match of the Day*.'

Maar bij uitzondering klopte Dalziels prognose niet. Halverwege de avond waren alle gasten opgespoord en ondervraagd. Geen van hen had iets verdachts gemerkt wat betreft de diefstal van de burijn. De gesprekken van raadslid Steel hadden, al stonden ze zoals altijd stijf van de klachten en aantijgingen, blijkbaar niets nieuws opgeleverd. Het dichtst bij een woordenwisseling kwam Charley Penns ergernis over Steels pogingen om zijn leesclub op te doeken. Maar, zoals de auteur toelichtte, als je daarin een motief zag, was werkelijk iedereen die in het Centrum werkte verdacht, aangezien het raadslid had voorgesteld de helft van hen overbodig te maken en de salarissen van de anderen te halveren. Mary Agnew herinnerde zich samen met hem de trap af te zijn gegaan en in die korte tijdsspanne had ze een pijlsnelle opsomming gekregen van de grootste missers van haar krant. Toen ze op de entresol belandden, had hij gezegd: 'Even een muntje stukslaan,' waarna hij was weggegaan, waarschijnlijk naar het herentoilet. Ze had niet gezien of iemand hem gevolgd had.

Onder druk van Dalziel en de commissaris kwam tegen de avond een voorlopig sectierapport beschikbaar. Daarin stond dat Steel was overleden ten gevolge van één enkele steek met een burijn (door de pathologische dienst nu bevestigd als het moordwapen), die dwars door het merg en weefsel van de hersenstam was gesneden en wel, zoals Bowler al had gezegd, met een gelukkige óf zeer kundige hand. Van de etsnaald waren alle vingerafdrukken gewist.

Andy Dalziel las het rapport, zei: 'Kríjg het' en ging naar huis.

Hij controleerde of hij boodschappen op zijn apparaat had. Er was er slechts één, van Cap Marvell. Wéér betreurde ze hun door de voortijdige dood van Steel verpeste voorgenomen middag en ze zou met genoegen als Marianna op het door grachten omsloten landhuis hebben vertoefd, ware het niet dat ze van een oude linkse kameraad een uitnodiging had ontvangen om samen met de *gang* uit te gaan en misschien daarna de laatste act van de mannelijke strippers te gaan bekijken in de Jock the Cock's Nite Spot.

Dalziel zuchtte. Hij mocht haar verstandige keuze niet in twijfel trekken, maar hij miste haar. Aan de andere kant bestonden er, nu hij het zelf voor het kiezen had, bepaalde geraffineerde geneugten waarvan een man, zonder angst voor commentaar of klachten, mocht genieten.

Hij ging de keuken in, waar hij een paar minuten later uit kwam met wat hij beschouwde als De Vier Onontbeerlijke Dingen: een vork, een pot rolmops, een bierpul en een fles Highland Park. Hij schonk de vierde in het derde, stak de eerste in de tweede en zakte onderuit om *Match of the Day* tot zich te nemen, wat een slap aftreksel was van een echte rugbywedstrijd, maar Manchester United speelde tegen Leeds, dus deed het er qua agressie niet voor onder.

Twee gele kaarten later ging de telefoon.

'Ja!' blafte hij.

'Met mij,' zei Pascoe.

'O shit.'

'Dat is een behoorlijk goeie omschrijving,' zei Pascoe. 'Een bewaker van het Centrum die zijn ronde deed, hoorde de algemene brievenbus kletteren en toen hij ging kijken, vond hij een envelop waarop "Afdeling Naslagwerken" stond. Normaliter zou hij die hebben laten liggen, maar vanwege de moord zijn ze erg op hun qui-vive, dus meldde hij het bij zijn controlekamer en daar brachten ze de zaak aan het rollen.'

'En jij was er nog steeds?' vroeg Dalziel. 'Wat is er aan de hand? Mag je er niet in van Ellie?'

'Nee, sir. Ik was thuis. Seymour belde me op. Ik denk dat hij u niet durfde te storen...'

'Ik ben blij dat íémand enige consideratie heeft. Oké, jongen, de muziek is afgelopen, het pakje ligt op mijn schoot. Zeg dat ik het mis heb.'

'Dat betwijfel ik,' zei Pascoe. 'Weet u nog dat u hoopte dat de zaak-Steel een keurige moord-zonder-meer zou blijken? Vergeet het maar. In de envelop zat een Vierde Dialoog. Het ziet ernaar uit dat de Woordman opnieuw heeft toegeslagen.'

Er viel een stilte, waarna een gigantische wanhoopskreet klonk.

'Sir? Bent u er nog? Alles goed, sir?'

'Nee, godverdomme nee,' zei Dalziel. 'Eerst vertel je me dat we nog steeds niet van mijn minst geliefde idioot af zijn. Vervolgens, tot overmaat van ramp, Jezus: United heeft net gescoord!'

17

Onderzoek naar moord is per traditie het ultieme recherche-werk, maar Hat Bowler begon erachter te komen hoeveel het van je sociale leven kan opslokken. Mocht hij vage hoop gekoesterd hebben zich aan zijn afspraak van zondag te kunnen houden, die loste op bij de vondst van de Vierde Dialoog. Toen hij Rye de vorige middag even zag nadat ze haar verklaring had afgelegd, deed hij zijn best optimistisch te klinken, maar ze had hem sceptisch aangekeken en haar telefoonnummer gegeven voor het geval er problemen mochten rijzen en zondagochtend, voor de tweede week in successie, belde hij haar op om af te zeggen.

Even luisterde ze naar zijn excuses, waarna ze hem onderbrak: 'Zeg, het is niet erg. Misschien een andere keer.'

'Je klinkt niet erg teleurgesteld,' zei hij beschuldigend.

'Teleurgesteld? Als je goed luistert, kun je misschien de regen tegen mijn slaapkamerraam horen striemen, en jij wilt dat ik teleurgesteld ben omdat ik niet hoef op te staan om het grootste deel van de dag druipnat op zoek te gaan naar zogenaamde domme wezens die waarschijnlijk zo verstandig zijn knus in hun holletjes te blijven?'

'Nestjes. Je bedoelt dat je nog in bed ligt?'

'Reken maar. Het is mijn vrije dag, ook al geldt dat niet voor jou. Hallo? Ben je daar nog? Je bent toch niet over me aan het fantaseren, hoop ik?'

'Natuurlijk niet. Ik ben politieman. Wij hebben onze fantasie operatief laten verwijderen. Maar daarvoor in de plaats worden we toegerust met een surveillance-uitrusting, dus we hebben geen fantasie nodig.'

'Je bedoelt dat je me kunt observeren? Oké, wat doe ik nu?'

Hij dacht een poosje na. Dit was dolle pret, maar hij wilde het niet stukmaken door te snel te ver te gaan, zelfs niet verbaal.

'Je neus aan het krabben?' zei hij voorzichtig.

Ze giechelde en zei hees: 'Bijna goed. Hoe is het eigenlijk met de zaak? Zijn we nog allemaal verdacht?'

Rye was degene geweest die zaterdagmiddag op het onvermijdelijke had gewezen toen hij zich verontschuldigde voor de tijd die het haar had gekost dat ze als potentiële getuige was ondervraagd. 'En verdachte,' had ze eraan toegevoegd. 'Onderschat ons niet. Iedereen die bij de expositie was en vóór of op hetzelfde tijdstip wegging als raadslid Steel is een potentiële verdachte. Ik wed op Percy Follows.'

'Hoezo?'

'Omdat ik heb begrepen dat hij vroeger met een heel klein wapen mannen attaqueerde.'

Hij had haar ernstig aangekeken en gezegd: 'Jij had ook bij de politie moeten komen.'

'Vanwege mijn inzicht?'

'Nee. Omdat je weet hoe je de rauwe werkelijkheid van je kunt afhouden door slechte grappen te maken.'

En terwijl hij het zei, had hij al gedacht: pedante lul die je bent! Reken maar dat ze van je zal gaan houden als je haar vaker zo de les leest.

Maar haar reactie was erger dan verontwaardiging. Haar ogen vulden zich met tranen en ze zei: 'Het spijt me... Ik deed alleen maar mijn best om niet te...'

Op dat moment had hij zijn armen om haar heen geslagen en haar tegen zich aan gedrukt en werd belet in, of misschien gespaard voor, het bedenken of dit hun eerste omhelzing was of niet meer dan een troostende knuffel door de droge kuch van brigadier Wield, die met nog drogere stem zei: 'Wanneer u klaar bent met die getuige, rechercheur Bowler...'

Nu zei hij: 'Natuurlijk zijn jullie allemaal verdachten. Vandaar dat ik van plan ben je onder strenge persoonlijke bewaking te nemen. Luister, ik bel nog. Laten we die trip naar Stangdale vergeten, misschien kunnen we naar de film of zo...'

'Zoals *The Birds*, bedoel je? Sorry. Ja, dat zou ook leuk zijn, maar ik ben een vrouw van mijn woord. Ik zei dat ik je niet met rust zou laten, en daar ga ik me aan houden. Volgende week, oké?'

'Ja, als je het zeker weet. Ik bedoel, dat is geweldig. En we maken er alsnog een hele dag van, oké? Ik zorg voor een picknick.'

'Niet overdrijven. Prima, dat is afgesproken. Bel me. Ga er nu maar weer voor zorgen dat de maatschappij veilig blijft voor goede burgers, dan ga ik verder met aan mijn neus krabben. Dag.'

Hij zette zijn telefoon uit, krabde aan zijn neus en glimlachte. Telefoonseks had hem altijd een afknapper geleken, maar zoals hij er nu over dacht, zat er misschien wat in. Zijn relatie met Rye was absoluut een stap verder gekomen; al voorzag hij een paar grote stappen terug als ze erachter kwam dat hij zijn mond had gehouden over de Vierde Dialoog. De verleiding om haar erover te vertellen was sterk geweest maar, althans per telefoon, niet zo sterk als het verbod van brigadier Wield op het verspreiden van het nieuws.

'Hou dit voor jezelf,' had Wield gezegd. 'Wat de buitenwacht betreft, is de moord op raadslid Steel een op zichzelf staand incident tot de hoofdinspecteur anders beslist. En je wilt de hoofdinspecteur vást graag de indruk geven dat je te vertrouwen bent? Vooral met jongedames in de buurt.'

Hat had daartegen in willen brengen dat, aangezien Rye Pomona degene was geweest die hen op het spoor van Woordman had gezet, ze er recht op had het te weten, maar dat was naar zijn gevoel geen argument dat hij tegenover dat dreigende gezicht hard zou kunnen maken.

Dus in plaats daarvan zei hij: 'Enig idee waarom de baas niet zou denken dat ik te vertrouwen ben, brigadier?'

'Ik denk,' zei Wield behoedzaam, 'dat hij het gevoel had dat je met Jax Ripley misschien een beetje te intiem was geworden.'

Hij keek nauwlettend naar het gezicht van de jongeman, zag verwarring plaatsmaken voor begrip, wat vervolgens overging in kokende verontwaardiging.

'U bedoelt wat ze allemaal zei over het feit dat wij tekortschieten in ons werk, waardoor mr. Dalziel dacht dat ze *inside info* van mij kreeg? Jezus, brigadier, zowat elke keer dat ik haar zag, kregen we ruzie over die programma's. Oké, al zíjn we bevriend gebleven, min of meer, we wisten allebei dat we elkaar alleen maar gebruikten. Ik had het met haar op een akkoordje kunnen gooien – ik zal je de mijne laten zien als jij me de jouwe laat zien – maar als ze echt een verklikker binnen het korps had, was ik dat zeker niet!'

Wield pikte, echter zonder commentaar, de seksuele woordspeling in het protest op. Al was hij zelf ongevoelig voor dergelijke dingen, hij wist maar al te goed wanneer een vrouw warm voor hem liep, en de paar keer die hij de televisiejournaliste had ontmoet, had hij een verzengende hitte gevoeld. Als, en hij was geneigd hem te geloven, Bowler niet verder voor de bijl was gegaan dan beroepsdiscretie toestond, zei dat heel wat over de zelfbeheersing van de jongeman.

'Vindt u dat ik iets tegen de baas moet zeggen?' vroeg Bowler enigszins geagiteerd.

'Dat zou ik niet doen,' zei Wield. 'Ontkennen vóór je iets wordt gevraagd, staat bij ons gelijk aan bekennen. Hij leek erg tevreden over de manier waarop je je gisteren hebt staande gehouden. Vergeet het dus maar. De toekomst is belangrijk, niet het verleden. Maar wees gewaarschuwd. Zorg dat je je uit de voeten maakt wanneer je een journalist ziet.'

Dan zou ik moeten gaan trainen voor de marathon, dacht Hat. De mediabelangstelling voor de moord op Ripley was enorm geweest, en al was er nog geen officiële bevestiging van een link naar de moord op Steel, beide gevallen lagen qua tijd en plaats zo dicht bij elkaar in de buurt dat de bloedhonden nog maar één keer hun neuzen in de wind hoefden te steken om hun speculatieve gehuil te laten horen. Persoonlijk vond Hat Dalziels idee om de Vierde Dialoog stil te houden dom, maar niet zo dom als ook maar iets te laten blijken van wat hij dacht.

'Jawel, brigadier. Hoe staan we er eigenlijk voor op dit moment? Zit er een beetje schot in?'

'Nou, om tien uur is er een bespreking in het kantoor van de hoofdinspecteur. Een idee van de inspecteur. Het Grote Overleg noemt hij het.'

'Wat houdt dat in?'

'Zoiets als duivels die met z'n allen bij elkaar kruipen om te beslissen hoe ze de hel uit kunnen komen. Mr. Pascoe laat zich soms meeslepen door poëzie als het menens wordt,' zei Wield lankmoedig. 'Hoe dan ook, hij heeft de baas ervan overtuigd dat het tijd wordt er een expert van buitenaf bij te halen, bijvoorbeeld de psychiater doctor Pottle en een of andere taalspecialist van de universiteit.'

'Jezus, dat ziet er dan niet best uit!' riep Hat uit, die wist hoe de Dikke Man dacht over, zoals hij dat altijd noemde, *snobistische handelaren in lucht.*

'Je hebt gelijk. We moeten pakken wat we pakken kunnen. Je bent uitgenodigd.'

'Ik?'

Bij dit bericht streed vreugde met scepsis.

'*Aye.* Dus trek aan je stutten. Maar eerst kun je beter die meid van de bibliotheek opbellen om haar te vertellen dat je vandaag in geen geval komt spelen.'

Terwijl hij Ryes nummer draaide, vroeg Hat zich af hoe Wield in godsnaam wist dat hij een afspraak met Rye had. Maar toen hij de laatste toets indrukte, had hij bedacht dat de brigadier waarschijnlijk het hele gesprek had gehoord vóór de omarming die misschien zou zijn uitgelopen in een omhelzing.

Die lul ontgaat niks, dacht hij, half met bewondering en half verbitterd. Maar ik ben een stuk knapper!

Aangezien 'half' een goede maat was, besloot hij Wields raad slechts half op te volgen. Hij zou niets tegen de Dikke Man zeggen over diens onterechte verdenkingen, maar vergeten zou hij ze evenmin. Omdat hij wist dat hij onschuldig was, wat inhield dat dat niet opging voor een andere sukkel, zag hij niet in waarom er zijn hele carrière lang in Dalziels notitieboekje een vraagteken achter zijn naam zou moeten blijven staan.

Intussen was hij vastbesloten de goede indruk die hij gisteren kennelijk op zijn baas gemaakt had verder uit te bouwen. Dat hij was uitgenodigd bij de Heilige Drie-eenheid was een grote stap. Hij herinnerde zich de steken van afgunst die hij bij een eerdere gelegenheid had gevoeld toen hij had gezien hoe rechercheur Shirley Novello, die nauwelijks langer in dienst was, steeds dichter tot het hoogste drietal werd toegelaten. Novello was nog steeds met ziekteverlof nadat ze een paar maanden geleden tijdens haar dienst door een kogel was getroffen. Elke hoop die Bowler had gekoesterd om die leegte te vullen, was weldra de bodem ingeslagen, wat hem teleurgesteld en verward had tot Wield het allemaal duidelijk had gemaakt. Nu kreeg hij zijn kans om te schitteren, en hij was niet van plan die te laten glippen.

Het uur respijt dat hem was vergund, wijdde hij aan het doornemen van de getuigenverklaringen. Omdat elke bezoeker van de expositie was ondervraagd, was er geen tijd om ze allemaal te lezen. Gelukkig had brigadier Wield, efficiënt als altijd, ze al onder diverse lemma's met verwijzingen samengevoegd. De grootste groep vormden degenen die meer dan tien minuten vóór het vertrek van het raadslid de tentoonstelling en het Centrum hadden verlaten en bovendien negatieve reacties op de sleutelvragen hadden gegeven – *Hebt u met gemeenteraadslid Steel gesproken of hem met iemand anders horen praten? Hebt u iemand gezien die zich in de omgeving van de etsdemonstratie van Jude Illingworth eigenaardig gedroeg?*

Er zat een aantekening bij in Pascoes kinderlijke krabbel. *Ik denk niet dat de moordenaar het risico zou nemen over de tijd van zijn vertrek te liegen, al is het natuurlijk mogelijk dat hij eerder is weggegaan en vervolgens gewacht heeft tot het vertrek van het raadslid. Wat betreft de beantwoording van de twee vragen, lijkt het mij onwaarschijnlijk dat de moordenaar op beide een negatief antwoord zou geven, deels omdat hij vol-*

gens mij inderdaad met Steel heeft gesproken, maar vooral omdat ik be-
twijfel of iemand van zoveel woorden als Woordman het zou opbrengen om
niets te zeggen.

Slimme donder, dacht Hat. Al kon het geen kwaad in gedachten te houden dat de Woordman eveneens een slimme donder was. Maar het hielp hem bij het kiezen wat hij moest bekijken en wat hij opzij kon schuiven voor nader onderzoek.

Hij richtte zijn aandacht op degenen die iets te melden hadden over het raadslid en/of dachten iets bij de demonstratie te hebben opgemerkt.

Snel kwam hij tot de conclusie dat de meeste meldingen van eigenaardig gedrag ofwel gemotiveerd werden door een overbereidheid te helpen ofwel simpelweg de zucht naar gewichtigheid. Geen van de beroepsmatige observators – hijzelf, Wield, Pascoe en de baas – had iets bijgedragen, wat veelzeggend was, of niet misschien. Vijf getuigen konden zich herinneren dat er, toen ze de grafica aan het werk zagen, in de buurt een tafel was omgegooid en een paar glazen op de grond waren gevallen, wat een afleidingsmanoeuvre geweest zou kunnen zijn. Helaas kon geen van hen zich duidelijk herinneren wie er op dat moment in de buurt was; maar een van hen herinnerde zich dat er andere mensen bij waren.

Schrokker Steel had iets meer indruk gemaakt, al beperkte de herinnering zich grotendeels op de hoeveelheid voedsel die hij wist te verstouwen. Verslagen over zijn werkelijke gesprekken gaven een preoccupatie met twee thema's aan. Het eerste was dat het grootste deel van de uitgestalde kunst waardeloze troep was en omdat het een schandaal was geld van de belastingbetaler uit te geven om het te exposeren, zou hij bij de eerstvolgende raadsvergadering een motie van toezicht op het Comité van Financiën indienen. Het tweede was dat de moord op Jax Ripley de politie van Mid-Yorkshire reuze gunstig uitkwam, omdat ze, met zijn medewerking, bezig was hun uitspattingen en wanprestaties aan de kaak te stellen.

Met name Mary Agnews oren hadden ervan getuit, evenals die van Sammy Ruddlesdin en John Wingate van de bbc. Diverse getuigen wisten te melden dat Wingate na enige tijd Steel in de rede was gevallen en dat er een verhitte discussie was ontstaan, die eindigde toen de tv-medewerker wegliep. Wingate zelf had er een volledig verslag van gegeven, waarbij hij opmerkte dat hij pisnijdig was geworden toen hij het raadslid hoorde doorleuteren alsof het effect op Steels campagne het enig belangrijke was aan de moord op Jax Ripley. Dat was weliswaar een begrijpelijke reactie van een collega van de overledene, maar Bowler kon zich zijn eigen speculatie her-inneren toen hij na de moord Wingate een verklaring afnam, na-melijk dat er tussen die twee meer dan een werkrelatie zou hebben bestaan.

Hij maakte een aantekening en las verder, waarbij hij zich con-centreerde op degenen die ongeveer tegelijkertijd met het raadslid waren weggegaan. Ook hier had Wield het voorwerk gedaan, met een keurige grafiek van wie hoe laat waar was geweest. Natuurlijk zat er ook een kopie bij van Hats eigen verklaring, en die las hij zo objectief mogelijk door. Het was de verklaring van een gedegen po-litieman. Er stond niets in over het gevoel dat hem bekroop toen hij de wc binnen was gegaan – alsof hij een nieuwe dimensie betrad, waar buiten hemzelf en het als een foetaal vraagteken gekromde lijk op de grond niets bestond. Hoe lang hij daar alleen maar had staan kijken, wist hij niet. Eerlijk gezegd leek de vraag 'hoe lang' niet van toepassing, zolang er een uitweg leek te bestaan om de gang weer op te lopen, een seconde te wachten en de deur weer open te doen om tot de ontdekking te komen dat het beeld was uitgeveegd. Na-tuurlijk had hij dat niet gedaan. Natuurlijk was hij door de training geconditioneerd tot de volgorde pols opnemen, hulp inroepen, re-animatiepogingen, de locatie vrijmaken, en toen hij die avond ein-delijk naar bed ging, was het gevoel van desoriëntatie vervaagd tot een herinnering aan een vanzelfsprekende shock vanwege een zo gruwelijke ontdekking.

Maar toen hij de kopie van de Vierde Dialoog las die Wield hem die ochtend had gegeven, en besefte dat hij maar een paar seconden na de Woordman was geweest, was het allemaal in zo'n hevigheid teruggekomen dat hij de steun van een tafel nodig had om zich aan vast te klemmen en zijn blik moest fixeren op de grote wijzer van zijn horloge om zich te vergewissen van het voortbestaan van het stoffelijke.

Nu overdacht hij zijn verklaring in het licht van de nieuwe infor-matie dat het hier niet slechts ging om één op zichzelf staande moord maar om een onderdeel van wat de Woordman van plan was. Misschien was nu zijn gevoel relevant... Maar hoe? En de moed zakte hem in de schoenen bij de gedachte hoe hij dat aan Dalziel moest uitleggen. Wie weet zou hij zijn reputatie kunnen zuiveren van de valse beschuldiging dat hij een verklikker was, maar van dat 'leeghoofd' kwam hij waarschijnlijk nooit meer af.

Hij legde zijn verklaring weg en wijdde zich verder aan de ande-re.

Natuurlijk zou het fijn zijn als hij naar de vergadering kon gaan om een staaltje hersengymnastiek ten beste te geven waardoor hij van de ene over het hoofd geziene factor naar de andere zou kunnen springen om af te ronden met een driedubbele afsprong, om met een dreun op de rug van de Woordman te belanden. In gedachten zag hij voor zich hoe de Heilige Drie-eenheid vol ver- en bewondering zou toekijken vóór ze hun scorekaarten omhooghielden om het maximale aantal punten toe te kennen voor zowel stijl als inhoud.

Maar zulke vlagen inspiratie, hoe gewoon ook in boeken, deden zich in de wereld van een nederig rechercheurtje erg zelden voor. Een scherp oog voor details, hoe saai ook en hoe vaak je er ook naar moest kijken, daarmee loste je een zaak op. En onder het lezen nam Hat de proef op de som met Wields gegevens, niet met de verwachting een fout te vinden maar in de bijna ijdele hoop een discrepantie te ontdekken. Het dichtste wat daarbij in de buurt kwam, was Ryes verklaring (zo direct en gedetailleerd dat die afkomstig zou kunnen zijn van een politieman), waarin ze zei dat toen ze haar jas bij de afdeling Naslagwerken ging halen, ze een paar ambtenaren had zien werken, maar niemand die ze kende. Toch hadden er blijkens de gegevens twee mensen moeten zijn die ook op de expositie waren geweest – Dick Dee en Charley Penn. Hij begon de verklaringen door te bladeren.

'Heb je iets?' vroeg Wield, die op zachte voeten achter hem was komen staan.

'Niet echt… misschien…'

Hij vond Dees verklaring. Hij had een paar minuten vóór Hat en Rye de expositie verlaten en was rechtstreeks naar de bibliotheek gegaan. Toen hij daar kwam, had de vrouw die dienst had van de gelegenheid gebruikgemaakt om naar de wc te gaan. Dee was achter in de bibliotheek geweest om iets op te zoeken in een naslagwerk, toen hij gezien had dat Rye haar jas uit het kantoor kwam halen.

Dus hij had haar gezien, zij hem niet.

Penn zei in zijn verklaring dat hij rechtstreeks naar de bibliotheek was gegaan en in zijn hokje was gaan zitten. *Met je gezicht naar de muur*, had hij opgeschreven, *zie je niet veel mensen*. Maar naderhand, toen hij naar de wc was gegaan (*niet de locus in quo maar de personeels-wc naast Naslagwerken, waar ik bij wijze van 'bevoorrecht persoon' toegang tot heb*), had hij Dee gezien. Een algemene uitschakeling dus.

'Sorry, nee. Niets. Luister, ik wil uw woorden niet in twijfel trekken, brigadier…'

164

'O nee? Dat is jammer. Rechercheurs die níét de woorden van hun brigadier in twijfel willen trekken deugen nergens voor. Maar duik er niet zo diep in dat je de tijd vergeet. Nog tien minuten. Eenmaal te laat bij mr. Dalziel is altijd te laat.'

Hat liet de verklaringen voor wat ze waren en besteedde de resterende tijd aan het in de computer aanleggen van een selectie van mensen. Je kon net zo goed goud gaan zoeken in een uitgeputte mijn. Troep, troep en nog eens troep.

Toen opeens, als een boterbloem die door een koeienvlaai heen groeit, ving hij een glimp op van een minuscuul goudklompje.

Dat viste hij ertussenuit, woog het en erkende dat hij er niet rijk van zou worden. Maar als het goed bewerkt werd, zou het een fraaie schakel in een ketting kunnen blijken. Hij keek op zijn horloge. Nog vijf minuten.

Waarschijnlijk langer. Academici waren beruchte laatkomers.

Hij pakte de telefoon.

18

'KIJK NOU EENS WIE ER IS,' ZEI ANDY DALZIEL. 'KOM BINNEN, KNUL. Zoek een stoel. Doe alsof je thuis bent. Fijn dat je tijd kon vrijmaken.'

De academici, onberekenbaar als altijd, waren zowaar punctueel geweest.

Na zich uitputtend te hebben geëxcuseerd, concentreerde Hat zich op de gasten om Dalziels dreigende blik en Pascoes verwijtende pruilmondje niet te hoeven zien. Zelfs op het uitgestreken gezicht van Wield stond in neonletters: 'Ik heb je nog zo gewaarschuwd.'

Doctor Pottle, de psychiater, was een klein, hoogbejaard mannetje dat een natuurlijke gelijkenis met Einstein cultiveerde. 'Patiënten vinden dat zeer geruststellend,' had hij eens gezegd tegen Pascoe die, officieus en met tussenpozen, tot die patiënten behoorde. 'Ik vertel de echte mafkezen graag dat ik een tijdmachine heb geconstrueerd en naar de toekomst ben gereisd, en dat alles goed zal komen met ze.'

'En hoe ziet het er voor míj uit, professor?' had Pascoes reactie geluid.

Een andere eigenaardigheid van Pottle was dat hij, ondanks alle maatschappelijke, medische en politieke druk, nog steeds rookte als een ketter. Dalziel, die een ex-roker was die momenteel een behoorlijk extensieve ex-rokersperiode doormaakte, zwichtte voor het onvermijdelijke, deed een graai in Potters peuken en nam van de eerste een trek op de manier van een matroos in verdrinkingsnood die voor de derde keer bovenkomt.

De andere expert werd geïntroduceerd als doctor Drew Urquhart. Niet zó oud, voorzover Bowler door een jungle van baardharen heen kon beoordelen. Gelukkig hield hij zijn bovenlip onbedekt. Had hij het soort Einsteinsnor gedragen waaraan Pottle de voorkeur gaf, dan zou zijn gezicht zelfs voor zijn eigen moeder onherkenbaar geweest zijn. Met twee verschillende gympen aan zijn

166

voeten en in een tot op de draad versleten spijkerbroek met een T-shirt dat onder de oksels was weggerot, wat blijkbaar broodnodige ventilatiegaten had opgeleverd, had hij meer weg van iemand uit het rijk van de kartonnen-dozenbewoners in het winkelcentrum dan de wereld van academici.

'Kut zeg,' gromde hij met een Schotse tongval die Bowler niet kon thuisbrengen, behalve dat die niet afkomstig was uit Glasgow. 'Als ik de verstikkingsdood moet sterven, kan ik dat net zo goed met mijn eigen weed doen.'

Hij haalde sigarettenvloei te voorschijn en begon er iets uit een leren zakje op te leggen.

Dalziel zei: 'Als je dat aansteekt, grapjurk, schop ik je het hele end terug naar het koninkrijk der fluitspelers.'

'Je houdt zeker al je bezoekers in de smiezen, hoofdinspecteur?' sneerde Urquhart.

'Dat is niet nodig. Ik had gedacht dat jij als linguïst wel zou weten dat je jezelf zou verraden zodra je je scheur opentrekt.'

'Ik ben onder de indruk. Diep gekrenkt maar onder de indruk,' zei Urquhart.

Hij stopte het zakje met de vermaledijde inhoud weg en zei: 'Kunnen we beginnen? Ik moet nog ergens heen.'

'O ja? Je gaat ratten vangen, zeker?' vroeg Dalziel, terwijl hij zijn blik over de kleding van de linguïst op en neer liet glijden.

Pottle zei: 'Nu we de rituelen der pikorde gehad hebben, zou ik eveneens willen verzoeken er vaart achter te zetten.'

'Daar heb ik geen bezwaar tegen. Hoe sneller hoe beter, naar mijn mening,' zei Dalziel. 'Pete, dit is jóuw circus, dus laat de zweep maar knallen.'

'Dank je,' zei Pascoe. 'Mag ik allereerst zeggen hoe dankbaar we doctor Pottle en doctor Urquhart zijn dat ze vanmorgen op zo'n korte termijn zijn gekomen? Aangezien we nu zonder meer moeten toegeven dat we met een seriemoordenaar te maken hebben, had ik gedacht: hoe groter het net is dat we uitgooien op zoek naar gespecialiseerde assistentie en hoe sneller we die hebben gevonden, hoe beter. Ik realiseer me dat u een naar analytische maatstaven belachelijk korte tijd hebt gehad om de Woordman-documenten te bestuderen, maar wat eerste indrukken aan diepte tekortkomen, kunnen ze aan frisheid goedmaken. Doctor Pottle.'

'Mag ik me eerst verontschuldigen bij mijn gewaardeerde collega, doctor Urquhart, voor het geval ik iets zeg wat zijn mysterie betreedt, want uiteraard leidt mijn route naar het begrijpen van de schrijver van deze stukken via de woorden waarvan de schrijver zich bedient.'

'Bedien jezelf, Pozzo,' zei de Schot. 'Ik zal me niet laten weerhouden de psychobabbel op te dienen.'

'Dank u. *Eerste Dialoog*. Het gebruik van het woord "dialoog" is op zichzelf significant. Een dialoog is een uitwisseling van gedachten en informatie tussen twee of meer mensen. Willen dit zuivere dialogen zijn, dan moet onze Woordman – ik gebruik die naam voor het gemak – zowel luisteren als spreken. En ik denk dat we kunnen zien dat hij dat naar twee kanten toe doet. Aanvankelijk waren er hiaten in de tekst, witte regels, en het is niet moeilijk die in te vullen met onvermelde replieken op de commentaren of antwoorden van Woordman. Voor het grootste deel kunnen die eerder beschouwd worden als gesproken trivia dan zaken van groot belang zoals je in een zuivere dialoog zou verwachten te ontdekken. Bijvoorbeeld, in deze eerste dialoog: tussen *Hoe gaat het met jou?* en *Met mij goed, geloof ik* zouden we kunnen invoegen *Gaat wel. En met jóú?* Vervolgens tussen *Met mij goed, geloof ik* en *Dat is soms moeilijk te zeggen* zouden we kunnen plaatsen *Hoe bedoel je: "geloof"?* Aangetekend moet worden dat de toon hier, zoals in alle dialogen bij deze korte uitwisselingen, vriendschappelijk en vertrouwd is, zoals bij mensen die elkaar erg goed kennen en op vrijwel hetzelfde niveau staan.'

'Volgens mij waren we zelf ook zo ver gekomen,' merkte Pascoe verontschuldigend op, zich bewust van steatopygisch gekraak van Dalziels stoel. 'U zei dat er twee vormen van dialoog zijn…'

'Inderdaad. De andere is de formelere en mysterieuzere vorm waarin de Woordman gelooft dat hij advies, hulp en aanwijzingen ontvangt van een of andere buitenaardse kracht die al dan niet, hetzij al of niet ten dele, dezelfde is als de bevriende gesprekspartner uit de eerste vorm. Uiteindelijk is de Woordman natuurlijk verwikkeld in een dialoog met ons. Namelijk met u, de onderzoekers van die delicten, met mr. Urquhart en mij als uw compagnons, en met de buitenwereld in het algemeen, die zo gezegd zijn uitgebreidere publiek vormt.'

'Mag ik daarop wat zeggen?' vroeg Urquhart. 'Het is je misschien ontgaan, Pozzo, en míj trof het pas vanwege een verwijzing in een encyclopedie, maar achteraf heb ik het door een vriendin laten nakijken…'

'Een vriendin?' vroeg Pascoe, waardoor hij alwéér de Vetzak voor was. 'U hebt de dialogen toch niet aan een onbevoegde laten zien, hoop ik?'

'Doe het nou niet meteen in je broek,' zei Urquhart. 'Het was alleen maar een collegaatje dat ook Engelse literatuur geeft en die ik af en toe een veeg geef. Ze weet niet meer dan ze weten móét. Zij vertelde me dat er in de literatuur zoiets bestaat als "Dialoog van de Doden". Dat stamt uit de tijd van Lucianus...'

'Is dat lord Lucianus?' vroeg Dalziel.

'Ha ha. Tweede-eeuws Syrisch retoricus die in het Grieks schreef. In de achttiende eeuw was daar qua belangstelling een grote opleving in: de augustijnen en wat daarna kwam, al die klassieke troep. Het grootste succes had lord Lytteltons *Dialogen der doden* in 1760. Achtentwintig dialogen, waaronder drie van ene mrs. Montagu, een blauwkous – de drie beste, zo verzekert mijn vriendin mij, maar misschien is ze partijdig. In de negentiende eeuw zijn er nog een paar geschreven, maar vóór koningin Victoria de geest gaf, was de vorm al op sterven na dood.'

'En waar bestond die vorm uit?' informeerde Pascoe.

'Discussies in de onderwereld tussen de schimmen van bestaande historische figuren en verzonnen figuren, soms onder het luisterend oor van wezens uit de mythologie. Ik heb er een paar opgezocht. Er is er een met Mercurius, een Engelse duellist met een Noord-Amerikaanse inboorling, een andere met sir Thomas More en de stadhouder van Bray. Meestal met een satirische strekking, zij het niet altijd. Geschreven als een toneelstuk: naam van de rol met daarna wat hij of zij zegt, maar zonder dat er regieaanwijzingen of decor worden beschreven. Het moest gelezen worden, niet opgevoerd.'

'Maar hier worden ons geen namen gegeven,' zei Pascoe, terwijl hij naar zijn kopie van de Dialogen keek.

'Had je dat soms verwacht? Dan was het spelletje van begin af aan verraden. Het is misschien een doodlopend spoor, maar omdat volgens mij Woordman zijn dialoog voert met iemand die dood is, is hij vast van plan de bevolking van de onderwereld uit te breiden. Dat leek me het vermelden waard. Hoe dan ook, wat jullie aangaat: laat geen steen op de andere als je de krioelende insecten wilt zien vluchten.'

'We zijn u zeer erkentelijk, doctor,' mompelde Pascoe, die aantekeningen had zitten maken.

'O god,' kreunde Dalziel. 'We zijn pas aan het begin, en ik heb nu al pijn aan m'n hersens.'

'Misschien kunnen we doorgaan,' zei Pascoe met een blik op zijn horloge. 'Ik weet dat uw tijd kostbaar is, heren.'

'Uitstekend,' zei Pottle, die met de peuk in zijn hand een verse sigaret opstak. 'Na de titel de illustratie – of moest ik zeggen "verluchting"? Ik neem aan dat u reeds deskundig advies hebt gekregen over de stilistische bron...'

'Bij wijze van spreken,' zei Pascoe behoedzaam. 'Rechercheur Bowler, misschien kun jij ons op de hoogte brengen?'

Volkomen verrast, slikte Hat zenuwachtig alvorens te antwoorden: 'Welnu, mr. Dee van de bibliotheek zei dat hij dacht dat het gebaseerd was op een middeleeuws Keltisch geschrift. Hij heeft me iets laten zien wat er enigszins op leek in, ik meen een achttiende-eeuws Iers evangelie...'

Toen hij zich ervan bewust werd dat de ogen van de Dikke Man waren dichtgevallen en zijn mond zich in een nijlpaardachtige geeuw opensperde, vervloekte hij Pascoe omdat het zijn schuld was dat door zijn eerste bijdrage aan het Grote Overleg die enorme neusvleugels zouden gaan zwellen. Maar nu, misschien omdat hij zich schuldig voelde, pakte de inspecteur het estafettehoutje en vervolgde '... en dat naar het schijnt het ontwerp *In P* de openingszin voorstelt van het evangelie van Johannes: *In principio erat verbum...*'

'In den beginne was het Woord en het Woord was met God en het Woord was God,' declameerde Dalziel, terwijl hij zijn ogen opendeed. 'Ja ja, we hebben allemaal op catechisatie gezeten, behalve misschien onze jonge Bowler, die waarschijnlijk de *Kama Sutra* heeft moeten leren of zo. Doctor Pottle, kunnen we misschien een paar conclusies trekken en al dat fraais voor een artikel bewaren?'

'Het eerste wat me opviel aan de tekening was de manier waarop alle daaropvolgende letters over elkaar heen vallen. Omdat het me deed denken aan een virus dat ooit in het computersysteem van het ziekenhuis verzeild was geraakt, waardoor alle letters die je intikte naar de onderkant van het scherm buitelden, vroeg ik me af of onze Woordman het gevoel had dat hij zelf aan een virus leed dat zijn hersenen aantast.'

'U bedoelt dat-ie mesjogge is?' zei Dalziel. 'Fantastisch!'

'Dat komt overeen met andere aanwijzingen dat het idee mensen te moeten doden hem niet écht lekker zit,' vervolgde Pottle kalm. 'De tekening is slechts een van de talrijke pogingen zijn gedrag in te passen in een semi-religieuze context die twee hoofdfuncties heeft. De eerste is natuurlijk rechtvaardiging. Het is God, of Diens vertegenwoordiger in de Andere Wereld, die een volgorde aangeeft waarnaar slechts te gissen valt. De Woordman is in zeker opzicht een werktuig van een goddelijk doel, of van goddelijk nut als de Woordman op eigen kracht een doel moet bereiken, wat niet helemaal duidelijk is. Toch blijkt, ondanks die schijn van bovennatuurlijke noodzaak, dat het de Woordman allemaal niet lekker zit uit het feit dat hij zo nodig wil suggereren dat de slachtoffers dood beter af zijn – hetzij voor hun eigen bestwil, hetzij voor het bestwil van de samenleving in het algemeen, of soms alletwee. U waarschijnlijk opgemerkt dat de man die in het water onder de brug is verdronken tevens veel weg heeft van een gekruisigde, de heilige Andreas bijvoorbeeld, op een X-vormig kruis.'

'Ik weet hoe die zich voelde,' mompelde Dalziel.

Pascoe wierp hem een misprijzende blik toe en drong aan: 'U zei dat de religieuze context twee functies heeft, doctor. Rechtvaardiging en...?'

'Inderdaad. En kwetsbaarheid. Dat de tijd stilstaat bijvoorbeeld. Dat lijkt letterlijk, geen metafoor. God of Diens vertegenwoordiger is de bedenker van wat er gebeurt en zal, als Almachtige, niet toestaan dat Zijn instrument betrapt wordt. Hierin ligt wellicht uw gunstigste hoop de schrijver te kunnen betrappen. De risico's die bij de moord op raadslid Steel zijn genomen, waren gigantisch en konden enkel genomen worden door iemand die zich volkomen onkwetsbaar waande. Hoe langer dit duurt, hoe groter de risico's die waarschijnlijk genomen zullen worden.'

'U bedoelt dat we hem, als het een beetje meezit en hij maar lang genoeg doorgaat, op heterdaad zullen betrappen?' vroeg de Dikke Man vol ongeloof. 'Als u niets beters weet, maakt het al dit gezever dan niet wat overbodig, *doctor*?'

De mate van misprijzen die Dalziel in een aanspreektitel wist te leggen, zou een linguïst stof voor een thesis kunnen opleveren, dacht Pascoe.

'Misschien kan ik hier een heel klein beetje praktische hulp bieden,' zei Urquhart. 'Zie je dit stukje van deze verluchting?'

Hij wees op de onderkant van de dubbele stam van de I.

'*Aye*, de koeien,' zei Dalziel.

Urquhart lachte en zei: 'Dat moet Highlandvee voorstellen, met die horens. Nee, geen koeien. Ossen, denk ik.'

'Ossen. Geweldig. Nu kómen we eindelijk ergens. Maak daar een aantekening van, inspecteur.'

'Waar wil je naartoe?' vroeg Pascoe.

'Alef,' zei Urquhart veelbetekenend.

'Bedoel je Alef in Wonderland of Alef uit *Through the Looking Glass*?' informeerde Dalziel.

'Alef is de eerste letter van het Hebreeuwse alfabet,' zei Urquhart. 'Het is ook het Oud-Hebreeuwse en Fenicische woord voor os, en het lijkt aannemelijk dat de vorm die de letter aanneemt, is gebaseerd op een hiëroglief van een ossenkop. Daar is de Griekse alfa van afgeleid, en uiteindelijk ook de Romeinse én onze eigen a, waaraan we in enkele versies van zijn hoofdlettervorm nog steeds kunnen zien dat ze die oorspronkelijke elementen van het hiëroglief in zich hebben. Zoals in het *Book of Kells*...'

Hij haalde een pen te voorschijn en tekende een letter: ⋈

Even keek Dalziel er zwijgend naar, waarna hij zei: 'Als iemand me dát opdiende als een ossenkop, zou ik het terugsturen. Wil je hier iets mee zeggen, jongen?'

'A is natuurlijk ook een woord, het eerste zelfstandige woord van ons Engelse alfabet. *In den beginne was het Woord*... En denk aan de verwijzingen in de Dialoog naar de onduidelijke beginpunten van het pad. A is in het Engels het onbepaalde lidwoord. Je zult je misschien afvragen waarom er twee ossen zijn, twee alefs...'

'De wegenwachtman,' zei Pascoe. 'Wiens initialen AA zijn. Waar de Woordman een teken in zag. Wat bedoel je nou, doctor Urquhart? Dat er een alfabetische volgorde in zou kunnen zitten?'

'Sorry, nee. Ik begrijp hoe nuttig dat misschien zou zijn, maar in de andere wijst niets daarop. Je zou bij de zaak-Pitman kunnen denken aan de b van *boy* of zelfs *bouzouki*, maar dat zou te ver gezocht zijn, en alle c's in de zaak-Ripley en de d's in de zaak-Steel lijken volkomen misgegrepen. Dus ik betwijfel of jullie hier te maken hebben met een simpele alfabetische volgorde. Wie weet, is uw Woordman simpelweg een woord aan het spellen. Laten we in dat geval hopen dat het een kort woord is, maar het is niet minder waarschijnlijk dat het een paar woorden zouden kunnen zijn die een boodschap vormen.'

'*Ik lach me dood, 'k wou dat je erbij kon zijn,*' opperde Dalziel, die zich in het kruis krabde alsof hij een orang-oetan naar de kroon wilde steken. 'Luister, heren, zoals de actrice tegen de bisschop zei: kunt u zorgen dat het een vluggertje wordt aangezien ik nog moet werken? Al dat lange-baangedoe of algemeen getheoretiseer, misschien zouden jullie het op schrift kunnen zetten als jullie meer tijd hebben gehad om de Dialogen te bestuderen, dan zal ik het in de plee van de districtsrecherche ophangen zodat we er allemaal ons voordeel mee kunnen doen.'

Toen Bowler, voor wie de schijnbare onverschilligheid van de academicus voor de sceptische grofheid van de Dikke Man een

172

raadsel was, een vluchtige blik opving tussen Pascoe en Pottle, kreeg hij het idee dat de inspecteur hen gewaarschuwd had voor de manier waarop Dalziel waarschijnlijk zou reageren en dat die voorkennis hen er in elk geval op had voorbereid.

Urquhart zei: 'Ik zou in elk geval graag wat meer tijd willen hebben om deze illustratie te bekijken. Het zou me niet verbazen als ik zou ontdekken dat er nog veel meer in verborgen zat. Maar voorlopig denk ik het volgende te kunnen zeggen: wat jullie aan de hand hebben, is iemand die geobsedeerd is door taal, niet alleen op een taalkundig maar ook op een filosofisch plan, misschien zelfs een magisch plan. Woorden dienden oorspronkelijk simpelweg om het beestje een naam te geven, en intermenselijke acties, zowel praktisch als abstract, hadden zonder dat niet kunnen functioneren. Ik bedoel, als je er geen naam voor weet, moet je zelf iets verzinnen, anders word je net als die academici in Swifts *Lagado* en sjouwen jullie met zakkenvol spullen rond om maar naar iets te kunnen verwijzen. In primitieve samenlevingen leeft nog steeds het geloof dat de echte namen van personen, of zelfs van zekere voorwerpen, je macht over hen geven. Vandaar dat ze er alles aan doen om die geheim te houden. Bezweringen zijn in een bepaalde volgorde gerangschikte woorden, vaak gekoppeld aan de geheime namen van godheden en duivels…'

'Dus we zijn op zoek naar een mafkees die waarschijnlijk dol is op raadsels en kruiswoordpuzzels?' onderbrak Dalziel hem ruw. 'Doctor Pottle?'

'Ik denk dat uw Woordman een ernstig gestoorde persoonlijkheid is bij wie daar aan de oppervlakte heel weinig van blijkt, die misschien zelfs een bijzonder rustig, onverstoorbaar mens lijkt. Maar zulk gedrag is dikwijls aangeleerd, en als je ver genoeg in het verleden graaft, ziet men dat zulke mensen bijna onvermijdelijk iets gedaan of doorgemaakt hebben wat erop wijst dat onder dat kalme oppervlak woelige wateren en warrig onkruid kunnen schuilen.'

'Nou, dat maakt het een stuk eenvoudiger,' zei Dalziel. 'Dat is het dus?'

Zijn toon noodde niet tot verdere discussie, maar Pascoe zei: 'Voordat u weggaat: ik vraag me af of dít u wat zegt?'

Hij liet hun een vel papier zien waarop het volgende was getekend: **P\M**

Pottle bekeek het, draaide het om, haalde zijn schouders op en zei: 'Ik zou veel meer over de context moeten weten voordat ik maar zou durven ráden.'

Pascoe zei: 'Raadsman Steel had een wond op zijn hoofd. Het zou, en we kunnen met geen mogelijkheid een andere mogelijkheid bedenken, het *vereiste merkteken* kunnen zijn waarnaar de Dialoog verwijst. Nadat het bloed er was afgespoeld, bleken de tekens er met de etsnaald in te zijn gekrast. Het zou natuurlijk toeval kunnen zijn, maar het leken letters: zéker een P, en misschien een slecht uitgevallen M. Dat haaltje ertussen zou ook gewoon kunnen komen doordat per ongeluk de huid is opengehaald, het kan ook een minder scherp maar desalniettemin met opzet ingekerfd teken zijn.'

Dalziel keek sceptisch, maar met zijn linkerhand schurkte hij over zijn stoppels alsof hij was overmand door een niet te stuiten medeleven.

Plotseling lachte Urquhart hinnikend.

'Mogen we meelachen, grapjurk?' opperde Dalziel.

'Het raadslid heette toch Cyril?' zei de linguïst. 'In het Russische cyrillische alfabet is wat op onze P lijkt een R, terwijl dat ding dat jij een slecht uitgevallen M noemde best een cyrillische P kan zijn. En als dat krasje in het midden een steno-I is, wat in het Russisch een nogal complexe letter is en niet eenvoudig in de haast met een etsgereedschap in een hoofd te kerven, zou dit in het cyrillische alfabet gewoon RIP zijn. Snappie?'

Dalziel schudde zijn hoofd alsof hij het wilde ontdoen van de nawerkingen van een lange tuk en stond langzaam op.

'Gesnopen,' zei hij met milde, berustende stem. 'Een echte grapjas, die Woordman, hè? Hoe zeggen ze het ook alweer? Wie lacht, heeft de lachers op zijn hand. Bedankt, heren. Daar móét het bij blijven. Brigadier Wield zal jullie uitlaten.'

Pascoe, die op zijn klompen aanvoelde dat dit blijk van appreciatie verre van gemeend zou worden opgevat, zei: 'Het was zeer nuttig. Hartelijk dank dat u vanmorgen tijd voor ons hebt vrijgemaakt. We hopen spoedig weer van u te horen als u de tijd hebt gekregen voor rijp beraad, is het niet, sir?'

'Ik kan niet wachten,' zei Dalziel. 'En brigadier Wield, beloof me dat u doctor Urquhart arresteert als hij dat spul gaat roken voordat hij het pand verlaat.'

De linguïst, die opnieuw zijn leren zakje uit zijn zak had opgediept, bleef even in de deuropening staan, glimlachte Dalziel toe en zei: 'Speel niet te veel met jezelf, jochie.'

Het gebeurde niet vaak dat zijn minderen het genot mochten smaken hun Grote Leermeester met zijn mond vol tanden te zien staan, maar nadat de deur zich achter Pottle, Urquhart en Wield had gesloten, was dit een ervaring waarvan Pascoe en Bowler genoten.

Toen richtte hij zijn blik op hen en en ze trokken snel een intelligent, opmerkzaam gezicht.

'Zo, Peter, ben je nu tevreden?' wilde Dalziel weten.

'Ik denk dat het een heel nuttige vergadering was, sir, en dat we als het even meezit nog heel veel hulp van hen kunnen verwachten.'

'Denk je? Nou, misschien word ik dan lid van de vrouwenbeweging. Jezus, je zou denken dat we met de sabbat een beetje echte hulp zouden mogen verwachten om schot in de zaak te brengen. Al was het nóg zo weinig. Alleen maar een naam met genoeg redenen om 'm verrot te trappen.'

'Laten we Roote niet vergeten.'

'Nog steeds hetzelfde liedje, Pete? Ik dacht dat die hond van je hem had besnuffeld zonder iets te vinden?

Eerst Wield, en nu de Dikke Man. En niet te vergeten natuurlijk, Roote zelf. Was de hele wereld op de hoogte van zijn zogenaamde geheime observatie? vroeg Hat zich af.

'Bovendien was er toch niks in zijn verklaring of in die van iemand anders waardoor hij in het kader van het raadslid past?'

'Het is een pienter ventje,' zei Pascoe.

'Ah, ik snap het. Dat betekent zeker: hoe onschuldiger hij lijkt, hoe schuldiger hij natuurlijk is? Ik zal je iets zeggen: zodra je hem over water ziet lopen met een engelenkoor dat "Jeruzalem" kweelt, trek jij je regenlaarzen aan en rekent hem in. En jij, Bowler? Ben je nog ergens anders goed voor dan vreemde mannen zoenen op een openbaar toilet?'

Dat was een weinig uitnodigende uitnodiging, maar Hat vermoedde dat het waarschijnlijk bij deze zou blijven.

Hij zei: 'Ik heb een paar mensen nagetrokken, en dat heeft iets opgeleverd, misschien is het niets…'

'Verdoe mijn tijd er maar niet mee als het misschien tóch niets is, knul,' gromde Dalziel.

'Nee, sir. Het gaat om die schrijver, Charley Penn. Hij was bij de tentoonstelling, en er is gemeld dat hij nogal van leer getrokken is tegen raadslid Steel, vandaar dat ik hem door de computer heb gehaald. En hij blijkt een strafblad te hebben.'

'Voor het schrijven van prut?' vroeg Dalziel.

'Nee, sir. Voor agressief gedrag. Vijf jaar geleden is hij in Leeds gearresteerd omdat hij een journalist was aangevlogen.'

'O ja? Ze hadden hem een lintje moeten geven. Pete, weet jij soms of die sukkel moordneigingen heeft?'

'Jawel, sir,' zei Pascoe bijna verontschuldigend, omdat hij niet de indruk wilde wekken dat hij Hat liet zakken. 'Ik bedoel, ik heb van het verhaal gehoord, al wist ik niet zeker hoe ongeloofwaardig het was. Volgens de versie die ik heb gehoord, werd Penn pisnijdig om een recensie en zette genoemde journalist een taartpunt op het hoofd, niet bepaald een dodelijk wapen dus.'

'Wel als mijn moeder de vrouw hem gebakken had,' zei Dalziel. 'Is dat alles, Bowler? Vind jij dat we Penn hier binnen moeten slepen om zijn ballen op een schemerlamp aan te sluiten omdat hij het haar van de een of andere zeikjournalist met slagroomtaart heeft afgedroogd?'

'Nee, sir. Dat niet... wat ik wil zeggen is, dat ik dacht dat we misschien een praatje met hem konden maken...'

'O ja? Kom maar eens met een goede reden.'

'De journaliste was Jacqueline Ripley, sir.'

Dalziels mond viel open van groot aangezette verbijstering.

'Jax the Ripper? Godsamme! Pete, waarom heb je me niet gezegd dat het Jax the Ripper was?'

'Dat wist ik niet, sir. Sorry. Goed werk, Hat.'

'Dank u, sir,' zei Bowler, die lichtelijk bloosde. 'Ik heb zelfs een kopie van het artikel weten te bemachtigen.'

'Hoe heb je dat in godsnaam klaargespeeld?' vroeg Pascoe.

'Nou, ik heb met de redactie van *Yorkshire Life* gebeld. De kans om er op zondag iemand te pakken te krijgen, leek niet zo groot, maar ik bofte en trof de eindredacteur, mr. Macready, en hij was heel behulpzaam en heeft het artikel opgedoken en me een kopie gefaxt...'

'Je bedoelt dat je een journalist erop attent hebt gemaakt dat we proberen connecties te leggen tussen Charley Penn en een slachtoffer van moord?' snauwde Pascoe. 'Jezus christus, man, waar zaten je hersens?'

Hat Bowler, die de fax aanvankelijk presenteerde met de zwier van een Chamberlain die in onze tijd de vrede verkondigde, leek verbluft door de snelheid waarop de oorlog was verklaard.

Maar uit een onverwachte bron kwam hulp.

'*Nay*, nooit bang zijn,' zei Dalziel, terwijl hij de fax tussen zijn zenuwachtige vingers uit plukte. 'Ik ken Alec Macready: een uitstekend kerkbezoeker maar ook een uitstekend zwaardvechter. Hij zal geen last bezorgen, als hij tenminste ooit nog een kerstkaart van de bisschop wenst te ontvangen. Bowler, goed werk, jongen. Fijn te weten dat we nog iémand hebben die niet vies is van ouderwets po-

176

litiewerk. Charley Penn, hè? Nou, als ik me niet vergis, is zijn geliefde bedevaartsoord op een zondagmorgen The Dog and Duck. Laten we hem gaan zoeken.'

'Sir, zouden we hem misschien niet beter kunnen vragen hiernaartoe te komen. Ik bedoel, er zijn daar zoveel mensen…'

'*Aye*, daarom heet zo'n ding een pub, knul. Jezus, ik ga hem niet arresteren. Hij heeft Jax de Ripper toch met een taartpunt gemept? Die goeie ouwe Charley! Wie weet krijgt die klootzak een borrel van me.'

'Ik denk,' zei Pascoe, 'dat het misschien, aangezien Ripley nog maar kortgeleden vermoord is, niet erg diplomatiek zou zijn om die zin in de pub te bezigen, sir.'

'Slechte smaak, wou je zeggen? Misschien heb je gelijk. Dan krijgt-ie geen borrel. Heb jij je portemonnee bij je, Bowler? Dan kun je er voor ons een bestellen!'

19

CHARLEY PENN ZEI VOOR DE TWEEDE KEER 'AYE' IN ZIJN GSM, ZETTE het ding uit en stopte het weer in zijn zak.

'Interessant,' zei Sam Johnson.

'Wat?'

'Je beantwoordt je mobiele telefoon zonder dat schuldbewuste gezicht, althans zonder het smoel dat erbij hoort, dat bij de meeste beschaafde mannen van een zekere leeftijd aan het gebruik voorafgaat. Vervolgens voer je een gesprek, of moet ik zeggen transactie, waarbij je enige bijdrage het woord "Aye" is, dat ooit dienstdeed als interrogatief aan het begin en ooit als bevestiging aan het eind van een zin.'

'En dat is interessant? Docenten als jij leiden vast een erg rustig leven. Proost, kerel.'

Franny Roote, net terug van de bar, zette een pint bier voor Penn en een dubbele whisky voor Johnson neer, pakte een flesje pils uit de zak van zijn duffelse jas en nam een slok uit de fles.

'Waarom doen jullie dat toch?' vroeg Penn.

'Hygiëne,' zei Roote. 'Je weet maar nooit waar je glas vandaan komt.'

'Nou, ik weet waar níét,' zei Penn over de rand van zijn bierglas. 'Dat heeft een andere vorm.'

Roote en Johnson wisselden een glimlach. Ze hadden Penns zelfprojectie als koppige noorderling besproken en waren tot de conclusie gekomen dat die een beschermlaag was waarachter hij zijn historische romances kon schrijven en zijn poëtische research kon doen zonder zich al te veel te storen aan de bevoogdende commentaren van het literaire dan wel universitaire establishment.

'Aan de andere kant,' had Johnson gezegd, 'is hij er misschien te lang mee doorgegaan. Dat is het gevaar als je je verstopt. Uiteindelijk lopen we kans te worden wat we pretenderen te zijn.'

Dat was nou zo'n oppervlakkige wijsheid waar universiteitsdocenten goed in waren, dacht Roote. Omdat hij zich dat jargon zelf had eigen gemaakt, twijfelde hij er niet aan dat hij, tegen de tijd dat hij de economisch beperkte vrijheid van het studentenleven kon inruilen voor de gerieflijke beslotenheid van een universitaire baan, geaccepteerd zou worden als iemand van hun eigen soort.

Intussen bestonden er wel ergere bezigheden op een zondagmorgen dan een borrel drinken met deze twee, ieder op zijn eigen manier uiterst onderhoudende en mogelijk nuttige heren, en ergere plaatsen om dat te doen dan in de bar van The Dog and Duck.

'En Charley, ben je een bevredigend honorarium overeengekomen met die vreselijke Agnew?' vroeg Johnson.

'Bij een journalist is iets pas overeengekomen als het op papier staat en bevestigd is door een notaris,' zei Penn. 'Maar dat komt wel. Niet dat de evidente bereidwilligheid van jou en Ellie Pascoe om een goed woordje te doen enig verschil maakte bij mijn onderhandelingen.'

'Eerlijk gezegd, moet je dat maar beschouwen als een deel van mijn werk,' zei Johnson. 'En natuurlijk verkeert Ellie nog altijd in een zalige roes omdat ze zich zó gevleid voelt dat ze als een volwaardig auteur wordt behandeld dat ze voor dat voorrecht waarschijnlijk zelfs zou willen betalen. Ik geloof dat we vijftig gegadigden over hebben. Jij bent tevreden met de eerste schifting, hoop ik? Ik weet niet genoeg over mr. Dee en zijn vriendelijke assistente om iets over hun oordeel te kunnen zeggen, al krijg ik de indruk dat hun die taak niet in de schoot is geworpen vanwege hun bekwaamheid maar omdat ze toevallig in de buurt waren.'

'Ik ken Dick Dee al van kleins af aan, en hij is waarschijnlijk meer over taalgebruik vergeten dan het merendeel van lui als jij ooit van hun studie Engels hebben geleerd,' kaatste Penn terug.

'Wat, naar ik aanneem, betekent dat je vast geen enkele inzending mag lezen die hij heeft afgewezen,' zei Johnson lachend.

'Ik kan niet zeggen dat ik sta te popelen om die te lezen,' zei Penn. 'Ook al kies je er de beste rotzooi uit, het blijft tóch rotzooi, nietwaar?'

'Pas op,' fluisterde Johnson. 'Je moet nooit kwaadspreken over de man wiens drank je drinkt.'

'Hè?' Penns blik richtte zich op Roote. 'Jij hebt toch geen verhaal ingezonden?'

Franny Roote lurkte opnieuw aan zijn flesje, gaf zijn geheimzinnige glimlach ten beste en zei: 'Ik weiger commentaar om reden dat ik mezelf dan misschien diskwalificeer.'

'Pardon?'

'Tja, stel dat ik iets had ingezonden en stel dat ik won, en vervolgens zou uitkomen dat men had gezien dat ik prominente leden van de jury een borrel aanbood. Wat zou dát voor indruk maken, denk je?'

'Ik denk niet dat de *Sun* daar de voorpagina aan zou wijden. Niet eens de *London Review of Books*.'

'Maar toch.' Roote richtte zijn blik op Johnson. 'Maar waarom denk je eigenlijk dat ik iets heb ingezonden?'

'Gewoon, ik kan me herinneren dat ik de pagina in de *Gazette* met de aankondiging van de wedstrijd in je flat heb zien rondslingeren toen ik een paar weken geleden kwam koffiedrinken,' zei Johnson. 'Dat is beroepsdeformatie als je literair onderzoek pleegt – zoals Charley en ik maar al te goed weten, en waar jij nog wel achterkomt – dat je oog onverbiddelijk wordt getrokken naar alles waar letters op staan.'

'*Aye*, zoals dat bordje op de pomp waarop staat *Best Bitter*,' zei Penn, die met een veelbetekenende klap zijn lege glas neerzette.

Johnson gooide het restje van zijn scotch achterover, pakte het bierglas en liep naar de bar.

'Je hebt dus literaire aspiraties, Franny?' vroeg Penn.

'Wie weet. Maar als dat zo was, wat zou je me als advies geven?'

'Het enige advies wat ik ooit aan jonge aspiranten geef,' zei Penn. 'Tenzij je kunt doorgaan voor onder de zestien én voor wonderkind, kun je het vergeten. Ga de politiek in, misluk jammerlijk of maak je ten minste onsterfelijk belachelijk en schrijf *dan* je boek. Op die manier zullen uitgevers over elkaar heen vallen om je te kopen, kranten om je te bespreken en praatprogramma's om je te interviewen. Het alternatief is, tenzij je godsgruwelijk boft, een lange klim steil omhoog, zonder enig uitzicht als je de top van de heuvel hebt bereikt.'

'Wat is dit? Filosofie?' vroeg Johnson, die met de drankjes terugkeerde.

'Ik waarschuw deze jongen alleen dat de kortste weg naar literaire faam is dat je eerst berucht moet worden,' zei Penn. 'Ik moet zeiken.'

Hij stond op en liep naar de Heren.

'Wat rot voor je,' zei Johnson.

'Dat ik van mijn anonimiteit geniet?' zei Roote met een glimlach. 'Daar heb ik altijd op gehoopt. Ik kwam wel in de verleiding om mezelf op te blazen en te zeggen: *wie mij niet kent, geeft aan dat hij zelf onbekend is*, maar dat had hij misschien verkeerd opgevat.'

'Niet onbekend. Half bekend, wat waarschijnlijk erger is. Geen halve maatregelen, zou Charley zeggen, waarbij je even erg te lijden hebt van de grove familiariteit van wildvreemden als ze je naam herkennen als van hun stomme vragende blikken als dat niet het geval is. Bereid je er dus maar op voor dat je die dingen tegemoet treedt alsof het allebei geen moer voorstelt.'

Roote lurkte aan zijn nieuwe flesje en zei: 'Hebben we het soms over Charley Penn? Niet over een of ander dichtertje wiens naam me ontschoten is?'

'Wat is het toch een linkmiegel,' zei Johnson met een grijns. 'Zoals hij zei: ellende ziet zich graag weerspiegeld op andermans gezicht.'

'Bedoel je dat de kalme wateren van het universitaire bestaan een woeliger zee vormen dan het dagelijks leven?' vroeg Roote.

'Mijn god, ja. De vernederingen die Charley misschien te verduren krijgt, zijn al met al minimaal, terwijl de ivoren torens op elk niveau uitpuilen van de klootzakken die elk moment kokende olie op de klootzakken beneden gieten. Vaak is het maar een klein gutsje. Zoals plaatsnemen aan de collegetafel als ik er zelf ooit over gedacht had iets creatiefs met schrijven te doen. Maar soms is het een heel vat. Die drol van een Albacore op Cambridge – die me beloonde voor mijn hulp bij zijn boek over de romantiek door mijn idee te jatten voor de biografie over Beddoes ter herdenking van zijn tweehonderdste geboortejaar – nou, ik hoorde vrijdag dat hij zijn streefdatum voor de datum van uitgifte een half jaar heeft verschoven om mij de loef af te steken.'

'Het leven is hard,' zei Roote. 'Je zou moeten gaan tuinieren.'

'Hè? O, ja, sorry. Ik ook met mijn zorgjes, terwijl jij je suf moet snoeien voor de winter. Maar serieus, het gaat goed, hè?'

'Uitstekend. Gezond buitenleven. Tijd zat om na te denken. Over denken gesproken, ik heb een paar ideeën die ik op jou zou willen uitproberen. Kunnen we een datum afspreken?'

'Natuurlijk. Er gaat niets boven het heden. Zullen we naar mijn huis gaan als we uitgezopen zijn? We kunnen onderweg sandwiches kopen. Wat is er, Charley? Heb je een aanzoek gehad op de plee?'

Penn was weer gaan zitten en schudde treurig zijn hoofd.

'Helaas niet. Wisten jullie dat ze daar een apparaat hebben dat condooms met de smaak van knapperig gebakken bacon aan je wil slijten?'

'De moderne pub moet aan alle smaken voldoen,' zei Johnson.

'*Aye*, en hier moeten ze zich specialiseren in spek. Hoe staat het met jullie geweten? Volgens mij wordt een van ons zo dadelijk gearresteerd.'

Dalziel en Bowler waren zojuist de bar binnengekomen en stonden in de richting van hun tafel te kijken. De Dikke Man zei iets tegen de jonge rechercheur, waarna ze de drukke ruimte doorkruisten. Men zou denken dat een man van zijn postuur zich tussen de tafeltjes, stoelen en drinkers door zou moeten wurmen, maar op een of andere manier weken de mensen uiteen naarmate hij dichterbij kwam en gleed hij met evenveel gemak tussen het meubilair door als een skikampioen die een slalomparcours voor beginners voltooide.

'Nou, daar zijn we dan,' zei hij joviaal. 'Mr. Penn, doctor Johnson, mr. Roote. Geen wonder dat alle kerken leeg zijn als de grote lichten van literatuur en geleerdheid een cafékruk boven een kerkbank verkiezen.'

'Goedemorgen, Andy,' zei Penn. 'Ik zou je iets te drinken willen aanbieden, maar ik zie dat je oppas goed afgericht is.'

Bowler kwam net terug van de bar met een pint en een flesje lager.

'*Aye*, het is een afdankertje, maar je kunt een hoop met ze beginnen als je ze vroeg vangt.'

'En hoofdinspecteur,' zei Johnson. 'Bent u hier uit hoofde van uw beroep?'

'Moet dat dan?'

'Ik dacht dat het misschien te maken had met de trieste geschiedenis van gisteren...'

'Met die arme Cyril, bedoel je? *Aye*, net wat je zegt, een trieste geschiedenis. Die schooiers van tegenwoordig laat het koud hoe ver ze kunnen gaan, vooral als ze aan de drugs zijn.'

'Denk je dat dát het was?' vroeg Johnson. 'Een beroving die uit de hand is gelopen?'

'Wat anders?' zei Dalziel, wiens blik over hen heen gleed als een zonnestraal uit een hemel vol stormwolken. 'Bedankt, jongen.'

Hij nam zijn glas bier van Bowler aan en dronk het tot op een derde leeg.

'Ik kan je niet verzoeken te gaan zitten, Andy. Het is hier een beetje druk,' zei Penn.

'Dat zie ik. Jammer, want ik had je even willen spreken, Charley.'

Johnson vatte snel de hint en zei: 'Neem onze stoelen maar, hoofdinspecteur. Wij gaan weg.'

'*Nay*, je hoeft je voor mij niet te haasten.'

'Nee, we hebben een studieoverleg, en het is hier niet bepaald een atmosfeer die een verstandige dialoog ten goede komt.'

'Studieoverleg? O *aye*. Ik hoorde dat je mr. Rootes leermeester bent.'

Voor het eerst keek hij Franny Roote direct aan, die met een uitgestreken gezicht terugkeek.

'Een ouderwets woord,' zei Johnson lachend.

'We kunnen beter zuinig zijn op alles wat ouderwets is,' zei Dalziel.

'Zoals studie, opleiding en literatuur, bedoel je?' zei Johnson.

'*Aye*, dat ook. Maar ik dacht eerder aan moord, roofovervallen en je vrienden verraden, van die dingen.'

Roote stond zó plotseling op dat de tafel ervan schudde en Penn zijn glas moest vastgrijpen.

'Pas op, Fran,' zei hij. 'Je had 'm bijna omgestoten.'

'O, mr. Roote gaat altijd heel kwistig om met andermans drank,' zei Dalziel. 'Hij mag zijn schuld dan misschien betaald hebben aan de samenleving, hij is míj nog altijd een fles scotch schuldig.'

'Een schuld die ik met genoegen zal inlossen, hoofdinspecteur,' zei Roote, die zich weer onder controle had. 'Klaar, Sam?'

Hij liep naar de deur.

Johnson keek even naar Dalziel, waarna hij kalm zei: 'Nóg zoiets ouderwets is pesterij, hoofdinspecteur. Ik stel voor dat u uw geheugen wat betreft de wet op dat terrein opfrist. Tot ziens, Charley.'

Hij liep achter Roote aan de pub uit.

Dalziel dronk zijn glas leeg, gaf het aan Bowler en ging zitten.

'Nog eens van hetzelfde, sir?' vroeg Hat.

'Je kunt ook een glaasje prik met een kersje voor me halen,' zei Dalziel.

Terwijl Bowler weer koers zette naar de bar, zei Charley Penn: 'Tja, dat was net een Japanse pornofilm: onderhoudend, al heb ik er geen woord van gesnapt.'

'Nee? Ik dacht dat schrijvers als jij overal aantekeningen van maakten. Weet je nog dat er een paar jaar geleden al dat gedoe was bij de lerarenopleiding?'

'Vaag. Is de directrice er toen niet mee gekapt?'

'*Aye*, en ze was niet de enige. Welnu, dat joch van Roote zou de hoofdschuldige zijn geweest.'

'Werkelijk waar?'

Penn begon te lachen.

'Wat is er?'

'Ik heb hem net de tip gegeven dat de beste manier om boeken te verkopen niet is door goed te schrijven, maar ervoor te zorgen dat je eerst om iets anders de krantenkoppen haalt.'

'O ja? Diplomatiek als altijd, hè, Charley? Hij heeft zeker literaire ambities?'

'Ik weet het niet. We hadden het juist over die korte-verhalenwedstrijd waarvoor Sam Johnson, Ellie Pascoe en ik zijn gerekruteerd om te jureren, en het schijnt dat Roote meegedaan heeft.'

Toen Bowler, die met een tweede pint was teruggekeerd (na tot de ontdekking te zijn gekomen dat knechtje spelen voor Andy Dalziel begrotelijk kon worden zonder dat je er zelf een haar beter van werd), daar de laatste woorden van opving, deed hij opgewonden zijn mond open, maar door een blik als een vuistslag van de Dikke Man veranderde hij van gedachten: hij besloot zijn woorden binnen te houden en zette in plaats daarvan de hals van zijn flesje aan zijn mond.

'Wat was dat zonet over een fles whisky?' vroeg Penn.

'Die schooier heeft een keer mijn eigen fles op mijn kop stukgeslagen,' zei Dalziel.

'En hij leeft nog? Wat is er met je, Andy? Gelovig geworden?'

'Je kent me, Charley. Ik ben absoluut tegen geweld, behalve uit zelfverdediging. Waardoor ik op Jax Ripley kom. Jij handelde toch uit zelfverdediging toen je haar in Leeds belaagde?'

Penn geeuwde. 'O, *dát*.'

'Zo te horen ben je niet verbaasd, Charley.'

'Moet ik soms met een hysterische blik in mijn ogen opspringen en de straat op rennen, waar jouw scherpschutters me zullen neerschieten? Nee, ik ben niet verbaasd. Teleurgesteld misschien. Toen de dag nadat dat arme schepsel was vermoord mijn voordeur niet was ingetrapt door die woeste meute van jou, dacht ik dat het vergeten was of dat de zaak misschien werd geleid door iemand zonder hersens.'

'Dat is me een beetje te subtiel, Charley.'

'Wat dat wil zeggen is: wat kan in godsnaam het verband zijn tussen het feit dat ik vijf jaar geleden een roomtaart op haar hoofd heb verbrijzeld en een maniak die vorige week een mes in haar heeft gestoken? Ik durf te wedden dat je, als je nog een paar jaar teruggaat, zult ontdekken dat er een jongen van school geschorst is omdat hij aan haar haren heeft getrokken. Ga je die ook ophalen om te verhoren?'

'Je bedoelt dat je gedrag infantiel was? *Aye*, in mijn ogen ook. Maar infantiel gedrag op middelbare leeftijd heeft soms ook een andere naam, Charley.'

'En die is?'

'Nee, jij bent de man van het woord. Dus vertel het míj maar.'

Penn dronk zijn glas leeg en zei: 'Oké, het was stom, ik had moeten negeren wat ze had geschreven, maar ik was in Leeds om met iemand van mijn uitgeverij te lunchen en ik had wat gedronken. En toen de dessertkar langskwam en ik die taart zag, nou, toen leek me dát een goed idee.'

'En achteraf? Ik neem niet aan dat jullie de beste maatjes zijn geworden.'

Een sluwe glimlach speelde om Penns mond.

'Grappig dat je dat zegt. Ik besefte hoe ik me had aangesteld, dus heb ik haar na afloop van de kwestie een grote fles champagne gestuurd met een briefje waarop stond: *Sorry, ik hoop dat we het kunnen afzoenen.* De volgende dag verscheen ze bij mij thuis, met die fles. Eerst dacht ik dat ze kwam vertellen dat ik 'm in mijn reet kon steken, maar ze glimlachte mierzoet en zei: "Hallo, mr. Penn. Ik ben gekomen om het af te zoenen."'

'En?'

'We hebben gezoend, en daarna trokken we de fles open en hebben hem leeggedronken, en het daarna, nou ja, goedgemaakt.'

Dalziel keek hem ongelovig aan.

'Je bedoelt dat zij en jij van bil zijn gegaan?'

'Eén keer maar,' zei Penn spijtig. 'Maar dat verstevigt een relatie, en daarna was het oké tussen ons. Wat, kwam ik later tot het besef, waarschijnlijk het enige doel van de exercitie was. Ze wilde steeds maar vooruit en hogerop, die Jax van ons. Ik sprak haar wel eens nadat ze van die glossy was opgeklommen naar de *Gazette*, en op een keer zei ze: "Voor een meiske met ambitie is het belangrijker dat ze vrienden maakt dan vijanden. Je moet niet bang zijn om vijanden te maken, maar alleen als dat nodig is. Anders weet je maar nooit of je eindigt met kruimels en room in je haar."'

'Of met een mes in je hart,' zei Dalziel.

'Ja-ja, dat kan ook. Nee, we hebben vrede gesloten en ze ging zelfs aardige dingen over mijn boeken schrijven. Als je naar haar laatste programma hebt gekeken, heb je vast dat interview gezien dat ze met mij deed.'

'*Aye*, mierzoet en luchtig. Maar al dat gelul dat je op twee plekken tegelijk kunt zijn, ging me een beetje boven de pet.'

'Speel je nog altijd de stomme heikneuter, Andy? Ik zal je een exemplaar van mijn boek over Heine sturen als het af is. Een heel hoofdstuk is gewijd aan zijn *Doppelgänger*-poëzie. Het leek me een goed idee om wat mysterie in mijn romans te verwerken.'

'Persoonlijk weet ik meer van dubbele whisky's,' zei Dalziel, 'maar ik dacht dat het je dood zou worden als je zoiets tegenkwam.'

'We gaan allemaal dood,' zei Penn. 'Zelf denk ik dat we de hele tijd onze *Doppelgänger* tegenkomen. Je moet hem alleen weten te herkennen. Om op Jax terug te komen: ik mocht haar erg graag, Andy, en ik stikte bijna toen ik hoorde wat er was gebeurd. Ik hoop dat je betere sporen hebt dan het spoor dat je naar mij toe leidde, want zo niet, dan ben je de pineut, en ik wil zien dat je de klootzak te pakken krijgt die haar heeft vermoord. Hier, knul, huppel naar de bar en haal nog een rondje.'

Hij duwde een biljet van vijftig pond onder de neus van Bowler, die vragend naar Dalziel keek.

'Mr. Bowler is mijn rechercheur, niet jouw barhulpje,' zei de Dikke Man streng.

Toen griste hij Penn het biljet uit de hand en voegde eraan toe: 'Maar we zijn er om het publiek te dienen, dus kom op, knul. Nog eens van hetzelfde, en misschien laat ik me door mr. Penns uitgevers op iets sterkers trakteren. HP.'

'Saus?' vroeg een verwarde Bowler.

'Highland Park,' zei Dalziel berustend.

'Hij is nieuw, hè?' zei Penn toen de rechercheur zich opnieuw een weg naar de bar baande.

'Zo goed als. Nog in zijn proeftijd. Zeg, Charley, je laat 'm fors uit de broek hangen en volgende week begint een nieuwe televisieserie. Je boert goed.'

'*Aye*. Niet te geloven,' kreunde Penn.

'Neem me niet kwalijk dat ik het zeg, ook al laat je hem nog zo uit de broek hangen, je klinkt niet als iemand die vreselijk gelukkig is met zijn werk.'

'O nee? Vertel eens, Andy, heb jíj altijd smeris willen worden?'

Dalziel dacht erover na en knikte.

'*Aye*,' zei hij. 'Ik had geen zin om bakker te worden, zoals mijn vader, met al dat meel in m'n haar. Dus koos ik voor de wet. Ik heb wél een muntje moeten opgooien om te besluiten welke kant ik opging, hoor!'

Penn zei: 'We boffen. Nou, ik heb niet de productiekant gekozen voor een tv-serie die barst van de grote tieten en feesthoedjes.'

'Wacht eens even, je hebt Ripley met een taart om de oren geslagen omdat ze min of meer zei dat dat zo was.'

'Dat ik het zélf zeg, is één ding, maar dat een poppedijntje van negentien dat zegt is andere koek,' zei Penn.

'Daar kan ik inkomen. Maar wat zou dat eigenlijk? Ik bedoel, je weet dat je op een dag de wereld versteld zal doen staan door op de proppen te komen met die dikke pil over die Duitse vriend van je over wie je het laatst had. Was het niet Heinz? Heeft-ie iets met de zevenenvijftig sauzen te maken?'

'Ga zo door, Andy. Je hebt je uiterlijk mee. Heine.'

'Ja, die. Ripley noemde hem in dat artikel waar jij zo pisnijdig over werd. Toevallig heb ik het hier.'

Hij haalde de fax uit zijn zak.

'Ze schrijft goed… nou ja, schreef goed, die meid,' zei hij met het air van iemand die urenlang aan stijlanalyse had gedaan in plaats van de vluchtige blik van een halve minuut die hij er in de auto op had geworpen toen Bowler hem naar de pub reed. 'Ja, hier heb ik het. Je hebt gelijk. Heine, niet Heinz. Het schijnt dat je volgens haar evenveel kans had je levenswerk te voltooien als Engeland om de volgende wereldbeker te winnen. Heeft ze soms dáármee die roomshampoo verdiend, en niet met het kraken van je romans? Je ging je afvragen of ze misschien gelijk had. En hoe lang geleden heeft ze dat geschreven? Vijf jaar? Je bent toch al bijna klaar, Charley?'

'Zo goed als,' zei Penn. 'Vijf jaar geleden, ja, misschien had ik toen mijn twijfels. Maar nu niet meer, Andy. Nu niet meer.'

Toen hij de vragende blik van de Dikke Man opving, hield hij die vast, en Dalziel was de eerste die het oogcontact verbrak.

Bowler was op een gegeven moment ongemerkt teruggekeerd en de beide mannen keken nu als het toppunt van heiligheid in hun verse drankjes en hieven als in een ballet tegelijkertijd het glas.

'Laten we Ripley vergeten,' zei Dalziel. 'Wat vond je van raadslid Steel, Charley?'

'Schrokker? Wie hem ook de adem heeft afgesneden, heeft het milieu een dienst bewezen,' zei Penn.

'Dat is wat sterk. Jezus, wat moet dit voorstellen?'

Dalziel had zijn aandacht op zijn scotch gericht.

'Ze hadden geen Highland Park, sir,' legde Bowler uit. 'Het is Glen en nog iets…'

'Glenfiddich. Ik weet dat het Glenfiddich is, vandaar dat ik weet dat het geen Highland Park is.'

'Inderdaad, sir. De barkeeper zei dat u waarschijnlijk het verschil niet zou merken,' zei Bowler, vastbesloten de toorn van de Dikke Man ergens anders op te schuiven.

'Zo zo?' zei Dalziel met een dreigende blik naar de bar. Normen, Charley? Zo'n vent zou over de grens geen werk krijgen. Dus je mocht het raadslid niet zo?'

'Cyril stond voor zijn zaak, voornamelijk het beheren van belastinggelden.'

'Vertel míj niks,' zei Dalziel. 'Hij vond elke cent die aan de politie werd uitgegeven geldverspilling. Voor auto's bijvoorbeeld. "Laat die schooiers weer gaan lopen. Schoenzolen zijn goedkoper dan benzine en dan hebben de burgers tenminste iemand die hun kan vertellen hoe laat het is."'

'Typisch Cyril. Net als de kunsten. Uitgaven van de bibliotheek. De toneelsubsidie. En dat schijntje dat ze aan mijn leesclub gaven, je zou gedacht hebben dat je daarmee de schulden van de derde wereld kon opheffen.'

'Dan had jij dus een motief?'

'Goed gezien, Sherlock. *Aye*, wij allebei, jij en ik, Andy. Een motief om hem een trap onder zijn hol te geven, niet om die stomme ouwe lul te vermoorden.'

'Nou, laten we niet kwaadspreken over de doden, oké?' zei Dalziel, een beetje laat in Hats ogen. 'Je kunt over hem zeggen wat je wilt, hij bracht zijn preken in praktijk. Hij verspilde nooit iets van zijn eigen geld aan zoiets onzinnigs als een rondje geven of zijn eigen vreten betalen. Maar hij had het hart op de goede plek.'

'Nu wel,' zei Penn. 'Ik waardeerde de subtiele manier waarop je overging van Ripley naar Schrokker. Bestaat er volgens jou een verband tussen die twee moorden?'

Dalziel sloeg de vermaledijde whisky zonder een spoor van tegenzin achterover en zei: 'Het enige verband waar ik op dit moment naar kijk, ben jij, Charley.'

Penn grinnikte en zei: 'De oude technieken werken nog steeds het beste, hè? Als je geen flauw benul hebt welke kant je op moet, por je met je stok in elke willekeurige klootzak en ga je achter degene aan die het hardst wegrent.'

'We hadden een smeris van je moeten maken, Charley, als we je in onze klauwen hadden gekregen vóór je meiden de kleren van het lijf begon te rukken. Maar serieus en voor alle duidelijkheid: we hebben een keurige verklaring van je over de expositie van gisteren, maar ik geloof dat niemand je heeft gevraagd waar je was en wat je aan het doen was op het moment dat Ripley werd vermoord.'

'Er was toch geen enkele reden waarom iemand dat zou vragen?'

'Toen niet.'

'En nu?'

Dalziel zwaaide met de fax van Ripleys artikel.

'Alle beetjes helpen, Charley. Maar je weet hoe mr. Trimble is. Die komt uit het zuidwesten, en daar leven ze van al die beetjes. Dus…?'

'Ik zal je iets zeggen, Andy,' zei Penn. 'Ik zal nu weggaan om lang na te denken, en als ik me iets over die avond kan herinneren, zal ik het op een papiertje schrijven en het aan je geven.'

'*Nay*, je hoeft voor míj niet haastig weg te gaan,' zei Dalziel. 'Blijf rustig zitten, dan zal Bowler nog iets voor je halen. Eerlijk gezegd, denk ik erover om hier iets te gaan eten. Ze hebben een zalige karamelpudding. Ik trakteer.'

'Gatver. Ik weet niet wat het tegenovergestelde is van een zoetekauw, maar dat ben ik. Te veel krachtvoer met mierzoete troep toen ik klein was. Dat doet me aan iets denken, Andy. Ik zou ontzettend graag blijven, maar zondag is de dag voor familiebezoek, althans voor degenen onder ons die familie hebben natuurlijk.'

Dat klonk als een steek onder water, vond Hat.

'O, aha. Alles goed met je moeder, toch?' vroeg Dalziel. 'Heerst ze nog altijd over de drie K's?'

En dát klonk, hoewel onbegrijpelijk, als een kat.

Eén moment keek Penn alsof hij met alle liefde het restant van zijn bier over het enorme hoofd van de Dikke Man omgekiept zou hebben, maar hij reduceerde zijn reactie tot een snerende glimlach en zei: 'Inderdaad, Andy, mijn oude moedertje is nog altijd zeer goed ter been, en míj zal ze schoppen als ik haar een zondag niet kom opzoeken. Dus zal ik dat drankje tegoed moeten houden dat je me zo vriendelijk, zij het uit andermans portemonnee aanbood, hoofdinspecteur. *Cheers*. Ik zie jullie tweeën morgen, neem ik aan.'

'Morgen?'

'Dat ben je toch niet vergeten? Wat heb je? Is het Alzheimer of komt het door al die lijken in je beroep dat je het spoor bijster bent? Laat me je geheugen opfrissen. Nu het kruisverhoor voorbij is en de demonen haar aan mootjes hebben gehakt, mag die arme Jax van hen begraven worden. Staat niet in de boeken geschreven dat een moordenaar altijd graag op de begrafenissen van zijn slachtoffer komt? Tot ziens.'

Hij dronk zijn glas leeg, pakte met zwier het kleingeld dat Bowler op de tafel had gelegd, stond op en schreed naar de deur.

'Sir?' vroeg Hat, terwijl hij hem nakeek. 'Laten we hem zomaar gaan?'

'Wat wil jij dan?' zei Dalziel. 'Hem tackelen en hem vervolgens de handboeien omdoen?'

'Ik dacht het niet. Sir, wat was dat met die drie K's?'

'*Kinder, Küche, Kirche.* Kinderen, keuken en kerk. Waar Duitse vrouwen zich mee bezig horen te houden. Leren ze jullie tegenwoordig niets meer?'

Dat moest Hat even verwerken.

'Maar mr. Penn is toch van hier? Hij klinkt alsof hij echt uit Yorkshire komt.'

'Zo klínkt hij, ja. Opgegroeid, niet geboren. Vader en moeder zijn de Stasi een paar stappen voor geweest toen ze vóór de oprichting van de Muur uit Oost-Berlijn vluchtten. Je weet toch nog wat de Muur was, knul?'

'Ik weet nog dat-ie werd neergehaald. Met een hoop drukte.'

'*Aye*, zo gaat het altijd,' zei de Dikke Man. 'Een paar keer in mijn leven heb ik meegezongen met "Happy Days Are Here Again"… Maar die gelukkig dagen komen nooit, misschien omdat ze nooit gelukkig zijn geweest…'

Hij keek in zijn glas met wat best melancholie geweest had kunnen zijn, of misschien niet meer was dan een hint dat zijn glas bijna leeg was.

'Dus zijn ouders zijn naar Yorkshire geëmigreerd?'

'Ze zijn naar Yorkshire gebrácht. Lord Partridge, destijds een machtige Tory-politicus, heeft hen gesponsord. Een geste om te laten blijken dat hij zijn steentje bijdroeg om het Rode Gevaar te bestrijden, denk ik. Maar heel sportief, want hij nam ze onder zijn hoede. Zij deed het huishouden, hij hielp met de paarden. En Charley kreeg een goede opleiding. Aan de universiteit van Unthank. Beter dan ik. Misschien had ik vluchteling moeten worden.'

'De universiteit van Unthank? Maar dat is toch een openbare, ik bedoel een privé-school? Een soort kostschool?'

'Wat dan nog? Je bent toch niet zo'n modieuze trotskist, hè?'

'Nee. Ik wilde alleen maar zeggen dat hij niet klinkt als iemand die op zo'n school heeft gezeten. Hij klinkt eerder als…'

Hij maakte zijn zin niet af, uit angst iets verkeerds te zeggen, maar Dalziel zei peinzend: 'Meer zoals ik, bedoel je? *Aye*, je hebt gelijk: wat ze daar ook met Charley uitgevreten hebben, ze hebben er niet voor gezorgd dat hij praat alsof hij een zilveren lepel in z'n reet heeft. Tóch interessant.'

Moed vattend, vroeg Hat: 'Leven zijn ouders allebei nog?'

'Ik weet niet veel van ze, behalve wat ik je heb verteld. Eerlijk gezegd, nu je het zegt, heb ik Charley nooit over hen horen praten tot hij zonet in alle haast vertrok om zijn moeder op te zoeken.'

'Die zal wel behoorlijk oud zijn. Penn is geen broekie,' zei Hat.

'Nee, Charley is niet zo oud als hij eruitziet,' zei Dalziel. 'Een echte vastelandshuid. Blijft met de jaren niet half zo goed als binnenlands gebroed als wij. Hij wil graag geloven dat hij kan doorgaan voor iemand die hier geboren is, maar je blijft het altijd zien. Maar dat is geen reden voor racistische vooroordelen, knul. Hij mag er dan uitzien als de klassieke moordenaar-met-de-bijl, maar ik zie niks wat op een motief wijst, zelfs niet bij tegenlicht in de schemer. Je hebt gehoord wat hij over Ripley zei. Ze hebben het afgezoend.'

'Jawel, sir. Maar... nou ja... zelfs als, of vooral als hij haar vermoord heeft, dan zou hij dat toch niet zeggen?'

Dalziel lachte en zei: 'Nú denk je als een politieman, knul. Nee, zelfs als hij erover loog, zou hij nog altijd een betere reden moeten hebben dan dat ze zich vijf jaar geleden rottig over zijn boeken heeft uitgelaten. Al denk ik niet dat dát de ware reden was dat hij haar aanviel. Zoals ik tegen hem zei: wat hem volgens mij echt pisnijdig maakte, was dat zij suggereerde dat hij nooit zou afmaken wat hij over Heinz aan het schrijven is.'

'Heine,' zei Bowler.

'Allebei,' zei Dalziel. 'Hoe dan ook, nu vertelt-ie me hoe goed het vlot, dus daar gáát dat motief, als dat ooit een motief geweest is.'

'Ik begrijp niet echt...'

'Als iemand zit te zeiken dat je het niet zal klaarspelen om af te maken waar je aan begonnen bent, geef jij diegene lik op stuk door het af te maken, niet door hem te vermoorden. Alleen als je dénkt dat iemand gelijk heeft, word je agressief, vandaar dat Charley in eerste instantie een graai deed in het dessertkarretje. Maar nu hij het volgens hem gelapt heeft en er in elk geval een vredesbestand is gesloten met een liefdevolle wip, wat zou dat dan nog voor nut hebben?'

'Maar de Woordman heeft nou juist geen motief nodig, niet in de letterlijke betekenis. Hij heeft een andere logica,' protesteerde Hat, die Penn niet graag wilde loslaten.

'Is dat zo? Ik had je nooit naar die twee gestudeerde schapenrukkers moeten laten luisteren,' zei Dalziel. 'Nog even, en je hebt het over profielen. Hoe denk jíj dan dat Charley Penn in dit plaatje past?'

De Dikke Man mocht dan sceptisch en spottend klinken, toch had Bowler het gevoel dat zijn vraag oprecht belangstellend klonk.

Hij bedacht wat Rye hem over Penn had verteld en zei: 'Hij heeft het gevoel dat hij ten minste de afgelopen twintig jaar van zijn ware doel is afgedwaald doordat hij zijn brood moest verdienen via een historische fantasiewereld.'

'Maar is hij daarom malende? Dat zou dan betekenen dat alle schrijvers een beetje geschift zijn. Daar zit misschien wel wat in.'

'Inderdaad, sir. Maar het oorspronkelijke doel waar Penn van is afgedwaald is niet zozeer dat hij niet in de werkelijkheid leeft, maar dat hij beschrijft wat een andere schrijver heeft geschreven over een wereld in de verre historie waarin zijn romans zijn gesitueerd. Ik bedoel, ik weet dat hij overkomt als heel direct en aards, een beetje cynisch zelfs, de spreekwoordelijke Yorkshire nuchterheid...'

Toen hij merkte dat Dalziel hem sceptisch aankeek, ging hij haastig verder.

'... maar zelfs dát is toch een act? Hij is niet geboren en getogen in Yorkshire, hij heeft op een openbare school gezeten, hij is niet eens Engelsman. En als je ziet waar zijn innerlijke leven zich afspeelt, staat hij helemaal niet midden in de realiteit, lijkt me. En daar draait ons werk toch om, sir? Voor een deel althans? Uitvogelen wat er werkelijk in mensen omgaat die dat proberen te verbergen. Dat doen we allemaal, volgens mij. Omdat iedereen bijna de hele tijd probeert het te verbergen, kun je zo moeilijk weten wat iemand werkelijk voelt of denkt. Maar een schrijver, een kunstenaar, moet zijn innerlijke leven veel meer blootgeven dan de meeste mensen, want dat wil hij ons verkopen.'

Hij hield op, buiten adem, met het gevoel dat zijn tong met hem op de loop ging en het kleine beetje dat hij was opgeschoten in zijn rehabilitatie ten opzichte van de Dikke Man, wiens bloeddoorlopen ogen hem aankeken alsof hij nét uit een ruimtecapsule was gekropen, had tenietgedaan.

'Je gaat erg veel met mr. Pascoe om, hè, knul?' zei hij uiteindelijk. 'Persoonlijk kan ik op een lege maag geen greep krijgen op mijn Innerlijke Leven, en als ik jou zo hoor doorratelen, krijg ik de indruk dat jíj de laatste tijd ook niet fatsoenlijk gegeten hebt. Kom op, je kijkt alsof ik net op je hamster heb gezeten. Er is iets heel vreemds aan Charley Penn, dat geef ik toe. Maar ik vind dat er ook iets heel vreemds aan de hand is met Charley Windsor, en op hem maak ik geen jacht. Laten we even serieus worden. Ik herinner me dat ze in deze tent ooit een voortreffelijke *Scotch pie* met zompige erwten kookten. Maar ik zal je iets vertellen...'

'Wat dan, sir?' vroeg Bowler.

'Als die barkeeper me een *Cornish pasty* geeft en zegt dat ik het verschil niet zal merken, zal ik die sukkel door elkaar schudden tot-ie zijn hele Innerlijke Leven over de bar uitkotst!

20

Jax Ripley was aan de zuidelijke rand van de heidevelden van Yorkshire geboren en getogen in een groot dorp met aspiraties om een kleine stad te worden, en daarheen bracht haar moeder, een weduwe, haar terug om begraven te worden.

Mocht Charley Penn gelijk hebben dat de moordenaar van Jax Ripley de begrafenis bijwoonde, dan zou het voor de politie lastig kiezen worden, dacht Hat Bowler toen hij vanaf zijn uitkijkpost op de krioelende begraafplaats op het kerkportaal neerkeek. Familie, vrienden en collega's zouden waarschijnlijk al een grote congregatie gevormd hebben, maar als je daarbij diegenen optelde die meenden haar te kennen vanwege haar tv-programma en degenen die overwegend ordinair nieuwsgierig waren, kon een beroemdheid er qua proporties bijna een punt aan zuigen.

John Wingate was er, uiteraard, met zijn cameraman vanaf een discrete afstand aan het filmen. Een vergelijkbare dualiteit was zichtbaar bij de vertegenwoordiging van de *Gazette*, waarbij Mary Agnew in gepast zwart het beeld van rouwende vriendin en collega aardig benaderde, terwijl Sammy Ruddlesdin ervoor zorgde dat het plaatselijke decorum de fotograaf van de *Gazette* geen haar in de weg legde om foto's te maken, hetgeen ook rigoureus werd aangegrepen door de gewetenloze nationale pers, wiens hyena's hier in drommen gekomen waren. Percy Follows en Dick Dee waren er van de bibliotheek. Hat had Rye opgebeld om te vragen of ze zou komen maar kreeg nogal bruusk te horen dat a) ze dat mens amper had gekend en b) iémand moest blijven om het werk te doen. Natuurlijk ontbrak Ambrose Bird niet, de Laatste der Acteur-Directeuren. Hat vroeg zich af wat zijn relatie met de overleden vrouw geweest was. Misschien kon hij het niet over zijn hart verkrijgen een dergelijk theatraal tafereel zijn opvallend melancholische verschijning te onthouden, al vond een enkeling een kuitlange paarse cape eerder kitsch dan Hamlet. Hij had op het gangpad Follows ingehaald en had de laatste zitplaats in de tweede rij kerkbanken weten te bemachtigen, waarna hij zich had omgedraaid om zijn rivaal triomfantelijk toe te lachen.

Franny Roote was er ook. Waarom hij gekomen was, zou interessant zijn om uit te zoeken, maar zoals hij erbij stond in zijn onvermijdelijke zwarte tenue, terwijl hij zwijgend de anderen observeerde, zag hij eruit als de lakei van de overledene die wachtte op een teken om naar voren te komen en te helpen. Hij vormde een sterk contrast met Charley Penn, die zich door de gelegenheid had laten bewegen zijn gebruikelijke wambuis van kreukelleer en kale corduroy broek te verwisselen voor een colbert met brede revers en een broek met enigszins uitlopende pijpen in licht, bijna lichtgevend grijs met een vage roze krijtstreep, zodat hij beter toegerust leek voor een jarenzeventigfeestje dan een eigentijdse begrafenis. Dalziel daarentegen had een jasje aan dat zó zwart was dat dat van de doodgraver er bijna lichtgevend bij afstak. Pascoe, die naast hem stond, was elegant en slank in een pak van Italiaanse snit dat volgens Hat door zijn vrouw was gekozen, niet omdat hij zijn twijfels had over Pascoes smaak maar omdat hij vermoedde dat de inspecteur, als het aan hem zelf zou liggen, eerder iets conservatiefs gekozen zou hebben. Er strak uitzien en over sociale vaardigheden beschikken was absoluut een pre in de hogere lagen van de huidige politiemacht, maar wie er patserig bij liep, werd nog altijd scheef aangekeken. In tegenstelling tot wat bij de burgers gebruikelijk was, beweerde een smeris met een gouden Rolex als hij verstandig was steevast dat het een kopie uit Hong Kong was.

Het was een kalme dag en de begrafenisgangers waren ondanks hun aantal zo stil dat de woorden en geluiden aan het graf zelfs helder doordrongen tot degenen die, zoals Hat, op enige afstand van het sombere middelpunt van de uitvaartplechtigheid stonden.

… want tot stof zult gij wederkeren…

… de emoties van een snikkende vrouw…

… en dat meest definitieve aller geluiden: het neerkomen van aarde op het deksel van de doodskist…

Toen was het voorbij, en de menigte, één moment verenigd ten aanschouwen van het grote mysterie van de dood, liet zich met een haast hoorbare zucht van opluchting weer terugglijden in het nog grotere mysterie van het leven en verviel al snel weer tot de clubjes en daagse zorgjes waardoor we niet hoeven na te denken.

Vanaf het portaal keek hij hoe ieder zijns weegs ging. Sommigen liepen snel naar hun auto met de verwachting dat hun een kilometer verderop, waar de smalle landweg op de snelweg uitkwam, een verkeersopstopping wachtte. Anderen wandelden in tegengestelde richting naar de dorpskern. Daar bevonden zich twee pubs, The Baker's Arms en The Bellman. Omdat de cottage van mrs. Ripley te klein was voor grote massa's, had de familie in The Bellman een zaal geboekt voor een hapje na de teraardebestelling, wat uitsluitend voor genodigden was, een verstandige maatregel, dacht Hat, die in het verleden had gemerkt dat mediamensen over een enorme vraatzucht beschikken. Voorzover hij wist, was ook geen van de aanwezige politiefunctionarissen uitgenodigd, al betwijfelde hij of dat Dalziel zou weerhouden.

Nu zag hij de familie voorbijtrekken in gezelschap van de predikant, voorafgegaan door mrs. Ripley, bleek als maanlicht, geflankeerd door een jonge man en vrouw die, meende Hat, haar zoon moest zijn, onderwijzer in Newcastle, en haar andere dochter die als verpleegster in Washington DC werkte. Van tijd tot tijd had hij zijn toevlucht gezocht tot een uitwisseling van familie-informatie en familieanekdotes om niet in te hoeven gaan op Jax' pogingen hem discreties over zijn werk te ontlokken. Hij was nooit met haar naar bed geweest, ondanks het feit dat ze hem op een keer had verzekerd dat ze meer naar zijn kruis dan naar zijn informatie verlangde, maar het had maar een haar gescheeld. Nu voelde hij een steek van berouw. Hij had haar graag gemogen en zou haar nooit meer zien.

Bovendien zou, aangezien Andy Dalziel ervan overtuigd was dat hij de interne zaken van recherche als bedgeheimpjes had prijsgegeven, natuurlijk niemand wijzer geworden zijn van zijn zelfopoffering.

Toen de familie voorbijliep, keek de jonge vrouw in Hats richting, zei iets tegen de moeder, wurmde haar arm los en kwam op hem toe.

De gelijkenis met haar zusje was evenwel zo groot dat Hat blij was dat het klaarlichte dag was en dat er zoveel mensen om hen heen waren.

'Neem me niet kwalijk, u bent toch rechercheur Bowler?'

In de VS klonk ze waarschijnlijk nog erg Engels maar de zes jaar die ze er had doorgebracht hadden haar spraak duidelijk met Amerikaans doorspekt.

'Dat klopt.'

'Ik ben Angie, de zus van Jax.'

'Ja, dat dacht ik al. Ik vind het zó vreselijk voor u...'

Hij voelde zijn stem breken, tot zijn verbazing maar ook tot zijn ergernis, bang dat het vreselijk gekunsteld zou klinken. Maar op haar gezicht stond enkel begrip te lezen. Ze legde een hand op zijn arm en zei: 'Ja, ik ook. Jax zei dat u heel aardig was.'

'Heeft ze met u over mij gesproken?' vroeg hij gevleid.

'Ja, we waren altijd al heel vertrouwelijk met elkaar en zijn dat zelfs gebleven toen ik dáár eenmaal werkte: e-mails, brieven, we vertelden elkaar alles. Ik heb net met twee andere politiemannen gesproken toen ze mama kwamen condoleren, en die hebben me u aangewezen.'

Twee andere politiemannen. Dat konden alleen Dalziel en Pascoe zijn. Zijn hart zonk hem in de schoenen bij de formulering waarvan Dalziel zich waarschijnlijk had bediend toen Angie zijn naam bleek te kennen.

'Ik zal haar missen,' zei hij. 'We waren vrienden... althans ik had het gevoel dat ik haar vriend was, ik weet niet of... Ik bedoel, wat...'

Ze schoot hem te hulp.

'Dat zei zíj ook. Je begon als een mogelijk contact en werd een vriend. En als een mogelijk contact heb je niet geprobeerd er misbruik van te maken. En ze had je graag als vriend gehad. Niet blozen, hoor. We vertellen... vertelden elkaar alles. Van kleins af aan. Vandaar dat ik u wilde spreken. Jax was heel ambitieus, nou ja, dat zult u wel gemerkt hebben, en ze wilde graag het naadje van de kous weten over alles wat in haar baan van nut kon zijn, en volgens haar hoefde een carrièrevrouw geen last te hebben van glazen plafonds zolang het spiegels waren waarin ze het onderste van een bruikbare man kon zien. Je bloost alweer. Ik zei toch dat we eerlijk waren.'

'Sorry. Ik ben eerder gewend dat mensen dingen proberen te verbergen wanneer ze met me praten.'

'Wat een baan, hè? Luister, ik was met vakantie op een rondreis door Mexico toen het bericht over Jax bekend werd gemaakt, dus ik hoorde het pas toen ik een paar dagen geleden terugkwam. Het was heel raar. Toen ik in mijn computer ging kijken, vond ik een heleboel post van Jax, naast de boodschap van mijn broer waarin hij me vroeg onmiddellijk contact met hem op te nemen, en daar had ik geen zin in omdat ik ergens aanvoelde dat hij me zou gaan vertellen dat Jax dood was.'

'Ik voel met je mee,' zei Hat hulpeloos. 'Het is werkelijk vreselijk. Ik heb haar gevonden... Ik kan je niet uitleggen hoe ik me voelde... luister, we zullen die schoft te pakken krijgen... Ik weet dat de politie dat altijd zegt, maar deze keer meen ik het. We zullen die schoft te pakken krijgen.'

'Daar had ik het met je over willen hebben,' zei Angie. 'Luister, loop met me mee. Ga je naar de pub?'

'Nou nee, ik bedoel, ik ben niet uitgenodigd...'

'Ik nodig je uit. Kom mee. Als we hier nog langer op het portaal blijven staan, denkt iedereen dat ik je een aanzoek doe.'

Ze pakte zijn arm en duwde hem zachtjes achter de andere treurenden aan. Toen hij omkeek, zag hij dat Dalziel en Pascoe hem in de gaten hielden. Het gezicht van de Dikke Man verried niets, maar Bowler had geen bijzondere truc nodig om ervan af te lezen onder welke noemer hij zijn nieuwe bondgenoot onderbracht.

'Wat wilde je me eigenlijk vertellen?' vroeg hij.

Ze zei: 'Luister, ik wil niet dat je de indruk krijgt dat ik een of andere malloot ben met de ambitie om detective te worden, maar in die laatste e-mail van Jax stond iets wat jullie naar mijn gevoel moeten weten, al kan het zijn dat jullie dat al weten.'

Hat deed geen moeite dat uit te puzzelen, maar wachtte af.

'Ze heeft hem verstuurd op dezelfde avond waarop ze werd vermoord. Ze had me verteld dat ze het grote nieuws had gelanceerd over een mogelijke seriemoordenaar en dat ze bij god hoopte dat ze daardoor de baan in Londen zou krijgen waar ze op vlaste. Verder vertelde ze dat ze, wat er ook gebeuren mocht, beter kon maken dat ze snel uit Yorkshire wegkwam omdat een zekere vent zo pisnijdig zou worden dat ze het verhaal naar buiten had gebracht dat hij waarschijnlijk wel kon vermoorden. Ik denk dat ze dat als een grap bedoelde. Ik bedoel, in Engeland gaat een smeris toch geen mensen vermoorden? Maar ik wist dat ik het iemand moest vertellen...'

'Wacht even,' zei Hat. 'Je zei smeris... heb je het over een politieman?'

'Natuurlijk,' zei ze ongedurig. 'Luister je wel? Ik bedoel die ingewijde, de man die haar van alles vertelde over wat jullie van plan waren, ook van alles over die seriemoordenaar. Je denkt toch niet dat jij de enige was op wie ze gokte? Het verschil was, dat déze man echt héél graag een gok waagde. En toen ik hiernaartoe vloog, bedacht ik dat hij echt pisnijdig geweest moet zijn dat ze het bekend had gemaakt.'

'Dat is nauwelijks een motief om iemand te vermoorden,' zei Hat. 'Pisnijdig zijn, bedoel ik.'

'Voor sommige mensen is het genoeg. Maar stel dat hij toen bedacht dat het, nu ze hem had laten zakken, nog maar een kwestie van tijd was voordat ze, per ongeluk of met opzet, haar interne bron zou noemen. Wat zou er dan van zijn carrière worden? En als hij van plan was haar het zwijgen op te leggen, leek dit daarvoor natuurlijk een uitstekend moment, onmiddellijk nadat ze op de buis was geweest en die gek ten tonele had gevoerd. Waar zouden jullie anders gaan zoeken, vooral nu hij zich in een gunstige positie bevond om het allemaal een zetje in die richting te geven.'

'Je bedoelt dat je weet wie die man is?' wilde Hat weten.

'Nee,' zei Angie. 'Ik niet, tenminste. Ze heeft me nooit zijn echte naam verteld, alleen dat het nogal een hoge was.'

'Luister, Angie,' zei Hat. 'Ik ben niet degene met wie je zou moeten praten. Ik zal dit moeten opnemen met mijn bazen, mr. Dalziel en Pascoe, die twee met wie je zonet hebt gepraat, dus dat kun je beter nu gaan doen. Ze komen nu achter ons aan, geloof ik...'

Hij keek over zijn schouder om dat te bevestigen en voelde hoe ze, nadat ze eerst voorzichtig zijn arm had gegrepen, haar elleboog stevig in de zijne haakte.

'Doe niet zo stom!' siste ze. 'Dat was ik van plan tot ik zonet kennis met hen maakte en doorkreeg dat het hoge omes waren.'

'O,' zei Hat, die zich zijns ondanks gepikeerd voelde toen hij doorkreeg dat hij niet haar eerste keus als vertrouwenspersoon was. 'Wat zeiden ze dan?'

'Niets. Ik heb niets gezegd. Jax heeft nooit verteld hoe hij heette. Wat ze ook zeggen over e-mailbescherming, als je journalist bent, heb je er niet zo'n vertrouwen in. Maar de afgelopen maanden had ze me een beschrijving gegeven, een behoorlijk gedetailleerde beschrijving, bedoel ik. Zoals ik al zei: we verzwegen elkaar niets. Dus ik denk dat ik hem in zijn nakie nog zou kunnen herkennen, maar zelfs met zijn kleren aan klopte de beschrijving zo goed dat ik dacht dat het misschien niet zo'n goed idee was om met die man te praten, vandaar dat ik op zoek ging naar jou.'

'Wacht even,' zei Hat. 'Wil je zeggen dat een van die twee...'

Hij keek opnieuw om naar de plek waar Dalziel en Pascoe hen op de voet volgden.

'Wie van de twee in godsnaam?'

'Ze beschreef hem als van middelbare leeftijd, met haar dat grijs aan het worden was, altijd op een ouderwetse manier goed verzorgd en zo ruim in z'n vlees dat het, als je boven op hem lag, net leek alsof je op een grote spons op en neer veerde maar als híj op je lag het net was alsof je met een enorme gorilla aan het worstelen was. Niet alleen door zijn gewicht, maar hij was ook heel harig, en dan was er nog iets met zijn gereedschap waardoor ik hem er in de sauna vrijwel zeker zou kunnen uitpikken, maar zelfs met zijn kleren aan kwam die Dalziel er zo dicht in de buurt dat ik geen risico neem.'

'Dalziel? Jezus christus, dat is mijn baas, hij is de hoofdinspecteur!'

'En houdt dat in dat hij niet graag seks heeft met een vrouw die half zo oud is als hij? Of dat nu een voorwaarde is of een promotie, ik zou als ik jou was maar zorgen dat ik zo snel mogelijk wegkwam. Nee, luister, ik weet het niet zeker, maar alles klopt. En ik denk dat hij iets vermoedt. Toen ik vroeg of jij er was, omdat Jax het met mij over je had gehad, dacht ik dat er rook uit zijn ogen kwam. Je moet oppassen met hem.'

'Nee, volgens mij is dat iets anders... Ik geloof dat je je vergist...'

Maar een deel van hem, niet een groot deel maar toch zo groot dat hij het kon voelen, speelde met iets wat in de buurt kwam van leedvermaak vanwege de mogelijkheid wat de Dikke Man zelf Jax' mol was geweest, wat inhield dat zijn agressieve houding tegenover Hat misschien was gebaseerd op... jaloezie?

'Je bedoelt dat je je door een onnozel gevoel van loyaliteit zult laten weerhouden dit uit te zoeken?' zei ze vals. 'Misschien moet ik doen wat Jax heeft gedaan: het aan de grote klok hangen.'

'Nee, alsjeblieft. Ik zal het uitzoeken, dat beloof ik. Heeft ze verder nog iets gezegd? We hebben een dagboek gevonden, overwegend voor afspraken, en daar heeft ze geregeld de letters GP in genoteerd, maar medisch gezien bleek er niets mis te zijn...'

'Nee,' zei Angie opgewonden. 'Nee, dat was híj. Georgie Porgie. Je kent dat wel: een en al mierzoet gezwijmel als hij een meid wilde versieren, en als dat eenmaal gelukt was, kon ze barsten. Zo noemde ze hem omdat hij zo vet was. Zeg, die Dalziel van jou heet zeker geen George?'

En plotseling zag Hat de waarheid, bijna even ongeloofwaardig als de ontdekking dat Dalziel de loslippige was, en heel wat treuriger.

'Nee,' zei hij mistroostig. 'Nee, zo heet hij niet.'

Maar hij kende iemand die wél zo heette.

21

'WAT GA JE ERAAN DOEN?' VROEG RYE.

'Als ik dat wist, zou ik hier niet jouw koffiepauze zitten te versjteren,' zei Hat.

Hij had regelrecht naar Dalziel moeten gaan, of ten minste naar Pascoe, of desnoods naar Wield. Om zijn vermoedens te spuien en hén aan het werk te zetten voor het extra geld dat ze verdienden omdat ze gezaghebbende, verantwoordelijke posities bekleedden. Hij zou in feite zelfs geen aanwijzingen hoeven geven, kunnen volstaan met het afdragen van de kopieën van Jax Ripleys e-mail die hij van haar zus had gekregen, zodat ze hun eigen conclusies konden trekken. Maar hij was toch naar het bureau gegaan, ontdekte dat George Headingley nog altijd met ziekteverlof was en had zichzelf ervan weten te overtuigen dat het geen kwaad kon er nog een nachtje over te slapen.

Dat had ook niets uitgehaald. De eerste die hij had gezien toen hij de volgende morgen het politiebureau binnenkwam, was Headingley. Die was totaal anders geweest dan de relaxte, tamelijk joviale man die kalm koers zette naar de vóór hem liggende haven van pensionering, en zeker niet te herkennen als de seksacrobaat die in de e-mails werd beschreven. Jax had haar zuster verteld dat ze voor het eerst ontdekte dat haar hoofdprijs belangstelling voor haar had toen ze hem er op een persconferentie op betrapte dat hij naar haar zat te kijken, niet met de berekening van een seksbeest maar met de smachtende blik van een jongetje voor de etalage van een snoepwinkel dat alleen maar kan bedenken dat hij geen geld heeft om naar binnen te gaan. Toen ze na afloop was blijven hangen, en hij vroeg: 'En kan ik u ergens mee plezieren, miss Ripley? Iets om op te knabbelen soms?', waarop zij had geantwoord: 'Ja, dat kun je zeker. Ik vroeg me net af of we jouw pik en mijn poesje iets te knabbelen zouden kunnen geven,' had ze gezien hoe zijn gezicht zo paars aanliep dat ze dacht dat zijn aderen zouden knappen en werd ze bang dat hun relatie over zou zijn vóór die begonnen was. Maar die symptomen waren, zoals ze algauw tot haar genoegen én ook tot haar genot te weten kwam, nog maar de gezichtsexpressie van een seksuele opwinding die zijn hele lijf in één erogene zone veranderde. Nu leek zijn corpulente figuur geheel in verval: zijn kleren hingen als een zak om zijn uitgezakte gestalte en hij leek minstens tien jaar ouder dan voordien.

De aardverschuiving van emoties die de afgelopen tien dagen in hem hadden plaatsgehad, was duidelijk op zijn gezicht af te lezen. Eerst de schok van Ripleys tv-onthullingen en de vrees dat weldra zijn eigen betrokkenheid bekend zou worden. Vervolgens haar dood, een tweede schok, gepaard aan een aanvankelijk fikse opluchting die bijna onmiddellijk werd gevolgd door een nog grotere afkeer van zichzelf omdat hij troost zou kunnen vinden in de dood van iemand met wie hij zo intiem was geweest. Daarna was hij naar huis gegaan, naar de veiligheid van de vertrouwde huiselijke gezelligheid die hem, naar hij waarschijnlijk verwachtte, elk moment ontrukt kon worden. Het moet onmogelijk hebben geleken dat het tot in de details grondige onderzoek naar Jax' zaken als gevolg van de moord op haar, in combinatie met Dalziels vanzelfsprekende verlangen om uit te zoeken wie CID-geheimen aan haar had doorgespeeld, de Dikke Man niet snel naar zijn deur zou leiden. En dan zou hij alles kwijtraken. Pensioen... huwelijk... reputatie... zichzelf... zijn verdere leven zoals hij dat had uitgestippeld...

En nu Jax Ripley was begraven mocht hij van zichzelf misschien de hoop zijn gaan koesteren dat alles ondanks zijn zonden toch nog goed zou komen. Het moest hem op z'n minst beter hebben geleken naar het werk te gaan om met eigen ogen te zien wat er gaande was.

Hij begroette Hat als een verloren zoon om hem vervolgens, op een manier die zowel dringend als aarzelend was, uit te horen over het verloop van het onderzoek, zoals iemand die vreest dat hij kanker heeft maar zijn arts er niet direct naar durft te vragen.

Uiteindelijk had Hat een dringende afspraak verzonnen en was het kantoor uit gelopen. Omdat hij met iemand moest praten, draaide hij vóór hij er erg in had en zonder het bewust besloten te hebben het nummer van de bibliotheek. Aanvankelijk had Rye gehaast en enigszins geïrriteerd geklonken, en uit angst dat ze elk moment kon ophangen had hij gezegd: 'Sorry dat ik je lastigval, maar je hebt zelf gezegd dat je graag op de hoogte gehouden wilt worden over de Woordman.'

'De Woordman? Heeft hij...? Je bedoelt...? Luister, als je trek in koffie hebt, zal ik vroeger pauze nemen in Hal's.'

En daar zaten ze nu, op hetzelfde balkon als laatst.

Het bericht over de Vierde Dialoog was nog niet bekendgemaakt, maar dat zou niet lang meer duren. Zo stelde Hat zichzelf althans gerust toen hij hoorde hoe hij Rye de details toefluisterde. Vanwege haar belangstelling en het feit dat fluisteren inhield dat ze met hun hoofd heel dicht naar elkaar toe moesten zitten, verdween de kans op Dalziels wraak, mocht hij er ooit achter komen, bijna in het niet. Rye vroeg hem honderduit en legde, toen ze uiteindelijk wist wat ze weten wilde, haar hand op de zijne, kneep erin en zei: 'Dank je.'

'Waarvoor?'

'Dat je me vertrouwt.'

'Niets te danken,' zei hij. 'Luister, als je nog een paar minuten hebt, zou ik je nog iets anders willen toevertrouwen.'

Zonder haar vooraf om geheimhouding te vragen, had hij zijn dilemma uitgelegd. Ze had zonder hem te onderbreken geluisterd, vroeg of ze de e-mails mocht zien, had ze gelezen, vragend gekeken bij de, naar hij aannam, sappiger passages, waarna ze haar vraag stelde: 'Wat ga je ermee doen?'

En als reactie op zijn antwoord had ze geglimlacht en gezegd: 'Ik zou niet gekomen zijn als ik had gedacht dat je iets zou gaan verprutsen. Luister, ik wil je niet zeggen hoe je je werk moet doen, maar is jouw eerste prioriteit niet om na te gaan of hij het gedaan zou kunnen hebben?'

'Wat bedoel je?'

'Jax Ripley vermoorden om haar het zwijgen op te leggen? Dat is toch de reden dat haar zuster naar jou toe kwam?' Ze leunde achterover om naar zijn gezicht te kijken, waarna ze zei: 'O, ik snap het. Die mogelijkheid heb je automatisch verworpen. Die collega van jou mag dan wel een oversekste, onbetrouwbare slang zijn maar dat hij bij de politie is, houdt in dat hij onmogelijk een moordenaar zou kunnen zijn.'

'Wacht eens even, ik ken hem en jij niet. Eerlijk, het is absoluut onmogelijk...'

'Het is absoluut onmogelijk,' aapte ze hem na. 'Ik had moeten bedenken dat je van echtgenoten, moeders, vaders, broers, echtgenoten en vrienden niet ánders hoort.'

'Ja, maar...' Hij hield op, dacht diep na, waarna hij doorging: 'Oké, je hebt gelijk. Ik denk nog steeds dat het absoluut onmogelijk is dat de adjudant iets met haar dood te maken heeft – nee, wacht, niet omdat ik hem ken, maar gewoon omdat het absoluut onmogelijk is dat hij de Woordman is en die is degene die Jax heeft vermoord. Oké, waarschijnlijk ga jíj nu zeggen dat hij de Dialogen onder ogen heeft gehad en dat hij er een heeft kunnen namaken, maar de volgende refereert aan de moord op Ripley, en je wilt toch niet beweren dat hij ook raadslid Steel vermoord heeft?'

Rye, die een smeuïg croissantje aan het eten was, slikte en zei: 'Als een meisje vet wil worden moet ze met jou gaan praten. Ik bedoel, ik hoef alleen maar mijn mond open te doen om er eten in te stoppen, terwijl jij me de hele tijd vertelt wat ik wel of niet ga zeggen.'

'Sorry,' zei hij. 'Maar je snapt wat ik bedoel.'

'Misschien. Goed, het lijkt niet erg waarschijnlijk, al speelde Steel wél onder één hoedje met Ripley. Toch? En misschien dacht jouw baas dat Jax hem hun geheimpje had verklapt. Maar dat geeft niet. Wat ik wil zeggen is dat je die mogelijkheid volkomen naast je neer moet leggen, zodat voor jou alleen de grote beslissing overblijft: lap je die man erbij of niet? Het is toch geen vriend?'

'Kom nou!'

'En hij zag er toch ook geen been in dat Yorkshire-monster dat jij je baas noemt in de waan te laten dat het informatielek bij jou zat?'

'Ik weet niet of hij daar iets van wist,' zei Hat.

'Daar ga je weer: je neemt hem weer in bescherming. Waarom kan het jou ene moer schelen wat er met die vent gebeurt? Hij heeft zijn vrouw belazerd en hij heeft zijn collega's belazerd. Zo te horen is hij nou net zo'n rotzak die z'n verdiende loon moet krijgen.'

Ze keek hem tartend aan.

Hij schudde zijn hoofd en zei: 'Nee, het is geen rotzak. Hij heeft die baan al dertig jaar en ik hoor niets anders of hij is een goede politieman. Dikke Andy had hem allang de laan uit gestuurd als dat niet zo was. Het eind van zijn carrière komt nu eenmaal in zicht, en misschien vroeg hij zich af waar het allemaal goed voor is geweest toen die knappe *chick* die half zo oud was als hij zich willig opstelde...'

'Háár schuld dus?'

'Niemands schuld, maar je hebt de e-mails gelezen. Penopauze, tijd voor de laatste ronde, noem het zoals je wilt, maar hij was een willige prooi. En afgaande op wat hij haar heeft verteld, nou ja, ging de aarde er nou ook weer niet direct van beven...'

'Genoeg om Jax Ripley erin te laten verdwijnen.'

'Ze heeft een risico genomen. En ze heeft olie op het vuur gegooid! Eerst hadden we twee onduidelijke moorden, en uit haar mond klonk het alsof Hannibal-de-Kannibaal de straten onveilig maakte! Niet zijn schuld, al denk ik dat hij het zichzelf verwijt. Hoe dan ook: één leven naar god. Is dat een ander leven waard, vraag ik me af.'

'En wat luidt het antwoord aan jezelf?'

Hij keek haar grijnzend aan en zei: 'Nou, het zal je deugd doen dat ik van plan ben te luisteren naar een uitstekend advies dat ik net heb gekregen. Ik zal zijn alibi nagaan voor de avond waarop Jax werd vermoord en zodra ik dat achter de rug heb, ga ik vervolgens een beslissing nemen.'

Ze grijnsde terug en zei: 'Weet je, misschien wordt het nog wel wat met jou. Ben je klaar? De tijd van mijn baas tikt namelijk door.'

'Zeg maar tegen hem dat je meedeed aan een onderzoek naar een probleem van een belastingbetaler. Dat zou je geweten moeten sussen. En om het mijne te sussen: even iets officieels: toen je in de galerie wachtte tot brigadier Wield je ging ondervragen, heb je toen met iemand gesproken?'

'Waarschijnlijk wel. Er was toch geen zwijgplicht? Waarom vraag je dat?'

'Nou, weet je, toen je terugging om in de bibliotheek je spullen op te halen, heb je er met geen woord over gerept dat je iemand hebt gezien, en ik vroeg me af of je onder het wachten tegen iemand gezegd had dat je dáárnaartoe zou gaan.'

Ze was bliksemsnel van begrip.

'Zodat ze zichzelf van een alibi konden voorzien door te vertellen dat ze mij hadden gezien, bedoel je?'

'Zoiets.'

Maar omdat ze nu kwaad was, zag hij dat zijn hele voorzichtige benadering niets opleverde.

'Gaat dit over Dick? Hij is het, hè?'

'Nee,' wierp hij tegen. 'Goed, hij zei dat hij je had gezien en dat je hém niet zag…'

'En dat wil zeggen dat hij liegt? Dat hij er niet was toen ik er was omdat hij in de wc raadslid Steel aan het vermoorden was? Jezus christus, als jullie iets tegen iemand hebben, weten jullie niet van ophouden, hè? Geen wonder dat de gevangenissen vol schijnen te zitten met onschuldige mensen die er door de klabakken zijn ingeluisd!'

Toen ze opstond en daarbij haar beker omgooide, sprong hij op om de stroom koffie te ontwijken.

Snel zei hij: 'Goed idee, verkeerde man. Die schrijver, die Penn, is de man naar wie ik nieuwsgierig ben. Hij beweert dat hij zowel jou als Dee gezien heeft. Jullie hebben het geen van beiden over hem gehad.'

Hij zag hoe de woede uit haar gezicht week en dacht, maar was zo verstandig het niet te zeggen, dat het fascinerend was dat haar misnoegen over een eventuele inbreuk op burgerlijke vrijheid geen betrekking had op Charley Penn.

'Nee,' zei ze langzaam. 'Ik heb hem absoluut niet gezien. En ja, toen ik een praatje met Dick maakte, terwijl we wachtten tot we onze verklaringen konden afleggen, hing Penn daar zoals gewoonlijk rond. Maar je wilt toch niet echt zeggen...'

'Ik wil niets zeggen,' zei hij. 'Maar we moeten elke invalshoek bekijken en we zijn op zoek naar iemand die hoogopgeleid is en een vlijmscherpe geest heeft, die een kick krijgt van spelen met woorden.'

'Dan zouden jullie misschien een inval moeten doen in alle docentenkamers in het land,' zei ze, maar zonder boosheid. 'Luister, ik moet gaan, anders trapt Dick me... sorry, ik bedoel... o, shit, ik word net zo neurotisch als jij. Ik zie je zondag.'

'Ja, natuurlijk. Luister, misschien zouden we elkaar daarvóór nog eens kunnen zien, naar de bioscoop gaan of zo...'

'Van wat ik van jouw werk heb meegemaakt, zou een meisje wel gek zijn om ergens anders met je af te spreken dan in haar eigen warme flat,' antwoordde ze. 'Je mag me bellen als je helemaal zeker weet dat je vrij bent. Tot ziens.'

Hij keek haar na toen ze wegliep: prachtige houding, hoofd omhoog, met net dat beetje souplesse in de taille die een licht wiegen van haar billen verried.

O, jij bent de vrouw voor mij, zei hij bij zichzelf toen ze uit zijn zicht verdween.

Hij draaide zich om en boog zich over de balustrade met het gevoel dat hij de warme vreugde die hij door zijn lijf voelde stromen zou willen delen met al die gehaaste mensen in het winkelcentrum onder hem.

Maar hij keek recht in de verwijtende ogen van Peter Pascoe, die tussen de winkelende mensen naar het balkon opkeek, terwijl hij met zijn rechterhand zijn mobiele telefoon aan zijn oor drukte en kwaad met zijn linkerhand wenkte dat hij naar beneden moest komen.

22

JE MOET HET IJZER SMEDEN ALS HET HEET IS, ZOALS ELKE ONHEILSBO-
de weet, en wat de kijker ziet is meestal wat de kijker wíl zien.

In feite was Peter Pascoes blik opgelucht in plaats van verwijtend
en was zijn manier van wenken eerder gebiedend dan kwaad.

Hij was net op weg naar het Centrum voor Oude Kunsten en Literatuur toen de telefoon ging, en toen hij de stem had gehoord,
was hij abrupt blijven staan.

'Roote? Hoe ben je verdomme aan dit nummer gekomen?'

'Dat weet ik echt niet meer, inspecteur. Het spijt me dat ik u lastigval, maar ik wist niet wie ik anders moest proberen. Ik bedoel, ik
had het alarmnummer kunnen bellen maar tegen de tijd dat ik het
uitgelegd had, vooral omdat ik amper weet wát ik aan het uitleggen
ben… maar ik dacht dat u wel zou weten wat we het beste kunnen
doen.'

Hij klonk voor hem ongebruikelijk geagiteerd. Zolang ze elkaar
kenden, zelfs op momenten van grote rampen, had Pascoe hem bij
zijn weten nooit in paniek gezien.

'Waar heb je het over?' vroeg hij.

'Het gaat om Sam. Doctor Johnson. Ik ging gisteren na de begrafenis naar zijn kamer op de campus om een boek op te halen dat
ik van hem mocht lenen, maar hij was er niet. Ik dacht dat hij het gewoon vergeten was. Later heb ik het nog eens geprobeerd, maar
nog steeds geen spoor. Dus heb ik gisteravond naar zijn flat gebeld
maar ik kreeg geen gehoor. In mijn koffiepauze ben ik opnieuw naar
zijn kamer gegaan en die zit nog steeds op slot, en er hingen een
paar studenten rond die stonden te wachten tot de les begon, en
volgens hen had hij gisteren ook een lezing gemist, dus probeerde
ik nogmaals zijn flat te bellen, maar nog steeds geen gehoor. Dus
toen maakte ik me werkelijk zorgen en dacht dat ik iemand van de
leiding moest waarschuwen en ik dacht dat dat het beste u kon zijn
omdat u een vriend bent, van hem, bedoel ik, en dat u zou weten wat
we moeten doen.'

'Waar ben je nu?' vroeg Pascoe.

'Op de universiteit. Vakgroep Engels.'

Pascoe dacht razendsnel na. Hij wist dat het stom was, maar bij Roote voelde hij zich nooit helemaal op zijn gemak. Hij probeerde de vinger op de zere plek te leggen, maar slaagde er niet in.

Maar juist op dat moment zag hij Bowler.

'Blijf daar staan. Ik kom eraan,' beval hij, terwijl hij naar zijn rechercheur wuifde.

Hat kwam haastig naar beneden, terwijl hij repeteerde hoe hij zou uitleggen waarom hij midden op de dag op het balkon bij Hal's rondlummelde als een man in bonis die er zijn gemak van nam.

'Ben je met de auto?' vroeg Pascoe.

'Jawel, sir.'

'Fijn. Je mag me een lift geven. Ik ben van het bureau komen lopen.'

'En u wilt een lift terug?' vroeg Hat.

'Nee. Naar de universiteit. Dat scheelt me tijd.'

Het was een zwak excuus, maar hij had geen zin om uit te leggen dat hij bij een door Roote gearrangeerde confrontatie liever een getuige had.

Ze zeiden geen woord terwijl ze naar de parkeerplaats wandelden.

'O god,' zei Pascoe. 'Ik was vergeten dat het een MG was.'

Bowlers aftandse tweezitter stond tussen een Discovery en een jeep in, als een mopshond tussen twee St. Bernards.

'Die brengt u wel even terug, hoor, sir,' zei Bowler trots.

'*Terug* is niet zo ver dat ik *gebracht* moet worden,' zei Pascoe zuur, terwijl hij zich met naar hij hoopte atletische souplesse op de passagiersstoel liet glijden. 'Ik neem aan dat je de baas niet vaak een lift geeft?'

'Nee, sir. Daar ben ik niet voor verzekerd,' zei Bowler lachend. 'Hebt u een dringende reden om naar de universiteit te gaan?'

Pascoe legde het uit, waarbij hij zo luchtig deed over Johnsons vermeende verdwijning dat de rechercheur er nog minder van begreep dan voordien.

'Vanwaar dan die haast, sir? Hoogstwaarschijnlijk heeft die Johnson een lang weekend. Ik bedoel, toen ik nog studeerde, leek het er af en toe op dat je meer kans had Madonna te pakken te krijgen dan je mentor. Het verschil is waarschijnlijk dat Roote u gebeld heeft?'

Eigenwijs, dacht Pascoe. Hij lijkt míj wel.

Hij zei: 'Wat deed je daar trouwens in die galerie?'

De vorm waarin de vraag gegoten was zou Bowler misschien ietwat in de war gebracht hebben als de inhoud hem niet zo had verontrust.

'Ik zat koffie te drinken, sir.' Omdat Hat tevens bedacht dat hij geen idee had hoe lang Pascoe hem al geobserveerd had, ging hij verder: 'Om precies te zijn, zat ik koffie te drinken met miss Pomona. Ik wilde haar iets vragen en zij stelde voor dat we voor de bibliotheek zouden afspreken.'

'O?' zei Pascoe glimlachend. 'In dit geval kun je niet discreet genoeg omspringen met *l'amour*, hè?'

Omdat Hat nog net zoveel Frans verstond, schudde hij heftig zijn hoofd.

'Nee, sir, strikt zakelijk.'

'In dat geval neem ik aan dat het ook míjn zaak is. Vertel dus maar.'

Even dacht Hat erover alles over George Headingley te vertellen, maar zijn probleem op iemand anders afwentelen leek hem nogal zinloos en zou hem in geen geval bonuspunten opleveren, dus vertelde hij de adjudant over zijn onbehaaglijke gevoel wat betreft Charley Penn.

'Je schijnt het nogal op Charley gemunt te hebben,' zei Pascoe. 'Eerst Jax Ripley, nu Cyril Steel. Niets persoonlijks, hoop ik?'

'Nee, sir. Alleen duikt hij overal op.' Daarna, bij wijze van fikse tegenzet, voegde hij eraan toe: 'Net als Roote.'

Pascoe keek hem aandachtig aan maar kon niets anders bespeuren dan louter respect voor een meerdere.

O, wat doe je me aan mezelf denken, eigenwijs stuk vreten dat je bent. De rest van de rit verliep in stilte.

De glas-in-loodramen in de Ivory Tower waarin de vakgroep Engels was ondergebracht weerkaatsten als een sos-sein, terwijl af en toe wolkenflarden voor de herfstzon schoven. Ze troffen Roote in de kantine, in gesprek met de conciërge die sputterde dat hij niet zomaar een kamer van een staflid kon openmaken omdat een student het hem vroeg.

'Nu vraag ík het,' zei Pascoe, die hem zijn machtiging liet zien.

De reis omhoog ging via een paternoster, volgens Pascoe zo genoemd omdat zelfs een praktiserend atheïst – en vooral een praktiserend atheïst met last van claustrofobie – beter geen gebruik van zo'n gevaarte kon maken zonder een schietgebedje te doen.

De conciërge stapte in. Toen het volgende platform omhoogkwam, wenkte Pascoe dat Bowler erop moest gaan, terwijl hij al zijn zelfvertrouwen verzamelde. Er gingen twee platforms voorbij, maar nog steeds wees niets erop dat zijn zelfvertrouwen daardoor gesterkt was. Hij haalde diep adem, voelde een duwtje aan zijn elleboog, waarna hij en Franny in perfecte harmonie een stap naar voren deden. Meteen viel alle druk weg. Hij keek aandachtig naar de jongeman, op zoek naar tekenen van spot of, erger, medeleven. Maar omdat Rootes ogen uitdrukkingloos stonden en er een bedachtzame trek op zijn gezicht lag, begon Pascoe zich af te vragen of hij zich de helpende hand verbeeld had. Opeens kwamen Bowlers benen in het zicht.

'We zijn er,' zei Roote, waarop Pascoe, vastbesloten zich niet opnieuw te laten helpen, er met een overbodig atletische sprong uitvloog.

Vijf seconden waren voldoende om vast te stellen dat er niemand in Johnsons kamer was en, te oordelen naar een reeks onder de deur geschoven briefjes waarin studenten hun vergeefse pogingen hadden vastgelegd om afspraken na te komen, dat er sinds het weekend niemand was geweest.

'Je zei dat je bij zijn flat bent geweest?' zei Pascoe.

'Ja,' zei Roote. 'Ik heb aangebeld. Geen reactie. En ook niet aan de telefoon. Zijn antwoordapparaat staat niet aan. Hij liet altijd zijn antwoordapparaat aan als hij wegging.'

'Altijd?' vroeg Hat. 'Dat is behoorlijk precies.'

'Voorzover ik heb meegemaakt,' corrigeerde Roote met een frons.

'Laten we maar gaan kijken,' zei Pascoe.

Terug bij de paternoster sprong hij op het eerste platform. Zo zou hij er tenminste voor kunnen zorgen dat zijn zenuwachtige exit onopgemerkt bleef.

Buiten rees een probleem omdat ze onmogelijk met z'n drieën in Bowlers MG konden zonder de wet te overtreden.

Roote zei: 'Ik ga wel in mijn eigen auto. Wilt u met mij mee, mr. Pascoe? Misschien is dat comfortabeler.'

Pascoe aarzelde, waarna hij zei: 'Waarom niet?'

De auto bleek een behoorlijk antieke Cortina te zijn. Maar het was aanzienlijk gemakkelijk om in dát ding te stappen dan in de MG en de motor liep zo te horen vrij soepel.

'Ik dacht dat je zei dat het een oude brik was?' zei Pascoe.

Roote keek hem even aan en glimlachte zijn geheimzinnige glimlach.

'Ik heb de motor laten afstellen,' zei hij.

Hij reed met de overdreven behoedzaamheid van iemand die een rijexamen aflegde. Pascoe kon Bowlers verongelijktheid bijna voelen, terwijl hij achter hen aan reed. Maar hij had ook het gevoel dat er meer zat achter Rootes belachelijke rijstijl. Hij reed langzaam omdat hij liever niet wilde aankomen.

De flat bevond zich op de bovenste verdieping van een gerenoveerd blok herenhuizen dat was verpauperd maar nu weer in de lift zat. Ze verschaften zich toegang door net zo lang op alle bellen te drukken tot er een man reageerde. Pascoe identificeerde zich en ze gingen naar binnen. Er was geen lift en de trappen waren zó steil dat ze bijna heimwee kregen naar de paternoster. Toen hij bij Johnsons deur aanbelde, hoorden ze het binnen weergalmen. Daarna probeerde hij te kloppen, waarbij hij voelde dat de deur behoorlijk solide was en zelfs voor een jongemannenschouder niet gemakkelijk zou wijken.

Hij riep naar de middelbare man beneden die hen had binnengelaten en een eindje lager op de trap nieuwsgierig rondhing, en vroeg wie de verhuurders van de flat waren. Het was een bekende firma die zo'n kilometer verderop kantoor hield. Hij toetste het nummer op zijn mobieltje in, kreeg een meisje dat niet stond te trappelen om behulpzaam te zijn, adviseerde haar vervolgens een timmerman en een slotenmaker te bellen in verband met de schade die meestal het gevolg was als een deur met een moker werd opengemaakt en was voor hij het wist in gesprek met de algemeen directeur van de firma die hem op het hart drukte dat hij binnen een paar minuten zou komen.

Dat lukte hem in vijf minuten.

Pascoe pakte de sleutel van hem aan en draaide hem om in het slot.

Hij deed de deur op een kier open, snoof de lucht op en trok hem weer dicht.

'Ik ga nu naar binnen,' zei hij. 'Bowler, zorg jij ervoor dat niemand anders naar binnen gaat.'

'Jawel, sir,' zei Bowler.

Hij deed de deur wijd genoeg open om zijn slanke gestalte erdoorheen te wurmen en deed hem weer achter zich dicht.

De dood waarde hier rond, dat wist hij al vanaf het moment dat hij voor het eerst de deur had opengedaan. De warme lucht die hem tegemoetkwam was ervan bezwangerd, nog niet ondraaglijk venijnig maar toch onmiskenbaar voor iemand die zo vaak in de buurt van lijken moest verkeren als Peter Pascoe.

211

Als dat niet het geval was geweest, zou hij gedacht kunnen hebben dat Sam Johnson gewoon sliep. Hij zat in een oude fauteuil met zijn benen uitgestrekt op de rand van een in Victoriaanse stijl betegelde haard, als een scholier die doezelig was geworden van de whiskydampen uit de fles die bij zijn arm stond en het kabbelende ritme uit de dichtbundel die geopend over zijn schoot lag.

Pascoe bleef even staan om de kamer in zich op te nemen. Eerste indrukken waren belangrijk. Het oude rooster was vervangen door een moderne gashaard die de warmtebron vormde. Op de schoorsteenmantel was een kitscherige pendule op twaalf uur stil blijven staan. Naast het uurwerk lag iets wat Pascoe één onaangenaam moment aanzag voor een drol maar bij nadere beschouwing een paar gesmolten stukjes chocola bleken te zijn. Behalve de whiskyfles en een leeg glas stonden op een laag tafeltje een cafétière en een koffiebeker. Aan de andere kant van de haard bevond zich een bankje waarvan de kapotte poot 'gerepareerd' was met een lijvig boekwerk en nog een laag tafeltje met daarop een lege karaf.

Hij richtte zijn aandacht op het lijk en bevestigde op de tast wat hij al wist.

Uit niets bleek hoe Johnson was gestorven. Misschien zou het uiteindelijk een simpele hartaanval blijken.

Hij bekeek het openliggende boek zonder het aan te raken.

Het lag open bij een gedicht dat *'Dream-Pedlary'*, 'Dromenmarskramer' heette. Hij las het eerste couplet.

If there were dreams to sell
What would you buy?
Some cost a passing bell;
Some a light sigh,
That shakes from Life's fresh crown
Only a rose-leaf down.
If there were dreams to sell,
Merry and sad to tell,
And the crier rang the bell,
What would you buy?

Dromen te koop. Zijn ogen prikten. Een rechercheur huilde niet, zei hij tegen zichzelf. Die doet zijn werk.

Hij liep terug naar de deur, net zo voorzichtig als hij gekomen was. Buiten op de overloop was veel lawaai: Roote die boos zijn stem verhief, de aanvankelijk geruststellende en daarna strenge stem van Bowler. Hij kon maar beter zorgen dat het apparaat in werking trad voor hij de orde ging herstellen. Hij haalde zijn mobieltje te voorschijn en toetste het nummer in.

Hij was halverwege zijn exacte instructies toen de stemmen buiten abrupt schreeuwend een climax bereikten, de deur openvloog en tegen zijn rug knalde, waardoor hij voorover de kamer in buitelde.

'Sam! Sam!' schreeuwde Franny Roote. 'O Jezus, Sam!'

Hij schoot naar voren en zou zich boven op het lijk hebben geworpen als Pascoe hem niet bij zijn been gegrepen had, waarna Hat Bowler in een vliegende tackle binnenkwam, waardoor ze alledrie in een hijgende en vloekende kluwen languit op het tapijt belandden.

Het kostte nóg een paar minuten voor Pascoe en Bowler de overspannen man de kamer uit hadden gesleurd, maar zodra de deur dichtviel, scheen alle spierkracht en emotie uit Roote weg te stromen en liet hij zich langs de muur naar beneden glijden, waarna hij met zijn hoofd tussen zijn benen bleef zitten, roerloos als een gebeeldhouwd duveltje aan een kathedraalstoren.

'Het spijt me, sir,' fluisterde Bowler Pascoe toe. 'Hij ontplofte ineens. En hij is verdomd veel sterker dan hij eruitziet.'

'Ik weet het,' zei Pascoe.

Hij tuurde met starre ogen naar Rootes gebogen hoofd.

Diens ogen waren niet te zien; als die openstonden, was het enige wat ze konden zien de vloer van de overloop.

Waarom heb ik dan het gevoel dat die klootzak me in de gaten houdt? dacht Pascoe.

23

Van begin af aan had Franny Roote moord en brand ge-
schreeuwd. Wat, zoals Dalziel stipuleerde, eigenaardig was, aangezien hij op dat moment, áls ze op zoek waren naar een verdachte, de
enige was die ze in de aanbieding hadden.

'Dan zouden we gek zijn om hem niet te nemen,' zei Pascoe, veel
te gretig.

'Nay, knul. Het eerste wat je bij een gegeven paard moet doen, is
'm een knal voor z'n tanden geven,' zei Dalziel. 'Vier mogelijkheden. Natuurlijke oorzaak, ongeluk, zelfmoord, moord. Misschien
zal het sectierapport ons enig houvast geven, maar voorlopig hebben wij te maken met een vent met een zwak hart die de indruk wekt
alsof hij vredig voor zijn open haard is doodgegaan. Moge God
voor ons allemaal zo'n prachtig einde in petto hebben.'

Dit religieuze gevoel werd vertolkt met de zalvende glimlach van
een tv-dominee die zich erop verheugde zo snel mogelijk van de
studio terug te keren naar zijn hotelkamer waar een drie-eenheid
van gelaarsde dames klaarstond om zijn zondige vlees te kastijden.

'Kijk, sir. Ik weet dat we onder druk staan door die toestand met
die verrekte Woordman…'

'Woordman? Wat heeft dit in godsnaam met Woordman te maken?' wilde Dalziel weten, die zonder waarneembare onderbreking
overschakelde van zalving op schuurspons. 'Daarom zit ik op de
Schrokker-Dialoog. Zodra die bekend wordt, wordt iedereen zoals
jij. Dan wordt elk oud vrouwtje dat van de trap valt op die tering-
Woordman geschoven!'

Dat was zo apert onrechtvaardig dat Pascoe zich, geheel tegen
zijn gewoonte in, liet provoceren.

'Nou, ik denk dat u daar een grote vergissing maakt, sir. Oké,
niets suggereert dat Sams overlijden iets te maken heeft met de
Woordman, maar mocht het wéér een Woordman-moord zijn, dan
krijgt u een hoop uit te leggen.'

'Nay, knul, daarvoor heb ik slimmeriken als jij in dienst, om die
dingen voor me uit te leggen.'

214

'Dan zou u misschien moeten luisteren wanneer ik zeg dat Roote niet zonder reden moord en brand schreeuwt.'

'Dubbele bluf, bedoel je? Omdat hij het heeft gedaan? *Nay*, ik moet toegeven dat hij zich misschien schuldig voelt, maar je hebt allerlei soorten schuld. Stel dat hij en Johnson iets met elkaar hadden?'

'Iets hadden?'

'*Aye*. Iets hadden. Met elkaar flikflooiden. Ik wilde je een rooie kop besparen. Die zondag gaan ze terug naar de flat voor een snelle wip en krijgen dan mot. Roote trekt aan z'n stutten. Johnson denkt dat hij elk moment terug kan komen en zakt met zijn boek en koffie onderuit, waarna die zwakke tikker waar jij me over hebt verteld, reageert op al die opwinding van de ruzie en wat ze allemaal nog meer mogen hebben uitgevogeld, en geeft hij de geest.'

Het voorlopige medische onderzoek was niet verder gekomen dan de suggestie van hartzwakte als doodsoorzaak. De arts had ingeschat dat Johnson al minstens twee dagen dood was, wat hem terugleidde naar zondag, toen Roote had verklaard dat hij hem als laatste levend had gezien. De definitieve lijkschouwing zou de volgende morgen plaatsvinden. Rootes vingerafdrukken stonden op het glas naast de andere fauteuil, maar niet op de koffiebeker of whiskyfles die voor nader diepgaand onderzoek naar het politielab waren gestuurd.

'Intussen is Roote flink kwaad geworden,' ging Dalziel verder. 'Hij gaat niet terug, omdat hij denkt dat Johnson de eerstkomende dagen wel achter hém aan zal gaan. Als dat niet gebeurt, gaat Roote zich zorgen maken en wil, als hij hem dood aantreft, natuurlijk zelf niet in een kwaad daglicht komen te staan en schreeuwt moord en brand. Wat denk jij?'

Ik denk, dacht Pascoe, dat jij de druk begint te voelen, Andy, en dat je een moord zou doen om niet nóg een moord op je boterham te krijgen.

'Ik denk dat ze vandaag een feestje zouden bouwen als wat u zei veel meer op waarschijnlijkheden was gebaseerd,' zei hij geforceerd. 'Om te beginnen was Sams hartkwaal niet levensbedreigend. En waarom denkt u dat ze homo zijn?'

'Nou, een blindeman op een galopperend paard kan zien dat er met Roote iets raars aan de hand is. Iedereen zegt wel dat hij in zijn studententijd van wanten wist, maar dat heeft hem er niet van weerhouden iets te krijgen met die oude docent die dood is, die vent die zich heeft opgehangen. Gek, nu ik erover nadenk: heette die niet ook Sam? En daardoor kom ik op Johnson: hem heb ik maar één

215

keer op die expositie gezien, maar is hij niet ook een van die deftige intellectuelen van jou?'

'Hou toch op!' riep Pascoe uit. 'Blijft dat zo? Een grote portie giswerk, gegarneerd met vooroordeel?'

'Dat mag jij beoordelen,' zei Dalziel. 'Ik bedoel: ik hou niet van die Franny Roote, maar volgens mij is één blik op die vent genoeg om hem de schuld te willen geven van alles wat los- en vastzit.'

'Omdat hij zich in een hoek gedrukt voelde,' zei Pascoe koppig: 'Goed dan, ik heb geen bewijs dat Roote hier direct bij betrokken is. Maar één ding weet ik zeker: Roote schreeuwt geen moord en brand omdat hij zich schuldig voelt. Die klootzak heeft zich van z'n leven nooit ergens schuldig over gevoeld!'

'Voor alles is een eerste keer, knul,' zei Dalziel ruimhartig. 'Wie weet ga ik nog eens Ribena in mijn whisky drinken. Wie is dát in godsnaam?'

De telefoon was overgegaan. Hij pakte de hoorn en blafte: 'Ja?'

Terwijl hij luisterde, keek hij steeds minder ruimhartig.

'Verrekte kampioen,' zei hij, terwijl hij de hoorn op de telefoon kwakte. 'Ze hebben Johnsons naaste familie opgespoord.'

Volgens de normale procedure bij dood onder verdachte omstandigheden had de politie onderzocht of iemand er beter van was geworden. Men was tot de ontdekking gekomen dat Sam Johnson geen testament had, wat inhield dat het beetje wat hij had nagelaten naar zijn naaste familie ging. Pascoe wist nog dat Ellie de lector, toen hij was komen eten, naar zijn familie had gevraagd. Een beetje tipsy had hij geantwoord: 'Net als Assepoester ben ik wees, maar ik heb het geluk dat ik maar één lelijke stiefzuster hoef te mijden,' waarna hij, zogenaamd huiverend, had geweigerd zich verder te laten uithoren.

'De stiefzuster dus?' zei Pascoe. 'En?'

'Weet je wie ze blijkt te zijn? De enige echte Linda Lupin, van het europarlement. Die verrekte Leipe Linda!'

'Je meent het! Geen wonder dat hij niet over haar wilde praten.'

Linda Lupin was voor het europarlement wat Schrokker Steel voor de gemeenteraad van Mid-Yorkshire was geweest: een doorn in het oog en een gigantische lastpak. Ze was zo rechts, dat zelfs William Hague zich soms voor haar geneerde en liet geen gelegenheid voorbijgaan over financieel wanbeleid of sluipend socialisme te schetteren. Hoewel het linguïstisch slecht met haar gesteld was, kon ze niettemin in twaalf talen *J'accuse!* schreeuwen. Leipe Linda, zoals zelfs de Tory's haar in de roddelpers noemden, was op een anglicaanse manier religieus en fervent tegenstander van vrouwelijke priesters en niet een familielid waar een linkse academicus mee te koop zou lopen. En ze was absoluut niet het soort bloedverwant van een geweldsslachtoffer dat een rechercheur die onder druk stond graag aan zijn deur zou horen kloppen.

'Alsof het allemaal nog niet erg genoeg was met Desperate Dan en al die sensatieblaadjes aan mijn broek,' kreunde Dalziel, 'krijg ik nu die Leipe Linda op mijn dak.'

Pascoe deed zijn best zijn woorden in een plaatje om te zetten, maar voor zoiets groteks moest je een geniaal cartoonist zijn.

Maar Leipe Linda's opkomst op het toneel had tenminste het gunstige effect dat het een einde maakte aan de kortstondige flirt van de Dikke Man met de rol van Wijze Oude Verstandige Smeris.

'Goed, Pete, ik ben bekeerd,' verkondigde hij, terwijl hij moeizaam overeind kwam. 'Wat die kloot van een Roote ook op zijn kerfstok heeft, laten we hem de nagels uitrukken tot hij bekent!'

Maar dit prettige vooruitzicht moest uitgesteld worden tot de volgende dag, aangezien Roote, hoe hij er ook in werkelijkheid aan toe mocht zijn, de medici ervan had overtuigd dat hij te overstuur was om verhoord te worden.

Dat Ellie Pascoe oprecht overstuur was toen ze het bericht van Johnsons dood hoorde, stond buiten kijf.

Ze liep de tuin in waar ze ondanks de kille avond bijna een half-uur roerloos onder de kale ornamentele kersenboom bleef staan. Haar lange lenige gestalte leek op een of andere manier te zijn op-gegaan in haar eigen souplesse en Pascoe, die door de louvredeur naar haar keek, schrok omdat hij voor het eerst in dat lenige lichaam dat hij zo goed kende kwetsbaarheid zag. Rosie, zijn dochtertje, kwam naar buiten en vroeg: 'Wat is mam aan het doen?'

'Niets. Ze wil alleen maar even alleen zijn,' zei Pascoe luchtig, bezorgd dat hij anders de wereld van het kind zou besmetten met volwassen ellende, maar Rosie scheen dit verlangen naar eenzaam-heid als volkomen natuurlijk op te vatten en zei: 'Ik hoop wel dat ze binnenkomt als het gaat regenen,' waarna ze op zoek ging naar haar geliefde hond.

'Sorry,' zei Ellie toen ze terugkwam. 'Ik moest het even verwer-ken. Niet dat het gelukt is. O god, die arme Sam. Kwam hij hier om met een schone lei te beginnen, en nu dit...'

'Schone lei?' vroeg Pascoe.

'Ja. Het was namelijk een noodsprong. Hij had... een verlies geleden in Sheffield, en wilde er gewoon weg, en toen kwam onverwacht deze baan vrij, dus ging hij solliciteren en hij kreeg hem, waarna hij die zomer naar het buitenland ging. Zo hebben ze hem die creatieve schrijfcursus laten doen. Eigenlijk had dat een aparte baan moeten zijn, maar zijn hoofd stond er niet naar om ertegen in te gaan en natuurlijk hebben die hufters misbruik gemaakt...'

'Wacht even,' zei Pascoe. 'Dat verlies... daar heb je nooit iets over gezegd en ik heb Sam er ook nooit over gehoord.'

'Ik ook niet,' gaf Ellie toe. 'Het waren zomaar roddels, je weet hoe ze op de universiteit zijn: een stel ouwe wijven...'

Op een ander moment zou deze combinatie van leeftijdsdiscriminatie en seksisme uit de mond van zo'n doorknede mensenrechtenactiviste een golf van schimpscheuten uitlokken, maar niet nu.

'Met andere woorden: je oude studiemakkers hebben jou iets verteld over Sams achtergrond? Althans de roddels?' vroeg Pascoe.

'Zo is het. Roddels. Vandaar dat ik nooit iets tegen jou heb gezegd. Ik bedoel, dat waren Sams zaken. Naar het schijnt was er in Sheffield een student tot wie Sam zich erg aangetrokken voelde, en die heeft een ongeluk gekregen en is gestorven...'

'Een hij?'

'Ja. Dat heb ik tenminste begrepen.'

'Sam Johnson was homo?'

'Dat betwijfel ik. Misschien biseksueel. Ben je bang omdat je met hem hebt gesquasht? Sorry, lieverd, dat was stom om te zeggen.'

'Ook heel stom om te doen,' zei Pascoe. 'Dat ongeluk, wat hebben die ouwe wijven daarover gezegd, was dat iets waarover Sam zich schuldig had kunnen voelen?'

'Ik heb geen idee,' zei Ellie. 'Ik heb niemand aangespoord om in details te treden. Peter, je zei dat je niet helemaal zeker wist hoe Sam is overleden, dus waar wil je eigenlijk naartoe?'

'Nergens. Er zijn een heleboel mogelijkheden... en als Roote ermee te maken heeft...'

Ellie schudde boos haar hoofd.

'Luister, ik weet dat het je werk is, maar ik ben er nog niet aan toe Sams dood als een zaak te zien. Hij is er niet meer, hoe dan ook. Maar één ding, Pete: telkens wanneer Franny Roote ter sprake komt, begin jij te kwispelen als een hond die een haas ziet. Weet je nog wat er de laatste keer is gebeurd? Misschien moet je voorzichtig aan doen.'

'Een goed advies,' zei Pascoe.

Maar hij dacht: geen haas. Een hermelijn.

De volgende morgen kwam Roote uit vrije wil, halsstarrig als altijd in zijn mening dat Johnson vermoord moest zijn en hij wilde weten wat ze daaraan dachten te doen. Om hem te kalmeren nam Pascoe hem mee naar een verhoorkamer, maar toen hij wachtte tot Dalziel zich bij hen zou aansluiten, verscheen Bowler om te vertellen dat de baas hem wilde spreken.

'Blijf bij hem zitten,' zei Pascoe. 'En pas op. Mocht hij willen praten, prima. Maar hou jíj je mond.'

Hij zag dat hij de jonge rechercheur had beledigd, maar dat kon hem niets schelen.

Boven trof hij de Dikke Man aan, terwijl die kopieën van het sectierapport en de uitslag van het lab aan het doornemen was.

'De zaak is veranderd,' zei hij. 'Moet je dit eens zien.'

Pascoe las de rapporten snel door en kreeg tegelijkertijd een misselijk en triomfantelijk gevoel.

Johnson was overleden aan een hartstilstand. Niet lang voor zijn dood had hij een kipsandwich en een reep chocola gegeten, alsmede koffie en aanzienlijke hoeveelheden whisky gedronken. Maar vanuit het politiestandpunt het meest significante was de ontdekking van sporen in zijn lichaam van een kalmeringsmiddel dat Midazolam heette en bij kleine operaties werd gebruikt als verdoving, vooral bij kinderen. In combinatie met alcohol werd het levensgevaarlijk, en in die combinatie gebruikt door iemand met Johnsons hartafwijking kon het fataal blijken, tenzij snel ontgiftende maatregelen werden getroffen.

Het medicijn was in grote doses aanwezig in de whiskyfles en sporen ervan waren gevonden in de koffiebeker, maar helemaal niet in het glas met Rootes vingerafdrukken en de cafétière.

'We hebben 'm, de schoft!' jubelde Pascoe.

Maar in plaats van de Dikke Man in de discussie te bekeren tot de kant van de inspecteur, leek deze mare al zijn twijfels nieuw leven te hebben ingeblazen.

'Laat het rusten, Pete. Het houdt in dat we niks hebben.'

'Wat bedoelt u? Nu weten we dat het moord is. Op z'n minst doet het uw theorie de das om. Ziet u? Geen bewijs van recente seksuele activiteiten.'

'Wie weet zijn ze daar nooit aan toe gekomen. Maar daarmee is niet gezegd dat de rest niet gebeiteld zit, behalve dat Johnson Roote veel sneller had terugverwacht, binnen het uur zeg maar, en dat hij een dosis van zijn medicijnen innam zodat hij buiten westen raakte, alleen om zijn vriendje schrik aan te jagen.'

'O ja? En wat doet Johnson met Midazolam in zijn medicijnkast-je? Dat krijg je niet op recept.'

'Wat doet Roote er dan mee?'

'Hij heeft in Sheffield in een ziekenhuis gewerkt, weet u nog?' zei Pascoe. 'En het is echt zo'n geniepige klootzak die zoiets in zijn zak stopt voor het geval het op een dag van pas zal komen.'

'Dat is nauwelijks bewijs,' zei Dalziel. 'Goed, laten we met die knul gaan praten. Maar we doen zachtjes aan.'

'Ik dacht dat we z'n nagels gingen uittrekken?' zei Pascoe sip.

'We gaan een getuigenverklaring afnemen, meer niet,' zei de Dikke Man ernstig. 'Denk erom, anders blijf je maar weg.'

Pascoe haalde diep adem en knikte toen.

'U hebt gelijk. Oké. Maar wacht heel even. Ik moet even met Wieldy praten.'

De brigadier luisterde zwijgend naar wat hij te zeggen had. Proberen zijn reactie van zijn gezicht af te lezen was vergelijkbaar met het zoeken van een los steentje in een puinhoop, maar Pascoe merkte dat hij zich niet op zijn gemak voelde.

'Luister,' zei hij enigszins aangebrand. 'Het is heel simpel. We hebben een vent die zich volgens de baas van kant gemaakt heeft en ik heb gehoord dat hij een paar maanden geleden waarschijnlijk een persoonlijk verlies geleden heeft. Zou de lijkschouwer niet iets van ons willen horen dat licht op Sam Johnsons gemoedsgesteldheid zou kunnen werpen?'

'Waarom bel je dan niet zelf met Sheffield?'

'Omdat, zoals je maar al te goed weet, Wieldy, toen ik hun de laatste keer om hulp vroeg, alles zo'n beetje spaak liep. Roote kwam met doorgesneden polsen in het ziekenhuis terecht en er werd gefluisterd over agressief politieoptreden. Dus bij de naam Pascoe gaan er vast wel een paar haren overeind staan.'

'Alleen als-ie weer in verband wordt gebracht met de naam Roote,' zei Wield. 'Maar nu toch niet?'

'Natuurlijk niet. Dit verhoor gaat strikt over zelfmoord. Geen enkele noodzaak om de naam Roote te noemen. Al kun je, als je tóch bezig bent, wél even navragen bij het ziekenhuis waar Roote heeft gewerkt of er soms Midazolam is verdwenen terwijl hij daar was.'

'Nog steeds zonder zijn naam te noemen?' vroeg Wield.

'Kan me niet schelen wat je noemt,' zei Pascoe, die kwaad werd. 'Ik weet alleen dat ik een rat ruik en dat-ie Roote heet. Ga jij het doen of zal ik het zelf doen?'

'Mij lijkt het een bevel, *sir*,' zei Wield.

Het was voor het eerst in lange tijd dat Wield hem buiten officiële openbare evenementen 'sir' had genoemd.

Maar toen hij zich omdraaide, hoorde hij de brigadier zeggen: 'Pete, je doet daarbinnen toch wel kalm aan, hè?'

In de verhoorkamer legde Dalziel de feiten van de vergiftiging enigszins ruwer op tafel dan Pascoe gedaan zou hebben. Toen hij vertelde dat iemand de Midazolam eerst in de fles whisky had gedaan en later had overgeschonken in de koffiebeker, onderbrak Roote hem.

'We hebben geen koffie gedronken. Dat is het bewijs. Er moet iemand anders geweest zijn.'

Dalziel knikte en maakte een notitie, alsof hij dankbaar was voor de suggestie. Pascoe kwam binnen.

'Wat heb jíj gedronken?'

'Whisky. En we hebben een sandwich gegeten.'

'Wat voor sandwiches?'

'Weet ik veel. Ik had er een met kaas, hij met kip, geloof ik. Op weg naar huis van de pub is hij bij het tankstation langs geweest om ze te kopen, dus smaakten ze allemaal hetzelfde, als ik het zeggen mag. Is dit relevant of zo?'

'Een noodzakelijk detail, mr. Roote,' zei Pascoe, die wist hoe nuttig het kon zijn op dingen te blijven hameren die een verdachte irriteerden. 'Hebt u nog iets anders gegeten? Of een van u?'

'Nee. Jawel, Sam had een paar chocoladerepen gekocht, Yorkies. Die heeft hij opgegeten. Ik eet geen chocola.'

'Hoezo?'

'Ik krijg er migraine van. Wat is hier in godsnaam aan de hand? Wat heeft dat te maken met Sams dood?'

'Hebt u even geduld met me, mr. Roote. Die Yorkie-reep die u niet hebt gegeten, hebt u die uit de wikkel gehaald?'

'Natuurlijk niet! Waarom zou ik dat in godsnaam gedaan hebben?'

'Misschien dat u chocola mist, en al kunt u het niet eten, misschien kijkt u er graag naar, wilt u er graag aan ruiken?'

'Nee! Jezus christus, mr. Dalziel, ik heb een dierbare vriend verloren en het enige wat ik te horen krijg, is gelul over mijn eetgewoonten!'

Iedereen in zijn plaats die een beroep deed op de Dikke Man zat tot zijn nek in de problemen, dacht Pascoe met leedvermaak.

Dalziel zei: 'Mr. Pascoe doet alleen zijn best de zaken op een rij te krijgen, mr. Roote. Laten we teruggaan naar die koffie. U zegt dat u geen koffie gedronken hebt, dus heeft hij die waarschijnlijk gezet nadat u was weggegaan, klopt dat?'

'Dat klopt. Er moet nog iemand anders zijn geweest, iemand die hij kende.'

'U houdt wél vast aan die andere bezoeker,' zei Dalziel vol twijfel. 'Maar we hebben maar één beker gevonden en ons lab heeft vastgesteld dat Johnson er wel degelijk uit heeft gedronken.'

'Wat bewijst dat? Een beker is zó omgewassen. Welke cafétière heeft hij gebruikt?'

'Hoe weet u dat hij een cafétière heeft gebruikt?'

'Hij maakte altijd echte koffie. Hij spoog op instant. En hij had een kleine cafétière voor één kopje die hij gebruikte als hij alleen was en een grote als hij bezoek had. Dit was zeker de grote?'

'U bent in de kamer geweest, mr. Roote. U hebt het waarschijnlijk zelf gezien. Op het tafeltje naast zijn stoel.'

'Ik heb niet naar dat klotemeubilair gekeken, sukkel die je bent!' schreeuwde Roote, waarbij hij zo heftig overeind sprong dat zijn stoel achteroverviel en de tafel in de richting van zijn twee ondervragers verschoof.

'Verhoor geschorst terwijl getuige kalmeert,' zei Dalziel onverstoorbaar.

Buiten zei hij: 'Die knul had het zo te zien niet meer. Je zat toch niet achter mijn rug gezichten te trekken, hè?'

'Nee,' zei Pascoe. 'Roote is degene die een lange neus naar óns trekt. We moeten uitzoeken wat hij achterhoudt.'

'Plastische chirurgie met de wapenstok, bedoel je? *Nay*, da's niet óns werk. Ik snap alleen niet dat hij, áls hij er iets mee te maken heeft, zo'n stennis maakt.'

'Hij is slim en hij is sluw,' zei Pascoe. 'Dat we niet snappen wat hij in z'n schild voert, wil niet zeggen dat hij niet weet wat hij doet.'

'Ik wou dat we dat van onszelf konden zeggen. Zeg, die verrekte cafétière. Welke heeft Johnson gebruikt, de grote of de kleine?'

'De grote. En ja, zo te zien is er meer dan één kop uit geschonken, aangenomen dat hij hem om te beginnen helemaal vol had. De patholoog-anatoom veronderstelt dat Johnson vlak voor zijn dood een aanzienlijke hoeveelheid koffie heeft gedronken, maar het menu vermeldt geen exacte maten.'

'Nooit, als je ze nodig hebt. Nutteloze stumpers, artsen,' zei Dalziel. 'En al dat gezeur over een Yorkie-reep?'

'Ik zat hem alleen maar te stangen. Die andere was uit z'n wikkel gehaald en op de schoorsteenmantel neergelegd. Waarschijnlijk was Johnson van plan geweest hem op te eten, maar is hij er niet aan toegekomen.'

'Ik zou er zelf wel eentje lusten,' zei Dalziel over zijn buik wrijvend. 'Wat vind jij, knul? Ik bedoel, als Roote hier niets mee te maken had, zou jij dan iets anders doen dan tegen de lijkschouwer zeggen dat alles erop wijst dat hij de hand aan zichzelf heeft geslagen?'

Pascoe dacht na, en zei toen: 'Dan zou ik nog altijd willen weten hoe Johnson aan die Midazolam was gekomen. En waarom hij het eerst in de whisky deed in plaats van rechtstreeks in zijn koffie.'

'Goeie vragen,' zei Dalziel. 'Laten we weer teruggaan, oké? Kijken of hij gekalmeerd is, dan zullen we hem nóg wat op stang jagen.'

Ze gingen weer naar binnen. Roote was, althans uiterlijk, weer zijn gewone volkomen beheerste zelf.

Dalziel hervatte de ondervraging alsof er niets gebeurd was.

'Dat studieoverleg dat u met doctor Johnson had, 'n beetje op een raar tijdstip, hè, rond de lunch op zondag? Ik bedoel, de meeste mensen zitten dan met hun naasten en dierbaren aan het gebraad met Yorkshirepudding.'

'Ik meen me te herinneren dat we u in The Dog and Duck hebben achtergelaten, hoofdinspecteur,' zei Roote.

'*Aye*, nou, ík ontmoet mijn naasten en dierbaren in de pub,' zei de Dikke Man. 'Waar ging dat studieoverleg eigenlijk over?'

'Wat heeft dat met de hele gang van zaken te maken?'

'Misschien dat we dan begrijpen hoe het met de geestelijke toestand van doctor Johnson gesteld was,' mompelde Pascoe.

'Zijn geestelijke toestand is niet van belang,' hield Roote vol. 'Jullie willen het nog altijd afdoen als zelfmoord, hè? Sam was niet suïcidaal.'

'Dat kun jíj weten, nietwaar?' zei Dalziel.

'U zei?'

'Je hébt toch een paar maanden geleden je polsen doorgesneden, meen ik me te herinneren?'

'Ja, maar dat was...'

'Meer een gebaar? *Aye*, wie weet dat die beste doctor óók maar een gebaar maakte. Wie weet had hij gewild dat ze hem op tijd met zijn boek op z'n schoot zouden aantreffen zodat er nog gelegenheid te over zou zijn om zijn maag leeg te pompen en dat hij vervolgens gekoesterd door zijn liefhebbende vrienden lekker kon revalideren. U ziet zichzelf toch als een liefhebbende vriend, mr. Roote?'

Eén seconde zag het ernaar uit dat er opnieuw een uitbarsting zou volgen, maar zover kwam het niet.

In plaats daarvan glimlachte hij en zei: 'Laat ik u behoeden, hoofdinspecteur, zowel in de archaïsche als de moderne betekenis van het woord. U denkt misschien dat Sam en ik een nichtenstel waren dat onder de lunch ruzie kreeg, en dat ik mijn geduld verloor en Sam besloot me een lesje te leren door een zorgvuldig afgepast, niet-dodelijk goedje te slikken in de hoop dat ik ruimschoots op tijd zou terugkomen om zijn reanimatie te bewerkstelligen, waarna het de verdere dag een en al verzoening en boetvaardigheid, en niet te vergeten coïtus geblazen zou zijn. Maar toen ik niet terugkwam, is hij niet gestopt met drinken. En nu doe ik, verscheurd door schuld, mijn best mijn opspelende geweten te sussen door vol te houden dat ik de moordenaar was.'

Pascoe voelde een onwaardige steek van geamuseerdheid toen hij wat hij van Dalziels absurde theorie vond zo precies geformuleerd hoorde worden.

De Dikke Man vertoonde echter geen enkel teken van gêne.

'Jandorie, inspecteur,' zei hij tegen Pascoe. 'Hebt gij dat gehoord? Hij weet de vragen vóór ze gesteld zijn! Als we er meer zo krijgen, hoeven we hun alleen maar te leren hoe ze zichzelf in elkaar moeten rammen, en dan hebben wij geen werk meer.'

'Nee, sir. Dan hebben we nog altijd iemand nodig die naar het antwoord luistert,' zei Pascoe. 'En dat is, mr. Roote?'

'Het antwoord is nee. Sam en ik waren vrienden, goede vrienden, geloof ik. Maar allereerst was hij mijn leraar, een man voor wie ik meer respect had dan voor wie ook, een man die een enorme bijdrage zou hebben geleverd aan de wetenschap en wiens verlies, zowel persoonlijk als intellectueel, bijna ondraaglijk voor me is. Maar ik moet wel, al was het alleen maar om er zeker van te zijn dat zwetsende incompetentelingen als jullie niet zo'n zooitje van dit onderzoek maken als jullie er in het verleden van hebben gemaakt.'

'Niemand is volmaakt,' zei Dalziel. 'Maar we hebben jóú, lachebek.'

Roote glimlachte en zei: 'Dat kan wel zijn. Maar jullie hebben me niet kunnen vasthouden, hè?'

Waarop Dalziel terug glimlachte.

'We krijgen hen wel te pakken, knul. Het is aan de advocaten om te beslissen wie er worden vastgehouden en opgesloten en wie er als ondermaats worden teruggegooid tot ze groot genoeg zijn geworden dat ze de moeite waard zijn om vast te houden. Denkt u dat u al

224

groot genoeg bent, mr. Roote? Of bent u nog steeds een onvolwassen jongetje?'

Pascoe had graag gezien hoe deze verbale tennismatch zich zou ontwikkelen, maar op dat moment ging de deur van de verhoorkamer open en kwam Bowler weer binnen, die zo te zien erg opgelucht was dat hij van zijn plicht was ontheven om op Roote te passen.

'Sir,' zei hij enigszins smekend tegen Dalziel. 'Kan ik u even spreken?'

'*Aye*. Het zal een hele verandering zijn om weer eens met een volwassene te praten,' zei Dalziel.

Hij stond op en ging het vertrek uit. Pascoe nam het allemaal op band op, maar schakelde het apparaat niet uit.

Roote schudde zijn hoofd en zei vol wrok: 'Hij weet wél hoe hij ze moet opsluiten, hè? Dat moet je mr. Dalziel nageven. Hij is een stuk slimmer dan hij eruitziet. Vandaar dat hij er misschien ook zo uitziet.'

'Wat is daar mis mee?' vroeg Pascoe. 'Je discrimineert toch niet op omvang, hoop ik?'

'Dat geloof ik niet, al heeft elke maat zijn beperkingen, nietwaar?'

'Zoals?'

Roote dacht even na, waarna hij samenzweerderig grinnikte.

'Nou, Dikke Mannen schrijven geen sonnetten,' zei hij.

Hij neem het heft in handen, dacht Pascoe. Hij wil dat ik vraag waarom niet. Of iets dergelijks. Verander van koers.

Hij zei: 'Vertel eens iets over "Dream-Pedlary".'

De koersverandering scheen te werken. Heel even keek Roote vragend.

'Het is een gedicht,' zei Pascoe. 'Van Beddoes.'

'Goh, bedankt,' zei Roote. 'Wat heeft dat ermee te maken?'

'Doctor Johnson – Sam – was het aan het lezen. Tenminste, daar lag het boek op zijn schoot opengeslagen.'

Roote sloot zijn ogen alsof hij moeite deed het zich te herinneren.

'*Complete Works*, samengesteld door Gosse, uitgave van Fanfrolico Press uit 1928,' zei hij.

'Dat klopt,' zei Pascoe met een blik op zijn als altijd uitgebreide notities. 'Geïllustreerd met Holbeins *Dodendans*. Hoe wist u dat het die uitgave was, mr. Roote? Er stonden diverse verzamelbundels met Beddoes' gedichten bij Sam in de boekenkast.'

'Het is een van zijn favorieten. Hij hield van houtsneden. En hij had hem al eens eerder gebruikt.'

'Tijdens uw *studieoverleg*, bedoelt u?'

Roote negeerde de sceptische ondertoon en zei: 'Dat klopt. Maar hij gebruikte met name de eerste bundel, met de brieven en *Death's Jest-Book*. "Dream-Pedlary" staat in het tweede deel. Degene die hem heeft vermoord, moet het daar hebben neergelegd.'

'Aha,' mompelde Pascoe. 'Enig idee waarom?'

Roote sloot zijn ogen en Pascoe zag zijn lippen zwijgend bewegen. Ondanks zijn bleekheid en de donkere kringen onder zijn ogen leek hij even op een kind dat probeert zich zijn les te herinneren. En Pascoe, die het gedicht ge- en herlezen had, kon de strofen op die bleke lippen volgen en de aarzeling merken toen ze bij het vierde belandden.

> *If there are ghosts to raise,*
> *What shall I call,*
> *Out of Hell's murky haze,*
> *Heaven's blue pall?*
> *Raise my loved long-lost boy*
> *To lead me to his joy.*
> *There are no ghosts to raise;*
> *Out of death lead no ways;*
> *Vain is the call.*

'Nee,' zei Roote. 'Ik kan geen speciale reden bedenken, behalve dat het over de dood gaat.'

'Mij lijkt na een vluchtige blik in de bundel,' zei Pascoe, 'dat je kunt zoeken wat je wilt, maar negen van de tien gaan over de dood.'

'Zo weinig?' zei Roote met een boosaardige grijns. 'Ik denk dat ik er nu maar vandoor ga, mr. Pascoe. We komen duidelijk niet verder. Mr. Dalziel is ervan overtuigd dat Sam zelfmoord heeft gepleegd. U daarentegen hebt de indruk, of zal ik zeggen geeft er de voorkeur aan, dat ik hem heb vermoord. Nou, net als mr. en mrs. Sprat hoop ik dat u tot overeenstemming kunt komen. Tot die tijd...'

Hij wilde opstaan.

Pascoe zei: 'Weet u, wat ik me afvroeg was of, wat betreft doctor Johnsons redenen om uit Sheffield te willen vertrekken, de verwijzing in het gedicht naar zijn *beminde lang verloren zoon* misschien een rol heeft gespeeld. Hebt u daar iets over te zeggen, mr. Roote?'

226

De in het zwart gehulde gestalte met het bleke gezicht verstijfde als een mimespeler midden in een beweging.

Toen ging de deur open.

Dalziel zei: 'Peter, even dit: sluit het gesprek maar af als je dat al niet gedaan hebt.'

Kwaad zette Pascoe de band stil en liep naar buiten.

'Slechte timing, sir,' zei hij. 'Ik begon net iets bij hem te bereiken.'

'Dat betwijfel ik. Of hij weet heel wat meer dan hij wil doen geloven, of hij kan erg goed raden. Hoe dan ook, we moeten een time-out inlassen en onze tactiek herzien.'

'Waarom? Wat is er gebeurd?'

'Weet je nog dat we het personeel van de bibliotheek hebben gezegd dat ze hun ogen open moesten houden? Welnu, ze hebben vanmorgen weer een verdachte envelop gevonden en die opgestuurd. Ik heb net even iets gelezen.'

'En?' vroeg Pascoe, die het antwoord al wist.

'Iemand heeft de kluit ontzettend belazerd en ons te grazen genomen,' zei Dalziel somber. 'Het ziet ernaar uit dat onze vriend Johnson nummer vijf van de Woordman is geweest.'

24

De vijfde dialoog

O, die klokken, steeds die klokken!

Ja, ik weet het, net als doedelzakken maken ze een mooi geluid – van in zonde verbonden volwassenen naar een kuise Schot op kilometers afstand!
Maar van dichtbij, als je een kater hebt...
Wie anders dan een sadist zou een alarmsignaal programmeren op de enige vastgestelde rustdag?

Neem me niet kwalijk. Blasfemie. Geen sadist, maar mijn licht en redding; vandaar dat ik geen zak te vrezen heb.
Maar het geluid werkt op mijn zenuwen.
Lawaaiige klokken, zwijg. Ik hoor jullie, ik kom eraan.
En uiteindelijk kwam ik inderdaad bij dat statige oude bordes, niet gedreven door voorbedachten rade maar door de kronkelingen van dat slangenpad dat, weet ik na de Feydeau-klucht van de gebeurtenissen in het Centrum, ik nu in volmaakte onschendbaarheid kan volgen.

Ja, ik weet dat ik geen aansporing nodig zou moeten hebben maar ik ben altijd een erg goede weifelaar geweest.
Hij ging net het gebouw in toen ik aan kwam lopen. Zodra ik hem zag, wist ik waarom ik daar was. Maar het moment was nog niet daar, pas over een poosje, want de klokken tikten nog en de klokken luidden nog, en het hele chronometrische keurslijf van het dagelijks bestaan hield me in zijn vormende greep gevangen. Bovendien: hij was niet alleen en al zouden twee even gemakkelijk zijn als één, de zuiverheid van mijn koers mocht niet bezoedeld worden door een zinloos sterven.
Hoe dan ook, ik was nog niet klaar. Er moesten voorbereidingen worden getroffen, want elke stap op mijn pad is een vordering in het leerpro-

ces dat me van een gretige leerling tot een gelijkwaardige partner maakt.

Twee uur later kwam ik terug. Twee uur, omdat dat de tijd was die met mijn gang over het pad gemoeid was voor mijn voorbereidingen, en het wekte qua tijd geen verbazing dat mijn timing perfect was, want de bezoeker ging net weg en glipte door de deur de straat op als de schim waar hij op lijkt, met het gevolg dat de deur niet met voldoende grandeur weer dichtzwaaide om in het slot te vallen en ik kon binnengaan zonder aan te bellen, behalve bij zijn appartement.

Hij was verbaasd me te zien al wist hij dat goed te verbergen, noodde me hoffelijk binnen en bood me iets te drinken aan.

Ik zei koffie om hem de keuken in te krijgen.

En toen hij zich omdraaide en me alleen liet, voelde ik mijn aura door mijn huid heen ademen, terwijl de tijd vaart minderde als een havik die rondscheert tot hij zijn roerloze apogeum bereikt.

Door de halfopen deur zie ik dat hij filterkoffie zet. Bij mij verdient een onverwachte en waarschijnlijk ongewenste gast hooguit een lepeltje instant. Ik voel me gevleid en ontroerd door die hoffelijkheid.

En in ruil ga ik net zo behoedzaam om met zijn drank door een zorgvuldig geschatte hoeveelheid uit mijn fiool in de geopende whiskyfles te schenken die bij het geopende boek en lege glas op het tafeltje naast zijn stoel staat. Geen risico dat ik gestoord zal worden. Ik ben zijn boekenkast aan het bekijken als hij met de cafétière binnenkomt.

Ik zie dat hij twee mokken heeft meegenomen. Bevond ik me nog in de tijd, dan was ik misschien ongerust geworden, uit angst dat hij, door samen met mij koffie te drinken, geen whisky meer tot zich zal nemen tot hij in het gezelschap is van een ander die zijn symptomen zou kunnen zien en zich moeite getroost om hem te redden. Maar buiten de tijd ga ik zitten en glimlach, gesterkt in mijn zekerheid dat wat geschreven is, is geschreven en niemand die koers kan veranderen.

Hij schenkt de koffie in, pakt vervolgens de fles en biedt aan er iets van in mijn mok te gieten. Ik aarzel en schud vervolgens mijn hoofd. Ik moet nog werken, maak ik hem wijs: werk dat een helder hoofd vereist.

Hij glimlacht de glimlach van iemand die niet gelooft dat drank zijn beoordelingsvermogen aantast en, om dat te bewijzen, giet hij ruim drie centimeter scotch bij zijn koffie.

Die arme doctor. Hij heeft gelijk natuurlijk. Drank tast niet langer zijn beoordelingsvermogen aan omdat hij juist vanwege zijn aangetaste beoordelingsvermogen drinkt. Weet hij al wat hem vanwege zijn ongeluk te wachten staat? Beseft hij hoe ongelukkig hij is? Ik betwijfel het, anders had hij al zonder mijn hulp de rust gezocht die ik hem weldra geven zal.

Hij drinkt met zichtbaar genot van zijn dubbel opgepepte koffie. Dit

229

is goed geregeld. Twee sterke smaken als camouflage voor één zwakke, hoe sterk ook in alle andere opzichten.

We praten en drinken. Hij geniet. Hij schenkt nog wat koffie in, nog wat scotch. We drinken en praten… en praten… al rollen algauw de woorden die in zijn verbeelding pareltjes zijn onherkenbaar over zijn lippen en blijven daar, moeilijk los te werken, maar omdat alles in zijn hoofd nog zo helder is, denkt hij dat het zomaar, zijns ondanks, gebeurt: een te droge mond misschien die gemakkelijk verholpen is door nog meer drank.

Hij geeuwt, wil zich verontschuldigen, kijkt ietwat verbaasd als hij ontdekt dat dat hem niet lukt, grijpt zijn borst vast, begint te hijgen. In de tijd zou ik verbaasd geweest zijn. Had ik gekeken tot hij in slaap viel, waarna ik het kussen waar zijn hoofd op ligt zou hebben gepakt om hem met behulp daarvan een nog vrediger rust te bezorgen. Maar nu zie ik dat ik niet geroepen ben om nog méér te doen, ben ik niet verbaasd. Hij houdt op met hijgen, sluit zijn ogen en zakt onderuit in zijn stoel. Weldra is zijn adem zo zwak dat geen rozenblaadje erdoor van zijn bloem zou dwarrelen. Weldra bemerk ik geen enkele adem meer. Ik leg een haar op zijn lippen en besteed dan een paar minuten aan het afwassen van mijn koffiemok en zorg ervoor dat mijn aanwezigheid geen sporen achterlaat. Als dat gedaan is, controleer ik of de haar niet van plaats is veranderd. Hij is dood. Ging alles maar zo eenvoudig. Nu regel ik dat hij zal worden gevonden zoals hij zich dat gewenst zou hebben – op zijn gemak, met zijn boek en zijn fles – en sluip zachtjes weg alsof ik bang ben hem wakker te maken. Zachtjes, maar ook treurig.

Ja, ditmaal ben ik verbaasd zoveel treurnis in mijn vreugde te bespeuren, een melancholisch gevoel dat me zelfs bijblijft als ik de lege straat op ga en opnieuw de trilling van de tijd onder het trottoir voel.

Waarom dan?

Misschien omdat hij zo hartelijk glimlachte en echte koffie zette in plaats van instant.

Misschien omdat het een man betrof die gelukkig had moeten zijn maar voor wie, zoals hij zelf gezegd zou kunnen hebben, het leven veel te saai werd…

Nee, geen twijfels, geen wroeging.

Alleen een gevoel dat, hoe aanlokkelijk mijn eindbestemming ook, deze reis me naar oorden voert die ik liever niet zou bezoeken.

Ja, hoor eens even, niemand heeft gezegd dat er alleen rozen op dat pad zouden liggen. Ja, hoor eens, de dood is niet erg, de zoveelste bocht in het pad. Maar is niet geboren worden misschien niet de beste optie? We spreken elkaar spoedig.

25

DE DIALOOG WAS ZOALS GEWOONLIJK AANGETROFFEN IN EEN VAALGELE envelop, wederom geadresseerd aan *Naslagwerken Bibliotheek*, weggestopt achter een stapel op te bergen boeken op de receptiebalie, dicht bij de plek waar de mand met de ochtendpost was neergezet.

Of hij daar per ongeluk was terechtgekomen of er met opzet was neergelegd, was onmogelijk te zeggen omdat niemand van het personeel met absolute zekerheid kon vaststellen dat hij daar niet sinds maandag onopgemerkt had gelegen. Erger nog vanuit Dalziels standpunt, was het feit dat de jonge bibliothecaresse die de envelop had gevonden haar vermoedens over de inhoud aan haar naaste medewerkers en enkele luistervinkende cliënten had medegedeeld alvorens de politie te bellen. De Vierde Dialoog uit de publiciteit houden was eenvoudig geweest, omdat alleen de bewakingsdienst van het Centrum, die de envelop ongeopend had afgegeven, tot zwijgen moest worden gemaand. Maar nu al geruchten over de Vijfde begonnen te circuleren, zou de zwijgzaamheid over de Vierde algauw een pr-ramp kunnen worden, en Dalziel had van hogerhand orders gekregen dat hij als eerste met zijn onthullingen op de proppen moest komen. Dus werd een verklaring uitgevaardigd en voor een latere datum een persconferentie in het vooruitzicht gesteld.

Pascoe zag, na de nieuwe Dialoog te hebben verwerkt, geen reden van tactiek te veranderen.

'Dit verandert niets,' zei hij. 'Behalve misschien dat we nu weten waarom Roote stennis heeft geschopt. Waarom zou je er een andere draai aan geven als je weet dat de Dialoog met een volledige bekentenis onderweg is? Of misschien dacht hij dat we die Dialoog al gezien hadden en een staaltje bluf tegenover hem wilden weggeven door er niet over te praten, en dat dat hem niet lekker zat.'

'Maar sir,' zei Bowler, 'de Woordman beschrijft dat hij Roote samen met doctor Johnson naar binnen ziet gaan, en dat hij daarna moest wachten tot Roote naar buiten kwam.'

'Jezus,' zei Pascoe geïrriteerd. 'Als Roote de Dialoog heeft geschreven, wat zou hij dan anders zeggen? Ik bedoel, hij weet dat wij weten dat hij daar is geweest. Jullie hebben hem zondag allebei samen met Johnson zien weggaan, we hebben getuigen die zich herinneren dat ze hen het flatgebouw zagen binnen gaan – maar niet één trouwens die zich herinnert dat iemand anders daar zomaar wat rondhing – en het lab heeft in het hele appartement sporen van hem gevonden.'

'Is dat alles?' vroeg Dalziel.

'En dat gedicht dat Sam aan het lezen was. Iemand moest wel héél bekend zijn met zowel Beddoes als Sams Sheffield-verleden om ervoor te zorgen dat het boek op zoiets toepasselijks open lag.'

Hij had Dalziel verteld over de redenen waarom Johnson waarschijnlijk was verhuisd. De Dikke Man had gegeeuwd. Nu beperkte Pascoe zijn argumenten tot het mogelijk invoelender oor van Bowler.

'En als we de Dialoog bekijken, hier bijvoorbeeld, een verwijzing naar het gedicht, dit gaat over zijn adem die zo zwak is dat geen rozenblaadje erdoor van zijn bloem zal neerdwarrelen. Snappen jullie dat dan niet: dat is bijna een rechtstreeks citaat uit de eerste strofe!'

'Ik snap het wel, sir,' zei Bowler. 'Maar...'

'Maar wat?' Twijfel van Dalziel was tot daaraan toe, maar twijfel van een rechercheur betekende bijna muiterij!

'Maar het is allemaal een beetje... verdraaid, sir. Toch?'

'Verdraaid?' bauwde Dalziel hem na. 'Het lijkt verdomme wel een kronkelende slangenkuil!'

Dalziel vervolgde: 'Het is al erg genoeg dat die sukkel ons daar buiten zit uit te lachen zonder dat jij het nóg moeilijker wilt maken. Dankzij jou heeft deze Hawkeye z'n mes al in Roote gezet, en volgens mij ben je zo gefascineerd door die kleine smeerlap dat je hem tegen het licht hebt gehouden voor elk vuiligheidje dat hier sinds jouw komst wordt uitgevreten. En het heeft je geen zak opgeleverd, anders zou je hem achter de tralies gezet hebben, liefst onder de grond en in ketenen. Nog meer ideeën. Wie?'

Hat haalde diep adem en zei: 'Als we zoeken naar iemand met een sterke band met alle slachtoffers, behalve de eerste twee die zo te zien willekeurig waren, nou, dan hebben we Charley Penn. En hij rijdt in een oude brik die zou passen in de Eerste Dialoog.'

'O god,' zei Dalziel. 'Ruik ik alweer een obsessie? Ik weet dat Charley erom vraagt, na jullie gedoetje in de bibliotheek, maar vroeger of later, knul, moet je ooit eens met je hoofd gaan denken in plaats van met je pik.'

Hat bloosde en zei: 'U hebt het zelf gezegd, sir, hij is een geval apart!'

'*Aye*, dat is zo, maar daardoor is hij nog geen moordenaar,' zei Dalziel, terwijl hij zijn dossier doorbladerde. 'Hier is het. Charley Penn. Ik heb bij wijze van routine gevraagd waar hij zondagmiddag was. Hij beweerde dat hij zoals gewoonlijk zijn moeder was gaan opzoeken die een cottage heeft op het landgoed van lord Partridge in Haysgarth... dat is toch nagetrokken?'

Pascoe zei: 'Min of meer.'

Dalziel keek hem indringend aan en zei: 'Als ik aan een meisje vraag: "Vond je dat lekker, schatje?" en ze antwoordt: "Min of meer", ga ik me zorgen maken.'

Pascoe zei voorzichtig: 'Hat heeft het nagetrokken.'

'Bowler?' Hij keek als een roofdier dat zijn prooi keurt. 'Jij vond het een paar uur kostbare recherchetijd waard om die knul naar Haysgarth te sturen in plaats van het plaatselijke blokhoofd? Is dit weer een ideetje van jou, Pete?'

'Ik heb me er min of meer voor aangemeld, sir,' zei Hat nobel.

'Aha. Een ideetje van jou dus. En wat had de oude dame te zeggen?'

'Niet veel, tenminste, ik kon er niet veel van verstaan,' zei Hat spijtig. 'Ze leek te denken dat ik een lid van de Stasi was, kwebbelde een eind weg in het Duits, en toen ik haar eindelijk zover had dat ze Engels sprak, had ze zo'n vet accent dat het bijna even moeilijk te verstaan was. Het enige wat ik uit haar kreeg was dat haar Karl een fijne jongen was en van zijn ouwe *Mutti* hield, en van de heerlijke taarten die ze zo vaak bakt dat hij niet bij haar weg te branden was. Toen ik over die zondag vroeg, zei ze dat hij elke zondag bij haar was en elke andere dag die hij maar kon. En toen begon ze weer in het Duits.'

'Ze zei dus dat hij van haar taarten hield?' zei Dalziel peinzend. 'Dus je hebt geen verklaring zwart op wit?'

'Dat leek me niet handig, sir,' zei Hat schichtig.

'En ook niet nodig,' zei Pascoe. 'Ik denk dat we genoeg tijd verknoeid hebben aan Penn, tenzij iemand een *werkelijke* reden weet om Penn in de peiling te houden?'

'Als je Roote in het plaatje kunt passen, is er ruimte zat voor ongeacht welke sukkel,' zei Dalziel. 'Wat vind jij Wieldy? Heb jij iemand die je er graag bij wilt lappen? Nee? Mooi. Laten we dan met z'n allen dezelfde kant uit trekken en kijken of we die schoft van een moordenaar niet de grond in kunnen ploegen. Bowler, volgens mij slenter jij tóch zodra ik je uit het oog verlies naar die bibliotheek waar je zo dol op bent, dus waarom ga je er niet officieel heen, en je komt niet terug voordat je erachter bent wanneer die envelop is bezorgd, oké? Ook als dat betekent dat er een paar van die slome lamzakken extra uren moeten schrijven.'

'Jawel, sir. Ik ga al.'

Hij verdween.

Dalziel zei: 'Fijn om iemand gelukkig te zien als ik hem werk geef. Eens kijken of we hetzelfde kunnen doen voor jullie tweeën, rottige halvegaren.'

Hat was inderdaad gelukkig dat hij een excuus had om een bezoek aan de bibliotheek te brengen. Hij had gisteravond gedacht Rye op te bellen maar had besloten dat dat een verkeerde zet was. Er zat langzaam schot in, maar een verstandig strateeg wist wanneer hij moest doordrukken en wanneer hij terughoudend moest zijn. Zo had althans het haantje in hem de situatie geanalyseerd. Maar er was ook een duisterder gebied in hoofd en hart dat besefte dat hoe vaker hij Rye zag, hoe belangrijker het werd haar steeds weer te zien. Dit was niet zomaar een tweestrijd in die hardnekkige seksuele campagne die alle jonge haantjes in hun puberteit gaan voeren – benaderen, belegeren, marchanderen, bezetten, verder zoeken. Dit was... nou ja, hij wist niet zo goed wat het was omdat hij tot een generatie behoorde die zo nodig de spot moest drijven met het idioom van romantische liefde, en over iets waar we geen woorden voor hebben, kunnen we maar moeilijk nadenken. Maar, wist hij, haar verliezen door zich op te dringen was een dwaasheid die hij zichzelf nooit zou vergeven.

Maar nu, met zijn nieuwe geheime informatie, verwachtte hij dat hij zeer welkom zou zijn. Als een jezuïet had hij uitgedacht dat hij vanwege het besluit het bestaan van de laatste twee Dialogen openbaar te maken zelf het beste kon beoordelen aan wie hij de details verstrekte. En uiteraard zou hij haar laten zweren ze geheim te houden. Dit was ook een vorm van intimiteit, had de strateeg in het haantje gnuivend verklaard; en op die manier was elke stap een stap in de goede richting. En dat was uiteraard richting bed. Maar meer dan bed. Ontbijt en langer. Zelfs het bedgedeelte was anders. Hij had altijd met een gezonde jeugdige trek uitgekeken naar seks, maar nog nooit zoals nu, want als hij zich seks voorstelde met Rye Pomona ging het merg in zijn botten kolken en verzonk hij in een smachtende vervoering waardoor hij de parkeerplaats van het Centrum bijna via de uitrit opreed.

Nadat hij vervolgens onder een koor van protesterende claxons onder leiding van opgewonden agressieve vingers was achteruitgereden, vond hij de juiste ingang, parkeerde en liep naar de grote bibliotheek.

Met het beeld van een opgewonden Dalziel nog vers in zijn geheugen was zijn onderzoek zó angstvallig zorgvuldig dat de twee vrouwen en die ene man die erbij betrokken waren in opstand kwamen. Maar door hen te dwingen zich te herinneren welk van de gereserveerde boeken eerder die week waren opgehaald, slaagde hij erin vast te stellen dat de mogelijkheid die de doorslag gaf was dat de envelop er maandagmorgen niet had gelegen. Dinsdag, gisteren dus, de dag waarop Johnsons lijk was gevonden, was minder zeker. En vandaag, woensdag, was de envelop natuurlijk gevonden.

Toen hij had vastgesteld dat hij niet meer uit hen zou kunnen krijgen, vertrok hij en ging naar boven, naar de afdeling Naslagwerken. Omdat het nu lunchtijd was, tuurde hij in het voorbijgaan de personeelskamer in om te zien of Rye daar haar boterham zat te eten. Geen spoor van haar te bekennen, noch op het eerste gezicht in de uitgestorven bibliotheek.

Hij ging naar de receptie en achter de balie de half openstaande deur van het kantoor door, hij gluurde naar Dick Dee, die gebogen zat over iets op zijn bureau dat hem zo in beslag nam dat hij niets merkte toen Hat stilletjes naderbij kwam.

Hij was scrabble aan het spelen… nee, geen scrabble, dat moest dat rare spel zijn: paronomania. Hat was blij met zichzelf omdat hij het woord nog wist, maar zijn blijdschap werd bijna onmiddellijk tenietgedaan door een jaloerse vaststelling dat Dees tegenspeler Rye was.

Toen met veel geklik steentjes werden verschoven, schudde Dee zijn hoofd, terwijl hij bewonderend glimlachte om een geniale zet, en zei: 'O, slimme mof, héél goed, hoor.'

En Bowler kreeg net de tijd om zich af te vragen waarom Dee 'mof' tegen Rye zei, toen een hoogst onvrouwelijke stem antwoordde: 'Dank je wel, hoerenzoon,' en na zijn aarzelende klop de goed geoliede deur net genoeg openging dat hij het markante profiel van Charley Penn kon zien.

'Mr. Bowler, kom alstublieft binnen,' zei Dee beleefd.

Hij ging het kantoor binnen. De mannen aan de muur schenen hem kritisch in zich op te nemen als kandidaat voor een baan waarvan zij dachten dat hij die niet zou krijgen. In tegenstelling tot het tienertrio op de foto op het bureau, dat recht door hem heen een wereld leek te zien die ze met vereende krachten zonder twijfel dachten in hun zak te kunnen steken.

'Is uw boodschap van ornithologische, amoureuze of autoritaire aard?' vroeg Dee.

'Pardon?' vroeg Hat.

Penn grijnsde hem toe. Hat kreeg, ongebruikelijk voor iemand die van nature niet agressief is, zin hem voor zijn bek te rammen.

'Hebt u informatie over vogels nodig? Of wenst u naar Rye te informeren? Of komt u ons ondervragen over de laatste Dialoog?'

Hat was Penn al vergeten en vroeg, naar hij hoopte op neutrale toon: 'Wat bedoelt u daarmee, mr. Dee?'

'Het spijt me,' zei Dee. 'Is het vertrouwelijk? Natuurlijk is het vertrouwelijk. Vergeet wat ik gezegd heb. Dat was grof van me, en zeker geen onderwerp om grapjes over te maken.'

Het excuus kwam eerder over als oprecht dan als een loze formaliteit.

'Mr. Dee, ik zeg niet dat er weer een is geweest, maar als dat zo was, zou ik graag willen weten wat u ervan weet,' hield Hat vol.

'Ik weet alleen wat alle bibliotheekmedewerkers weten: dat er vanmorgen een verdachte envelop is gevonden die aan de politie is overhandigd, en dat die sindsdien niet is terugbezorgd – al is dat misschien tevens het doel van uw bezoek – in dat geval lijkt het waarschijnlijk dat het iets bevatte wat voor u van belang is. Maar alstublieft, vergeet en vergeeft u mijn nieuwsgierigheid. Het is niet mijn bedoeling u beroepshalve in verlegenheid te brengen.'

'Let maar niet op mij, hoor,' zei Penn met zijn raspende stem. 'Ik vermoed dat jullie weer iets van die gek hebben gehoord en dat het iets met Sam Johnson te maken heeft. Klopt dat?'

'Raadt u zomaar in het wilde weg, mr. Penn?' vroeg Hat.

Hij keek de auteur recht aan en hield zijn blik een poosje vast, waarna hij zijn ogen neersloeg. Ga nooit een gevecht aan dat de strijd niet waard is. Zijn blik rustte toevallig op het paronomania-bord. Het had dezelfde stervorm als het bord dat hij in Penns flat had gezien, maar er stonden andere tekens op. Het leek wel of ze waren overgenomen van een oude landkaart: bolwangige cherubijnen, spuitende walvissen, torenhoge ijsschotsen, dartele zeemeerminnen. Het spel was in een ver stadium waarin talrijke steentjes waren uitgelegd die alle kanten uitgingen, maar geen van de lettercombinaties zei Hat iets. En er waren drie steuntjes voor steentjes in gebruik, voor de twee spelers tegenover elkaar elk een, de derde tussen hen in. Het kan maar met z'n tweeën gespeeld worden, herinnerde hij zich dat Rye had gezegd. Waarom zou ze liegen? Tenzij zij de derde speler was, die in een rare *ménage à trois* verwikkeld was met die twee?

Die gedachte was even weerzinwekkend als zilvervis in een slakom, maar vóór hij die uit zijn hoofd kon spoelen, betrapte hij zich erop dat hij naar een plek zocht waar Rye zich vanwege zijn komst teruggetrokken kon hebben.

Die was er niet. Er was niet eens een raam waar je uit kon klimmen.

Jezus, Bowler! Je wordt wél een geschifte gek, zei hij kwaad tegen zichzelf.

Charley Penn beantwoordde zijn uitgesproken vraag.

'Niet in het wilde weg, in geen enkel opzicht, en geraden is het ook niet, agent. Het eerste wat wij allemaal dachten toen we gisteren over die arme Sam hoorden was: het móét die Woordman zijn. Vervolgens begon men te fluisteren over zelfmoord. Tja, dat leek niet onmogelijk. Van te veel Beddoes raak je uit de koers. Maar hoe meer ik nadacht, hoe minder waarschijnlijk het leek. Ik mag hem dan niet lang gekend hebben, maar ik had hem sterker ingeschat. Heb ik gelijk of niet? Als er in die envelop waar Dick het over had inderdaad een nieuwe Dialoog zit, gaat die vast over Sam Johnson, klopt dat?'

'Geen commentaar,' zei Hat. 'Mr. Dee, is Rye hier?'

'Sorry, pech gehad,' zei Dee. 'Ze is geveld door dat griepvirus dat hier heerst. Ze zag er gisteren zo ziek uit dat ik haar naar huis heb gestuurd met de woorden dat ze niet eerder mocht terugkomen tot ze beter was en onze lezers veilig zijn.'

'Juist. Dank u.'

Toen hij zich omdraaide, zei Dee: 'Wilt u haar telefoonnummer hebben? Ik weet zeker dat het haar goed zou doen als ze wist dat u naar haar hebt geïnformeerd.'

Dat was aardig, dacht Hat, die zich meende te herinneren dat de bibliothecaris zich nog niet zo lang geleden niet in staat achtte Ryes nummer door te geven. Ze had vast iets gezegd waaruit bleek dat hun relatie een stapje verder was gekomen.

Voor hij kon antwoorden, sneerde Penn: 'Héb je haar nummer nog niet, knul? Je boekt ook weinig vooruitgang!'

Hat weerstond de verleiding te antwoorden dat hij heel wat meer vooruitgang had geboekt dan sommige bejaarden niet zo ver hiervandaan, en dat ze hem haar nummer ongevraagd gegeven had. In plaats daarvan haalde hij zijn opschrijfboekje te voorschijn en zei:

'Dat zou heel vriendelijk zijn, mr. Dee. Ik schijn mijn pen vergeten te zijn. Mag ik uw potlood lenen?'

Hij liep naar het bureau, pakte een potlood en bleef er besluiteloos mee in zijn hand staan.

Vanuit zijn positie kon hij de steentjes in het derde steuntje zien. Het waren er zes. J O H N N Y.

Dee gaf hem, met een vaag samenzweerderig lachje, alsof hij maar al te goed wist dat dit een wassen neus was, het nummer. Zorgvuldig schreef Hat op: *Johnny*.

'Dank u, mr. Dee,' zei hij. 'Ik zal zeker naar Ryes gezondheid informeren. Goedendag.'

Zonder een blik op Penn liep hij weg. Hij begreep, tegen heug en meug, waarom Rye Dick Dee zo in bescherming nam. De man had iets bijna naïef goedmoedigs. Echter, de geringste bijstelling van zijn gevoelens omtrent de bibliothecaris werd op zijn zachtst gezegd in evenwicht gebracht door het gestaag stijgen van zijn antipathie voor de auteur. Opgeblazen zak!

En voor hij het wist stelde hij zich voor hoe mooi het zou zijn te kunnen bewijzen dat Penn de Woordman was en hem in de boeien te slaan.

Met dat soort gevoelens moest je uitkijken, vermaande hij zichzelf streng. Nu hij weer op goede voet met de baas stond, zou het stom zijn dat op het spel te zetten door zijn oordeel te laten benevelen vanwege een persoonlijke aversie.

Toen hij de bibliotheek verliet, pakte hij zijn gsm met de bedoeling Ryes nummer te draaien, maar vóór hij daarmee kon beginnen, rinkelde het ding.

'Bowler,' zei hij.

'Pascoe. Waar ben je?'

'Ik ga net weg bij de bibliotheek.'

'Iets gevonden?'

'Niet echt.'

'Dan ben je daar een hele tijd voor niets geweest,' zei Pascoe verwijtend. 'Je hebt toch niet bij Naslagwerken weer met die meid zitten smoezen, hè?'

'Nee, sir,' zei Hat verontwaardigd. 'Ze is met ziekteverlof.'

'O ja? En hoe weet je dat? Laat maar. Luister, er belde net iemand die je dringend wil spreken. Ene Angie. Ik vroeg me af: is dat soms een tipgeefster die je het vermelden niet waard vond? Of een andere verovering die door jou in de problemen zit?'

Angie? Even zei het hem niets, toen wist hij het weer. De zus van Jax Ripley.

'Nee, sir. Maar het is privé.'

'O ja? Die zuster die we op de begrafenis van Ripley hebben ontmoet, heette die niet Angie?'

'Inderdaad, sir,' zei Bowler, maar hij dacht: shit! Ik zei dat ze, als ze ooit over Jax wilde praten, me altijd mocht bellen.'

'Misschien had je sociaal werker moeten worden,' zei Pascoe. 'Maar mocht ze iets zeggen dat naar jouw gevoel relevant zou kunnen zijn voor de zaak, vergeet dan niet dat je je brood verdient als smeris, wil je? Kom zo snel mogelijk hier terug, oké?'

'Jawel, sir,' zei Bowler.

Toen hij zijn gsm uitschakelde, bedacht hij dat Pascoe zo te horen in een voor zijn doen bijzondere rotbui was.

Hij snuffelde in zijn portemonnee tot hij het papiertje vond waarop hij het nummer van mrs. Ripley had gekrabbeld. Angie nam onmiddellijk op.

'Luister,' zei ze. 'Ik moet komend weekend terug naar de States, en ik wilde even checken wat je hebt gedaan met de spullen die ik je gegeven heb.'

'Daar ben ik nog mee bezig,' hield hij zich op de vlakte. 'Het is een delicate aangelegenheid...'

'De schoft die het mes in mijn zuster heeft gezet, was verre van delicaat,' kaatste ze terug. 'Die Georgie Porgie, zijn ze hem aan het verhoren?'

'Nou, nee... Ik bedoel, we weten immers niet zeker wie dat is?'

'Hoeveel smerissen hebben jullie die aan dat signalement voldoen?'

'Meer dan je zou denken,' zei Hat. 'Geloof me, Angie, als er iets in staat waardoor we de moordenaar van Jax kunnen vinden, zal ik geen steen op de andere laten.'

Dat zei hij met alle kracht en oprechtheid die hij in zijn stem kon leggen, maar nog klonk ze niet al te overtuigd toen ze antwoordde: 'Oké dan. Houden we contact? Ik reken op je, Hat.'

'Dat mag. Pas goed op jezelf,' zei hij en verbrak de verbinding.

Hij stond daar bij het Centrum en probeerde uit alle macht heel kwaad te worden omdat hij niet anders kon dan een rechercheur van middelbare leeftijd van zijn waardigheid en misschien zelfs zijn pensioen af helpen, maar hij voelde zich alleen maar een rat.

Hij had een sterke behoefte om de situatie opnieuw met Rye te bespreken, maar niet over de telefoon. Het leek trouwens helemaal niet zo'n goed idee om haar nog op te bellen. Als ze zich, wat aannemelijk leek, diep onder de dekens rot lag te voelen, zou ze niet al te zeer in de stemming zijn voor de gek die haar uit bed had gekregen om te vragen hoe het met haar was. Hij kon haar beter later gaan opzoeken met een tros druiven en een doos bonbons. Als hij haar op die manier uit bed kreeg...

Opeens kreeg hij het visioen dat de deur openging en Rye daar stond, helemaal verfomfaaid door het slapen, in een losjes vastgemaakte kamerjas met zicht op verlokkende glimpjes stevig rond vlees, als zongekust fruit tussen blaadjes in de wind...

Een smachtend gekreun ontglipte aan zijn lippen, en een oude zwerfster keek hem in het voorbijgaan angstig aan en zei: 'Voel je je wel goed, jongen?'

'Ik hoop het,' zei hij. 'Ik sterf van de honger, moesje. Maar lief dat je het vraagt.'

En nadat hij een handvol kleingeld in haar dichtstbijzijnde plastic tasje had gegooid, liep hij resoluut verder.

26

Pascoe had inderdaad een rotbui.

Zoals gevraagd, had Wield contact opgenomen met Sheffield en de naakte feiten over de zaak van de dode student te horen gekregen.

'Het schijnt dat het niet zo goed ging met die knul. Johnson was zijn voornaamste mentor, en het was zijn taak de jongen te waarschuwen dat hij, als zijn werk niet vooruitging, eruit zou liggen. Vroeg in het voorjaar had een heel belangrijk werkstuk, een of andere scriptie, af moeten zijn maar die knul kwam er maar niet mee opdagen en een paar dagen later werd hij dood in zijn kamer gevonden. Overdosis drugs. Geen zelfmoordbrief. De grond lag bezaaid met losse vellen van zijn scriptie en het had er alle schijn van dat hij geprobeerd had bij de les te blijven om dat ding tot een goed einde te brengen en dat hij te ver was gegaan. Het onderzoekscomité deed het af als een ongeluk. Maar Johnson scheen ervan overtuigd dat het zelfmoord was en nam het heel persoonlijk op, zo erg dat hij tot elke prijs wilde verstekken, en uiteindelijk bijzondere dispensatie kreeg om deze baan bij de universiteit aan te nemen, ook al kon hij niet aan de vereiste opzegtermijn voldoen.

'En dat is alles?' vroeg Pascoe. 'Geen woord over Roote?'

'Zij brachten hem niet ter sprake en ik was het niet van plan. Waarom zou ik?'

'Je had wat dieper kunnen graven,' opperde Pascoe ongezouten. 'Dat kan nog steeds.'

'Luister, Pete, ik heb alles wat ze kwijt konden. Jullie wilden toch dat het zou gaan over een eventuele psychische toestand met betrekking tot een eventuele zelfmoordzaak? Dat klonk nog net plausibel. Maar we weten nu dat de dood van Johnson heel zeker een Woordman-moord is, dus psychische toestand slaat nergens op. Als je iets vindt waardoor je Roote in verband kunt brengen met al die moorden, krijg je zeker een medaille van de baas. Maar je moet overal rekening mee blijven houden. In het ziekenhuis was het ook geen feest. Als ze al Midazolam kwijt waren, hebben ze dat verdoezeld en verdoezelen ze het nog steeds. Dus mijn advies is: vergeet Sheffield.'

Op Pascoes lippen brandde een scherpe reprimande, gebaseerd op hun verschil in rang, maar gelukkig had hij die in bedwang vóór hij hem kon ontglippen. Wields vriendschap was belangrijk voor hem en hij wist hoe nauw de brigadier erop toezag dat hij in het openbaar nooit de grenzen van de politiehiërarchie overschreed. Zijn aandeel in deze stilzwijgende overeenkomst was waarschijnlijk dat je er privé nooit aan moest vasthouden, anders bleef je aan de gang.

Maar zijn stemming klaarde niet op en toen Bowler terugkeerde, zei hij: 'Heb je je privé-aangelegenheden met Ripleys zuster opgelost?'

'Ja zeker, sir. Ze belde alleen maar om me te vertellen dat ze komend weekend terug moest naar de States, en dat ze afscheid wilde nemen.'

'Je hebt vast een goede indruk op haar gemaakt, als je bedenkt dat je haar vóór de begrafenis nog nooit ontmoet had,' zei Pascoe.

'Het kwam alleen maar doordat ik Jax zo… goed heb gekend,' zei Hat verzoenend, terwijl hij dacht: Jezus, dit bevestigt alleen maar hun vermoedens dat ik alles doorvertelde.

Misschien werd het tijd om te praten.

De deur ging open, en George Headingley kwam binnen. Hij maakte de indruk dat hij zich heel wat meer op zijn gemak voelde dan hij in tijden had gedaan. Met nog maar een paar dagen voor de boeg begint hij te denken dat er licht aan het eind van de tunnel is, dat hij het hem tóch gelapt heeft, dacht Hat. Nou, hij kon zich maar beter vasthouden!

Maar nu hij zag hoe die van huis uit joviale trekken iets van hun oude kleur en vorm terugkregen, wist hij dat hij niet degene mocht zijn die roet in het eten zou gooien.

'Ik heb nagedacht over die Dialogen,' zei Headingley.

'Aardig dat je er de tijd voor hebt genomen, George,' zei Pascoe op wiens overvolle bureau het leeuwendeel was terechtgekomen van het extra werk dat te wijten was aan de, zowel fysieke als geestelijke, afwezigheid van de adjudant. 'En?'

'Zelfs nu de verhalenwedstrijd is afgesloten blijven ze bij de bibliotheek opduiken. Wie weet zat zelfs de eerste niet echt tussen de verhalen die naar de *Gazette* waren gestuurd. Misschien zijn ze altijd in de zak gestopt nadat die bij de bibliotheek was bezorgd, door iemand die daar werkt of daar vaak moet zijn. Ik bedoel, waar kun je beter een Woordman vinden?'

Een geluid als het gekraak van canvas in een tyfoon maakte dat ze allemaal omkeken naar de deur waar Dalziel stond te applaudisseren.

'Bravo, George. Blij te merken dat je je hersens niet eerder dan je lijf met pensioen hebt gestuurd. Laat dat een les voor je zijn, knul...' (dit tegen Hat) '... een goede rechercheur neemt nooit vrij – dat zit je in het bloed of niet.'

Het was Hat niet geheel duidelijk of dat ironisch bedoeld was of niet, maar omdat de anderen geen spier vertrokken, knikte hij en deed zijn best een dankbare indruk te maken.

'Zo, George, helemaal klaar voor het grote afscheid? Aanstaande dinsdag, is het niet? Als het even meezit zullen we ervoor zorgen dat je de eerste vierentwintig uur van je pensionering buiten westen bent!'

'Dat is dan niets nieuws,' mompelde Pascoe toen Headingley, enigszins blozend van al die aandacht, het vertrek verliet.

'Nou dan, inspecteur,' zei Dalziel streng. 'Een beetje wakker geworden? Er zit veel in, in wat George zei. Woordman, bibliotheek, die twee dingen horen bij elkaar.'

'Als naald en hooiberg,' zei Pascoe.

'Die man van jou, Roote, komt vast vaak in een bibliotheek,' zei Dalziel.

'Eerder bij de universiteit dan in het Centrum,' zei Pascoe met stroeve eerlijkheid.

'Maakt niet uit,' zei de Dikke Man. 'Als iemand met de zweep wil krijgen, kan het 'm ook niet schelen wie het doet. Charley Penn is er nog zo een, niet weg te branden, heb ik gehoord. Uit bibliotheken, bedoel ik. En dan heb je nog het personeel. Misschien moeten we hén eens wat nader bekijken. Bowler, dat zou een lekker werkje voor jou kunnen zijn, jongeman. Jij zou het personeel wel graag wat nader bekijken, hè?'

Toen de Dikke Man wellustig met zijn lippen smakte, voelde Hat dat hij bloosde, zowel uit gêne als van woede.

'Oké, knul?' vroeg Dalziel. 'Het lijkt wel of je koorts hebt. Je krijgt toch geen griep, hoop ik?'

'Ik mankeer niets, sir,' zei Hat. 'U had het over het bibliotheekpersoneel... iemand in het bijzonder?'

'*Aye*, die Follows. Iemand die zo lang werk heeft met het in de plooi leggen van zijn haar, daar moet iets mis mee zijn. Ga na of hij een strafblad heeft. Dan hebben we die jongen van Dee. Zijn naam doet me ergens aan denken.'

'Misschien denkt u aan die doctor Dee die gezeten heeft voor necromantie,' zei Pascoe.

'Heel waarschijnlijk,' zei Dalziel. 'Trek hem ook na, Bowler, om te zien of er een connectie bestaat. En mocht je tegelijkertijd diep kunnen nadenken en thee zetten, ik lust wel een kop.'

'Sir…' zei Hat aarzelend.

Hij keek een voor een naar het drietal gezichten. Vreemd genoeg was het Wields meestal ondoorgrondelijke gezicht, dat door een flauw trekje van de linkerwenkbrauw bevestigde dat hij in de maling werd genomen. Wat niet anders voelde dan vernederd worden.

Als hem een weerwoord op de lippen zou zijn gekomen dat even snedig als kwaad was, zou hij het waarschijnlijk geuit hebben. Maar om weg te lopen met een: 'Ik ben verdomme je theeknechtje niet, vetzak. Zet je eigen thee!' leek niet verstandig, dus mompelde hij: 'Ik ga meteen aan de slag,' en liep de kamer uit.

'Hat.'

Hij draaide zich om. Wield was achter hem aan gelopen.

'Dat ze je in de zeik nemen, wil niet zeggen dat ze je niet serieus nemen.'

'Nee, brigadier.'

'En dat jij je in de zeik gezet voelt, wil evenmin zeggen dat je hén niet serieus moet nemen.'

'Nee, brigadier,' herhaalde hij, maar hij voelde zich om een of andere reden enigszins opgebeurd.

Er zaten diverse *Follows* in de computer, maar geen enkele die Percy heette en geen enkele die enige gelijkenis vertoonde met de bibliothecaris. Een paar *Dee's*, maar geen Richard, geen bibliothecaris. En ook geen doctor. Dat was een geintje geweest van Pascoe, wat inhield dat het waarschijnlijk in Dalziels woorden snobistisch intellect was. Het was de moeite waard dat uit te zoeken, al was het alleen maar om aan te tonen dat de inspecteur hier niet de enige was die voor zijn examen was geslaagd.

Maar begin bij het begin.

Het werd tijd indruk op de Dikke Man te maken met zijn theezettalenten.

Toen hij die avond eindelijk naar huis kon, was Hat weer volledig zijn opgewekte zelf en had hij zichzelf ervan weten te overtuigen dat de tekenen al met al gunstig stonden. De eerste maanden na zijn komst, toen zijn ster snel daalde, had hij behoorlijk afgunstig gezien hoe die van rechercheur Shirley Novello geleidelijk rees. Maar hij meende zich te herinneren dat dat rijzen voor een deel gepaard was gegaan met heel wat geslaaf en gedraaf en allerlei geintjes, dus waarom zou hij nu moeten opzien tegen een behandeling waarop hij, toen zij die moest ondergaan, jaloers was geweest.

Bovendien zou hij Rye weer zien, en dat was een vooruitzicht dat automatisch zijn humeur ten goede kwam.

Het overkomt een mens niet vaak in zijn leven dat zijn fantasie, tot in de details kloppend, vanuit zijn geestesoog in het volle daglicht komt, en de schok werkt vaak contraproductief.

Zo ging het toen de deur van Ryes flat openging en ze voor hem stond in een losjes dichtgeknoopte ochtendjas waarbij tussen de spleetjes heen fracties schitterden van gladde huid, zacht maar toch stevig, en alles zo warmgoud van kleur als gerst die rijp is voor de oogst.

Hij stond er roerloos en sprakeloos bij, eerder als een man die geconfronteerd wordt met Medusa dan met zijn diepste verlangen, tot ze zei: 'Komen er nog woorden uit je mond of hangt-ie open zodat de vliegen er voor de regen kunnen schuilen?'

'Sorry... ik had niet... Ze zeiden dat je ziek was en ik dacht... Het spijt me als ik je uit bed heb gehaald...'

'Nee, hoor. Ik voel me wat beter en ik ben net opgestaan om een douche te nemen, wat, naar ik aannam, een man met jouw beroep misschien zelf bedacht zou hebben.'

Omdat ze de badjas onder het praten potdicht trok, sloeg hij nu zijn blik op en zag dat er water uit haar haar langs haar gezicht droop. Kletsnat: het diepe bruin was nu bijna zwart, waartegen de pluk zilvergrijs schitterend afstak alsof hij uit elektrische vezeltjes bestond.

'Zijn die voor mij of is dat bewijslast van je laatste grote zaak?'

Hij was vergeten dat hij een bos anjers in zijn ene hand hield en een doos Belgische bonbons in de andere.

'Sorry, ja. Hier.'

Hij wilde ze haar geven maar ze nam ze niet aan, grinnikte alleen en zei: 'Als jij denkt dat je me zover kunt krijgen dat ik die kamerjas loslaat, vergis je je jammerlijk. Kom binnen en leg ze ergens neer, terwijl ik me toonbaar maak.'

'Hé, maak je niet druk om toonbaar!' riep Hat haar na toen ze uit het zicht verdween. 'Ik ben bij de politie. We hebben overal ervaring mee.'

246

Hij legde de geschenken op een salontafel en keek de kamer rond. Die was niet groot, maar zo netjes en gespeend van rommel dat hij veel ruimer aandeed dan hij was. Twee kleine fauteuils, een keurig geordende boekenkast, een staande lamp en de salontafel, meer niet.

Hij liep naar de boekenkast. Je zou heel wat over mensen te weten kunnen komen aan de hand van hun boeken, dat had hij tenminste ergens gelezen. Maar alleen als je om te beginnen veel van boeken wist, wat bij hem niet het geval was. Hij kon wel zien dat er veel toneelstukken bij waren, waardoor hem te binnen schoot dat Rye uit een theatergeslacht stamde. Hij koos er een complete Shakespeare uit en sloeg het open op het schutblad. Daar stond een datum: *5.1.91*, en een opdracht: *Voor Raina, Gefeliciteerd met je vijftiende, voor de koningin van de Narrenprins, met liefs van Serge xxxxxxxxxxxxxxxx*.

Vijftien kussen. Voelde hij een steek van jaloezie? Op iemand die hij niet kende, van wie hij niet wist hoe oud hij was en die Rye jaren geleden toen ze nog een kind was een cadeautje had gegeven? Je moet uitkijken, jochie, wees hij zichzelf terecht. Zoals hij al eerder had bedacht: elk teken dat zijn belangstelling obsessief possessief werd, zou voor Rye een echte afknapper zijn.

'Aan het bijleren?' vroeg ze achter hem.

Hij draaide zich om. Ze had een T-shirt met een spijkerbroek aangetrokken en was nog bezig met een handdoek haar haren af te drogen.

Hij zei: '*Voor Raina*. Ik was vergeten hoe je voluit heette.'

'Raai-iena,' verbeterde ze zijn uitspraak. 'Anders zou ik Ray genoemd worden.'

'Rye is mooier.'

'Liever whisky dan zonnestralen?'

'Liever bladeren dan vissen,' zei hij met een grijns.

Daar dacht ze even over na en knikte toen goedkeurend.

'Niet slecht voor een ezel,' zei ze.

'Dank u vriendelijk. Waar komt het trouwens vandaan, dat heb je me nooit verteld.'

'Ik herinner me niet dat je het ooit gevraagd hebt. Het is een toneelstuk.'

'Shakespeare?' vroeg hij, waarbij hij de bloemlezing omhoogstak.

'Die daarnaast staat,' zei ze.

Ze liep naar de boekenkast en pakte er een boekwerk uit.

Hij zette de Shakespeare terug en nam het van haar aan.
'*Arms and the Man* door G.B. Shaw,' las hij.
'Ken je Shaw?'
'Ik heb zijn broer ooit ingerekend. GBH Shaw,' zei hij.
'Sorry.'
'Typische politiegrap. Geinige titel. Waarom heeft hij het zo genoemd?'
'Omdat hij in een tijd leefde dat hij ervan uit kon gaan dat het grootste deel van zijn publiek niet hoefde te vragen waarom hij het zo had genoemd.'
'Aha. En dat was omdat...'
'Omdat door de klasse met geld een klassieke opleiding pedagogisch gezien nog steeds werd beschouwd als *summum bonum*. En als je niet minstens de eerste regel van *Aeneïs* van Vergilius had gelezen, had je duidelijk je jeugd verklooid. "*Arma virumque cano,*" wat Dryden vertaalt als "Arms and the man I sing". Pakkende titel in die dagen. Maar je zou er wel heel zeker van moeten zijn dat je een hoogst erudiet, intelligent en alert publiek had, wilde je zoiets nu proberen.'
'Dat klinkt nostalgisch. Vind jij dat het toen beter was?'
'Zeker. Om te beginnen waren wij nog niet geboren. Slapen is goed, dood zijn is beter, maar het allerbeste is om helemaal nooit geboren te zijn.'
'Jezus!' riep hij uit. 'Dát is morbide! Weer zo'n geintje van Vergilius?'
'Nee, van Heine.'
'Diezelfde moffendichter waar Charley Penn aan bezig is?'
Ergens heel in de verte ging een belletje rinkelen.
'In beschaafde kringen noemt men dat Duitsers,' zei ze ernstig. 'Je hoeft niet van hen te houden, maar dat is nog geen reden om rot tegen ze te doen.'
'Het spijt me. Datzelfde geldt voor Penn zeker?'
'Zeker. Eigenlijk heeft hij veel leuke kanten. Zelfs zijn klaarblijkelijke obsessie voor mijn persoontje kun je niet geheel als abject afdoen. Dat was een vertaling van hem die ik zonet citeerde, die onder mijn aandacht werd gebracht toen hij zich geen raad wist door mijn afwijzing toen hij handtastelijk werd.'
Hat begon de subtiele kronkels van Ryes krijgstactiek door te krijgen. Ze liet deuren uitnodigend op een kier, en wie dwaas genoeg was daardoorheen naar binnen te stappen, wachtte een koude douche of tuimelde in een open liftschacht.

Hij zei: 'Maar wat betekent dat precies, dat over slaap en zo?'

'Het betekent dat we ooit bijna volmaakt gelukkig waren, namelijk toen we nog niet geboren waren. Maar toen kwamen onze ouders aan elkaar vast te zitten in een korenveld, of op de achterbank van een auto, of tussen twee akten tijdens een uitvoering van een toneelstuk van Shaw in Oldham, en verpestten het voor ons, dwongen ons zonder pardon een entree te maken, schoppend en schreeuwend, op dit tochtige oude toneel. Trek in koffie?'

'Waarom niet?' zei hij, waarna hij achter haar aan een piepkleine keuken in liep die al even opgeruimd was als de zitkamer. 'Zeg, hebben ze je dáárom Raina genoemd? Omdat ze in dat toneelstuk speelden toen ze…? Dat noem ik nou echt romantisch.'

'Vind je?'

'Ja. Ik snap niet waarom jij er zo cynisch over doet. Mooi verhaal, mooie naam. Denk je eens in hoe je anders had kunnen heten…' Hij sloeg het toneelstuk open op de spelerslijst. 'Sergius! Stel je voor. Sergius Pomona! Dan had je pas iets om over te klagen!'

'Mijn tweelingbroer scheen er niet mee te zitten,' zei ze.

'Heb je een tweelingbroer?'

'Had. Hij is dood,' zei ze, terwijl ze koffie in een cafétière schepte.

'O shit, het spijt me. Ik wist niet…'

'Hoe kon je ook? Van hem heb ik de Shakespeare gekregen waar je in keek.'

Serge. Hij herinnerde zich de opdracht en bloosde bij de gedachte aan zijn infantiele jaloezie.

Om zijn verwarring te camoufleren, kletste hij er een eind op los. 'Ja, natuurlijk, dat verklaart de opdracht: de koningin, 1 mei, meikoningin, en hij was de narrenprins…'

'Hij stikte van de humor,' zei ze zachtjes. 'Als ik me rot voelde, kon hij me altijd opvrolijken. Als hij bij me was, leek het minder erg om Raina te heten.'

'Ik vind het een prachtige naam,' zei Hat troostend. 'En Sergius ook. En ik weet zeker dat jullie met de beste bedoelingen zo genoemd zijn. Vernoemd worden naar rollen in een toneelstuk… zoiets romantisch kwam in mijn familie niet voor!'

'Lief van je,' fluisterde ze. 'Inderdaad heb ik het ooit ook romantisch gevonden als ik mijn moeder en vader hoorde uitleggen dat we vernoemd waren naar Raina en Sergius, de twee meest romantische rollen in het toneelstuk, omdat dat de rollen waren die mijn ouders speelden toen ze ons verwekten. Daarna stuitte ik op een dag, toen ik hun spullen aan het uitzoeken was, op een verzameling oude theaterprogramma's. En daar had je het. *Arms and the Man* in Old-ham. De datum klopte precies. Alleen, toen ik de spelerslijst na-keek, waren het niet Freddie Pomona en Melanie Mackillop die Sergius en Raina speelden, maar twee anderen. Mijn ouders speel-den Nicola, de hoofdlakei, en Catherine, Raina's oude moeder. Is dát niet romantisch, en wil je soms suiker?'

'Eén theelepel. Nou, zo heel vreselijk is het toch niet? Het verle-den mooier maken is toch geen doodzonde?'

'Welnee. Shaw had het waarschijnlijk wel fraai gevonden. Het stuk gaat alléén maar over opgeblazen begrippen als romantiek, zelfopoffering en eer.'

'Vanwaar dan zo cynisch?'

Ze keek hem bedachtzaam aan en zei toen: 'Andere tijden zeker? Als mijn haar nat wordt, wordt mijn tong altijd losser. Zullen we kij-ken of die bonbons van jou ergens naar smaken?'

Ze gingen terug naar de zitkamer. Rye maakte de doos bonbons open, zette haar tanden in een chocolaatje en knikte goedkeurend.

'Uitstekend,' zei ze. 'Hoe wist je eigenlijk dat ik ziek was?'

'Nou, ik was vandaag in de bibliotheek...'

'Waarom?' wilde ze weten. 'Is er iets gebeurd?'

'Ja,' gaf hij toe. 'Strikte geheimhouding, oké?'

'Erewoord,' zei ze.

Hij vertelde haar van de nieuwe Dialoog.

'O god,' zei ze. 'Het zette me al aan het denken toen ik van Johnsons dood hoorde...'

'Wat zette je aan het denken?' vroeg hij.

'Ik weet het niet. Meer een gevoel. En misschien omdat...'

'Wat?'

'Die connectie met de bibliotheek. Ik bedoel niet alleen dat de Dialogen daar opduiken, maar de drie recente moorden, er bestaat een of andere link. Weliswaar heel oppervlakkig, maar toch krijg je daardoor een onbestemd gevoel...'

Opeens leek ze heel kwetsbaar.

'Kom op,' zei hij, in een poging tot vaderlijke snaaksheid. 'Kop op. Geen reden tot zorgen.'

'Denk je?' Zijn bemoediging werkte in zoverre dat haar kenne-lijke kwetsbaarheid onmiddellijk omsloeg in iets wat leek op be-wondering en vertrouwen. 'O, zeg alsjeblieft waarom dat niet nodig is.'

'Nou, omdat die vent, de Woordman, niet de doorsnee seksueel geobsedeerde gek is die links en rechts jonge vrouwen de keel doorsnijdt. Tot nu toe is er maar één vrouw geweest, Jax Ripley, en geen seks. We weten nog niet precies wat die krankzinnige motiveert, maar niets wijst erop dat hij het meer op iemand als jij gemunt heeft dan op iemand als ik. En wat de bibliotheek aangaat, ik geloof dat de korte-verhalenwedstrijd hem een manier heeft aangereikt om zijn dialogen in de publieke belangstelling te brengen, zoals zijn perverse geest hem ingaf....'

'Sorry, dat kan ik niet bijhouden.'

'Hij heeft de hersens van een puzzelaar, waardoor hij in alles verborgen antwoorden, bedrog, aanwijzingen, verbanden en raadsels ziet. Iets wat waar is gebleken, verstoppen in een hoge stapel verzinsels zou nét iets voor hem zijn.'

'Waarin ben je ook alweer afgestudeerd? Ornithologie met psychiatrie als bijvak?' zei ze half als grap maar ook vol bewondering.

'Geografie,' zei hij, waaraan hij toevoegde: 'Met economie als bijvak,' om het te verzachten. Wat niet werkte.

'Mijn god. Je bedoelt dat ik omga met een vogelspotter die is afgestudeerd in geografie? Ik hoef tenminste niet bang te zijn dat ik 's nachts niet aan slapen toe zal komen.'

Daar moest hij over nadenken, besloot dat hij meer reden had om erom te lachen dan zich beledigd te voelen en sprak verder: 'Rechercheur zijn is vergelijkbaar met leren hoe je moet omgaan met de afdeling Naslagwerken van de bibliotheek. Het is allebei een kwestie van weten waar je moet zoeken. We hadden laatst twee kerels van de universiteit: een zielenknijper en een linguïst. Daar heb ik van geleerd. Wat ik zeggen wil: iedereen moet natuurlijk uitkijken, maar we kunnen niet van een bepaalde groep zeggen dat die een groter risico vormt dan een andere. Zeggen dat iedereen gevaar loopt, is een schrale troost, maar als je de statistieken bekijkt: als iedereen gevaar loopt, is de kans vrij klein dat jíj de pineut bent. Dus kijk uit, maar trek je niet terug in de rimboe. Niet zonder gezelschap in elk geval. A propos, ben je komend weekend in goede conditie voor onze expeditie?'

'Geen probleem,' zei ze, terwijl ze haar rug strekte zodat haar rode T-shirt boven haar spijkerbroek opkroop en een strook zachtglooiende buik liet zien die opnieuw al die alarmbelletjes in zijn aderen flitsend aan het rinkelen bracht. 'Ik voel me mét de minuut beter. Wie heb je in de bibliotheek gesproken? Dick?'

'Ja,' zei hij. Als ze hem op deze tweesprong een kleine koude douche wilde bezorgen, lukte dat door Dees naam te laten vallen.

'Over Dee gesproken, heb je ooit gehoord van een doctor die zo heet?'

'Nee, tenzij je de astroloog en necromaan uit de tijd van Elizabeth I bedoelt,' zei ze.

'Ja, dat zal hem wel zijn,' zei hij. Die slimme ouwe Pascoe, maar niet heus.

'Is dit de laatste theorie: dat de Woordman een magiër is en Dick afstamt van de doctor?'

'Nou, je moet toegeven dat hij niet helemaal normaal is,' zei hij, waarna hij er, om zijn kritiek af te zwakken, aan toevoegde: 'Waarschijnlijk doordat hij zoveel met Penn optrekt. Toen ik naar Naslagwerken liep, waren ze in het kantoor dat rare bordspel aan het spelen. Paronomania.'

Hij keek haar oplettend aan om te zien of hij zich niet vergiste.

Rye lachte en zei: 'Luister je wel eens?'

'Ligt eraan wie er aan het woord is. Jij zei dat het woord eigenlijk betekent: een obsessie voor woordspelletjes?'

'Dat klopt. Het is een kruising tussen paronomasia, dat is spelen met woorden of woordspeling, en mania, waar misschien iets van paranoia in zit. Waarom kijk je me zo aan?'

'Weet je dat je nu net min of meer hebt herhaald wat ik over de Woordman heb gezegd?' vroeg Hat.

'O, hou op,' zei ze geïrriteerd. 'Wat die slome experts van je hebben gezegd, bedoel je? Luister, die twee spelen dat spel al zo lang als ik daar werk. Dat is echt geen kamertjeszonde. Toen ik ernaar vroeg, heeft Dick me de naam uitgelegd, geen probleem. Hij heeft me zelfs een kopie van de spelregels gegeven, enzovoort. Ik moet hem ergens hebben.'

Ze begon in een la te zoeken.

'De twee borden die ik gezien heb, zijn met de hand beschilderd, en ze zijn verschillend,' zei Hat. 'Is het een bestaand spel? Of hebben zíj het verzonnen?'

'Wat zou dat in godsnaam uitmaken?' zei ze, terwijl ze naar hem glimlachte. 'Ik weet dat het op school is begonnen toen ze aan het scrabbelen waren…'

'Op school?' onderbrak hij. 'Heeft Dee ook op Unthank gezeten?'

'Ja. Is dat erg?'

'Natuurlijk niet.' Maar dat zou de sleutel kunnen zijn. 'Scrabble dus.'

'Inderdaad. Blijkbaar was er een discussie over een Latijns woord dat een van hen gebruikte, en dat was de aanleiding voor het spelen van een versie waarin je alleen Latijnse woorden mocht gebruiken. En zo ging dat verder: ze wilden iets ingewikkelders, met een groter bord, meer letters, andere regels, en de spelers kiezen om de beurt een taal… O, hier heb ik het – nee, lees het nu niet, je mag het houden. Het wordt tijd dat ik deze rotzooi eens opruim.'

Hat vouwde het stukje papier op dat ze hem had gegeven en stopte het in zijn portemonnee.

'Geen wonder dat ik geen woord snapte van wat ik las,' zei hij, tegen zijn zin in onder de indruk. 'Hoeveel talen spreken ze wel niet?'

'Frans, Duits – dat spreekt Penn natuurlijk vloeiend – een beetje Spaans, Italiaans, je weet wel. Maar dat is niet belangrijk. Ze hoeven een taal niet te beheersen om erin te kunnen spelen, zolang er maar een woordenboek in de bibliotheek staat. Dat schijnt juist bij het spel te horen, schijnt het. Net als pokeren. De één legt een woord dat eruitziet als Tsjechisch, zeg maar, en daagt de ander vervolgens uit hem te overtroeven. Is het bluffen of heeft hij de vorige dag op een paar woorden Tjsechisch zitten blokken en zit hij nu een uitdaging uit te lokken? Dan komt het woordenboek op tafel, moet hij een beurt overslaan en kost het hem vijftig punten als het een fout woord is, en van hetzelfde als hij de uitdaging verliest.'

'Wat een stelletje sukkels,' mompelde Hat.

'Waarom zeg je dat?' vroeg ze, terwijl ze hem nieuwsgierig aankeek. 'Twee volwassenen met dezelfde interesse, en ze spelen met z'n tweeën, ze proberen op niemand indruk te maken.'

'Blijkbaar hebben ze indruk gemaakt op jóú. Heb je het zelf wel eens geprobeerd?'

'Ik had het best gewild, maar ze hebben me nooit gevraagd,' zei ze. 'Zo gaat het echt altijd bij mij. Er worden ontzettend veel spelletjes gespeeld, maar niemand vraagt of ik wil meedoen.'

Was dit een hint? Een uitnodiging? Of plaagde ze alleen maar?

Hij nam een slok koffie om zijn plotseling droge keel te bevochtigen, terwijl hij probeerde te bedenken of de tijd rijp was voor een stapje verder. Hij voelde hoe hij oververhit begon te raken.

'Voel je je wel goed, Hat?' vroeg Rye, terwijl ze hem ietwat bezorgd aankeek. 'Je ziet er erg verhit uit.'

'Ja, hoor, ik voel me uitstekend,' zei hij.

Maar terwijl hij dat zei, merkte hij dat hij zich verre van uitstekend voelde en dat deze hitte meer met slapheid te maken had dan met lust.

'Alsjeblieft. Ik heb een hekel aan mensen die de held uithangen. Denk je dat je naar huis kunt rijden?'

Hat bedacht dat als hij zijn kaarten handig speelde, hij hier asiel zou kunnen vragen, maar herinnerde zich toen dat Rye net zelf aan het herstellen was van het virus. In romans kreeg de patiënt vaak de verpleegster aan zijn bed. Maar, vermoedde hij, het enige wat patiënten kregen die je bij elkaar legde, waren de zenuwen.

'Ja, hoor. Geen probleem. Wat is de prognose, denk je?'

'Nou, dat je je een stuk rotter zult voelen vóór je je beter gaat voelen, maar het goede nieuws is dat het kort maar hevig zal worden.'

'Dan ben ik in het weekend dus weer beter?'

Ze glimlachte naar hem en zei: 'Dat weet jij alleen, Hat. Maar als we weer moeten afzeggen, ga ik me misschien afvragen of het lot ons niet iets duidelijk wil maken.'

'Laat het lot maar aan mij over,' zei hij, terwijl hij een hoestbui onderdrukte toen hij naar de deur liep. 'Een nachtje goed slapen, en dan ben ik waarschijnlijk morgenvroeg weer bezig om de burgers van Yorkshire te beschermen.'

'Ik geloof je,' zei ze, waarna ze een kus drukte op haar wijsvinger die ze voorzichtig tegen zijn gloeiende voorhoofd legde. 'Ik voel me al een stuk veiliger. Slaap lekker, Hat. Pas goed op jezelf.'

En de streling van een deugdzame vrouw vermag zoveel, dat hij geloofde dat hij al beter was toen hij naar zijn auto liep. Liefde overwint alles, en hij wist dat hij werkelijk tot over zijn oren waanzinnig verliefd was.

27

OMDAT ZELFS EEN DEUGDZAME VROUW HET MIS KAN HEBBEN, VOELDE Hat zich de volgende dag werkelijk waanzinnig tot over zijn oren rot. Zijn eerste impuls was naar zijn werk te gaan zodat ze konden zien hoe slecht hij eraan toe was, maar toen hij omviel bij een poging zijn onderbroek aan te trekken, liet hij dat idee schieten en belde maar op.

Hij werd doorverbonden met Wield, die niet erg meelevend klonk, hoogstens neutraal. Daarna hoorde hij op de achtergrond de stem van Dalziel, die wilde weten met wie hij in gesprek was, waarop Wield uitlegde dat het Bowler was die niet op zijn werk zou komen omdat hij ziek was.

'Niet komen omdat hij *ziek* is?' zei Dalziel met de verbijstering van iemand die ziekte als smoes voor afwezigheid een heel eind lager inschatte dan ontvoering door maanmannetjes.

Hij greep de telefoon en zei: 'Wat mankeert eraan, knul?'

'Het spijt me, sir,' piepte Hat. 'U had gelijk, ik heb dat griepvirus.'

'O. Is het míjn schuld? Wat hoor ik daar voor muziek? Je zit toch niet met een of andere lellebel in een nachtclub, hè?'

'Nee!' riep Hat gepikeerd. 'Dat is de radio. Ik lig in bed. Alleen.'

'Niet zo eigenwijs. Denk aan Abisag en David. Of misschien ook niet. Hij ging dood, als ik me goed herinner.'

'Zo voel ik me ook,' zei Hat, die probeerde medelijden op te wekken. Toen ging het vage belletje dat hij bij Rye had gehoord luider rinkelen. 'Sir, ik moet iets...'

'Geen laatste gunst, knul. Dat is alleen maar de pil vergulden.'

'Nee, sir. Alleen, in die laatste Dialoog, staat daar op het eind niet iets over de dood? In de trant van dat het het allerbeste is om nooit geboren te zijn?'

'*Aye*, dat klopt, ik heb het hier. Hoezo?'

'Ik weet dat het waarschijnlijk nergens op slaat, maar ik denk dat die Heine, die vent die Penn aan het vertalen is, iets soortgelijks gezegd heeft.'

Het was opmerkelijk hoe afstand moed gaf. Na Pascoes nederlaag zou hij het waarschijnlijk niet in zijn hoofd gehaald hebben om oog in oog met de Dikke Man weer over poëzie te beginnen.

'Ik wist niet dat je Duits had gestudeerd,' zei Dalziel.

'Dat heb ik ook niet, sir. Alleen zei Rye... miss Pomona van de bibliotheek, nou ja, Penn laat soms dingen rondslingeren op plekken waar ze die kan zien, per ongeluk expres, zogezegd...'

'*Aye*, dat las ik in het rapport van de inspecteur. Maar ik dacht dat het romantische dingen waren, om te proberen aan zijn gerief te komen. Hoe komt hij zo ineens op de dood?'

'Om medelijden op te wekken misschien,' zei Hat.

Dat vond de Dikke Man wel een mooie, en hij lachte zo hard dat Hat de hoorn van zijn oor moest houden.

'*Aye*, met medelijden kun je ver komen,' zei Dalziel. 'Maar dat werkt alleen bij meiden, niet bij een hoofdinspecteur. Word gauw beter, knul, anders kom ik misschien met een rouwkrans op bezoek.'

Hij legde neer en ging zonder een woord tegen Wield terug naar zijn kantoor. Daar bleef hij een poosje in gedachten verzonken zitten. Hij moest toegeven dat hij de draad kwijt was. Nou ja, dat was hem wel eerder gebeurd en altijd had hij voet aan de grond gekregen, maar hij werd nu meer op zijn vingers gekeken dan anders en er stonden te veel klootzakken te trappelen om hem te zien verdrinken. Tijd om een paar strohalmen vast te grijpen.

Hij pakte de hoorn en draaide een nummer.

'Eden Thackeray, alstublieft. Nee, schat, bespaar me de shit over een belangrijke vergadering. Hij is nét zijn kantoor binnengestapt, en alleen maar omdat het daar rustiger is dan thuis en hij er een sigaar kan opsteken zonder dat moeder de vrouw een emmer koud water over hem heen kiepert. Zeg maar dat het Andy Dalziel is.'

Even later hoorde hij de beleefde stem van Eden Thackeray, oudste vennoot, zij het semi in ruste, van Messrs. Thackeray, Amberson, Mellor en Thackeray, de meest prestigieuze advocaten van Mid-Yorkshire.

'Andy, je hebt mijn nieuwste receptioniste de stuipen op het lijf gejaagd.'

'Daar moet ze maar aan wennen. Hoe gaat het, knul? Nog altijd de touwtjes in handen?'

'Het wordt steeds zwaarder. Het kan geen kwaad dat je, zoals jij zou zeggen, weet waar alle lijken begraven liggen, maar het probleem is dat het op mijn leeftijd steeds moeilijker wordt het je te herinneren.'

'De truc is dat je zorgt dat niemand weet dat je het niet meer weet. Maar ik geloof je van geen kant. Ik zal je een examen afnemen. Jij bent toch de advocaat van lord Partridge?'

'Inderdaad, dat klopt, maar, Andy, zoals je weet: de beroepsethiek staat niet toe...'

'*Nay*,' viel Dalziel hem in de rede. 'Je deur hoeft niet op slot en laat de scrambler ook maar achterwege, het gaat me niet om de lord. Maar jou kennende, zou ik durven te wedden dat je alles weet wat er te weten valt over een belangrijke cliënt als die ouwe Budgie, tot zijn huispersoneel aan toe, klopt dat?'

'Ouwe Budgie? Ik wist niet dat je op zo'n intieme voet stond met de lord, Andy.'

'Ouwe makkers van langgeleden,' zei Dalziel. 'Waar ik nieuwsgierig naar ben, is het volgende: op het landgoed woont een Duitse, die vroeger huishoudster was of keukenmeid...'

'Je bedoelt Frau Penck, de moeder van onze eigen literaire reus Charley Penn?'

'Die bedoel ik. En voorzover jij haar kent, hoe is haar verstandhouding met Charley? Kun je me dat vertellen?'

'Ik geloof,' zei Thackeray voorzichtig, 'dat ik, aangezien ik geen van hen representeer, vrijblijvend en onder ons gezegd op die vraag kan ingaan. Even kijken. Een gecompliceerde relatie, zou ik zeggen. Zij vindt dat Charley bij haar zou moeten wonen om de functie van hoofd van het Penck-huishouden op zich te nemen die vrijkwam toen haar beminde echtgenoot een jaar of twintig geleden overleed. Zo zou het volgens oude Duitse traditie moeten gaan. Zij heeft het gevoel dat hij zijn afkomst is vergeten en zich heeft aangepast. Zelfs zijn succes als schrijver telt nauwelijks. Zijn boeken gelden naar Duitse maatstaven niet als "serieuze literatuur" en zijn bovendien in het Engels.'

'Ze spreekt toch wel Engels?'

'O ja, vloeiend, al is het met een zwaar accent dat zwaarder wordt als ze geen zin heeft te verstaan wat je zegt.'

'Heeft ze geld?'

'Niet dat ik weet. Maar ze zit er niet om verlegen. Bij de familie staat ze in hoog aanzien en vice versa. Ze woont gratis in een cottage en schijnt daar haar hele verdere leven te willen blijven.'

'Hoe kan het dan dat Charley zo'n chique opleiding volgde, Unthank College? Dat heeft Old Budgie zeker bekostigd?'

'De lord is niet zo scheutig met zijn geld,' zei Thackeray droogjes. 'De jongen heeft een beurs gekregen. Ik zeg niet dat er niet hier en daar aan touwtjes is getrokken, maar hij was volgens iedereen een intelligente knaap.'

'En nu ook nog rijk, zou ik zeggen. Zou makkelijk ergens een huis voor zijn ouwe moedertje kunnen kopen.'

'Dat heeft hij volgens mij ook aangeboden. Naar wat ik heb begrepen, geeft het gunstelingschap van Partridge hem eerder reden tot ongenoegen dan dankbaarheid. Zijn moeder is echter eerder geneigd Engeland buiten het landgoed van Haysgarth te beschouwen als een verlengstuk van het voormalige Oost-Duitsland, en mensen als jij als voetvolk van de Engelse Stasi-afdeling.'

'Dus als iemand van de politie zou opduiken om vragen te stellen over haar Charley, hoe zou ze dan reageren?'

'Niet erg mededeelzaam, zou ik denken. Er zou een vertekend beeld van hem gegeven worden als de volmaakt toegewijde zoon over wie ze geen woord zou willen horen, noch in het Engels noch in het Duits.'

'Maar als die oude Budgie of iemand van zijn andere makkers met haar over Charley zou praten...'

'Als er beweerd wordt dat ze zich gelukkig mocht prijzen dat ze een zoon had gebaard die het zo ver had geschopt in de grote buitenwereld, zou ze heel sterk de nadruk leggen op zijn tekortkomingen als fatsoenlijke Duitse jongen. Dat weet ik omdat ik die vergissing maakte toen ik haar voor het eerst ontmoette.'

'Dat is grandioos,' zei Dalziel. 'Help me herinneren dat ik ga zitten als ik je de volgende keer bij de Gents tegenkom.'

Dit sloeg niet op een rendez-vous op een openbaar toilet maar op hun gezamenlijk lidmaatschap van de Borough Club for Professional Gentlemen.'

'Het heeft zeker geen zin als ik vraag wat je van plan bent, Andy?'

'Raak, zoals altijd, Eden. Gefeliciteerd!'

Dalziel legde de hoorn neer, dacht even na, waarna hij hem weer oppakte en een nummer draaide.

'Met Cap Marvell.'

'Hallo, schatje, met mij,' zei hij.

'Alweer? Dit is al de tweede keer in twee weken dat je van het werk belt. Kan ik me beklagen wegens stalken?'

'Nee, wie ik stalk, piept wel anders,' zei hij. 'Luister, schat, ik heb bedacht dat ik een egoïstische stinkerd ben die ongeschikt is voor een relatie.'

258

'Andy, voel je je wel goed? Je bent niet gevallen, hebt niet je kop gestoten of een flits heel fel licht gezien?'

'En wat ik had bedacht was: aangezien dat fuifje van de held bij Budgie thuis is, waarom gaan wij niet samen? Het is langgeleden dat we de beest hebben uitgehangen.'

'Neem me niet kwalijk, Andy. Ik moet even gaan zitten. Ik voel dat ik last van vapeurs ga krijgen.'

'We hebben dus een date? Grandioos. Tot dan.'

Hij drukte de knop van de telefoon in, draaide opnieuw.

'Hallo, Lily White Laundry Service, wat kan ik voor u doen?'

'Hoe is het, schatje,' zei Dalziel. 'Kun je een kilt voor me regelen voor zaterdag?'

Toen Pascoe die ochtend kwam, hielp hij de anderen herinneren dat Pottle en Urquhart zich later zouden melden om de laatste Dialoog te bespreken en hun gewaardeerde mening over de vorige te geven.

'O god,' zei Dalziel. 'Ik wou dat ik ook ziek was.'

'Ook?'

'Bowler is met ziekteverlof,' legde Wield uit.

'Het is een zieke wereld,' zei Pascoe.

'De temperaturen lopen thuis zeker hoog op?'

'Alleen bij wijze van spreken. Ellie en Charley Penn hebben gisteravond samen de eindjurering gedaan voor die korte-verhalenwedstrijd. Sam Johnson had erbij zullen zijn, dus het was niet bepaald een vrolijke aangelegenheid. Toen ze thuiskwam wilde ze weten waarom we geen steek waren opgeschoten bij het pakken van die idioot.'

'Dat had jíj haar zeker verteld?'

'Ze wordt altijd laaiend als ik dingen zeg als "het onderzoek is in volle gang en een arrestatie kan spoedig tegemoet gezien worden".'

'Ik dacht dat ze de wedstrijd misschien hadden afgelast,' zei Wield.

'Omdat er een jurylid is vermoord? Zo werkt dat niet, Wieldy. Al die Scott Fitzgeralds in spe geven geen reet om Sam Johnson, van wie ze trouwens nog nooit hebben gehoord. Als het Charley Penn geweest was, was het misschien iets anders geweest. Maar in plaats van de wedstrijd af te gelasten, heeft Mary Agnew de moord, alle moorden, juist uitgebuit om veel meer publiciteit te krijgen. Heb je de *Gazette* van gisteravond niet gezien? Ze heeft de titels van de kanshebbers – wel zo'n vijftig korte verhalen – gepubliceerd. En ze heeft een deal gesloten met John Wingate, die vent van de tv. Alle schrijvers op die lijst zijn uitgenodigd in de studio in het Centrum en de uitslag wordt zaterdagavond bekendgemaakt in het decor van het vroegere programma van Jax Ripley.'

'Ripleys decor? Jezus, daar lopen de media fijn op binnen. Ze gaan de mensen waarschijnlijk laten betalen om op de plee te pissen waar Schrokker Steel is koud gemaakt!' riep Dalziel uit. 'Volgens mij maak ik nog mee dat ze weer mensen en plein public gaan ophangen. Bij nader inzien zijn er een paar voor wie ik goed geld zou betalen om ze te zien hangen.'

Pascoe en Wield wisselden die blanco blik waarmee ze door de jaren heen uiting gaven aan hun pret over het vaak buitensporige gebrek aan logica van de Dikke Man.

Dat leek hij niet te merken en hij ging verder: 'Ellie heeft je zeker verteld wie de winnaar is? Ongetwijfeld zo'n verhaal waar het bloed en de darmen je om het hoofd vliegen, stijf staand van de perversiteiten en kinky seks.'

Zonder de vraag te stellen of dit een commentaar was op de heersende smaak of op de voorkeuren van zijn echtgenote, zei Pascoe: 'Ja, ze zei dat ik waarschijnlijk blij zou zijn te horen dat het winnende verhaal een vrolijk en grappig verhaal was, een sprookje bijna, dat zowel kinderen als volwassenen een goed gevoel zou bezorgen.'

'En Charley Penn ging daarvoor? Hij heeft zeker een bepaalde vluchtige vloeistof gesnoven. Welk genie heeft het geschreven?'

'Dat zullen we niet eerder weten dan zaterdagavond, als de verzegelde envelop met de winnaar wordt geopend. Komt u ook, sir?'

'Ben je belazerd!'

'Nee, serieus. Ik dacht dat er een kans zou kunnen bestaan dat de Woordman er opdook.'

'Dat zei je ook over de expositie.'

'Dat had Bowler gezegd.'

'Nou, ik hoop niet dat-ie daar trots op is,' gromde Dalziel. 'En mocht onze vriend opduiken, jij denkt zeker dat hij deze keer zijn T-shirt met *Ik ben de Woordman* aantrekt?'

'Wie weet? Pottle zei dat hij, omdat hij steeds meer overtuigd raakt van zijn onkwetsbaarheid, erop gaat kicken risico's te nemen. Enfin, ik zal er zeker zijn, met Ellie als jurylid.'

'O ja? Ben je soms bang dat de verliezers agressief zullen worden? Nou, als de Woordman zo makkelijk op te sporen is, is één paar politieogen wel genoeg.'

'Twee paar,' zei Wield.

'Ga jij ook?'

'Edwin steunt graag plaatselijke culturele activiteiten.'

Ditmaal waren het de blikken van Dalziel en Pascoe die elkaar kruisten.

'Als dat een plaatselijke culturele activiteit is,' zei Dalziel, 'heb ik deze maand aan mijn quota voldaan. Hoe dan ook, zaterdagavond ga ik dansen.'

'Dansen,' zei Pascoe, die zijn uiterste best deed elke indruk van een ondervraging te vermijden.

'*Aye*. Man. Vrouw. Ritmische beweging. Als je kleren aanhebt, heet dat dansen.'

'Inderdaad, sir. En wordt dat de salsa? Line dance? Een rave? Aftikken? En thé-dansant?'

'Dat is voor mij een weet en aan jou om je verbeelding op te oefenen,' zei Dalziel, terwijl hij opstond. 'Geef een gil als Pinky en Perky verschijnen, wil je? Maar mocht ik dood zijn, beleg er dan geen seance voor.'

Hij ging de kamer uit.

'Die heeft het niet makkelijk,' zei Wield.

'Hij heeft waarschijnlijk dat artikel over hem gelezen in de *Sun* van vanmorgen. De kop was TOEN DINOSAURUSSEN DE WERELD REGEERDEN. Hij moet heel snel met iets komen in deze zaak.'

'Wie niet? Heb jij soms ideeën?'

'Behalve iedereen die ook maar íéts met de zaak te maken heeft een akker op drijven en net zo lang met een dooie kip voor de kop rammen tot-ie bekent? Nee. Misschien dat het dynamische duo studiehoofden ons straks de goede richting wijst.'

'Denk je?' vroeg Wield. 'Ik wed liever op de dooie kip.'

Uiteindelijk kwam Urquhart alleen opdagen omdat Pottle was geveld door het woedende virus dat Rye Pomona en Hat Bowler buiten werking had gesteld. Hij had zwart op wit een samenvatting van zijn bevindingen gestuurd dat niet veel toevoegde aan hetgeen hij op de vorige vergadering had gezegd. De Woordman werd steeds brutaler omdat elke moord het bewijs was van zijn gevoel van onkwetsbaarheid. Zijn bedoeling was kennelijk geweest Johnson buiten werking te stellen met de drug alvorens hem door wurging van kant te maken. Maar toen de docent was overleden zonder dat daar handkracht aan te pas hoefde komen, werd dit opgevat als het zoveelste blijk dat hij op de goede weg was.

'De Woordman is meedogenloos in daden maar niet in retrospectie,' schreef Pottle. 'De Dialogen worden gehouden met drie gesprekspartners. De eerste is de figuur uit de Onderwereld die tegelijkertijd een schim van een persoon is en de Macht die deze reeks moorden mede beraamt. De tweede ben jij, ben ik, is iedereen die de Dialogen leest en die – naar hij hoopt – zowel begrip en goedkeuring zal opbrengen voor zijn plan als bewondering zal hebben en diep onder de indruk zal zijn van zijn genie. De derde is hijzelf. Omdat hij in de werkelijke wereld, als tegenpool van de tijdloze wereld van zijn ritueel, de slachtoffers als echte mensen ziet en niet slechts nuttige wegwijzers op zijn mysterieuze pad, moet hij voor zichzelf bewijzen dat zij persoonlijk, of hun nabestaanden, beter worden van hun dood.'

Voorzichtig als hij was, weigerde hij een suggestie aan het papier toe te vertrouwen naar wat voor iemand ze zouden moeten zoeken, maar hij verzocht Pascoe in een handgeschreven briefje hem de volgende week, als hij hoopte hersteld, op te bellen.

Urquhart was, zo leek het Pascoe, eerder te zijn gekomen vanwege het genoegen dat het hem bezorgde Andy Dalziel uit zijn tent te lokken dan omdat hij het gevoel had iets nuttigs bij te dragen. Of misschien maakte het feit dat hij zijn hele leven al een antiautoritaire houding had moeten aannemen het hem onmogelijk de politie rechtstreeks zijn hulp aan te bieden, zodat hij die indirect binnensmokkelde onder het mom van de spot die hij met hen dreef.

En ook de Dikke Man, besefte Pascoe in een helder moment, genoot van de schimpscheuten. Dat hij de linguïst afdeed als een te ver doorgeleerde, uitgedroogde smet op de Schotse banier was een vergelijkbare reflex. Of hij het gevoel had veel voordeel te oogsten van Urquharts inbreng viel moeilijk in te schatten, maar hij genoot van het gekat.

'En wat hebt ú voor ons, Rob Roy?' luidde zijn openingszet.

'*Haud yer weesht*, Hamish, dan krijg je het misschien te horen,' antwoordde Urquhart.

Dat was de tweede keer dat de Schot Dalziel dat *Hamish* als een taart in het gezicht smeet, en de tweede keer dat Dalziel er één ogenblik verslagen bij stond. Mis ik iets, soms? dacht Pascoe.

Wat Urquhart voor hen had was niet veel, maar tenminste even literair als linguïstiek verantwoord, waardoor bij Pascoe het vermoeden rees dat zijn *wee hairie* op de vakgroep Engelse Literatuur meer van de Dialogen te zien had gekregen dan goed voor haar was. Nou ja, zolang het lek niet verder ging en niet naar de schandaalpers doorsijpelde, was er niets aan de hand en kregen zij twee experts voor de prijs van één.

'Zei Pozzo niet iets over die vent en godsdienst? Niet godsdienstwaanzinnig in de strikte betekenis, op het oog waarschijnlijk zelfs absoluut areligieus. Zo is dat altijd met die zielenknijpers, nietwaar? Ze geven met de ene hand, terwijl ze met de andere nemen, en uiteindelijk hou je zelf geen zak over.'

'Beter een handvol zak dan een handvol gelul, wat meer is dan ik tot nu toe kan zeggen,' gromde Dalziel, waarbij hij ter illustratie een grote klauw uitstak.

'En ik dan?' zei Urquhart, terwijl hij hem doordringend aankeek. 'Zoals ik al zei: een heleboel religieus taalgebruik, zowel qua toon als rechtstreekse verwijzingen, maar dat hebt u waarschijnlijk zelf al gezien, mr. Pascoe.'

Peper het maar in, wat inhoudt dat ik binnen het politiekorps de literatuurkei ben, dacht Pascoe.

'Inderdaad heb ik er een paar opgemerkt,' zei hij.

'Maar één ding komt steeds terug. Eerste Dialoog: "de kracht achter het licht, de kracht die alle vrees verzengt…" Derde Dialoog: "wees de kracht van mijn leven; die ik zal vrezen…" De Vierde: "in het licht van die aura had ik niemand te vrezen…" Vijfde: "mijn licht en heil waardoor ik geen enkele dwaas hoef te vrezen." Ik heb ze allemaal opgezocht. En ik kwam uit op psalm 27.'

Hij haalde een bijbel te voorschijn en las: *'De Heer is mijn licht en mijn heil, voor wie zou ik vrezen? De Heer is mijn levenskracht, voor wie zou ik vervaard zijn?'* Waarna hij triomfantelijk om zich heen keek, als ware de daaropvolgende stilte een denderend applaus.

'Interessant,' haastte Pascoe zich te zeggen. 'Mag ik even kijken?'

Hij pakte het boek van Urquhart aan en begon het begin van de psalm te lezen.

'Dalziel zei: 'En?'

'Wat nou: en, Andy?' zei Urquhart. 'Behalve dat ik me afvroeg toen ik naar die illustratie van de Eerste Dialoog keek: Zou die figuur in de ronding van de P een boek kunnen zijn, misschien de bijbel zelf, of een missaal waarin je die psalmen zou kunnen vinden?'

Pascoe legde de bijbel neer en keek naar de geornamenteerde letter.

'U zou best eens gelijk kunnen hebben,' zei hij. 'Het zou de rug

263

van een boek kunnen zijn. Maar wat daarop staat? Enig idee?'

'Misschien moet het een bepaald handschrift voorstellen waarin in sierletters *In Principio* staat, waarop dit gebaseerd is?' opperde Urquhart. 'Maar alleen een specialist zou u hierbij kunnen helpen.'

Dalziel, die de bijbel had gepakt om erdoorheen te bladeren, reciteerde galmend: "Er is geen einde aan het maken van veel boeken en veel doorvorsen is afmatting voor het lichaam." Alsjeblieft niet nog meer specialisten.'

'*Aye*, ik snap dat die u een gruwel zouden zijn,' zei Urquhart.

Maar al spoedig kwam hij met de ontknoping van zijn tekstanalyse.

'Vandaar dat ik denk dat onze kleine Woordman bepaalde gedrukte teksten opvat als een soort gecodeerd woord Gods. "Hier is de wijsheid. Voor wie daar begrip voor heeft", zoiets.'

'Dat is Openbaring, geen evangelie,' zei Dalziel. 'Laat hem die geen begrip toont het nummer van het beest tellen; want dat is het nummer des mensen.'

'Waarom verbaast het me niet dat u dat weet, hoofdinspecteur?' zei Urquhart. 'Nog één ding. In de Vijfde Dialoog "werd het leven één grote verveling…". Dat klinkt als een quote uit de laatste brief die die Beddoes, naar wie die arme Sam Johnson onderzoek deed, schreef voordat hij de hand aan zichzelf sloeg. "Het leven was veel te erg op één been, en ook nog een slecht been." Schijnbaar heeft die arme drommel al eerder geprobeerd zich van kant te maken en is het hem pas gelukt nadat zijn been was geamputeerd. En hij was nog wel arts. Zo te horen zou hij een uitstekend huisarts geweest zijn!'

'Klaar?' vroeg Dalziel. 'Goed, Lochinvar, je mag nu weer westwaarts rijden.'

Ditmaal liet Urquhart de Dikke Man het laatste woord, en alsof hij dat in dank afnam, wachtte Dalziel tot de deur achter hem was dichtgevallen voordat hij zei: 'Verdomme, nog meer tijdverspilling!'

'Dat denk ik niet, sir,' zei Pascoe kordaat. 'We zijn bezig een profiel op te bouwen. En dat laatste over het Beddoes-citaat schept enige duidelijkheid.'

'O ja? Uit wat jij zei, dat die maat van jou een uitgedroogde kunstenaar was, dat betekent misschien dat hij, toen hij doodging, ook geen benen meer had,' zei Dalziel.

'Kan wel zijn, sir. Maar dat betekent dat de Woordman waarschijnlijk heel goed op de hoogte is van het oeuvre van Beddoes. En ik ken iemand die zéér geïnteresseerd is.'

'O god, toch niet wéér Roote!' gromde de Dikke Man. 'Laat dat toch in godsnaam even zitten.'

'Laten zitten?' zei Pascoe. 'Dat is precies wat ik met hem van plan ben.'

Dalziel keek hem treurig aan en zei: 'Pete, je begint al aardig als de Woordman te klinken. Je zou wat meer uit moeten gaan. Wat zeggen die kinderen tegenwoordig ook alweer? *Get a life, man. Get a fucking life!*'

28

GET A LIFE, DAT WAS MAKKELIJK GEZEGD MET AL DIE LIJKEN OM JE HEEN.
Zaterdagmorgen werd Pascoe wakker, rekte zich uit en dacht
blij: 'Ik heb geen dienst.'

Toen herinnerde hij zich dat hij naar een begrafenis moest, zijn
tweede die week.

Voor een smeris betekende het weekend meestal meer in plaats
van minder werk. Toch was Pascoe, als een slaaf die van thuis
droomt, nooit het ingebakken gevoel kwijtgeraakt dat zaterdagen
voor baseballwedstrijden waren, voor karweitjes, feesten, trouwen,
met het gezin gaan picknicken en al dat soort leuks. Dus ondanks
het feit dat de stress van het Woordman-onderzoek een enorme in-
krimping met zich meebracht van officiële vrije tijd (zonder ver-
houdingsgewijs een aanvulling van *betaald* overwerk), had hij zich
aan zijn geplande Woordman-vrije zaterdag vastgeklampt als een
drenkeling aan een zwemvest.

Maar Linda Lupin, Leipe Linda, had daar verandering in gebracht.

Een vermoord lijk, met name als er vergif in het spel was, wordt
meestal op ijs bewaard tot alle partijen met een forensisch belang –
politie, lijkschouwer, Openbare Veiligheidsdienst en (als iemand in
hechtenis is genomen) een rechtsadviseur – het erover eens zijn dat
elke laatste druppel bewijslast, be- of ontlastend, eruit is geperst.
Toegewijde familieleden wordt geadviseerd hun verdriet eveneens
koud te zetten tot de dag waarop met fatsoen gerouwd mag worden.

Maar als dat toegewijde familielid Linda Lupin is, van wie bekend is dat ze in haar functie van europarlementariër zelfs de Fran-
sen deed sidderen, kan een en ander anders liggen.

Haar redenering (die zoals altijd in stenen tafelen waren uitgehouwen) was dat door de dood van haar stiefbroer Europa al één
periode onder haar afwezigheid te lijden had gehad en dat het twij-
felachtig was of het er zo kort daarop nog een zou overleven. Vandaar dat de begrafenis moest plaatsvinden tijdens haar voorgeno-

men verblijf, namelijk vóór de volgende week, als ze voornemens was terug te keren tot haar heilige taak het Continent voor te bereiden op de Anglosaksen.

En zo geschiedde dat Sam Johnson zaterdagmorgen werd begraven.

Linda zou de voorkeur gegeven hebben aan de afdoendheid van crematie, maar hier hield de lijkschouwer zijn poot stijf. Het lichaam moest bereikbaar blijven. Dus vond de plechtigheid plaats in St. Hilda, de universiteitskerk.

Officieel toegeven dat Steel en Johnson het vierde en vijfde slachtoffer van de Woordman waren, was op zichzelf voldoende om de Britse media tot uitzinnige razernij van speculatie en beschuldigingen aan te wakkeren, en de onverwachte betrokkenheid van Linda Lupin was het kersje op de taart. De begrafenis had kunnen uitlopen op een kruising tussen een popconcert en een uitwedstrijd van Engeland als de wijze Victoriaanse stichters van de universiteit niet het principe dat elk gebouw dat studenten zou huisvesten omringd diende te zijn door hoge stenen muren met daarop glasscherven, ook hadden doorgetrokken tot de kerk. Universiteitsbewakers liepen als een kasteelgarnizoen in staat van beleg de wacht in de omtrek en duwden de ladders om waarop de meest ontaarde indringers een poging deden een blik naar binnen te werpen, terwijl een snerpende radioboodschap van de politie weldra korte metten maakte met de helikopter die boven de hoofden als een harpij uit de laaghangende wolken scheerde.

Maar kennis van de omgeving slecht, gelijk liefde, de hoogste muur en toen Ellie en Peter Pascoe over het grindpad op de kerkdeur af liepen, maakte zich van een grafzerk een schijnbaar uit steen gehouwen doodsschim los die Sammy Ruddlesdin bleek te zijn.

'Even tijd voor een babbeltje, Peter?' vroeg hij.

Pascoe schudde zijn hoofd en liep door. Ruddlesdin bleef naast hem lopen.

'Vertel dan ten minste of je hier in je officiële hoedanigheid bent of als vriend van de familie,' hield hij aan.

Weer schudde Pascoe zijn hoofd en liep de poort door naar het kerkportaal.

Ellie bleef op de trappen even staan en siste Ruddlesdin in het oor: 'In welke hoedanigheid zou jij willen horen dat je moet opsodemieteren, Sammy?'

Terwijl ze achter haar echtgenoot aan liep, riep de journalist haar na: 'Mag ik u citeren, mrs. Pascoe?'

Ze ging naast Peter zitten, schopte haar schoenen uit en legde haar voeten op een knielkussen.

Pascoe fluisterde: 'Ik dacht dat ik je kwijt was.'

'Ik was even in gesprek.'

'O Jezus. Wat heb je gezegd?' vroeg hij in paniek.

'Niet geschikt voor publicatie,' stelde ze hem gerust. 'Ik zei dat hij moest opsodemieteren.'

'Het zal niet waar zijn! Was dat niet een beetje grof? Het is die ouwe Sammy maar.'

Ze keek hem aan en zei: 'Peter, ik weet niet in welke hoedanigheid jíj hier bent, maar ik ben gekomen om afscheid te nemen van iemand die ik zal missen, iemand die ik als een goede vriend beschouwde, en dat houdt niet in dat ik beleefd moet zijn tegen journalisten, of het nou gaat om die ouwe Sammy of iemand van die andere hyena's die daar lopen te azen. Dus laten we nou maar gewoon doorgaan met rouwen, oké?'

'Prima,' zei hij. 'Dus je gaat die Leipe Linda niet met een custardtaart te lijf?'

Linda Lupin behoorde tot de favoriete hekeltroetels van de linkse partij.

Ellie dacht even na.

'Nee. Niet zolang ze zich op gewijde grond bevindt in elk geval.'

Het enige wat haar talrijke vijanden Leipe Linda moesten nageven, was dat ze uitstraling had. Zelfs een doodskist kon de show niet van haar stelen. De plechtige processie van de stoffelijke resten van Sam Johnson richting altaar verliep bijna onopgemerkt omdat aller ogen gericht waren op de onverwachte zuster.

Ze was gedrongen, niet zo groot, met kort haar, ver uit elkaar staande ogen die nooit leken te knipperen, een lange neus, een rubberachtige mond en een kin waarmee je ijs zou kunnen klieven. Toch was ze niet onaantrekkelijk. Een gepensioneerde politicus, berucht om zijn amourettes, had opgebiecht dat hij meer genot putte uit een terugkerende fantasie over Linda en een kat-met-negenstaarten dan uit echte affaires met twee of drie vrouwen met wie hij hoogst onhoffelijk genoemd werd.

Haar kracht, dacht Pascoe, was dat ze, in welk gezelschap of bij welke gelegenheid ook, geen seconde scheen te betwijfelen dat zij de belangrijkste aanwezige was. Haar huidige entourage, samengesteld uit de vice-rector van de universiteit en de oudere leden van de Engelse vakgroep, allen in hun toga's, leek een Gilbert en Sullivan-koortje dat achter de solozangeres stijfjes z'n ingewikkelde kunstjes vertoonde.

De belangrijkste rouwgasten waren afkomstig van de universiteit, onder wie diverse collega's die Pascoe Johnson in een dronken bui had horen omschrijven als 'plagiaat plegende sukkels die geen origineel idee hebben gehad sinds ze hun ballen hadden afgehakt om te kijken waar hun waterige kwakkies vandaan kwamen'. Over twee van hen deed hij bijzonder spottend vanwege hun vermeende pogingen op slinkse wijze zijn vertrouwen te winnen om toegang te krijgen tot zijn met de grootste moeite verkregen database over de romantiek. Tja, misschien was dit hun kans. Hij verwachtte niet dat Leipe Linda er veel nut van zou hebben, dus waarschijnlijk zou die naar de meest succesvolle kontkruiper gaan.

Eén afwezige, die hij zo niet onder de voornaamste rouwgasten dan toch minstens als meeloper in de groep had verwacht, was Franny Roote. Ellie en hij zaten vrij ver achter in de kerk en de student annex tuinman zat in geen geval vóór hen. Raar, dacht hij bij zichzelf. Maar toen hij terugdacht aan Dalziels waarschuwing niet toe te geven aan obsessie, zette hij de kwestie subiet uit zijn hoofd.

De dienst begon. De universiteitskapelaan, een jongeman die op het agressieve af vastbesloten was de oude bombast te vermijden, gaf een overzicht van Johnsons leven dat, ongeacht wat het bij de traditiegetrouwen teweegbracht, Ellie tot tranen roerde.

Toen hij was uitgesproken, zei de kapelaan: 'En als nu een van de aanwezigen nog iets over Sam zou willen zeggen, laat hem dan naar voren komen… We krijgen niet vaak de gelegenheid recht uit het hart te spreken. Wees niet bang die te grijpen.'

Hij daalde neer van de kansel en nam beneden zijn plaats in, van waar hij met een bemoedigende glimlach naar de congregatie keek die uiteraard, op z'n Brits, de ogen neersloeg, ongemakkelijk op de banken heen en weer schuifelde en als geheel een acute gêne uitstraalde.

Pascoe boog het hoofd in innig gebed, eigenlijk in twee innige gebeden, waarvan het eerste inhield dat Leipe Linda niet de kans zou aangrijpen voor een van haar befaamde tirades over herinvoering van de bastonnade. Het tweede en vuriger gebed was dat Ellie geen vin zou verroeren. Omdat hij geloofde dat God degene helpt die God helpt, schoof hij met zijn rechtervoet haar uitgeschopte schoen buiten haar bereik. Niet dat dat haar zou weerhouden. Als zij het op haar heupen kreeg, was ze zeer wel in staat dat barrevoets door te zetten, als een boeteling uit de oude doos.

Hij voelde hoe haar spieren zich spanden ter voorbereiding om op te staan. Vervolgens betuigde die goeie ouwe God uiteindelijk zijn appreciatie voor de pogingen van zijn dienaar Pascoe omdat hij Hem de helpende hand had gereikt. Of voet. Ergens achter hem klonk het geritsel van mensen en gesmoes toen iemand langs de kerkbank schuifelde. Iedereen draaide zich om en staarde alsof zojuist de 'Bruiloftsmars' was ingezet om aan te kondigen dat de bruid in de kerk was gearriveerd.

Maar Pascoe wist al wie het was vóór zijn ogen dat bevestigden.

Langzaam, in stilte, schreed de slanke gestalte van Franny Roote richting altaar en besteeg de kansel. Zoals gewoonlijk was hij in het zwart, slechts gebroken door een piepklein wit kruisje dat ondanks het geringe formaat tegen zijn borst leek te branden.

Eén lang moment stond hij op de congregatie neer te kijken, zijn gezicht uitdrukkingsloos, alsof hij zijn gedachten ordende.

Toen hij eindelijk sprak, was zijn stem zacht, maar als het fluisteren van een acteur droeg die moeiteloos tot in de verste hoeken van de doodstille kerk.

'Sam was mijn leermeester en vriend. Toen ik hem voor het eerst ontmoette, was ik net aan het bijkomen van een slechte periode zonder de zekerheid dat er niet een ergere voor me lag. Achter mij lag een bekende duisternis; vóór me lag duisternis die ik niet kende. En toen, door een menselijke kans, maar, dat weet ik zeker, volgens Gods plan, ontmoette ik Sam.

Als leermeester was hij een licht in de duisternis van mijn onwetendheid. Als vriend was hij een licht in de duisternis van mijn wanhoop. Hij liet me zien dat ik niets te vrezen had door voorwaarts te gaan, op zoek naar geestelijke kennis, en dat alleen maar kon winnen door voorwaarts te gaan op zoek naar mijzelf.

Vlak voor zijn gruwelijke dood heb ik hem voor het laatst gezien. Ons gesprek ging voornamelijk over theoretische onderwerpen, al slopen er zoals altijd andere dingen in, want Sam sloot zich niet op in een ivoren toren. Hij stond midden in het werkelijke leven.'

Hij zweeg even en zijn blik flitste in de richting van het gelid van academici op de eerste kerkbank die Linda Lupin flankeerden. Toen ging hij verder.

'Ik heb getracht te denken aan de dingen die hij bij die laatste ontmoeting zei, want ik geloof dat de dood, zelfs al komt hij – misschien zelfs dan – met geweld en onverwacht, nooit komt zonder een boodschap vooraf dat hij in aantocht is.

Ik weet zeker dat we over de dood hebben gesproken. Je kunt moeilijk over hem spreken zonder, zoals wij toen, te spreken over Sams lievelingsdichter Thomas Lovell Beddoes. En ik weet dat we hebben gesproken over het mysterie van de dood en over de manier waarop onze gebruikelijke, zij het niet enige, manier van communiceren, taal, vanwege zijn complexheid vaak meer verbergt dan duidelijk maakt.

Had hij een voorgevoel? Ik herinner me hoe hij glimlachte – bitter, vond ik, toen hij een fragment van Beddoes citeerde:

> *I fear there is some maddening secret*
> *Hid in your words (and each turn of thought*
> *Comes up a skull), like an anatomy*
> *Found in een weedy hole, 'mongst stone and roots*
> *And straggling reptiles, with an tongueless mouth*
> *Telling of murder…'*

(Pascoe kreeg de indruk dat de man, toen hij het woord *roots*, wortels uitsprak, met zijn ogen de zijne zocht, en een flauwe glimlach over zijn bleke lippen schichtte. Maar misschien vergiste hij zich.)

De man sprak verder.

'Misschien probeerde Sam me iets te vertellen, iets wat hij zelfs amper begreep. Misschien zal ik dat geheim op een dag ontrafelen. Of misschien zal ik moeten wachten tot Sam het zelf voor mij ontrafelt.

Want al onderschreef Sam geen enkele georganiseerde vorm van religie, ik weet uit onze gesprekken dat hij een diep geloof koesterde in een leven na de dood dat zeer afweek van, maar ver verheven was boven die groteske toestand waar we ons hier op aarde doorheen worstelen. Daarin vond zijn ziel innige weerklank in die van Beddoes, en het boek dat hij over hem aan het schrijven was zou een meesterwerk van zowel filosofie als educatie geworden zijn.

Nog enkele strofen poëzie voordat ik eindig. Vergeeft u mij als ze op enkelen onder u macaber overkomen, maar geloof me, daar zou Sam het niet mee eens zijn geweest. Hij heeft zelfs ooit tegen me gezegd dat als hij zijn eigen begrafenis mocht organiseren, hij deze regels graag voorgedragen zou willen horen.

Dus staat u mij toe dat ik ze uitspreek, omwille van zijn wens en mijn eigen rust.

> *We do lie beneath the grass*
> *In the moonlight, in the shade*
> *Of the yew-tree. They that pass*
> *Hear us not. We are afraid*

They would envy our delight,
In our graves by glow-worm night.
Come follow us, and smile as we;
We sail to the rock in the ancient waves,
Where the snow falls by thousands into the sea,
And the drowned and the shipwrecked have happy graves.'

Hij stond even roerloos als de in hout uitgesneden adelaar waarop de katheder van de kansel steunde, terwijl hij met net zo'n felle blik neerkeek op de congregatie als de vogel. De stilte in de kerk voelde eerder aan als afwezigheid dan geluid. Het leek alsof iedereen uit de maalstroom van de tijd was weggedreven naar een zijrivier die eenieder die de kracht bezat zijn arm uit te strekken om een slok te nemen een roes van vergetelheid beloofde. Waarna Roote zelf de ban verbrak toen hij van de kansel stapte en met hangende schouders en gebogen hoofd over het kerkpad terugliep, niet langer een dwingende aanwezigheid van gene zijde maar een verweesd, hulpeloos jongetje.

'Wie heeft daarvan terug!' fluisterde Ellie.

Ze had gelijk, dacht Pascoe opgelucht. Alleen een politieman met een gehard ego zou nu kunnen opstaan, maar zijn rouwbeklag zou nu onvermijdelijk prozaïscher klinken.

Hij zag dat Linda Lupin haar nek rekte om Rootes terugtocht te kunnen zien. Daarna sprak ze fel en indringend met de vice-rector.

Ze wil zeker weten wie die vreemde knakker is die op die manier de vlakke teneur van de begrafenis wilde verstoren, dacht Pascoe, terwijl hij zich niet zonder leedvermaak afvroeg welke vergelding ze gezien haar politieke grootheid op Roote kon laten neerdalen.

Na de teraardebestelling, toen iedereen wat bleef rondhangen op het kerkhof alvorens bestormd te worden door journalisten en cameramensen die zich buiten de hekken hadden opgesteld, zag hij dat Leipe Linda de dingen niet op z'n beloop had gelaten en Roote had aangeklampt om haar woede in zijn verlamde oor te spuien.

'Moet je kijken,' fluisterde hij tegen Ellie. 'Ik durf te wedden dat Franny liever weer naar binnen zou willen.'

'Waarom zeg je dat?'

'Omdat alles volgens mij leuker is dan orale acupunctuur,' zei Pascoe.

Maar hij had het nog niet gezegd of de reden van Ellies onzekere reactie drong tot hem door toen hij Roote uiteindelijk zijn mond zag opendoen om antwoord te geven en iets als... nee, iets wat zowaar een glimlach was, op Linda Lupins gezicht uitbrak. Ze waren in gesprek, ze maakten geen ruzie.

'Ik dacht dat ze een regelrechte recht-voor-z'n-raap Church of England-christen uit de ouwe doos was, help de armen in nood en laat de rest maar doodvallen, geen scheten laten in de kerk,' zei hij teleurgesteld. 'Ik had me erop verheugd dat ze Franny de kop van z'n lijf zou rukken.'

'Waar heb jíj gezeten, Peter? Die Linda van ons is van nature een modern, leip, klef ik-hoor-stemmen soort christen. Haar nieuwste afwijking is een sterke betrokkenheid bij de beweging van de Third Thought Counseling... Je hebt toch wel gehoord van de Third Thought Therapy?'

'Heeft het iets te maken met de Third Age, de universiteit van?'

'Alleen wat betreft hun doelgroep. Hun ondertitel is Zielshospitium. Een of andere Belgische monnik is ermee begonnen. In principe is het een fundament van strategieën om vrede te vinden met de dood, met als principe dat je niet moet wachten tot die je komt halen maar zelf de eerste stap zet om hem in de ogen te kijken, terwijl je nog gezond bent van lichaam en geest.'

'En de Third Thought?'

'Ik weet dat je zelden verder komt dan de sportpagina van je krant, maar wat leren ze je tegenwoordig nog op school?'

'Toch geen Beddoes, hè?' zei Pascoe.

Die schooier blééf maar opduiken. De laatste strofe van Rootes eerbetoon echode nog in zijn hoofd...

...And the drowned and the shipwrecked have happy graves (...en drenkelingen en schipbreukelingen krijgen een gelukkig graf).

Ging de Eerste Dialoog niet over de verdronken wegenwachter die een gelukkig graf had?

'Doe niet zo onnozel,' zei Ellie. 'Het is de Grote Vader zelf. Shake de Speare. Prospero. "En moge ik eindigen in Milaan waar Elke derde gedachte mijn graf zal zijn." Hoe bestaat het dat je dat niet herkende?'

'Niet iedereen heeft het voorrecht mogen kennen Caliban in de schoolopvoering te spelen,' zei Pascoe.

'Ariel,' zei ze, waarna ze hem een por gaf. 'Enfin, Linda heeft kennelijk die monnik ontmoet en was vol van hem, en sindsdien pleit ze ervoor grote bedragen euro-poen in de beweging te pompen.'

'Maar je zei dat het een Belg was?'

'Linda heeft niets tegen buitenlanders, zolang ze ons maar niet willen voorschrijven wat we moeten doen en uiteraard de superioriteit van de Britten erkennen, wat deze man kennelijk heeft gedaan toen hij een Engelse naam voor zijn therapie koos, al verdenk ik hem ervan dat hij daarvoor een commerciële reden had en uit was op een zo groot mogelijke bekendheid van zijn website.'

'Een website in een klooster?'

'Peter, ga eens een poosje weg uit Dalziels Disneyland en probeer de echte wereld.'

'Hoe komt het dat jij zoveel over Leipie weet?'

'Zoals in het rode boekje staat: ken uzelve, maar leer uw vijanden een verdomd stuk beter kennen. Maar om terug te komen op waar we het over hadden: ik denk dat onze vriend Roote, in plaats van zich mee te laten sleuren door miss Lupin door dat onzingebrabbel over graven en zo, er zelf waarschijnlijk veel van heeft opgestoken. Een vreemd toeval wil namelijk dat het symbool van Third Thought bestaat uit een piepklein kruisje, dus is hij er waarschijnlijk ook lid van. De bofkont.'

'Bofkont,' brieste Pascoe. 'Ik betwijfel of het een kwestie van boffen was. Die geniepige klootzak!'

'Een quote, inspecteur?' vroeg Sammy Ruddlesdin, die vanachter een stenen engel te voorschijn sprong. 'Hebt u een quote voor me?'

'Sammy, sodemieter in godsnaam op!' zei Peter Pascoe.

29

Toen de zaterdag was aangebroken, had Pascoe een lief bedrag overgehad voor het genoegen zich in zijn favoriete fauteuil uit te strekken en zich door de bloedeloosheid van weekendtelevisie in slaap te laten sussen.

De roep van de plicht die zijn aanwezigheid vereiste bij de feestelijke bekendmaking van de uitslag van de korte-verhalenwedstrijd begon steeds zwakker te worden. Niets van enige relevantie voor het Woordman-onderzoek zou daar gebeuren en in elk geval zou Edgar Wield er zijn om een oogje in het zeil te houden. Zelfs Ellie moedigde hem ruimhartig aan om weg te blijven.

'Als jurylid moet ik erheen,' zei ze. 'Maar jíj hoeft niet te lijden. Zak lekker onderuit. Ik zal de oppas afzeggen.'

Toen hij dacht aan al die saaie politiepartijtjes die ze voor hem had moeten uitzitten, kreeg hij enorme last van zijn geweten.

'Nee, ik ga mee,' zei hij. 'Het is niet zoals de Oscars met dankspeeches die maar eeuwig doorgaan. Hoe lang is het tv-item? Een halfuur?'

'Meer niet. Bovendien schenken ze vooraf een drankje voor belangrijke gasten en hun onbelangrijke partners. Een paar nippen sterkedrank, en wie weet wat een behoefte je ineens krijgt aan een levendige discussie.'

'Laten we dan maar een taxi nemen,' zei Pascoe.

Maar om te beginnen leek Ellie het hopeloos mis te hebben gehad. Zo mogelijk was de sfeer op de borrel nog ietsje minder levendig dan de universiteitskerk die ochtend. De vorige keer dat het grootste deel van de aanwezigen in het Centrum bij elkaar was, was gemeenteraadslid Steel vermoord. En onder hen waren tamelijk veel mensen die de begrafenis van Sam Johnson hadden bijgewoond en vanwege zijn dood in een sombere stemming waren.

Maar zoals dat meestal gaat bij een wake: na twee, drie drankjes klaarde het op en ontstond er een koor van gebabbel en al keek de eerste die hardop lachte enigszins schuldbewust, weldra was het samenzijn in vrolijkheid niet te onderscheiden van elk andere feest dat niet lang gaat duren en waar iemand anders de drank betaalt. Wie precies, wist Pascoe niet. Waarschijnlijk de *Gazette*. Als je het hem zou vragen, zou de enige die die vraag hardop had durven stellen Schrokker Steel zijn geweest, die zich er altijd van wilde vergewissen dat de belastingbetalers geen poot werd uitgedraaid. En Johnson zou misschien ook wat bedenkingen gehad hebben, al zouden ze er allebei op toegezien hebben dat ze niets van het gebodene te kort zouden zijn gekomen.

Niet dat iemand anders zich scheen in te houden. Pas als mensen zich bewust worden van de dood klampen ze zich vast aan het leven, dacht Pascoe, terwijl hij om zich heen keek en de neuzen telde. Inderdaad, alle notabelen van de tentoonstelling waren er zo te zien. Behalve natuurlijk degenen die dood waren. En de dansende Dalziel. En de Weledelgeboren Geoffrey, alias lord Pyke-Strengler van de Stang, die nu aanspraak mocht maken op de volledige titel aangezien, volgens de kranten, de haaien genoeg contanten van zijn vader hadden overgelaten om een bescheiden graf waardig te zijn.

'En? Wie is de winnaar, Mary?' vroeg Ambrose Bird aan de krantenredactrice.

'Ik heb geen idee,' zei Agnew.

Bird hield zijn hoofd schuin, zeer vogelachtig, en zei sceptisch: 'Kom nou, ik weet zeker dat jij en die goeie Percy er verrekte goed op hebben toegezien dat er niemand zal winnen die een blos op je maagdelijke wangen zou kunnen toveren.'

Zeker was dat Follows hiervan ging blozen, meer van ergernis dan uit gêne, maar Mary Agnew lachte en zei: 'Ik denk dat je mij verwart met een andere Mary, Brose. Het klopt dat het winnende verhaal een schattig modern sprookje is, geschikt voor kinderen van alle leeftijden, maar de nummers twee en drie zijn heel wat pittiger. Bovendien zijn Charley en Ellie degenen geweest die ze zonder inmenging van Percy of mij hebben geselecteerd.'

'Geen inmenging van Percy? Dat moet een zegen geweest zijn,' zei Bird.

'Sommige van ons weten hoe we ons werk moeten doen zonder onze lange neus in andermans zaken te steken,' kaatste Follows terug.

'Kinderen, kinderen, niet in bijzijn van volwassenen,' zei Charley Penn.

Bird keek Follows nijdig aan, waarna hij geforceerd glimlachte en zei: 'Charley, jij weet natuurlijk hoe de winnaar heet. Geef eens een kleine hint.'

'Weer mis, Brose, zei Penn. 'Ik weet hoe het winnende verhaal heet en het pseudoniem van de winnaar, maar niet hoe zij of hij werkelijk heet. Ook al zou ik het gewild hebben, ik had er niet achter kunnen komen. Mary zou de boel afgebroken hebben, die zit overal met haar neus bovenop. Het schijnt dat elke inzending vergezeld diende te gaan van een dichtgeplakte envelop met daarop in blokletters de titel van het verhaal en een pseudoniem, en erín de ware naam van de schrijver en zijn adres. Ze heeft ervoor gezorgd dat de enveloppen ver buiten het bereik van de juryleden bleven. Ze heeft zelfs regels over de regels gemaakt. In de *Gazette* stond dat geen enkele envelop geopend zou worden vóór de beslissing was gevallen. Maar aangezien die hele farce een minilotto is geworden waarvan de uitslag live op de buis verschijnt, hebben zij en Spielberg' – met een knik naar John Wingate – 'besloten de spanning op te voeren door de regieaanwijzing te geven dat geen enkele envelop geopend zou worden vóór vanavond.'

Pascoe en Wield wisselden een blik. Het was niet helemaal waar. Nadat was vastgesteld dat de Dialogen op feiten berustten in plaats van fantasie, was bij elke inzending de envelop gezocht en in het vijftal gevallen waarin het lettertype scheen te corresponderen met dat van de Dialogen, waren de enveloppen opengemaakt en de auteurs nagetrokken. Het was net zo'n vruchteloze onderneming geweest als Pascoe al had gedacht maar, zoals de pr-folders aangaven, achter de schijnbare glamour van detectivewerk waren honderden uren gemoeid met een dergelijke noodzakelijke slaapverwekkende eliminatie.

Omdát die gedachte slaapverwekkend was, zei Wield: 'Je zou moeten proberen wat meer te slapen.'

'Dat zou ik graag willen, maar dat staat niet in mijn werkomschrijving,' zei Pascoe. 'Misschien haal ik dat in als ik met pensioen ga.'

'Zoals die ouwe George?'

'Ik denk dat hij is blijven oefenen. Neem me niet kwalijk. Dat is niet erg aardig. Bovendien ziet hij er de laatste tijd niet zo goed uit, vind je wel? Ik hoop dat hij niet zo'n arme stumper zal blijken die zich op zijn pensioen verheugt en als het moment daar is: pffft!'

'Ik ook niet. Ik heb in hem altijd de geboren gepensioneerde gezien. Huisje op het land, 'n beetje aanklooien met zijn rozen, zijn memoires schrijven. Als een vis in het water, zou ik gezegd hebben.'

'Misschien drong het tot hem door. Hij heeft er ruim dertig jaar op zitten. Wat heeft hij er nou helemaal van terecht zien komen?

Moet je hem nou zien: hij vraagt zich af waar het allemaal toe heeft geleid en hoe het komt dat al die met goud geplaveide wegen hem niet naar de juspot hebben geleid. Hij is vast niet van plan geweest als rechercheur te eindigen.'

'Het kan slechter,' zei Wield. 'Brigadier bijvoorbeeld.'

'Wieldy, neem me niet kwalijk, het was niet mijn bedoeling… ach, wat zit ik me te excuseren, je weet precies wat ik bedoelde en niet bedoelde! Ik weet bijvoorbeeld dat een brigadier soms een brigadier is omdat hij niet anders wil.'

Het was hem lange tijd niet duidelijk geweest waarom iemand met de mogelijkheden van Wield geen enkel ambitie aan de dag legde voor promotie. Vele jaren geleden had hij het aan Dalziel voorgelegd en het bondige antwoord gekregen: 'Autoriteit zonder machtsvertoon, dat houdt het beroep van brigadier in,' wat pas logisch werd toen hij er enigszins verlaat achterkwam dat Wield een nicht was.

'Misschien heeft George bereikt wat hij wilde,' zei Wield. 'Het was altijd een goeie smeris. Eigenlijk moest ik, toen ik hoorde wat Mary Agnew zei over die enveloppen, denken aan wat George zei over de Woordman en de bibliotheek. De Dialoog over Steel was de eerste die niet werd aangetroffen in een zak met verhalen die was doorgestuurd door de *Gazette*, nietwaar?'

'Ja, omdat de inzendtermijn van de wedstrijd was afgelopen en er geen zakken meer werden verwacht.'

'Maar sindsdien zijn zowel de Dialoog over Steel en die over Johnson rechtstreeks bij de bibliotheek bezorgd,' hield Wield aan, alsof hij iets veelzeggends aanstipte.

'Vandaar dat we nu onze hypermoderne camera's hebben geïnstalleerd, zodat we vierentwintig uur per dag de brievenbus van de bibliotheek in de gaten kunnen houden,' merkte Pascoe aarzelend op.

'Dat weet ik,' zei Wield geduldig. 'Ik bedoel dat we tot nu toe hebben aangenomen dat de eerste Dialogen allemaal naar de *Gazette* waren gestuurd en alleen boven tafel kwamen bij de bibliotheek omdat ze voor inzendingen voor de verhalenwedstrijd werden aangezien. Als dat zo gegaan is, en de Woordman als geadresseerde voor zijn Dialogen zijn keus werkelijk had laten vallen op de *Gazette*, waarom is hij dan niet doorgegaan ze daarheen te sturen?'

'Wat bedoel je precies, Wieldy?'

'Als George gelijk heeft en er eerder sprake is van een directe dan een toevallige link tussen de Dialogen en de bibliotheek, zijn de eerdere Dialogen misschien tussen de inzendingen gestopt nadat de postzakken daar waren neergezet.'

'Wie weet?' zei Pascoe. 'Maar wat dan nog? We kunnen die zakken nu toch moeilijk in de gaten houden, want die zijn er niet.'

'Nee, maar ik bedenk net iets – de verhalenwedstrijd sloot op de vrijdag waarop Ripley haar uitzending had en werd vermoord. Volgens de postjongen van de *Gazette* is de laatste zak met inzendingen hier zaterdagmorgen om een uur of acht afgeleverd. Die meid met die rare naam op wie Bowler valt heeft daarin de Dialoog om kwart over negen gevonden. Heeft iemand de bewakingsvideo's bekeken van de tussenliggende tijd?'

'Niet op mijn instructies,' gaf Pascoe toe. 'Shit.'

'Shit voor ons allemaal,' zei Wield. 'Maar niet zoveel. Als de Dialoog in de zak gestopt is nadat dat ding hier was afgeleverd, loop je de kans dat het in werktijd is gedaan toen dankzij raadslid Steel de meeste camera's waren uitgeschakeld.'

'Toch hadden we het moeten controleren, Wieldy,' zei Pascoe.

'Nou, misschien is het nog niet te laat. Kunnen jullie een paar minuten zonder ons?'

Pascoe keek om zich heen. Ellie was diep in gesprek met John Wingate (die waarschijnlijk als een speer carrière ging maken bij de tv, dacht hij), terwijl Edwin Digweed scheidsrechter speelde over wat zo te zien het begin van de zoveelste schoolpleinruzie tussen een briesende Percy en de Laatste Acteur-Directeur was.

'Dat dacht ik wel,' zei hij.

Ze troffen de dienstdoende beveiligingsman in zijn kantoor, waar het sterk en illegaal naar tabaksrook rook. Aanvankelijk leek hij niet geneigd zich uit te sloven.

'Twee weken terug, zegt u? Geen schijn van kans,' zei hij. 'Tenzij er een goede reden is, laten we de tapes gewoon doorlopen, daarna worden ze teruggespoeld en overgespeeld.'

'Ja,' zei Pascoe. 'Maar elke tape heeft enkele uren opnametijd en tenzij er iets aan de hand is, zoals vanavond' – hij wees naar het scherm waarop ze een slechte kwaliteit zwartwitbeeld zagen van de staande receptie die ze net hadden verlaten – 'staat niet elke camera dagen achter elkaar aan.'

'Jawel, hoor,' protesteerde de beambte. 'We maken onze ronden, weet u. Bovendien heb je de schoonmakers, die zijn hier vóór de camera's 's ochtends worden uitgeschakeld.'

'Niettemin,' zei Pascoe.

Naast hem snoof Wield diep en begon te hoesten.

279

'Alles goed?' vroeg Pascoe. 'Gek hoe droog de lucht kan worden in die gebouwen waar je niet mag roken.'

Vijf minuten later was de bewaker terug met een verzameling tapes.

De tape met beelden van de personeelsingang van het Centrum waar de postjongen de zak had afgeleverd, leverde niets op. Die camera werd zo geregeld geactiveerd – door mensen die 's avonds laat het gebouw uitgingen en 's morgens door leveranciers en vroege vogels – dat er alleen beelden op stonden van de afgelopen week.

Maar ze hadden meer geluk met de band uit de camera van de naslagbibliotheek. De eerstvertoonde datum was ruim twee weken geleden, midden in de week voor de moord op Ripley. Pascoe keek aandachtig naar het flikkerende scherm en bedacht dat raadslid Steel tevreden geweest zou zijn als hij gezien had hoe consciëntieus de bewakers en het schoonmaakpersoneel zich van hun taak kweten. De belastingbetaler kreeg hier waar voor zijn geld. Maar ook van Dick Dee zo te zien. Tweemaal had hij het alarm in werking gezet toen hij laat op de avond uit zijn kantoor kwam: een keer op donderdagavond en nogmaals op de vrijdagavond waarop Ripley was vermoord.

En nu keken ze naar de schoonmakers op zaterdagochtend. De camera schakelde vanzelf uit. En meestal op een bepaald moment kort daarna, zoals de bewaker uitlegde, werd het hele systeem tot de avond uitgeschakeld. Maar ditmaal boften ze. Toen het beeld weer hortend scherp werd, was het nog steeds zaterdagochtend, tijd: kwart voor negen.

'Soms vergeet de nachtwaker het,' zei de bewaker. 'En dan blijft-ie aanstaan tot de dagwaker het merkt. Dat gebeurt niet vaak, maar in dit werk heb je soms een slaapkop die eigenlijk thuis in zijn bed thuishoort.'

Hij keek de diensttabellen door, waarna hij ze haastig in een la liet glijden. Pascoe vermoedde dat hij de bewuste slaapkop was.

Maar hier betrof het misschien een geluk bij een ongeluk, dacht hij toen hij naar het scherm keek en Dick Dee zag verdwijnen met in de ene hand een postbakje en een plastic zak in de andere. Hij legde beide op de balie en ging het kantoor in. Het scherm werd blanco.

'Jullie hebben nog steeds geen camera in dat kantoor,' zei hij beschuldigend.

'Niet onze schuld, vriend. Bezuiniging. Hoe dan ook, niemand kan daar naar binnen zonder via Naslagwerken te gaan. Geen ramen, snap je?'

Het beeld keerde terug toen Dee het kantoor uitkwam. Hij trok de plastic zak open, tuurde erin, trok een grimas en richtte zijn aandacht op de post. Maar nog vóór hij iets had kunnen openen, verscheen Percy Follows. Die keek niet blij.

Pascoe herinnerde zich de verklaring van Rye Pomona. Beide mannen waren in het kantoor geweest waar ze Jax Ripleys uitzending bespraken toen zij binnenkwam, had ze gezegd, en ze had hen liever niet willen storen. Die vrouw was duidelijk een diplomaat. Zelfs zonder geluid sprak uit Follows' gezicht duidelijk dat dit geen vriendelijke discussie was. Dee, daarentegen, was onbewogen en toen hij voor zijn baas uit het kantoor inliep en daarna bijna onmiddellijk de deur dichtdeed, was de camera opnieuw gedeactiveerd.

Vervolgens sprong hij weer aan. En nu stuitten ze op goud. Het was niet, zoals hij verwacht had, de komst van Rye die de tape weer in werking zette. Het was iemand anders die hij, met een steek van hoopvolle blijdschap waarvoor hij zich schaamde, herkende.

Franny Roote.

Hij stond bij de balie, waarschijnlijk te luisteren naar de verhitte discussie die binnen aan de gang was.

Nu graaide hij in de versleten aktetas in zijn hand, haalde er iets uit – moeilijk te zien vanwege de verkeerde hoek van de camera – wierp een blik om zich heen alsof hij wilde controleren of er geen getuigen waren, trok de plastic zak open en schoof het erin. Daarna ging hij weg. Totale tijdsduur: eenenvijftig seconden.

'O dag, o dag, o heerlijke dag!' zei Pascoe.

'Wacht even,' zei Wield.

Het beeld was afgebroken. Nu kwam het terug, er was ongeveer een minuut verstreken.

Ditmaal was het Charley Penn die de camera activeerde.

Ook hij leek te luisteren, ook hij wierp een blik om zich heen, minder gejaagd dan Roote, zijn gebruikelijke sardonische glimlach paraat, waarna ook hij een vel papier uit zijn aktetas haalde en voorzichtig in de geopende plastic zak schoof.

O shit, dacht Pascoe. Te veel van het goede!

Nu schoof Penn uit het kader, waarschijnlijk naar een van de werkunits, en werd het beeld blanco tot het werd gereactiveerd door de komst van Rye Pomona.

Die kroop achter de informatiebalie, bleef staan alsof ze naar de ruzie in het kantoor luisterde, bukte zich om haar schoudertas onder de balie te leggen, waarna ze de post ging openen.

Er was zo te zien niets wat haar interesse wekte, en ze richtte haar aandacht op de zak. Daaruit haalde ze een enkel vel papier dat ze even aandachtig bekeek voordat ze naar de uitgestorven bibliotheek buiten beeld keek. Haar gezicht was uitdrukkingloos maar ze liet het vel papier uit haar vingers glippen die ze vervolgens tegen elkaar aan wreef, alsof ze die wilde ontdoen van iets smerigs.

Met nog steeds Rye in het kader viel het beeld opnieuw weg en toen het terugkwam, hadden ze een sprong vooruit gemaakt naar zaterdagavond.

'De dagwaker heeft het uitgezet,' zei de beambte verontschuldigend. 'Maar zo te zien hebt u wat u hebben wilde.'

En ik maar denken dat ik mijn pokerface op had, dacht Pascoe.

'Het zou nuttig zijn om verder te gaan,' zei hij neutraal. 'Laten we nog even kijken.'

Ze namen de beelden nog twee keer door. Het leek overduidelijk of Roote één of meerdere vellen papier in de zak had gestopt, en met de computerfaciliteiten die hun op het bureau ter beschikking stonden zouden ze alle twijfel kunnen uitsluiten.

'Mooi, we nemen dit mee, oké? U krijgt een reçu.'

'Sir,' zei Wield, die zich zelfs in het bijzijn van één enkele burger zoals altijd keurig aan het protocol hield, 'ik denk dat we moeten opschieten.'

Pascoe volgde zijn blik. Die leidde naar het scherm waarop de receptie te zien was die aan de uitreiking voorafging. De ruimte was nu leeg met uitzondering van wat cateringpersoneel dat de glazen opruimde.

Pascoe's eerste impuls was Wield naar de studio te sturen om een en ander aan Ellie uit te leggen, terwijl hijzelf op zoek ging naar Roote, maar toen ze van de beveiligingsruimte gehaast de gang door liepen, probeerde de brigadier hem dat uit zijn hoofd te praten.

'Je weet hoe Roote is, Pete,' zei hij. 'Trek ten minste eerst bij Andy aan de bel om hem in te lichten. En denk erom, we moeten ook Charley Penn onder de loep nemen.'

'Ja, maar dat was zo te zien het vel papier dat dat meisje van Pomona er als eerste uithaalde en las,' zei Pascoe. 'Toen liet ze het op de grond vallen. Heeft ze niet zoiets in haar verklaring gezegd, dat ze een gedicht had gevonden dat Penn vertaald had?'

'Ja. En Penn zei dat hij het waarschijnlijk per ongeluk op de zak heeft gelegd toen hij naar de balie liep. Maar mij leek het niet per ongeluk. En wie zegt dat hij het niet geweest kan zijn die er ook de Dialoog in heeft gestopt en het gedicht als camouflage gebruikte voor het geval hij werd ontdekt?'

'Mogelijk volgens mij, maar onwaarschijnlijk. Hoe dan ook, we weten waar Penn is, hij is hier. Maar het idee dat Roote vrij rondloopt, hindert me.'

Maar vastbesloten om te laten zien dat hij zijn verstand bij elkaar had, zwierf Pascoe weg naar een plek waar zijn gsm duidelijk overkwam. Hij probeerde Dalziels thuisnummer. Niets.

'Heeft hij niet zoiets gezegd als dat hij ging dansen?' zei Wield.

Hij probeerde de gsm van de Dikke Man, alweer zonder resultaat.

'Die kan het waarschijnlijk niet boven het geratel van de castagnetten uit horen,' zei Pascoe.

'Hij moet vast ooit gaan zitten, anders houdt de vloer het niet,' zei Wield.

Dit was laster omdat ze allebei wisten dat Dalziels lichtvoetigheid op de dansvloer werkelijk ongelooflijk was.

'We verdoen onze tijd,' zei Pascoe. 'Wie weet is Roote daar iemand aan het vermoorden.'

'En dan? Waar wou je gaan zoeken?' vroeg Wield niet onredelijk. 'We kunnen beter naar het bureau bellen en ze iemand laten sturen om te kijken of hij in zijn flat is en om die in de gaten te houden als dat niet zo is. Dat zou jou tenminste een vergeefse trip besparen.'

'Heel attent van je, Wieldy,' zei Pascoe. 'Wat je eigenlijk bedoelt is dat ik te partijdig en bevooroordeeld ben om bij hem in de buurt te mogen komen.'

'Nee, maar dat is wel zo ongeveer wat Roote zou voorstellen, nietwaar?' zei Wield. 'Luister, Pete, hij heeft wel degelijk een paar vragen te beantwoorden. Misschien ben jij niet degene die ze zou moeten stellen, niet in eerste instantie althans.'

'Gelul,' zei Pascoe.

Maar hij belde naar het bureau en deed wat Wield had voorgesteld, en hij drukte hun op het hart dat ze contact met hem moesten opnemen zodra de agenten die ze erop uitstuurden zich vanaf de flat hadden gemeld.

Het duurde nog eens tien minuten waarin hij en Wield het zwijgen ertoe deden.

'Er is niemand, sir,' luidde het verslag. 'Hoe lang wilt u dat ze op wacht blijven?'

'Zo lang als nodig is,' zei Pascoe.

Hij zette zijn telefoon uit, keek naar het ondoorgrondelijke gezicht van de brigadier en zei zuchtend: 'Oké. Jij wint. Laten we naar binnen gaan en onze excuses aanbieden.'

Ze waren bij de deur van de studio aangekomen. De zitplaatsen op de tribune liepen aan drie kanten van het felverlichte podium steil omhoog en waren zo te zien tot in de nok bezet. De enige lege zitplaats die hij kon ontdekken was zowaar vooraan, naast Ellie. Die keek niet blij.

Hoe lang hij zonder verklaring was weggebleven, werd duidelijk toen opeens achterin een applaus en een enthousiast geschreeuw losbarstte en een vrouw die niet veel ouder leek dan zestien uit haar stoel opsprong en gilde: 'Dat ben ik!' toen de straal van een scherpgerichte schijnwerper over het publiek zwaaide tot hij haar eruit pikte.

Ze had de derde prijs gewonnen, bleek tijdens een wijdlopig, met tranen overgoten dankwoord waarbij de Oscar-ceremonieën verbleekten.

Wield zei indringend: 'Pete. Eind van de rij, linker tribune, vijf rijen achter ons.'

Pascoe telde.

'Dank U, God,' zei hij.

Daar zat Franny Roote, zoals altijd in het zwart zodat het leek of zijn bleke gezicht uit het praktisch in het duister gehulde publiek omhoogdreef. In Pascoes hoofd verscheen een beeld uit een langgeleden gelezen gedicht over een veroordeelde gevangene die door een gedrang van toeschouwers naar zijn dood werd geleid. Zelfs op een afstand was dat bleke gezicht onmiskenbaar. Zo was het ook met Roote; alleen was dit, als Pascoe zich niet vergiste, de beul en niet de geëxecuteerde.

Op het toneel kondigde Mary Agnew de tweede-prijswinnaar aan die een kort verhaal had geschreven dat, als je de juryleden mocht geloven, de diepste krochten van 's mensen onmenselijkheden jegens de mensheid blootlegde. De titel en het pseudoniem werden voorgelezen, de envelop opengescheurd en vanaf het balkon klonk opnieuw een uitgelaten kreet toen een tweede vrouw, ditmaal oud genoeg om de overgrootmoeder van haar voorgangster te kunnen zijn, aan de roem mocht ruiken.

'Kom mee,' zei Pascoe, terwijl het publiek applaudisseerde voor de nieuw aangekomene op het podium.

Hij hoopte ongemerkt langs Ellie heen te glippen, maar helaas. Haar verwijtende blik trof hem als een katapult. Hij trok een grimas, glimlachte zwakjes en haastte zich over de trappen van het gangpad naar Roote toe.

'Mr. Roote,' fluisterde hij. 'Kunnen we even praten?'

'Mr. Pascoe, hallo. Natuurlijk, altijd fijn om met u te praten.'

De jongeman keek afwachtend naar hem op, de gewoonlijke glimlach op zijn lippen.

'Ik bedoel buiten.'

'O, zou dat niet kunnen wachten? Het is zó voorbij. Het wordt live uitgezonden, hoor.'

'Ik zou liever…'

Pascoes stem ging onder in een uitbarsting van geïrriteerd gesis, en hij realiseerde zich dat de tweede-prijswinnares aan haar dankwoord bezig was. Gelukkig hadden de jaren haar het nut van spaarzaamheid bijgebracht, en had haar speech tweemaal zoveel stijl in de helft van de tijd als die van nummer drie.

Toen ze het podium afging onder opnieuw oplaaiend, opgelucht applaus zei Pascoe streng: 'Nu, alstublieft, mr. Roote.'

'Nog een paar minuten,' smeekte de man.

Pascoe keek om naar Wield, die even met zijn hoofd schudde, bij wijze van antwoord op de niet gestelde vraag: zal ik hem in een houdgreep nemen en de zaal uit sleuren?

Beneden zei Agnew net: 'En nu onze winnaar. De juryleden waren unaniem in hun keuze. Volgens hen zijn sentimentele verhalen wellicht niet populair in een tijd die is gepreoccupeerd met de meer sinistere kanten van de menselijke belevingswereld, maar als ze zo prachtig in elkaar steken als dit verhaal, met zo'n diepe menselijkheid en een luchtigheid die men buiten de grote klassieke meesters van het genre zelden aantreft, zijn ze een geruststellende bevestiging van al wat het mooist en waardevolst is in de menselijke belevingswereld. Na een dergelijke getuigenis staat u natuurlijk te popelen om het verhaal te lezen – wat u wordt mogelijk gemaakt in de nieuwste editie van de *Gazette*. De titel is "Er was eens een leven", het zeer toepasselijke pseudoniem van de auteur is *Hilary Greatheart*, wier eigen naam is…'

Dramatische pauze terwijl de envelop werd opengereten.

Roote stond op.

Pascoe, ietwat verbaasd vanwege deze plotselinge capitulatie, zei: 'Dank u. Zullen we maar door de achterdeur naar buiten gaan?'

Roote zei: 'Nee. Nee, ik geloof niet dat u het begrijpt,' en hij probeerde zich langs hem heen te wringen.

Pascoe greep zijn arm, waarbij hij een vlaag abject genoegen voelde omdat hij eindelijk een excuus zou hebben om iemand eens flink pijn te doen.

Toen greep Wield zíjn arm en zei: 'Pete, nee.'

En op hetzelfde moment ging een enorm licht in hun gezichten en in zijn hoofd op toen de schijnwerper voor de prijswinnaar hen bescheen en vastlegde wat Mary Agnew zojuist had aangekondigd: '... mr. Francis Roote van Westburn Lane 17a. Wilt u zo vriendelijk zijn op het podium te komen, mr. Roote?'

Hij liet los en keek toe hoe Franny Roote soepel de treden afliep om zijn prijs in ontvangst te nemen.

'Alles goed, Pete?' vroeg Wield zenuwachtig.

'Beter dan ooit,' zei Pascoe, wiens blik zich zonder te knipperen fixeerde op het felverlichte toneel beneden. 'We hebben die klootzak tenminste op een plek waar we hem kunnen zien. Maar één ding zal ik je zeggen, Wieldy. Als hij míj in zijn dankwoord noemt, ren ik er misschien heen om hem te vermoorden.'

30

'… ZET IK MIJN HOGE HOED OP, EN KLOP MIJN ROKKOSTUUM AF,' ZONG Andy Dalziel.

'Andy, je hébt niet eens een rokkostuum aan,' riep Cap Marvell vanuit haar slaapkamer.

'Ik had het niet over mijn kleren,' zei Dalziel, terwijl hij gelaten naar de kilt keek die strak om zijn geprononceerde billen zat.

Cap kwam de slaapkamer uit.

'Dat klinkt niet blij. Zeg, je hebt toch wel iets onder dat rokje aan?'

Bij wijze van antwoord tilde hij de kilt op om een boxershort met de Union Jack te laten zien en maakte een pirouette.

Daarna liet hij zijn blik over de hele lengte van het vrouwenlichaam glijden, vanaf de bescheiden diamanten tiara in het haar via de diep uitgesneden wijnrode zijden avondjapon naar de met diamantjes afgezette schoenen en zei: 'Heremetijd, dat ziet er lekker uit.'

'Vriendelijk bedankt,' zei ze. 'Maar jij ook, Andy. Heel lekker. Ik neem aan dat dat jouw familieruiten zijn?'

'Dat betwijfel ik. Ik denk niet dat de Dalziels een eigen motief hebben, dus zal die ouwe dit wel bij zijn mooie blauwe ogen uitgezocht hebben.'

'Dus hij was geen Schot van beroep?'

'Nee. Bakker en pragmaticus. De kilt is het allerfijnste kledingstuk ter wereld, en wel om drie dingen, zei hij altijd. Een daarvan was dansen.'

'Mag ik naar de andere twee vragen?'

'Toiletgebruik en copulatie,' zei de Dikke Man. 'Zullen we gaan?'

'Ja, ik ben klaar. Andy, ik ben werkelijk ontroerd dat je zei dat je vanavond mee zou gaan…'

'… maar?'

'Niks te maren.'

'Ik weet heus wel wanneer er een "maar" in de lucht hangt,' zei Dalziel. 'Maar zal ik beloven me te gedragen, is dat het?'

Ze lachte en zei: 'Welnee. De halve lol van naar het regimentsbal van mijn zoon gaan, is me te misdragen. Ik probeer hem al jaren voor schut te zetten. Volgens mij geniet hij ervan. Nee, als er een maar was, was het: maar ik hoop dat voor de verandering het werk niet z'n lelijke kop zal opsteken. Deze keer word ik werkelijk pisnijdig als ik vroeg thuis kom of aan de tedere zorg word overgelaten van een ondergeschikte melkmuil die me als z'n grootje behandelt of een geile meerdere die het wel een giller zou vinden 'm in de kolonel z'n moeder te steken.'

'Wie dat probeert, zal mijn morgenwater over zich heen krijgen,' zei Dalziel. 'Ik heb het beloofd, schatje, weet je nog? Geen hond weet waar ik ben, en als jij en de Hero niet praten over wat ik voor m'n brood doe, zal ik dat zéker niet doen. Laat die soldaatjes maar in de waan dat ik je rijke suikeroompje ben. En wat betreft opgeroepen worden, ik heb niet eens een gsm of een pieper bij me. Je mag me fouilleren als je wilt.'

Hij keek haar hoopvol aan.

'Straks,' zei ze lachend. 'Ik verheug me erop je straks te fouilleren. Dat is dus beloofd. Je zult zelfs niet aan werk dénken.'

'*Nay*, dat heb ik nooit gezegd,' wierp hij tegen. 'Als ik de tijd van m'n leven heb, mag je me niet ontzeggen aan al die arme stumpers te denken die zich in het zweet werken.'

'Dat geloof je zelf toch niet? Als de kat van huis is…'

Hij glimlachte als een tijger.

'Je hebt katten en katten,' zei Andy Dalziel.

Toen de taxi die Dalziel en zijn dame naar het bal bracht het donkere platteland in reed, voelde Peter Pascoe zich zo ongeveer als een muis zich moest voelen, maar eerder een muis waarmee was gespeeld dan een muis die speelde.

Nadat hij zijn prijs in ontvangst had genomen en een ontroerend dankwoord had gepreveld waarin hij zijn verhaal opdroeg aan de nagedachtenis van Sam Johnson, was Franny Roote bij Pascoe teruggekomen en had gezegd: 'Neem me niet kwalijk dat ik u zonet te snel af was. Ik sta nu helemaal tot uw beschikking als u me nog wilt.'

Zeg dat-ie moet oprotten, dacht Pascoe. Ga je vrouw zoeken en ga naar huis, dit levert je geen reet op.

Zo sprak de stem der ervaring in zijn hoofd, maar de werkmolen was aan het malen en kon niet zo eenvoudig uitgeschakeld worden.

Ellie keek of ze hem elk moment een mep kon verkopen toen hij tegen haar zei dat hij naar het bureau moest, en toen het tot haar doordrong dat dat kwam vanwege Roote, draaide ze zich om en liep weg, alsof ze bang was dat ze anders spijt zou krijgen van haar woorden.

Op het bureau bleef Roote rustig zitten terwijl ze de tape van de bewaking voor hem afspeelden, waarna hij glimlachte en zei: 'Eerlijk is eerlijk. Houdt dat in dat ik gediskwalificeerd ben?'

'We hebben het hier niet over te hard rijden, mr. Roote,' snauwde Pascoe. Maar zijn beweeglijke geest was al nieuwsgierig naar de verklaring van de man.

'Natuurlijk niet. Ik bedoel niet wat betreft het winnen van de prijs. Luister, het is stom, maar ik was aan het dubben of ik mijn verhaal zou inzenden – u weet hoe dat gaat als je iets schrijft en je denkt op dat moment dat het fantastisch is, en als je er later naar kijkt, vraag je je af hoe je je kon inbeelden dat iemand het ooit zou willen lezen. Ik weet zeker dat mevrouw Pascoe dat allemaal ook heeft doorgemaakt toen ze haar boek schreef dat ik, tussen haakjes, ontzettend graag wil lezen. Hoe dan ook, toen ik zaterdag wakker werd, wist ik dat ik de deadline had gemist en ik bedacht dat ik een enorme sukkel was, en kreeg het idee het meteen zelf naar de *Gazette* te brengen om te vragen of ik speciale dispensatie zou kunnen krijgen om het bij de andere verhalen te leggen. Nou, daar vertelden ze me dat de verhalen al naar de bibliotheek waren doorgestuurd voor hun eerste schifting door mr. Dee en miss Pomona. Dus ging ik naar het Centrum, ik weet werkelijk niet waarom, maar ik neem aan dat ik van plan was me aan de voeten te werpen van mr. Dee – het is zo'n aardige man, vindt u niet? Maar toen ik bij de naslagbibliotheek kwam, hoorde ik hem in het kantoor een tamelijk zware discussie voeren met mr. Follows, en op de balie stond die plastic zak, open, en ik zag dat die helemaal vol zat met de wedstrijdverhalen. Ik denk dat ik toen op de automatische piloot ben gegaan. Ik dacht ineens: wat kan het voor kwaad, het gaat toch niet winnen, en ik stopte mijn verhaal erin. Theoretisch heb ik de wedstrijdregels geschonden, geloof ik. Maar aan de andere kant: de sluitingsdatum op vrijdagavond was voor inlevering ten kantore van de *Gazette*, maar ik leverde mijn verhaal toch niet dáár in? Misschien zou u me hierin van advies kunnen dienen, mr. Pascoe. Ik ben een kind wat de wet betreft, en u bent een expert, nietwaar? Mijn lot ligt in uw handen.'

Hij stak zijn handen voor zich uit toen hij dat zei, alsof hij wilde bewijzen dat er niets in zat, en glimlachte schuldbewust.

Pascoe zei: 'Denkt u werkelijk dat die stomme korte-verhalen-wedstrijd me ene reet kan schelen, mr. Roote?'

'Dat lijkt inderdaad eigenaardig. Maar ik dacht misschien dat u zich, omdat mrs. Pascoe bij de jurering was betrokken, een beetje verantwoordelijk voelde voor haar reputatie. Volgens mij is dit bij wijze van spreken haar eerste beroepsmatige opdracht, en natuurlijk zou u niets liever willen dan dat ze het goed deed.'

Laat zitten, Pete, drong Wield langs telepatische weg aan. *Hij speelt met je als met een vis aan een haakje.*

Naar alle waarschijnlijkheid had hij verbinding gekregen, want na een paar van de diepste ademteugen die de brigadier hem ooit had zien nemen maakte de inspecteur een eind aan de ondervraging en deelde Roote mee dat hij kon gaan.

'Je hebt het enig juiste gedaan,' zei Wield nadat ze hem hadden uitgelaten.

'O ja? Ik wou dat ik er verdomme ook zo over dacht,' antwoordde Pascoe woest. 'Goed, misschien heeft hij zijn verhaal te laat ingeleverd, maar dat houdt nog niet in dat hij de Dialoog er niet óók bij heeft gemoffeld.'

'Dat klopt, maar tenzij je met iets kunt komen om dat idee te onderbouwen, is het enige wat je hebt een maf verhaal dat de pers zal vreten. "Politieman zet protégé van zijn vrouw achter tralies. 'Een logisch verhaal,' zegt topdetective." Plus het feit dat alles uit het verleden wordt opgerakeld. Wil je dát soms?'

'Je zou zó in de redactie kunnen, Wieldy,' zei Pascoe. 'Maar ik zal je vertellen: elke keer als ik hem zie wegwandelen, denk ik: iemand zal ervoor boeten omdat ik hem te glad vond om vast te pakken.'

'Je weet maar nooit, Pete,' zei Wield. 'Maar als je gelijk hebt, komt-ie terug.'

Hij kwam terug, maar heel wat sneller dan één van hen voor mogelijk had gehouden.

Pascoe was net thuisgekomen en midden in een levendige discussie over de avond met Ellie toen de telefoon ging.

Hij nam op, luisterde en zei: 'O Jezus. Ik kom eraan.'

'Wat is er gebeurd?' vroeg Ellie.

'Ik heb iemand in uniform op wacht gezet bij Rootes flat en ben door alle opwinding vergeten dat op te heffen. Ze hebben hem net weer binnengebracht. Ze wilden hem weer vrijlaten toen ze beseften wat er was gebeurd, maar hij weigert te vertrekken tot hij van mij persoonlijk de verzekering gekregen heeft dat hij kan gaan slapen zonder bang te hoeven zijn verder nog gestoord te worden. Of ik kom, of de pers komt, zegt hij. Deze keer ga ik die klootzak werkelijk vermoorden.'

Bijna op hetzelfde moment gaf Dalziel een Gay Gordons ten beste met een enorme energie en een lichtvoetigheid die alom applaus oogstte.

'Geen idee welke uitwerking hij heeft op jouw ma, Piers,' zei lord Partridge, 'maar míj jaagt hij de stuipen op het lijf.'

Luitenant-kolonel Piers glimlachte een tikkeltje flets, maar hij glimlachte tenminste. Toen hij hoorde dat zijn moeder haar afschrikwekkende lobbes zou meenemen naar het bal, was de moed hem in de schoenen gezonken. Over het algemeen deed ze haar best om de, in zijn ogen, neobohémienmanier van leven die ze erop na hield niet al te zeer te laten botsen met zijn militaire carrière. Door weer haar meisjesnaam Marvell aan te nemen, vermeed ze dat de aandacht op hem werd gevestigd wanneer ze door haar diverse protestacties de kranten haalde en, eerlijk is eerlijk, sinds zij iets had met deze spekkolos, zonder echter van stijl of activiteiten te veranderen, scheen ze niet langer op haar oude manier de schijnwerpers op te zoeken. Nee, waar hij bang voor was, meer omwille van haar dan van zichzelf, prentte hij zich in, was dat de aanwezigheid van Andy Dalziel op het bal haar het mikpunt van medelijden en spotternij zou maken.

Bovendien, omdat hij in feite een eerlijk man was, gaf hij eveneens toe dat hijzelf voor een deel onderwerp van het besmuikte gelach zou worden.

Zijn grootste angst leek bewaarheid te zijn geworden toen hij de kilt zag.

Maar gaandeweg bleek de man er uitstekend mee weg te komen en had hij elke poging tot een grap ten koste van hem weten te pareren met de nodige humor en een scherpe geest die zorgde dat aspirant-spotters eieren voor hun geld kozen. En niet te vergeten had hij bij lange na geen slecht figuur geslagen op de dansvloer, waar hij zich met zo'n souplesse en lichtvoetigheid wist te bewegen dat hij al spoedig de favoriete partner was van de vrouwen die de voorkeur gaven aan daadwerkelijk dansen boven het aan voorspel grenzende gebuikschuif dat de steeds aangeschotener soldatenmeute het liefste deed.

Dat was nóg zoiets. Terwijl hij champagne schuwde, had de man waarschijnlijk een hele fles whisky achter de kiezen zonder de geringste aantasting van spraak of motorische beheersing aan de dag te leggen.

Dus misschien dat het, tenzij zou blijken dat hij het huis had laten omsingelen door bobby's met hun blaaspijpjes paraat, uiteindelijk wel zou meevallen.

Toen ze uitgedanst waren, leidde Dalziel Cap van de vloer naar de plek waar haar zoon stond.

'Nog een drankje, pop?' vroeg hij.

'Nee, dank je, even niet,' zei ze.

'Iets te eten dan?'

'Nee, echt niet.'

'Ik geloof dat ik nog een hapje neem,' zei hij. 'Ik moet zorgen dat ik op krachten blijf als ik straks gefouilleerd word.'

Met een knipoog naar Piers liep hij weg.

'Gefouilleerd?' vroeg Piers geschrokken, omdat hij terugdacht aan zijn fantasie over een kring politiemannen die het huis in de gaten hielden. 'Wat bedoelt hij?'

Zijn moeder keek hem liefdevol aan.

'Lieverd, dat wil je niet weten,' zei ze.

In de zaal met het buffet keek Dalziel net zo lang om zich heen tot hij zag wat hij zocht: een grijsharige vrouw met een geprononceerde kin aan een tamelijk streng gezicht die scherp toezicht hield op een kudde jonge assistenten.

'Hoe-issie, kindje,' zei Dalziel toen hij naderbij kwam. 'Is er nog wat van die heerlijke *Sahnetorte*?'

Ze keek hem nieuwsgierig aan en zei: '*Sie sprechen Deutsch, mein Herr*??'

'Net genoeg om te vragen om wat ik lekker vind,' zei hij. 'En ik vind die roomtaart lekker. Zo lekker heb ik 'm sinds mijn laatste keer in Berlijn niet gehad. Waar kun je die hier in de buurt krijgen? Ik zou er een lange reis voor over hebben.'

'We kríjgen hem niet,' zei ze verwijtend, en haar Engels had weliswaar een zwaar accent maar was glashelder. 'Ik maak 'm zelf.'

'*Nay*! Wat vertel je me nou? Die maakt u zelf? Wacht eens even, ik durf te wedden dat u Frau Penck bent, de aanwinst over wie die ouwe Budgie me heeft verteld.'

'De lord is erg vriendelijk.'

'Zei hij niet dat u de moeder van Charley Penn bent?' ging Dalziel verder. 'Jezus, dat een mens zulke taart kan maken én Charleys moeder is, u hebt een boel om trots op te zijn. Die Charley, altijd de mond vol van die heerlijke taarten die zijn ouwe *Mutti* maakt.'

'U kent mijn zoon?' vroeg ze.

'*Aye*, reken maar. Ik ga 's zondags rond de lunch vaak iets met hem drinken, maar meestal moet hij het kort houden om zijn ouwe moeder op te zoeken, zegt hij altijd. Nou, nu snap ik waarom hij haast heeft om weg te komen. Het doet u vast goed te weten dat een zo belangrijk man als Charley u boven aan zijn lijst zet als hij mag kiezen wat hij gaat doen. Hij is een groot man, weet u? Hij heeft zijn gezelschap voor het uitkiezen. Ongelooflijk, zo geslaagd als hij is. Britser dan Brits! Je zou nooit zeggen dat hij niet geboren en getogen is in Yorkshire. U zou met recht trots moeten zijn als u bedenkt dat u maar met uw vingers hoeft te knippen, of zo'n man komt aanrennen.'

Ze reageerde hier niet op maar ze keek hem aan met een uitdrukking die Dalziel opvatte als de universele, veelbetekenende blik van een vrouw die zeggen wil: 'breek me de bek niet open, anders ga ik iets zeggen waarvan je versteld zult staan.'

Hij dramde door.

'Afgelopen zondag, herinner ik me, was ik jarig en een beetje recalcitrant, en probeerde ik Charley over te halen wat langer te blijven voor een lunchhapje in de pub. Ze hebben daar een heerlijk machtige crème caramel, maar toen ik probeerde Charley over te halen, zei hij dat die niet te vergelijken was met de lekkernijen die zijn ouwe moeder voor hem had bereid. Hij heeft altijd de mond vol van de kost die hij elke zondag krijgt wanneer hij bij u op bezoek komt. Tja, nu weet ik waarom. Kom, breng me het water in de mond, wat had u voor hem?'

'Afgelopen zondag? Niets,' zei de oude vrouw.

'Niets? Niet eens *Sahnetorte*?' zei Dalziel, perplex.

'Helemaal niets. Hij kwam niet. Dat was niet erg. Ik verwacht hem niet. Hij komt als-ie wil.'

'Weet u zeker dat hij afgelopen zondag niet is geweest?' vroeg Dalziel, terwijl hij haar ongelovig aankeek.

'Natuurlijk weet ik het zeker. Denkt u dat ik seniel ben?'

'Welnee, mevrouw, ik zie toch dat dat niet zo is. Mijn fout, hij heeft vast gezegd dat hij ergens anders heen ging. Zeg, over die taart…'

'Ik denk dat je die hier zult vinden, Andy,' zei Cap Marvell.

Hij keek om. Ze stond naar hem te kijken met een uitdrukking die hij verwachtte op zijn eigen gezicht gedrukt te zien als hij een beruchte schurk, betrapt met zijn hand in de kerkzak, hoorde beweren dat hij een bijdrage schonk.

'O *aye*. Je hebt gelijk. Fijn met u gepraat te hebben, *missus*. Ik zal uw groeten doorgeven aan Charley.'

'Zo,' zei Cap toen ze wegliepen, 'laat je je werk altijd zo achter?'

'Nee, vrouwtje, ik moest íéts met mijn dag doen...'

'Met liegen over je verjaardag? Dat is gelul, en ik voel aan m'n water wanneer iets gelul is.'

'Tja, jíj hebt erin doorgeleerd... Jezus, dat deed pijn!'

'De volgende keer is het níét je enkel waar ik je een trap tegen geef. Kom op, de waarheid.'

'Het is niets eigenlijk... ik kreeg alleen maar een inval over Charley Penn. Hij beweerde dat hij afgelopen zondagmiddag bij zijn moeder op visite was toen Johnson werd koud gemaakt. Toen die jongen van Bowler het bij haar ging navragen, zei ze blijkbaar dat Charley er altijd en eeuwig was. Ik dacht dat ik, als ik haar toevallig zou tegenkomen, eens een praatje zou aanknopen om het nog eens te controleren.'

Daar dacht ze even over na en zei toen: 'Alweer gelul. Ik denk niet dat je haar toevallig tegenkwam omdat je naar het bal bent gegaan, je bent naar het bal gegaan zodat je haar dan toevallig zou kunnen tegenkomen. En dat omdat je had bedacht dat als Frau Penck, met haar achtergrond, zou weten dat ze door de politie over haar zoon werd ondervraagd, ze haar mond waarschijnlijk nog stijver dicht zou klemmen dan een maagdenvlies. Aan de andere kant zou ze, in gesprek met een ouwe gabber van Budgie die de mama van de kolonel naar het regimentsbal begeleidde, al haar verontwaardiging kunnen luchten over het feit dat ze werd verwaarloosd door haar anglofiele zoon.'

'Maagdenvlies? Geen idee waar je dergelijke uitdrukkingen opdoet,' zei Dalziel afkeurend.

'De boom in met die uitdrukking. Wat ik heb gezegd is de waarheid. Geef het toe, of ik zal die *Sahnetorte* in je porem schuiven.'

Dalziel keek naar de enorme punt van de roomtaart die hij zich net had opgeschept en zei: 'Grappig, dat was ik net van plan. *Nay*, hou maar op, ik beken, ik beken. Oké, misschien heb ik het lot een handje geholpen, maar ik ben verdomd blij dat ik het gedaan heb. Ik had dit voor geen goud willen missen. Ik heb de tijd van m'n leven.'

'Dat kan wel zijn, maar je hebt me gebruikt, Andy.'

'Ach,' zei hij bedachtzaam met een mondvol slagroom, 'je hebt nooit eerder geklaagd. In elk geval. Het is bijna sabbat. En de sabbat is een mooie dag om te vergeven.'

'O, ik vergeef, maar ik vergeet niet. Ik heb iets van je te goed, Andy Dalziel.'

'Rustig maar, lief,' zei hij. 'Vóór de nacht om is, krijg je het van me. Hé, luister eens, ze spelen een tango. Zullen we die tinnen soldaatjes eens laten zien hoe het moet?'

En terwijl Dalziel zijn dame naar de dansvloer begeleidde, begeleidde Peter Pascoe Franny Roote het politiebureau uit.

'Ik wil graag nog eens zeggen hoezeer het me spijt van dit misverstand, mr. Roote,' zei hij. 'Een simpele communicatiestoring, vrees ik.'

'Ligt daar niet de wortel van de meeste mensenproblemen, mr. Pascoe?' zei de man oprecht. 'Een eenvoudige communicatiestoring. Deden woorden maar altijd wat we van ze wilden. Goedenavond.'

Hij stapte in het politiebusje dat gereedstond om hem terug te brengen naar zijn appartement, keek door het raampje glimlachend op naar Pascoe en zwaaide even toen het voertuig in het donker verdween.

Pascoe keek het na.

'Ik denk dat woorden altijd precies doen wat je van ze wil, mannetje,' mompelde hij. '*De wortel van de meeste mensenproblemen.* O ja, dat komt je prachtig uit. Maar ik zal niet rusten vóór ik je uit de grond heb getrokken en je net als al het andere verderfelijke onkruid aan het vreugdevuur heb toevertrouwd. Wacht maar. Het zál me lukken. Geloof me, het zál me lukken!'

Hij liep naar zijn auto, stapte in en reed naar huis.

31

'Mijn god,' zei Rye Pomona toen ze de deur opendeed. 'De vogelman naakt!'

'Hè?' zei Hat Bowler met rood aanlopend hoofd.

'Wat *hè*? Zoiets heet een grapje. Of bestaat er een regel die zegt dat de vogelaaruitrusting niet als bron van vermaak mag dienen?'

Hat was, hoewel hij zich op een doorgewaaide heikneutermanier behoorlijk hip voelde, eerder met stomheid geslagen dan beledigd door deze verwijzing naar zijn camouflage-stroperspet, singlet van de vogelbescherming en moleskin broek. Toen merkte hij zijn vergissing.

'Sorry. Je zei *vogelman*. Ik dacht dat je zei *Woordman*, wat ik minder grappig vond…'

'Wat inderdaad niet grappig geweest zou zijn als ik dat inderdaad gezegd had,' antwoordde Rye koeltjes. 'Is er nog iets wat ik niet heb gezegd waardoor je je graag beledigd zou willen voelen?'

Dit was niet de start waarop hij had gehoopt, dacht Hat. Tijd voor bezinning.

'Je ziet er fantastisch uit,' zei hij, terwijl hij zijn ogen over haar gele topje en wijnrood shortje liet glijden. 'De vogels zullen geen oog van je afhouden.'

Ze trok een gezicht alsof ze zojuist een citroen had uitgezogen, wat niet de meest positieve reactie was op wat ooit een tamelijk succesvolle versiertruc was, maar niettemin te verkiezen boven een koele aanpak.

'Kom maar liever binnen voor iemand je ziet en hulp gaat inroepen,' zei ze. 'Zoals je waarschijnlijk al verwacht had, ben ik nog niet klaar. Je bent wel vroeg, hè?'

Hij liep achter haar aan de flat in. Je had van die oude films, herinnerde hij zich, waarin een gozer bij een meisje voorreed, claxonneerde en haar de stoep af zag komen met een brede glimlach op haar gezicht in de hoop dat ze hem niet had laten wachten. Maar dat was een herinnering die hij beter voor zich kon houden, evenals de opmerking dat hij niet te vroeg was, maar zo stipt op tijd dat je een atoomklok op hem had kunnen gelijkzetten.

Hij ging zitten en zei: 'Zeg, ik heb je gisteravond op de tv gezien.'

'O ja? Dan heb je zeker scherpe ogen.'

'De ogen van een vogelaar,' zei hij. 'Ik spot op driehonderd stappen afstand een koperwiek. Trouwens, ik weet niet of dat ook voor vrouwen geldt, maar mijn moeder zei vroeger altijd dat ik moest ophouden met gezichten trekken, anders bleef ik misschien zo.'

Dat hielp. De verse zurecitroenblik veranderde in een brede grijns.

'Denk je dat het makkelijk is om kwaad te kijken, terwijl ik juist van plan was...

'Wat van plan was?'

'Zoiets.'

Ze boog zich over hem heen en kuste hem op de lippen, luchtig maar hij voelde onmiskenbaar even haar tong.

Dit was nog fijner dan glimlachend-meisje-rent-stoep-af-naar-de-auto.

Ze zei: 'Ik ben binnen een paar minuten bij je terug.'

Hij keek haar na toen ze in de, naar hij aannam, slaapkamer verdween en fantaseerde dat hij met haar meeging. Hij besloot het niet te doen. Die kus was moedgevend maar geen uitnodiging. Bovendien kreeg je zo'n moleskin broek niet zo een-twee-drie uit als je haast had en in de verre toekomst wilde hij dat ze op hun eerste keer konden terugkijken met passie en niet als een grap.

De verre toekomst.

Wat maakte hem er zo zeker van dat ze samen een verre toekomst zouden krijgen waarin teruggekeken kon worden op een eerste keer?

Omdat hij zich geen enkele toekomst apart kon voorstellen.

'Wat was dat eigenlijk allemaal over gisteravond?' riep ze naar hem door de deur die op een kier stond.

'Allemaal wie wat waar?'

'Niet brutaal worden. Dat gedoe met die twee collega's van je, Dorian Gray en de zolder.'

Daar moest hij over nadenken.

'Inspecteur Pascoe en brigadier Wield,' zei hij. 'Je bedoelt bij de presentatie?'

Hij had het op tv gezien. En hij had tot in de details achtergrondinformatie gekregen toen hij die ochtend naar het bureau belde met het idee en de logica waar hij een vrouw waarschijnlijk om uitgelachen zou hebben dat het na een paar dagen ziekteverlof misschien gunstig zou zijn om vast te stellen dat hij voldoende hersteld was om zijn snipperdag op te nemen.

'Zie je wel, je weet alle wie wat waar al,' zei Rye vanuit de slaapkamer. 'Toen die engerd van een Roote zijn prijs kwam incasseren, zag ik de *beauty and the beast* naar hem kijken alsof ze het liefst zijn extremiteiten met een puntige stok onder handen hadden willen nemen. Althans, zo keek de knappe van de twee. Die andere kijkt volgens mij altijd zo.'

'Tja, daar zit een verhaal aan vast,' zei Hat.

Ze kwam de slaapkamer uit. Het topje en de short waren vervangen door een spijkerbroek en een dikke bruine trui en haar haardos ging schuil onder een verschoten alpinopetje.

'Zullen de vogels nog steeds geen oog van me af kunnen houden?' vroeg ze uitdagend.

'Als ze enig benul hebben, wel,' zei hij.

Ze knikte en zei: 'Goed antwoord. Maar wat is het verhaal, en wat is er gisteravond gebeurd om de gemoederen te verhitten? Had het iets te maken met de bewakingscamera's?'

'Hoe weet jíj dat in godsnaam?' vroeg hij.

'Dat lelijke brigadiertje begon me weer vragen te stellen over de ochtend waarop ik de Ripley-Dialoog had gevonden. Maar wat hem vooral leek te interesseren was mijn vondst van Charley Penns vertaling van "Du bist wie eine Blume". Ik kreeg het gevoel dat hij me in de gaten had gehouden en de enige manier was volgens mij dat de camera aanstond. Als dat klopt en jullie daar nu pas achter zijn, ziet het ernaar uit dat iemand heeft zitten slapen, hè?'

'Wat heeft Wield over Penn gezegd?' vroeg Hat, en hij deed zijn best zijn stem neutraal te houden.

'Niet veel. Hij is niet bepaald lang van stof, hè? Ik suggereerde dat het laten rondslingeren van poëzie een indirecte vorm was van ongewenste intimiteiten, wat hij misschien het onderzoeken waard zou vinden, en volgens mij glimlachte hij maar dat kan ook de wind geweest zijn.'

'Maar hij heeft niet direct over de tapes gesproken?'

'Nee. Dat heb ik helemaal zelf bedacht.'

'Knap,' zei hij. 'Echt. Ik neem je niet in de zeik.'

'Tja. Ach, ik heb wél Dave, de bewaker, lief aangekeken, alleen voor de zekerheid,' gaf ze toe. 'Dus kom op. Vertel me alles over Franny Roote en die inspecteur van jou.'

Het leek niet het geschikte moment om je op politiële geheimhouding te beroepen, en bovendien had hij Rye al zoveel over de Woordman toevertrouwd dat het gemakkelijker was om verder te gaan dan terug te trekken, dus vertelde hij haar over Pascoes gewapende verstandhouding met Franny Roote.

'Toen ik hem gisteravond het podium zag beklimmen, stond ik paf,' zei hij. 'Vooral na wat ze over het winnende verhaal hadden verteld. Dat klonk absoluut niet naar hem…'

'Als mr. Pascoes versie van hem bedoel je?' zei ze.

'Ik heb hem zelf een paar keer ontmoet,' zei Hat defensief. 'En jij noemde hem een engerd.'

'Jawel, maar ik bedoelde het waarschijnlijk letterlijk. Als hij soms in de bibliotheek komt, loopt hij zo zachtjes dat je nooit weet waar hij is tot hij plotseling naast je staat. Dus Pascoe wil graag geloven dat hij de Woordman is? Zeg, ik bedacht net: zijn vrouw hielp Penn toch bij het jureren? Samenwerken met de ene verdachte om de prijs aan een andere verdachte te geven! Ik durf te wedden dat Pascoe dat enig vond. Ik durf te wedden dat ze de hele nacht wakker zijn geweest en er in een deuk over hebben gelegen.'

'Dat kon zij toch niet weten?' zei Hat, die een fan was van Ellie Pascoe. 'Je hebt vast het artikel gelezen. Hoe kwam dat op je over?'

'Goed,' gaf ze toe. 'Dick vond het uitstekend. Ik was minder enthousiast, maar volgens mij was het goed. Ontroerend, hoor. Heel ondersteunend. Voor mij hoeft het niet zo.'

De kiem voor een schimpscheut over een vrouw met een figuur als het hare dat weinig ondersteuning nodig heeft speelde vluchtig door zijn hoofd maar bestierf voordat die kon ontspruiten.

'Tja, wat gisteravond werkelijk gebeurd schijnt te zijn is het volgende…' zei Hat, die niet karig omsprong met zijn eenmaal gegeven vertrouwen.

Wield was degene die hem op de hoogte had gebracht. Hij had waarschijnlijk liever minder ruchtbaarheid aan de hele zaak gegeven maar zoals het allemaal de pan uit was gerezen, kwam die optie niet in aanmerking. Aangezien het verhaal over Rootes tegenbezoek op het bureau in geuren en kleuren de ronde deed, leek het Bowler voor de goede orde verstandig een volledig verslag te geven.

'Het is niet de CID op z'n best, maar een heel stuk beter dan de versies die hier en daar rondfladderen,' had de brigadier besloten. 'Mocht je die horen, dan weet je waar het vandaan komt, oké?'

'Oké,' had Hat gezegd. 'Hoe heeft de baas erop gereageerd?'

'Mr. Dalziel schijnt zichzelf de zevende hemel in te hebben gedanst,' zei Wield. 'Hij is nog niet gesignaleerd. Maar ongetwijfeld zal hij weldra verschijnen. En als je van je vrije dag wilt genieten, jongen, raad ik je aan je gedeisd te houden. De baas is geneigd ziekteverlof als normale vrije dagen te tellen.'

Dat vertelde Hat nu allemaal aan Rye, die haar wenkbrauwen fronste en zei: 'Zo te horen is hij niet helemaal goed bij zijn hoofd.'

'Roote?'

'Nee. Die Pascoe. Toen ik hem ontmoette, dacht ik dat die man de boel uitstekend op een rijtje had.'

'Dat zal hij wel nodig hebben. Hij voelt zich bedreigd.'

'Dat is het natuurlijk. Hij *voelt* zich bedreigd. Maar uit wat jij zegt, begrijp ik dat er geen sprake is van echte dreigementen, of wel?'

'Nee. Maar die Roote is een geval apart. Ik snap hoe hij je kan bedreigen zonder je daadwerkelijk te bedreigen, als je snapt wat ik bedoel.'

Ze keek hem vragend aan en zei: 'Jij bent loyaal, rechercheur Bowler. Heb je al besloten wat je aan Georgie Porgie gaat doen?'

Zoiets had Wield ook al gezegd. Er waren nog een stuk of twee telefoontjes van Angela Ripley geweest. Daarvan had Wield er één aangenomen en volgens hem klonk ze niet alsof ze er helemaal van overtuigd was dat Hat ziek was. De brigadier had even op een verklaring gewacht, maar toen die uitbleef, had hij niet aangedrongen. En hij had er met geen woord over gerept dat Rye het over Charley Penn had gehad.

Discretie of wantrouwen?

'Tong verloren?' vroeg Rye.

'Neem me niet kwalijk. Ik ga helemaal niets doen aan de adjudant,' zei hij recalcitrant. 'Angela Ripley reist vandaag terug naar de States. Ik zie geen enkele reden om Georges afscheidsfeestje te bederven.'

Plotseling gaf ze hem alweer een kus.

'En je bent ook heel aardig,' zei ze. 'Kom, we gaan naar de vogels kijken.'

Het was een dag van zon met regenbuitjes, en door een straffe wind dreven wolken langs de hemel en wervelden vóór de MG uit bladeren over de weg. Hij had daarom het dak niet neergelaten maar Rye had gezegd: 'Kan dat niet?' en trok, nu ze over de weg scheurden, haar alpinopet van haar hoofd en leunde achterover met gesloten ogen en zo'n plezier op haar gezicht dat de dansende bladeren voor Hat rozenblaadjes waren die vóór een bruidsstoet werden uitgestrooid.

Kijk uit, jongen, dacht hij spottend, anders ga je straks nog gedichten voor haar schrijven, terwijl jouw verstand van poëzie nooit veel verder is gekomen dan 'Het vrachtschip Venus'.

Die gedachte baarde vrucht tot een couplet.

> *Met Raina had ik lol voor tien.*
> *God, je had haar moeten zien.*

Hij had een binnenpretje, maar dat merkte ze.

'Kom op,' zei ze, waarbij ze boven de wind uit moest schreeuwen. 'Vandaag delen we alles met elkaar.'

Dat laatste deed hij. Het klonk eigenlijk helemaal niet zo geestig, maar het oogstte een hartelijke lach.

Met verse moed zei hij: 'Nu we elkaar tóch alles vertellen: ik wil je levensverhaal. Hoe ben je bibliothecaresse geworden?'

'Wat is er mis met bibliothecaresse?' wilde ze weten.

'Niets,' stelde hij haar gerust. 'Misschien heeft het z'n image niet mee. Ik bedoelde alleen maar: jij, met jouw achtergrond en uiterlijk en zo, hoe komt het dat je niet aan het toneel bent gegaan? Ik bedoel, Raina Pomona: als er ooit een naam geknipt was voor de schijnwerpers, dan is het wel Raina Pomona!'

Ze zei iets, maar de wind ging ermee aan de haal.

'Wat zei je?' schreeuwde hij.

'Ik zei: ooit misschien… maar dat was in een ander land en bovendien ben ik degelijk geworden.'

Ze zei het lachend, anders dan zo-even, maar met net zo'n duidelijk, scherp venijn als de wind die de zilveren schicht in haar haren als een snoek door een donkere vijver joeg.

'Alles goed?' vroeg hij. 'Wil je het dak omhoog?'

'Nee,' gilde ze. 'Natuurlijk niet. Kan dit ding niet sneller?'

Hij zei: 'Hoe snel wil je?'

'Zo snel je wilt,' zei ze.

'Oké.'

Nu waren ze de hoofdweg afgeslagen en reden op smalle landweggetjes. Hij trapte op zijn gaspedaal, en de heggen stoven in een waas voorbij. Hij was een goede chauffeur, goed genoeg om te weten dat hij te hard reed, niet voor de bochten in de weg – zo ver reikte zijn techniek nog wel – maar voor wat er na zo'n bocht onverwachts op de loer lag.

Maar Rye was tegen hem aan gekropen: haar rechterarm om zijn schouders geslagen, haar linker klemde zich om zijn onderarm, haar mond was zo dicht bij zijn wang dat hij voelde hoe de warmte van haar adem zich vermengde met de koele windvlagen die hen door de snelheid in het gezicht sloegen.

Hij nam een lange bocht naar links, zo flauw dat het geen problemen opleverde of er vaart voor geminderd hoefde worden, maar toen de auto de bocht door kwam, sprong er van rechts een hert over de rij heggen, bleef lang genoeg stilstaan om hun komst te kunnen registreren en huppelde zorgeloos de akker aan de linkerkant in.

Waarschijnlijk was de kans op een aanrijding nihil, maar intuïtief raakte zijn voet de rempedaal, één seconde slechts, maar nu de wagen nog uit balans was, waren de bladeren op de weg voldoende om in een slip te raken. Zoals meestal, was het een slip van niks waarmee hij zelfs in z'n slaap geen moeite zou hebben. Maar de weg was smal en de rechterbanden raakten één moment de berm voordat ze weer goed greep op de weg kregen. Gelukkig was de grond niet drassig en lag er geen sloot, maar het maakte het hele gebeuren wél een tikkeltje dramatischer omdat meidoorntakken over de voorruit en hun gezichten zwiepten voordat hij de auto tot stilstand bracht, waardoor ze voorover in de veiligheidsgordels werden gesmeten.

'Nou, dat was dikke pret,' zei Hat. 'Bedankt, Bambi. Shit! Rye, alles goed?'

Als antwoord op zijn poging om luchtig te doen stootte het meisje een schrille kreet van pijn uit en liet ze zich hevig snikkend voorover vallen.

'Wat is er gebeurd? Waar doet het pijn?' vroeg hij, terwijl hij vergeefs naar bloed zocht.

'Het gaat wel,' zei ze hijgend. 'Echt… er is niets.'

Voorzichtig tilde hij haar hoofd op en keek naar haar gezicht. Ze had geen kleur op haar wangen en haar ogen stonden vol tranen, maar hij voelde geen enkele reactie toen zijn vingers haar hals en sleutelbeen aanraakten op zoek naar letsel.

Ze haalde een paar keer diep adem, wreef de tranen uit haar ogen en zei: 'Eerlijk, voordat je te gynaecologisch wordt, mij mankeert niets.'

'Zo klonk je niet.'

'Shock.'

'Echt?' hij keek haar onzeker aan.

'Wat?'

'Een beetje geslipt. Eén seconde maar. Je lijkt niet…'

'Het type?' vulde ze aan. 'Dus plotseling weet je zeker alles over me, detective?'

302

'Nee. Maar ik zou het graag willen. Tenslotte was jij degene die zei dat we vandaag alles met elkaar zouden delen.'

'Zei ik dat? Ja, ik geloof het wel.'

Ze deed het portier open, stapte uit en bleef staan om zich uit te rekken alsof ze zojuist uit bed was gestapt.

Toen draaide zich naar hem om en zei: 'Heb jij niet beloofd de proviand voor deze expeditie te verzorgen? Was dat inclusief koffie? Want zo ja, dan heb ik absoluut geen bezwaar dát met je te delen.'

32

Zᴇ ᴋʟᴏᴍᴍᴇɴ ᴅᴏᴏʀ ᴅᴇ ʜᴇɢ ɪɴ ʜᴇᴛ ᴋʀᴇᴜᴘᴇʟʜᴏᴜᴛ ᴡᴀᴀʀᴜɪᴛ ʜᴇᴛ ʜᴇʀᴛ was opgedoken en gingen zitten om hun koffie te drinken met tussen hen in de knoestige boomstam van een beuk en de wind.

Hat zei niets, maar ineens begon zij te praten alsof ze op een vraag beantwoordde.

'Ik wilde inderdaad actrice worden. Zoals je al zei: wat zou ik anders willen worden, je weet wel, geboren in de achterbak en dat soort onzin? Serge – mijn tweelingbroer Sergius – reageerde tegenovergesteld. Hij wilde advocaat worden. Altijd drama, zei hij altijd, en twintig keer zoveel geld. Ik denk dat ik naar de grote sterren keek, terwijl hij alleen maar naar ma en pa keek.'

'Zij hadden het dus niet zo ver geschopt?' vroeg Hat.

'Toen ze nog jong waren, schijnen ze vrij geregeld werk te hebben gehad. En ze spraken altijd over het verleden alsof ze vroeger behoorlijk groot waren geweest en als het een beetje meezat weer de top konden bereiken. Maar toen ik ging puberen, was zelfs die regelmaat aan het verdwijnen. Er waren lange perioden van rust, wat zij het beste schenen te doen met een glas in hun hand. Elk koppel heeft een gemeenschappelijke interesse nodig die hen bindt. De hunne was drinken.'

'Serieus?'

'Het waren dronkaards,' zei ze effen. 'Dat kwam in één opzicht goed uit. Door je ouders verwaarloosd worden louter omdat ze zo op zichzelf zijn geconcentreerd dat jij niet telt, is moeilijk te slikken voor een kind. Maar verwaarloosd worden doordat ze een drankprobleem hebben, heeft nog iets. Nou ja, ik was dol op theater en was van plan na school naar de toneelschool te gaan, en ik heb een heleboel amateurdingetjes gedaan en zelfs mijn voet tussen de deur van het Grote Toneel weten te krijgen: massascènes en als jonge figurante brieven opbrengen. Wat ik als mijn echte grote doorbraak beschouwde kwam toen ik de rol van Beth kreeg in de toneelversie van *Little Women* dat als zomertheater in Torquay werd opgevoerd, waar mijn ouders destijds aan het uitrusten waren.'

'Een grote doorbraak?' vroeg Hat. 'Hoe groot?'

'Ik was pas vijftien nota bene,' snauwde ze. Waarna ze, omdat ze besefte dat zijn vraag voortkwam uit oprechte belangstelling en geen enkele sneer bevatte, verontschuldigend glimlachte en zei: 'Ik bedoel dat het míj enorm leek. En het was een leuke rol, bij lange na niet de hoofdrol, maar ik mocht interessant ziek zijn.'

'Ik weet zeker dat je daar behoorlijk goed in was,' zei Hat, die terugdacht aan de stijl waarin ze hem had opengedaan toen hij bij haar op ziekenbezoek kwam.

'Dank u zeer,' zei ze. 'Nou ja, mijn grote première brak aan en mijn vader zou me met de auto naar de schouwburg brengen maar verkondigde plotseling dat hij niet kon en dat mijn moeder me dan maar moest brengen. Serge begon tegen hem te schreeuwen en toen hij vroeg wat dan wel belangrijker voor hem kon zijn dan naar mijn première te gaan, gaf papa hem een of andere onzinpreek: dat hij zo'n evenement alleen zou laten lopen voor iets wat uitermate urgent was voor het welzijn van het hele gezin en als hij maar even de kans kreeg om weg te glippen om een glimp op te vangen van zijn kleine meid op het toneel zou hij dat niet laten. Toen was hij weg.'

'Dat zul je wel leuk gevonden hebben.'

'Om je de waarheid te zeggen, Serge wond zich er veel meer over op dan ik. Ik ging het toneel niet op om indruk te maken op mijn vader, maar op al die andere mensen. Die wildvreemde mensen wilde ik met mijn talent veroveren. Maar ik had een lift nodig, en toen het tijd werd en ik mijn moeder ladderzat aantrof, was voor mij het huis te klein. Serge kalmeerde me en belde een taxibusje. Het werd hoog tijd, en het ding kwam niet. We belden nog eens. Er was ergens een verkeersopstopping, de taxi zou zó komen. Maar nee. Nu werd ik écht hysterisch. En Serge kwam met de autosleutels van mijn moeder aanzetten en zei: geen probleem, hij zou me wel rijden.'

Hat begon in te zien waar het verhaal heen ging.

Hij zei zacht: 'Hoe oud was hij? Vijftien?'

'Dat klopt. Mijn tweelingbroer, en toevallig even oud. Je zou detective moeten worden.'

'Sorry. Ik bedoel, dan had hij nog geen rijbewijs kunnen hebben. Kon hij rijden?'

'Zoals alle jongens van vijftien dacht hij van wel,' zei Rye. 'We gingen op pad. Ik was laat, niet zo laat dat het werkelijk een probleem vormde, maar in mijn razernij speelde ik op als een primadonna die te laat is voor een Royal Command Performance. Ik gilde tegen Serge dat hij harder moest rijden.

Het was die avond nat en donker. Sneller, schreeuwde ik, sneller. Hij grinnikte alleen maar en zei: "Doe je veiligheidsgordel om, zus. Het wordt een ruige nacht." Dat waren zijn laatste woorden. We gingen te snel een bocht door, raakten in een slip... het kwam daarnet allemaal terug toen je moest remmen...'

Hat sloeg zijn armen om haar heen en hield haar vast. Ze drukte zich een poosje tegen hem aan, waarna ze vastberaden haar rug strekte en hem van zich af duwde.

'We reden regelrecht in op een auto die van de andere kant kwam,' zei ze met vlakke stem, terwijl ze razendsnel sprak, alsof dit iets was wat ze weliswaar kwijt moest maar achter de rug wilde hebben. 'Er zaten twee mensen in. Die waren allebei dood. Serge ging ook dood. En ik, ik herinner me de slip en ik herinner me dat ik daar op straat lag – vlak voor een kerkhof nota bene – en naar de donkere lucht keek... daarna weet ik niets meer tot ik ruim een week later in een ziekenhuis wakker werd.'

Hat floot.

'Een week? Dan zul je wel zwaarbeschadigd geweest zijn.'

'Ja. Dit gebroken, dat gebroken. Maar het meest bezorgd waren ze over mijn hoofd. Schedelbreuk, druk op de hersens. Ze hebben twee keer moeten opereren. Toen ze dat geregeld hadden, werd ik voor de rest zo'n beetje aan elkaar gebreid.'

Onder het praten ging haar hand onwillekeurig naar de zilverkleurige bles in haar haar.

Hat stak zijn hand uit en voelde eraan.

'Heb je dit sinds die tijd?' vroeg hij.

'Ja. Ik was helemaal kaalgeschoren natuurlijk, maar ze drukten me op het hart dat het allemaal zou terugkomen. Nou, dat is gebeurd. Behalve dat om een reden die ze uitgelegd hebben zonder hun uitleg uit te leggen, als je begrijpt wat ik bedoel, het haar op het litteken zó is geworden. Ze raadden me aan het te verven, maar ik zei nee.'

'Waarom?'

'Om Serge,' zei ze effen. 'Omdat ik een hekel heb aan kerkhofbezoek, al dat lugubere gedoe, maar zolang ik ogen heb om mezelf in de spiegel te zien, zal ik hem nooit vergeten.'

Toen Hat haar bedrukt aankeek, zei ze: 'Het spijt me dat ik onze dag heb verpest. Ik had je dit helemaal niet moeten vertellen, niet nu althans. Ik heb er nog nooit met iemand over gesproken, behalve met Dick.'

Zelfs op het toppunt van haar ellende en zijn medeleven, voelde een egoïstisch gen dat als een klap.

Hij vroeg: 'Heb je het aan Dick verteld?'

'Ja. Hij is net als jij: niet opdringerig. Je kunt vragen makkelijk ontwijken, maar de last van non-vragen van mensen die je aardig vindt wordt ondraaglijk. Hij luisterde alleen, knikte en zei: "Dat valt niet mee. Ik weet hoe het is om al jong mensen te verliezen: je zult nooit meer gelukkig zijn zonder te bedenken dat zij er niet meer zijn om je geluk te delen." Hij is heel wijs, die Dick.'

Ik ook, dacht Hat. Te wijs om mijn jaloezie te laten blijken!

Maar waarschijnlijk keek hij nogal ongelukkig, want opeens glimlachte ze breeduit en zei: 'Hé, het geeft niet. Ik was een beetje geschrokken toen we zo-even slipten, maar echt, nu gaat het wel weer. Mijn eigen schuld dat ik tegen mezelf opschepte dat ik niet bang ben voor snelle wagens. Wat ook zo is. En om dat te bewijzen: laten we verdergaan voordat al die vogels naar het zuiden trekken voor de winter.'

Ze stond op, stak haar hand uit en sleurde hem ook overeind.

Hij liet haar hand niet los maar hield die stevig vast en zei: 'Weet je het zeker? We kunnen makkelijk teruggaan naar de stad en de rest van de dag tv gaan kijken of zo.'

'Ik zal je niet vragen *of zo* uit te leggen,' zei ze. 'Nee, ik heb beloofd om te gaan vogelspotten, dus ga ik vogelspotten, zodra ik mijn hand terug heb.'

Ze stapten weer in de auto.

Toen ze wegreden, zei Hat: 'Wat is er eigenlijk van die acteer-carrière geworden?'

'Carrière is wat veel gezegd,' zei ze. 'Toen ik namelijk na een halfjaar mijn gewone leven weer oppakte, ontdekte ik dat er niets van over was: al die ambitie, al die dromen. Ik had Serge verloren en nu kon ik door alle twijfel heen zien wat een treurig stel mijn ouders vormden. Tussen haakjes, later bleek wat dat urgente was waarmee mijn vader zich die avond bezig moest houden: een idolate groupie een beurt geven die al dat gestrooi met namen in zijn verhalen over zijn sterrendom geloofde. Het was niet een leven waar ik nog íéts mee te maken wilde hebben.'

Hij zei: 'Dus daarom klonk je zo cynisch toen je me over je naam vertelde?'

'Over de ontdekking dat ze hadden gelogen over de rollen die ze speelden? Ach, dat leek het alleen maar te bevestigen. Zelfs hun echte leven was een act en de enige manier waarop ze met hun kinderen konden omgaan was door bijrolspelers van hen te maken.'

'Dus heb je uiteindelijk voor een heel andere rol gekozen.'

307

'Hè?'

'Bibliothecaresse. Het traditionele imago staat ongeveer zo haaks op dat van dat schattige actricetje als maar kan, nietwaar? Rustig, ingetogen, vrij keurig, terwijl je lawaaiige lezers over je hoornen brilletje dreigend aankijkt, sober gekleed, een beetje gefrustreerd...'

'O, zie je me zo?'

Hij lachte en zei: 'Nee. Ik bedoel alleen maar: als je dat had willen bereiken, zou iemand tegen je moeten zeggen dat het je op geen stukken na gelukt is.'

Ze zei: 'Hmmm. Zal ik dat maar als een compliment opvatten? Nu we het daarover eens zijn, laten we de schijnwerpers nu op jóúw interessante aspecten laten schijnen.'

'Daar verheug ik me op,' zei hij. 'Maar hoor eens, we zijn er bijna. Dus zullen we maar niet het risico lopen de vogels af te schrikken en mijn interessante aspecten tot na de lunch bewaren? Dan mag je er wat mij betreft je hart aan ophalen.'

'Goed, maar vertel me op z'n minst één ding,' zei ze, terwijl de auto een zandweg insloeg die was aangegeven door een voorwereldse wegwijzer waarop stond: *Stang Tarn*. 'Leren ze jullie tijdens je proeftijd bij de politie hoe je gesprekken kunt sturen of is dat een eerste vereiste om toegelaten te worden?'

33

'ANDY, JE ZIET ERUIT ALSOF JE BENT WEERGEKEERD VAN EEN REIS NAAR de onderwereld, in elke betekenis des woords. Zeker een zware wacht gehad?'

'Zo zou je het kunnen noemen,' zei Andy Dalziel.

Het was moeilijk toe te geven, maar de tijd was voorbij dat hij tot het ochtendgloren kon zuipen en dansen, een taxi naar huis nemen, voldoen aan zijn snoeverige seksuele beloften, een uurtje pitten en op openingstijd in The Dog and Duck zijn zonder dat er een spoor van zijn energie vretende activiteiten in zijn gezicht gegroefd zat.

'Maar niets wat niet met nog een pint te verhelpen is. Wat jij, Charley?'

'Nay, ik ben net binnen. Gun me een kans mijn tanden met deze te reinigen,' zei Charley Penn.

Dalziel ging naar de bar waarbij hij tot zijn goedkeuring merkte dat de barkeeper, toen die hem zag naderen, het bedienen van een andere klant even onderbrak om de verlangde pint te tappen. Geweldig, wat een paar vriendelijke woorden vermochten om iemand op het smalle, rechte pad te krijgen, dacht Dalziel zelfvoldaan.

Toen hij bij het tafeltje terugkwam, sloeg hij zijn glas in één teug achterover.

'Dat is al beter,' zei hij.

'Wat is er nou mis?' informeerde Penn.

'Hè?'

'Kom op, dit is niet je stamcafé,' sneerde de auteur. 'Je bent hier om een bepaalde reden.'

'Ik hoop dat er in deze stad geen pub bestaat waar ik niet bekend en welkom ben,' zei Dalziel gekwetst.

'Dat heb je voor de helft goed,' zei Penn. 'De laatste keer dat ik je hier heb gezien, was het strict zakelijk. Ik en die knaap, Roote, en Sam Johnson...'

Zijn gezicht betrok toen hij over Johnson sprak, en hij zei: 'Afgelopen zondag. Jezus, moeilijk te geloven dat het pas afgelopen zondag was. En nu ligt die arme drommel onder de zoden. Dat leek me onfatsoenlijk snel. Wat is er gebeurd, Andy? Heeft Leipe Linda aan je touwtjes getrokken?'

'Het is een sterke vrouw, Charley, om wie je moeilijk heen kunt,' zei Dalziel. 'Dat heb ik tenminste begrepen. Zelf heb ik haar nooit ontmoet.'

'Ik zag dat je niet op de begrafenis was,' zei Penn.

'Tja, dan kan ik wel aan de gang blijven,' zei Dalziel. 'Het ging toch goed? Ik heb begrepen dat Roote een act opvoerde.'

'Hij sprak vanuit zijn hart, daar is niks mis mee,' zei Penn.

'O *aye*, hij doet bijna alles vanuit zijn hart, daar twijfel ik niet aan,' zei Dalziel. 'Zo te horen was je onder de indruk, Charley.'

'Het is een goeie vent, lijkt me. Hij laat het verleden rusten. Iets wat misschien heel wat meer van ons zouden moeten proberen. En hij heeft talent. Heb je gehoord dat hij de korte-verhalenwedstrijd heeft gewonnen?'

'*Aye.*'

Er stond een boodschap, of liever gezegd een hele reeks boodschappen op Dalziels antwoordapparaat, waarin Pascoe hem op de hoogte had gebracht van de gebeurtenissen van die avond.

'Goed verhaal, nietwaar?'

'Ongeveer het enige,' gromde Penn, die berucht was om zijn karigheid met complimenten. 'Toen ik zag wat voor gajes er op het lijstje met kanshebbers stond, was ik blij dat ik de troep niet heb hoeven lezen die het niet gehaald heeft. Maar Rootes verhaal zou in elk gezelschap hebben uitgeblonken. Het was een mooie avond voor die knul. Jammer dat die jaknikkers van jou het zo nodig voor hem moesten verpesten.'

'Jaknikkers? Ik herinner me niet dat ik jaknikkers had toen ik de laatste keer keek. Waarschijnlijk heb ik genetisch gemanipuleerd bier gedronken.'

'Die inspecteur van je, de man van Ellie Pascoe. Dat is een dijk van een meid. Je zou gehoopt hebben dat hij, omdat hij met haar getrouwd is, beter zou weten. En die ene met dat smoel. Jezus, als je hem de kraamafdeling op stuurt, zou je geen tijd en medicijnen hoeven verknoeien om bevallingen op te wekken.'

'Je moet oppassen met wat je zegt, Charley. Waarschijnlijk is er een ombudsman en een tribunaal waarbij ik je zou kunnen aangeven vanwege dergelijke giftige opmerkingen.'

'Dat zou me niets verbazen. Hoe dan ook, Andy, zullen we terzake komen? Dan kun je naar huis om weer in bed te kruipen, waar je niet uit had moeten komen.'

Dalziel dronk zijn bier op en keek verbaasd naar het lege glas.

Met een zucht dronk Penn zijn eigen glas leeg en ging naar de bar voor verversingen.

'Dat is aardig,' zei Dalziel.

'Eigenbelang. Jij zou toch geen man arresteren die je een rondje gaf?'

'Tja, ik zou toch wel gek zijn als ik de klootzak zou arresteren vóór hij had afgerekend?' zei Dalziel. 'Charley, ik wil dat je heel goed nadenkt vóór je dit beantwoordt. Afgelopen zondag zei je dat je weg moest omdat je op zondag altijd bij je oude moeder op bezoek ging. Toen je later die week werd gevraagd waar je was geweest, heb je dat ook gezegd: op bezoek bij je moeder. En dat is ook min of meer wat je moeder heeft gezegd.'

'Hebben jullie met mijn moeder gepraat?' riep Penn uit.

'*Nay*, Charley, dacht je dat we niets zouden natrekken? We trekken alles na wat iemand ons vertelt, vooral als ze hun brood verdienen met verzinsels.'

'En mijn moeder, wat zegt zij?'

'Ze zegt dat haar Karl een fijne knul is, de volmaakte zoon.'

'Nou dan,' zei Penn. 'Waar heb je het dan over, Andy?'

'Waar ik het over heb is dat ik snap waar jij je talent voor verhaaltjes vertellen vandaan hebt,' zei Dalziel. 'Waar was je afgelopen zondagmiddag, Charley?'

Penn nam op z'n gemak een grote slok van zijn bier. Intussen vraagt hij zich af of ik zit te bluffen, dacht Dalziel. En of hij de uitdaging moet aangaan.

'Gaat dit over Sam Johnson?' vroeg Penn om tijd te winnen.

'Over wie anders?'

'Denk je soms dat ik die Woordman ben?'

'Nou, het klinkt als een taakomschrijving van jouw werk, Charley.'

'Je denkt dat ik – hoeveel zijn het er? – vijf mensen vermoord heb, en je kunt desondanks hier een borrel met me drinken?'

'Fantastisch, dat "hoeveel zijn het er?", Charley. Onschuldig, schuldig, je weet precies hoeveel het er zijn. Een schrijver als jij heeft waarschijnlijk een notitieboekje waarin je al het interessants optekent dat zich voordoet. Tenzij je moord niet interessant vindt.'

'Alleen in kunst,' zei Penn.

'Is dat een bekentenis? Want ik krijg de indruk dat dat is wat die gek beweegt: dat het maffe idee door z'n kop spookt dat er niks mis is met moord, of dat moorden op z'n minst een hoger belang kan dienen.'

'Nee, het is geen bekentenis. Maar ja, je hebt gelijk, ik heb die moorden nauw gevolgd. Dat doen schrijvers nu eenmaal. Een beetje zoals een detective, die in zich opneemt wat iemand drijft, met name de eigenaardigheden, wat voor velen van ons geldt.'

'Heb je ook conclusies getrokken, Charley?'

'Alleen dat het nog heel lang kan duren.'

'Waarom zeg je dat?'

'Omdat het duidelijk een slimme schurk is, en als het scherpste brein van onze CID tijd moet verknoeien door mij te verdenken, dan hebben jullie hem nog op geen stukken na te pakken.'

'Charley,' zei Dalziel zachtjes, 'je kunt me op geen enkele manier verhinderen om tijd te verknoeien. Neem een besluit als je je hart wilt luchten of probeer je kiezen op elkaar te houden. Afgelopen zondagmiddag...?'

'En als ik je vertel dat ik mijn moeder ben gaan opzoeken, wat dan?'

'Dan nodig ik je uit in de bajes, waar de verversingen niet half zo lekker zijn als hier en de bediening dubbel zo rot,' zei Dalziel.

'Oké, als je het in beginsel zó stelt... ik was bij een kennis. Een vriendin.'

'Bofte jij even,' zei Dalziel. 'Maar mag ik raden? Ze is getrouwd en omdat jíj een echte heer bent, kun je onmogelijk vertellen hoe ze heet.'

'Andy, ik weet niet waarom we dit gesprek nog voeren als je alles van tevoren weet.'

'Omdat de wereld van woorden aan elkaar hangt,' zei Dalziel.

'Ik dacht dat het liefde was.'

'Eén pot nat. Het komt allemaal neer op woorden.'

'Je gaat me te diep, Andy. Dus wat doen we nu?'

'Jij? Jij doet niks. Ik zal jou vertellen wat ik ga doen. Ik ga je niet dwingen om een naam te noemen, Charley, omdat ik je loyaliteit en tedere gevoelens in deze kwestie respecteer. Maar je hebt gelijk: we hebben iets gemeen. Ik hou er ook een notitieboekje op na waarin ik eigenaardigheden opteken. En ik geloof dat ik, als ik mijn aantekeningen doorkijk, zal stuiten op namen – het kunnen er een paar zijn, het kunnen er een stuk of vijf zijn, misschien wel meer – van vrouwen die de *femme* zijn die ik *cherchez*. Ik zal ze op alfabet schikken, waarna ik ze allemaal om de beurt zal opzoeken, liefst 's avonds als ze manlief en het gezin het eten opdienen, en dan zal ik hun vragen: "Lag je afgelopen zondagmiddag met Charley Penn te neuken? Ik moet het weten, anders heeft-ie grote problemen." En ik weet zeker dat de dame in kwestie er dan liever rond voor uit zal komen dan jou in de moeilijkheden te laten zitten. Als ze haar echtgenoot zat is en zin heeft op een meer permanente basis met je af te spreken, neemt ze misschien zelfs de kans waar om het openlijk te kunnen doen. Het zou zelfs kunnen zijn dat meer dan één dit zal zien als een te fijne kans om te laten lopen en dat ik met een overdaad aan bekentenissen kom te zitten, wat onhandig zou kunnen zijn. Maar dat risico zal ik moeten nemen. Tenzij jij me dat wilt besparen.'

Hij knikte, alsof hij zijn bereidheid wilde bevestigen om zo'n hachelijke missie te ondernemen, en nam een slok van zijn bier.

'Krijg de pest, Dalziel,' zei Penn.

'Dat vat ik op als een "ja",' zei Dalziel.

34

De lunch was voor Hat Bowler heel wat minder dramatisch verlopen.

Hij had Rye allereerst meegenomen naar het kreupelhout, waar ze zo veel vogels hadden gespot dat de expeditie gerechtvaardigd was. Ze had met zichtbare belangstelling geluisterd naar zijn deskundige commentaar, maar hij waakte ervoor te veel uit te weiden en te riskeren dat de verveling zou toeslaan. Hij was zich er tevens van bewust dat de wolken steeds lager hingen en wilde zich ervan verzekeren dat ten minste hun lunch niet door de onvermijdelijke regen in het water zou vallen.

Ze hadden een overdekt plekje gevonden onder een enorme overhangende rotspartij waarvan zich in de loop der jaren diverse losse keien hadden afgesplitst. Hij ging aan de slag om er de schapenkeutels weg te schoppen en toen hij haar erop betrapte dat ze hem geamuseerd gadesloeg, zei hij verontschuldigend: 'Ja, ik weet het, het is net alsof je op een schapentoilet eet, maar die weten wél het een en ander over schaduw in de zomer en beschutting in de winter.'

'Waar schijt is, is beschutting, zeggen schaapherders toch altijd?' zei Rye lachend.

'Dat moet ik onthouden. Oké, zo kan-ie wel, denk ik.'

Ze gingen zitten en aten van het assortiment sandwiches waar hij voor had gezorgd. Ondanks Hats belofte dat hij het feest zou geven, haalde Rye uit haar rugzak een koek met chocoladeglazuur die ze doormidden sneed.

'Goh, dit is lekker,' zei hij. 'Heb jíj die gebakken?'

'Ik hoor toch geen verbazing, hoop ik?'

'Dankbaarheid en verrukking,' zei hij.

Het liep allemaal goed, voelde hij. Zo te zien genoot ze net zoveel van zijn gezelschap als hij van het hare, maar alle hoop die hij koesterde dat hun toenemende intimiteit soepel zou overgaan in een partijtje robbedoezen in de vrije natuur verdween toen ze hun restje koffie opdronken: het begon te regenen, niet hard, eerder een onmiskenbaar vocht in de lucht dan echte druppels, maar volgens hem voldoende om passie te blussen indien toegepast op naakte huid.

Snel pakten ze in.

'Waar heb je zin in?' vroeg hij.

'Ik ben niet dit hele eind gekomen om zonder een blik op het befaamde bergmeer te vertrekken,' zei ze. 'En ik ben je interessante aspecten niet vergeten.'

De regen was nog niet echt losgebarsten toen ze het bergmeer bereikten, waar het vocht in de lucht zich eerder manifesteerde in de vorm van een algehele neveligheid dan in een bui. Ze stonden aan de waterkant, terwijl ze door de wasem naar de oever verderop tuurden, waar nog net een laag stenen gebouw zichtbaar was.

'Is dat niet het uitzicht dat Dick heeft geschilderd?' vroeg Rye.

'Min of meer. Vanuit een nét andere hoek, en met een veel beter zicht. Maar dat is ongetwijfeld Stangcreek Cottage.'

Hij zette de verrekijker aan zijn ogen en voegde eraan toe: 'Het lijkt wel of daar iemand is. Ik zie rook uit de schoorsteen komen.'

'O, fijn. Een schuilplaats, mocht het weer slechter worden.'

'Luister, we kunnen nu terug naar de auto als je wilt,' zei hij enthousiast.

'Ben je bang dat je make-up wegspoelt?' grapte ze. 'Ik dacht dat jij zo'n ruig buitenmens was. Kunnen we helemaal om het meer lopen?'

'Nou, tot de cottage gaat het nog, maar daarna wordt het een beetje moerassig naarmate je dichter bij Stang Creek komt. Dat is de voornaamste watertoevoer naar het bergmeer, maar doordat al het water dat verderop van de heuvels afkomt ook een uitweg zoekt, wemelt het daar van de beekjes en kreekjes. Waar je ook komt, je krijgt natte voeten...'

'Je bent vast gebeten door een hondsdolle eend, al die watervrees,' viel ze hem in de rede. 'Kom op. De pas erin!'

Hij liep achter haar aan, terwijl hij in zijn oren knoopte dat macho beschermend gedrag aan Rye niet besteed was.

Zoals hij beloofd had, liep er een soort pad om de noordkant van het meer, een bedreiging voor de autovering maar een gemakkelijk terrein voor wandelaars.

Onder het lopen werd de mist dichter, wat het zicht terugbracht naar een meter of twintig met hier en daar een verlokkend glimpje over het water, en hulde hen in een grijze maar niet onaangename cocon. Er was heel weinig geluid en wát er was klonk mysterieus, alsof het van heel ver kwam. Er tsjilpten geen vogels en het zachte gekabbel van het water tussen het riet was eerder een decor waartegen de stilte kon worden afgemeten dan een geluid op zich. Na een poosje, toen Hat met zijn hand langs die van Rye streek, pakte ze die beet en strengelde ze haar vingers door de zijne. En zo liepen ze verder, hand in hand.

Ze zwegen allebei. Hat had het gevoel dat ze onder een betovering waren die met woorden alleen maar verbroken zou worden en dat ze, zolang die niet werd verbroken, misschien eindeloos zo konden doorlopen. Kon je elkaar trouw zweren zonder te spreken? vroeg hij zich af. En het niet bepaald van een politieman te verwachten idee flitste door zijn hoofd dat het misschien juist woordloze beloften van trouw waren die nooit verbroken werden. Eigenlijk zou een wereld zonder woorden in vele opzichten een beter oord zijn. De mens gaf dingen een naam om er macht over te krijgen. Geef je ze geen naam, dan kun je ze niet naar je hand zetten maar misschien nog wel van ze houden.

Een deel van zijn hersens dacht met afschuw aan de reacties onder zijn collega's bij de CID als hij probeerde dergelijke ideeën in de bajes uit te dragen. Een ander deel zou ze allemaal aan Ryes voeten willen uitstorten om haar reactie uit te lokken. Maar daarvoor waren woorden nodig. En in deze stilte waren woorden heiligschennis.

En toen klonk er een geluid dat minder heilig was dan woorden: een geluid dat door de stilte sneed, zoemend en schrapend, het ene moment krassend, het andere schel, van hoog tot laag, het ene moment staal, het andere steen.

'Wat is *dat* nou voor een vogel?' vroeg Rye met gedempte, angstige stem.

'Zo'n vogel heb ik nog nooit gehoord,' zei Hat. 'Het klinkt eerder als…'

Hij aarzelde, want hij had geen idee waar het naar klonk.

Toen, zo plotseling dat het bijna leek alsof het geluid voor hun neus vorm had aangenomen, doemde een paar meter voor hen uit de compacte zwarte omtrek van Stangcreek Cottage uit de mist op.

Het geluid was afkomstig van achter het huis. Toen ze omliepen, zagen ze een bemodderde Fiesta staan bij een afdak van sprokkelhout dat tegen de achtermuur van het gebouw leunde als een dronkaard tegen een welzijnswerker.

Onder de minieme schuilplaats van het afdak stond een man gebogen over een slijpsteen waartegen hij het blad van een bijl hield. Het wiel draaide, vonken vlogen in het rond, het staal jankte.

'Mijn hemel,' zei Rye. 'Dat is Dick. Dick, hallo! *Dick!*'

Bij het horen van haar steeds hardere stem keek Dick Dee om en bleef een ogenblik roerloos staan, de bijl in beide handen, en keek hen uitdrukkingloos aan.

Daarop verspreidde de trage, verjongende glimlach zich over zijn gezicht en zei hij: 'Goh, dát is een aangename verrassing!'

In een verrassend vloeiende beweging voor iemand wiens welgedane gestalte weinig lenigheid beloofde, zwaaide hij de bijl hoog door de lucht, waarbij hij zijn handen van het blad naar de steel liet glijden en vervolgens met zo'n kracht liet neerkomen dat het ding een van de verzameling zware houtblokken doorkliefde waarmee de vloer van het afdak bezaaid lag.

'Daar zijn jullie dus. Wat verstandig van me om de haard aan te steken. Maar laten we hier niet rondhangen. Zoals we in het landelijke Yorkshire zeggen: kom toch binnen, hebben jullie al iets gegeten?'

35

Het uur daarop verstreek heel gezellig, een beetje té gezellig wat Rye betrof voor Hats zielenrust.

Dat gemoedelijke tussen haar en Dee, wat hem al eerder was opgevallen, was buiten de werkplek des te duidelijker. Terwijl zij samen praatten en lachten, voelde hij zich, zo niet buitengesloten, dan toch ten minste aan zijn lot overgelaten, alsof hij alsmaar verder afdreef van die zalige intimiteit die hij met Rye had gedeeld bij hun in nevelen gewikkelde wandeling om het meer.

Dee had voor hen thee gezet en toast klaargemaakt op het zeer uitnodigende houtvuur dat in de haard knetterde en vonkte. De thee smaakte wat rokerig, maar de toast – dikke sneeën aan een lang smal keukenmes geregen witbrood die in de hitte werden gehouden tot ze bijna zwart waren, waarna ze gul werden belegd met koude verse boter en abrikozenjam – was heerlijk.

Dee zat op de grond, Hat was op een kruk met drie poten neergeplant en Rye zat op de enige stoel. Een prachtexemplaar van bewerkt eikenhout met leeuwen als armleuningen en poten als klauwen, alles met dat diepe patina dat slechts verkregen wordt door ouderdom en veelvuldig gebruik.

'In de schuur gevonden,' legde Dee uit. 'De ene armleuning was kapot, en iemand had ooit gedacht dat-ie wel zou opfleuren van een laag witte was. Dus heb ik mijn schilderkunst een tijdje verwaarloosd omdat het in zijn oude glorie herstellen van die stoel een belangrijkere bijdrage tot kunst en schoonheid was dan waartoe ikzelf in staat was.'

'Hij is prachtig, Dick,' zei Rye.

'Ja, vind je niet? En eindelijk is hier iemand die het waard is om erin te zitten. Geen twijfel mogelijk, vind je niet, Hat? Rye moet onze voorzitter woorden. "Vorstin en jagersvrouwe kuis en schoon…"'

Terwijl hij dat zei, pakte hij haar hand en dwong haar op haar zetel.

Hat, die door het zien van dat lichamelijke contact met weerzin werd vervuld en dacht puntjes te scoren door een helder moment van linguïstische correctheid, zei: 'Voorzitster, bedoel je geloof ik. Of ten minste voorzit*persoon*.'

'Je denkt echt dat ik dat bedoel?' zei Dee vriendelijk. 'Toch is *man* oorspronkelijk niet geslachtsbepaald. Sommigen leidden het af van dezelfde Indogermaanse stam die staat voor *mind*, "verstand", namelijk *men* of *mon*: "denken" of "zich herinneren" – en aldus verwijzend naar de gave om rationeel te denken die ons onderscheidt van de beesten. Hoe waar dat ook moge zijn, vast staat dat de verwijzing naar de mannelijke species een veel latere ontwikkeling is, en dat wil zeggen dat die voorbeelden waarin die oorspronkelijke betekenis is behouden, illustreren dat mannelijke arrogantie en souvereiniteit even absurd zijn als de bewering dat de interne verbrandingsmotor uitgevonden werd doordat Henry Ford auto's ging fabriceren. Echter, ik ben me ervan bewust dat ik mijn lesje niet voor eeuwig onder de onwetenden kan uitdragen, dus ja: in de achtergebleven gebieden van het gepeupel neem ik meestal de conventies in acht van de moderne onwetendheid. Maar hier, onder vrienden, hoeven wij ons licht niet onder de korenmaat te steken! Rye, jij wordt onze voorzitter, Hat, jij wordt onze krukzitter en ik zal als altijd de vloer bezetten.'

Hat had het gevoel dat hij zich gekleineerd moest voelen, maar vond het moeilijk zich niet gevleid te voelen. Het was een zeldzaam talent, gaf hij schoorvoetend toe, om te kunnen doordrammen zoals Dee zonder dat het je neus uitkwam. Als je het element jaloezie uitschakelde, zou hij waarschijnlijk oprecht onder de indruk zijn van die kerel die de indruk wekte ook best onder de indruk te zijn van Hat. Hij liet geen gelegenheid voorbijgaan om hem de kans te bieden zijn ornithologische deskundigheid tentoon te spreiden, waarbij hij een ogenschijnlijk eerder oprechte dan beleefde belangstelling aan de dag legde, en in alle bescheidenheid zijn grenzen blootgaf als Rye de aandacht vestigde op enkele van zijn schilderijen die met het leven van vogels te maken hadden.

Het leed geen twijfel: hij mocht dan geen vogelschilder zijn in de stijl van Aubusson of zelfs de Weledelgeboren Geoffrey, maar als het erop aankwam het *gevoel* van een vogel in zijn vlucht te schilderen, had hij onmiskenbaar aanleg, en kon Hat zich aansluiten bij Ryes enthousiasme zonder, naar hij hoopte, enige wrok te koesteren.

Het bood enige troost te merken dat deze kennelijke intimiteit tussen de bibliotheekmedewerkers zich niet uitstrekte tot Dees privé-leven. Rye was duidelijk even verbaasd als hijzelf dat ze haar collega thuis trof. Niet dat 'thuis' het juiste woord leek. De cottage was tot in het extreme primitief met geen enkele moderne voorziening.

'Ik kwam vroeger altijd naar het bergmeer om te schilderen,' verklaarde Dick, 'en op een dag ging ik hier schuilen toen het begon te regenen. Ik bedoel écht regenen, niet zo'n godenniesje. En toen bedacht ik dat het ontzettend nuttig voor me zou zijn om zo'n plek te hebben waar ik wat spullen zou kunnen stallen en binnen zou kunnen werken als het weer niet meewerkte. Dus heb ik informatie ingewonnen, ontdekte dat het allemaal bij het Stang-landgoed hoorde, dat is het familiebezit van Pyke-Strengler, en ik heb het feit dat ik de Weledelgeboren Geoffrey enigszins kende kunnen gebruiken om hem over te halen deze plek tegen een nominale huur te leasen. Ik zorg voor het hoogstnodige onderhoud, dat is natuurlijk in mijn eigen belang, en iedereen is tevreden.'

'Woon je hier echt?' vroeg Rye.

'Ik kampeer hier af en toe een nachtje,' gaf hij toe. 'Ik heb een slaapzak, een campingfornuis en wat spulletjes. Ik heb mijn best gedaan er geen nestje van te bouwen. Ik wil geen tweede huis buiten, alleen een werkruimte. Maar je staat versteld hoe bezit aangroeit! En, zoals je kunt zien, ben ik wél zo tuttig om een open haard prettig te vinden als het allemaal wat te kil of te vochtig wordt.'

Maar een huis als dit zou op de vrije markt toch een mooie prijs opbrengen,' zei Hat.

'O, zeker. En Geoffreys vader, de fameuze afwezige, zou zo'n mooie prijs zeer op prijs gesteld hebben. Hij heeft alles wat hij kon van de hand gedaan, maar het grootste deel van het landgoed en de bezittingen zijn vastgezet. De opbrengst komt uit huur. Stangcreek Cottage zou in gerestaureerde en gemoderniseerde staat natuurlijk een gewild vakantieoord zijn, maar dat kost geld en wijlen de lord was alleen van zins harde contanten aan zijn eigen interesses te besteden. Wat Geoffrey zal besluiten met de erfenis te doen, valt nog te bezien, maar ik denk dat hij dit stuk van het landgoed over het algemeen zo ontzettend graag voor zijn eigen – hetzij artistieke, hetzij atavistische – activiteiten wil houden, dat hij geen dagjesmensen zal aanmoedigen.'

'Zoals wij, bedoel je?' zei Hat.

'Echte vogelspotters vindt hij niet erg, al zullen sommigen wel even schrikken als ze de eend die ze zojuist door hun verrekijker aan het bewonderen waren voor hun ogen uit elkaar zien spatten. Nog wat thee?'

Hat keek Rye aan omdat hij zijn uiterste best wilde doen niet al te gretig te lijken om op te staan en te vertrekken. Ze zette haar beker neer en zei: 'Nee, dank je, Dick. Ik niet. Ik ben hier gekomen om van de frisse lucht te genieten en een paar vogels te zien, al zou Hat misschien de rest van de dag graag droog blijven zitten. Het lijkt wel of hij allergisch voor water is.'

Dick Dee keek hem glimlachend aan. Het feit dat er eerder medeleven dan spot in lag, maakte de zaak niet eenvoudiger. Hij stond op en zei opgewekt: 'Als jij klaar bent, ben ik het ook.'

Buiten viel de regen niet langer af te doen als een romantische nevel.

Dee zei: 'Jullie keren zeker op je schreden terug?'

'Nee,' zei Hat flink. 'We gaan helemaal rond.'

'O. Je zult merken dat het hier wél nat is. En het water in de Creek staat hoog. Je weet de oversteek toch wel?'

'Ja,' zei Hat. 'Geen probleem.'

'Mooi. Ik ga weer proberen of ik die verrekte bijl scherp kan krijgen. Tot morgen, Rye.'

'Ik kan niet wachten,' zei Rye grijnzend, terwijl ze hem op z'n wang klopte.

Hat wendde zich af en zette de pas erin. Ridderlijkheid scheen aan haar niet besteed, dus eens kijken wat een beetje fysieke gelijkschakeling uithaalde! Achter zich hoorde hij het gierende bijlslijpen weer aanzwellen, maar dat verdronk algauw in het geluid van de stromende waterpartijen.

De glooiing van de steile heuvels in het westen vormde een natuurlijke afwatering die met zo'n kracht via snelle beekjes door smalle goten werd gestuwd dat die steeds meer diepe geulen door de veenachtige aarde ploegden vóór ze ter hoogte van het bergmeer uitkwamen. De kleinere stroompjes waren gemakkelijk over te steken, vaak met één enkele stap of op z'n hoogst met behulp van een steen die de natuur erin had neergelegd, maar hij koos met opzet een traject dat zoveel mogelijk kracht en lenigheid vereiste. Af en toe keek hij achterom om Ryes vorderingen te controleren om steevast te constateren dat ze hem op de voet volgde, dus probeerde hij bemoedigend te glimlachen in een poging duidelijk te maken dat hij zich ter wille van haar inhield. Zijn beloning voor zo'n stilzwijgende bravoure was welverdiend. Zijn voet gleed van een glibberige rots in kolkend ijskoud water en terwijl zijn laars volliep, schoot ze lachend langs hem heen en nam de leiding. Maar de route van haar keuze was moeizamer dan die van hem en algauw had ze een voorsprong op hem genomen. Uiteindelijk zag hij echter met enige tevredenheid hoe ze stilstond toen ze de oever bereikte van Stang Creek zelf, de voornaamste van de talrijke beken die het meer in stroomden. De kreek oversteken was een probleem als je niet precies wist waar de keien lagen, die niet gemakkelijk te zien waren doordat de meeste, behalve bij extreme droogte, enkele centimeters onder het water verscholen lagen. Als je voor het eerst iemand zag oversteken, kreeg je – voorzover het moderne agnosticisme dat toeliet – bijna hetzelfde gevoel dat de discipelen op het Meer van Galilea kregen nadat ze de vijfduizend hongerigen hadden gevoed.

Omdat het hem wel leuk leek een wondertje te verrichten, riep Hat toen hij dichterbij kwam: 'Wat weerhoudt je eigenlijk? Een topatlete als jij, ik had gedacht dat je er gewoon overheen zou springen.'

Toen ze zich omdraaide en hem aankeek, had hij onmiddellijk spijt van zijn frivole taal. Haar gezicht stond ernstig, haar ogen groot en schrikachtig. Na haar eerdere bravoure begreep hij niet waarom zo'n klein obstakel zo'n sterke reactie teweeg kon brengen, maar hij kwam haastig naar haar toe om haar gerust te stellen dat er geen enkel probleem was.

Vóór hij iets kon zeggen, wees ze en zei: 'Hat... daar...'

Hij zocht het water af, terwijl zijn hersens een dier in nood verwachtten... een vos met gangreen aan z'n poot, die vastzat in een val misschien... of een verdronken schaap...

Eerst zag hij niets.

Toen ontdekte hij het.

In het water, bijna helemaal ondergedompeld maar door de sterke stroom vastgelopen op de verscholen waadkeien waar hij als door een wonder overheen had willen rennen, lag een lijk.

Of misschien was het geen lijk. Het oog laat zich gemakkelijk bedriegen. Misschien was het gewoon een groene plastic ruif die hier door de herfstbuien heen gewaaid was en bolstond van lucht en drijvende vegetatie die er niet uit kon.

Hij rende de oever langs in de hoop dat hij zich straks naar Rye kon omdraaien om lachend om haar angst de kleur op haar gezicht terug te brengen. Maar toen hij op de verscholen keien stapte om het beter te bekijken, zag hij dat er geen enkele reden tot lachen was.

Rye stond op de oever ter hoogte van hem.

Hij keek naar haar omhoog en zei waarschuwend: 'Ik ga het eruit trekken.'

Ze wendde zich met geforceerde onverschilligheid af en zei: 'Daar ligt een bootje. Ik ga even kijken.'

Hij keek het water af. Ongeveer dertig meter verderop, vlak voor de kreek het moeras in liep, lag een platbodem gemeerd.

De politieman in hem had willen zeggen: *Nee. Blijf uit de buurt. Mogelijk is dit een moordlocatie, en hoe minder we aantasten hoe beter.*

In plaats daarvan zei hij: 'Ja, doe dat maar.'

Hij had maar één keer eerder een drenkeling gezien, maar dat was genoeg geweest om aan te tonen wat water van buiten en rotting vanbinnen met zwak mensenvlees kan doen. Rye leek zonder dat al overstuur genoeg.

Toen ze wegliep, bukte hij zich en kreeg met beide handen iets te pakken wat op het eerste gezicht een lakjas leek. Met moeite kreeg hij er greep op, maar uiteindelijk lukte het en sleepte hij het lijk uit het water.

'O shit,' zei hij toen hij de romp op de oever had gekregen.

Het was inderdaad een lijk, maar het was niet compleet. Of niet helemaal een lijk. Of slechts een deel van een lijk. Of een lijk waar iets aan ontbrak. Was een lijk eigenlijk een lijk als je het niet compleet had?

Die semantische vragen hielden zijn hersens alleen maar bezig om ze af te leiden van het feit dat het lijk geen hoofd had.

Hij dwong zichzelf tot concentratie.

Zo te zien was het hoofd niet losgeraakt door de vraatzucht van de waterfauna. Hij betwijfelde zelfs ten zeerste of dit snelstromende zuivere water dieren herbergde die zoveel schade zouden kunnen aanrichten.

Nee, als hij een snelle pathologische taxering moest maken gebaseerd op het bewijs van zijn ogen, zou hij zeggen dat het er was afgehakt. En dat was niet in één keer gelukt.

Hij sleurde het lijk uit het water en kwam overeind, blij met zelfs de afstand van zijn eigen lengte tot het monsterlijke ding aan zijn voeten.

Hij keek waar Rye was.

Ze was aan boord van de aangemeerde boot geklauterd en stond over iets heen gebogen.

Nu kreeg zijn politietraining de overhand. Dit was zonder enige twijfel de moordlocatie. Het advies van een van de politiedocenten schoot hem te binnen. 'Stop op een moordlocatie je handen in je zakken en ga met je pik spelen. Op die manier kom je niet in de verleiding iets anders aan te raken.'

'Rye,' riep hij, waarna hij haar richting uit liep.

Ze kwam overeind en keek hem aan. Zelfs onder deze omstandigheden kon hij de sierlijke harmonie van haar lichaam bewonderen toen ze zich moeiteloos aanpaste aan het lichte deinen van de boot onder haar voeten.

Ze had iets in haar hand: een soort mand, zoals vissers gebruiken, hoe heette zoiets alweer? Een visben, dat was het. En ze trok de riempjes uit de gespen waarmee het deksel dichtzat.

Dat zou ze niet moeten doen. En niet alleen vanwege de kans de locatie aan te tasten.

Nee, er was nog iets.

Voorgevoel, intuïtie, detectivewerk, noem het zoals je wilt, maar hij wist zonder enige twijfel wat erin zat.

'Nee!' riep hij, terwijl hij op haar toerende. 'Rye, laat dat!'

Maar het was in elk geval te laat.

Ze trok het deksel omhoog en tuurde in de mand.

Ze probeerde niet te gillen of misschien waren haar stembanden zo lamgelegd dat ze niet meer dan een vage echo kon voortbrengen van het gieren van de slijpsteen op de bijl. Heel even dacht hij dat ze achterstevoren in het water zou tuimelen, maar haar trillende knieën strekten zich en, alsof ze wist dat íéts te veel was, óf zij óf wat ze in haar handen hield, gooide ze de mand op de oever.

Die raakte de grond, kaatste, rolde om en daaruit rolde een menselijk hoofd.

Nog vóór het aan zijn voeten tot stilstand kwam, had Hat begrepen dat het in ten minste één opzicht niet detoneerde met het decor. Als iemand moet sterven, laat hem dan op zijn eigen land sterven.

Dit was buiten alle kijf het hoofd van Geoffrey, lord Pyke-Strengler van de Stang.

36

De zesde dialoog

Daar ben je weer.

Ik ook. Wat heb je me op een wonderlijk gevarieerd pad gezet! Een Motie voor het Recht om te Zwerven dat geen Regeringsvoorstel behoefde om wet te worden.

    Na gekronkel door privé-domeinen en openbare gebouwen, leidt het me nu via oeroude hoofdwegen en landelijke landweggetjes ver weg van de dichtbevolkte stad naar het donkere hart van het platteland. Want het pad leidt, niet ík die mijn uitverkorenen over het pad leidt. Het is wel degelijk het pad dat de keuzes maakt, terwijl het hun altijd het idee geeft dat ze uit eigen beweging voortgaan. Zelf ben ik eerder een instrument.

Of misschien een trompet. Ik, een trompet, dat lijkt me wel wat.

    Echt waar, mijn rol van simpel instrument is nog nooit zo duidelijk geweest als vandaag. De uitverkorene reageerde op zijn aanwijzingen als iemand die lange uren op zijn rol had zitten broeden. Zelfs in de Atheense bouffonnerie was een os niet gewilliger op het offerblok afgestapt. Alle benodigde instrumenten had hij zelf geleverd, en hij had zelfs het schuldige wapen eigenhandig in mijn handen gelegd.

    En op dat moment stond de tijd stil. Absoluut niet geleidelijk, niet door langzaam vaart te minderen als zo vaak was gebeurd. Tijd is… tijd is niet.

    En het geborrel van de beek rond de aangemeerde boot vermengt zich met het schreeuwen van een wulp in één lang melancholisch geluidssnoer dat zich uit het oneffen moeras uitstrekt naar de oneindige leegte van de hemel, als een telefoonsnoer naar de Goden.

    Welk een troostende gedachte dat Zij daarboven zich ontspannen, met plechtige goedkeuring luisterend naar wat zich hier beneden zoal afspeelt.

    In mijn handen trilt de geoliede stalen schacht en siddert naar zijn spontane climax. En nu spuit het zaad naar buiten, even zwart en mollig als steurbom, en verspreidt zich door de lucht om onsterfelijk leven in dit sterfelijke vlees te planten dat vóór mij ligt. Zijn mond gaat in de extase van dat ogenblik van ultieme penetratie wijd open, maar niet zo wijd als deze nieuwe rode opening rond zijn hals waaruit ik zijn ziel zie vliegen als een vogel die uit zijn kooi ontsnapt. Daar gaat hij, op vleugels over het schitterende moeras, zich wentelend in zijn plotselinge vrijheid, terwijl hier op de doffe aarde zijn lege kooi neervalt naast de lachende beek.

Het schuldige wapen werp ik in de louterende wateren.

Geen arm komt omhoog om het te vangen.

Mij wacht nog altijd werk. Het hoofd, half van zijn vlezige stengel gerukt door het vuur uit het vuurwapen, moet geheel afgeplukt en in zijn vaas gezet worden. De bijl is bij de hand – waar zou hij anders zijn? Drie houwen voltooien het werk, niet meer, niet minder. Want dit is een waarlijk drieledige dag, drie in één, de drie-eenheid volbracht als ik het lijk in de ruisende stroom laat rollen.

En de bijl dan? Ik hef hem in mijn hand en overweeg de ondoorgrondelijke wateren. Maar hem treft geen blaam. Als een der instrumenten op mijn pad is geen afscheid nodig.

Terwijl ik hem meevoer, verwijder ik mij, en met elke stap voel ik de last van de tijd terugkeren.

O, laat me spoedig toe tot die veilige haven waar ik eeuwig mijn tijd zal doden.

En tijd de kracht zal verliezen om mij te doden.

37

'De BOUFFONNERIE,' zei DREW URQUHART, 'WAT VERTAALD KAN WOR-den als "de moord op de os", was een Atheense rite die tot doel had een eind te maken aan een periode van droogte en de daarmee ge-paard gaande ongemakken. Daar heb je waarschijnlijk wel over ge-lezen in *De Gouden Bocht...*'

Hij zweeg even en glimlachte naar Dalziel, die zei: 'Ik lees niet vaak in pubs. Kom nou maar terzake.'

'Frazer beschrijft het ritueel als volgt. Gerst en graan werden op het altaar gelegd, waar een os heen geleid werd. Het dier dat naar het altaar ging en ervan ging eten, werd geofferd door mannen met bijlen en messen. Die wapens wierpen ze onmiddellijk van zich af en ze vluchtten. Daarna moesten alle betrokkenen bij de dood van het dier terechtstaan, waarbij eenieder de schuld van zich afschoof tot die uiteindelijk geheel en al bij het mes en de bijl kwam te liggen, die schuldig bevonden, veroordeeld en in zee gegooid werden.'

Pascoe, die aandachtig had geluisterd – in tegenstelling tot zijn meester, die met zijn grote handen aan zijn grote gezicht in de aldus ontstane tunnel zachtjes zat te kreunen als een aanwakkerende wes-tenwind die door Fingal's Cave weerklonk – vroeg: 'Je denkt dus dat dat de reden is dat de Woordman het vuurwapen heeft weggegooid, maar niet de bijl? De Weledelgeborene was dood toen zijn hoofd werd afgehakt, dus was de bijl niet schuldig.'

'Dat klopt. Je zult gemerkt hebben dat hij over het wapen spreekt alsof het min of meer uit zichzelf vuurde, net zoals hij over het slachtoffer spreekt dat zichzelf heeft uitgezocht, zoals de Atheense os. Tussen haakjes, heeft de lijkschouwer nog een aanwij-zing gevonden dat hij iets gegeten had?'

Pascoe keek Dalziel aan, die de arbiter was over de hoeveelheid informatie die ze aan niet-officials verstrekten, maar vóór hij oog-contact kon maken, zei doctor Pottle (weer op volle rooksterkte sinds zijn recente ziekte): 'Veelzeggender dan die woordspelletjes die hij blijkbaar graag speelt, zou de sterke seksfantasie kunnen zijn waarvan hij zich hier bedient. Wat er plaatsvindt in zijn geest zal ons op weg helpen om hem op te sporen, niet zijn kronkelige redenatie. Dat is een gebied dat hij, louter vanwege de aard ervan, nog énigszins in de hand heeft. Juist de emoties, de passies die uit de hand lopen, zullen hem uiteindelijk verraden. In het uiterste geval zullen ze lichamelijke sporen achterlaten. Jullie hebben, naar ik aanneem, het terrein zorgvuldig onderzocht op sporen van sperma? Zo te lezen, denk ik dat de ejaculatie bijna zeker tijdens of onmiddellijk na het gebeurde heeft plaatsgevonden.'

Dalziels hoofd maakte zich los uit z'n schuilplaats en hij zei glashard: 'Ik weet niet zo goed wat uw taak is, doctor Pottle, maar ik ga u zeker de mijne niet vertellen. Door een gelukkige speling van het lot die lang op zich heeft laten wachten, was het een van mijn eigen mannen die als eerste op de moordlocatie was, die voorzover mogelijk ongemoeid is gelaten. Ja, we hebben elke centimeter van dat terrein in een straal van bijna een kilometer onderzocht. Ja, alles wat er vast te leggen, te verwijderen, te onderzoeken en analyseren was, is in behandeling. We hebben het bergmeer gedregd en het vuurwapen gevonden en nog allerlei rotzooi, waarvan zo te zien waarschijnlijk niets van enig belang. We hebben de bijl uit de cottage en hebben er bloedsporen op aangetroffen waaruit bleek dat het dezelfde was als waarmee de Weledelgeboren Geoffrey is vermoord. En ja, mr. Urquhart, bij de sectie zijn restanten van een komkommersandwich in zijn mond aangetroffen en op de oever bij de boot vonden we tussen haakjes een sandwich, een volkorensandwich, waar één hap uit genomen is. Dit is allemaal vertrouwelijke politie-informatie die ik u alleen vertel om te tonen hoe ver ik bereid ben te gaan om die gek te pakken te krijgen. Mocht het jullie grapjassen op enigerlei wijze helpen om ons iets nuttigs mede te delen: spreek nu of houd voor eeuwig uw mond.'

Hij keek de bezoekende experts aan met het open gezicht van iemand die al zijn kaarten op tafel had. Behalve natuurlijk, dacht Pascoe, dat hij had verzwegen dat Bowler had bekend dat hij had toegelaten dat dat grietje van hem de moordlokatie ernstig had aangetast, dat hij had verzwegen dat ze Stangcreek Cottage overhoopgehaald en Dick Dee vijf uur aan één stuk ondervraagd hadden (en hij in die tijd om zijn advocaat had gevraagd en er aan het eind van die tijd een stuk frisser had uitgezien dan zijn ondervragers) alvorens hem vrij te laten en dat hij had verzwegen dat een zeer alerte forensisch onderzoeker vage bloedsporen had gevonden op het vishaakje aan een van de hengels in de boot, die bij nader onderzoek van een mens bleken te zijn – bloedgroep AB, in tegenstelling tot de Weledelgeborene die A had. En vooral had hij verzwegen dat de Landrover van de Weledelgeborene, waar ze de landelijke politie-korpsen achteraan hadden gestuurd, zojuist was gevonden op het politiewagenpark waarheen hij was versleept wegens illegaal parke-ren achter het station.

De Dialoog was pas maandagochtend opgedoken, toen die tus-sen de post voor de bibliotheek was aangetroffen, maar vanaf het moment dat Bowler zondag naar het bureau had gebeld met het be-richt van de lugubere vondst, hadden ze het als een Woordman-moord behandeld.

Niet, zoals Wield had opgemerkt, dat dat hun het gevoel gaf dat ze een stap verder waren, alleen dat de schurk ervoor had gezorgd dat ze het spelletje nu volgens zíjn regels speelden.

Nu, op dinsdagmorgen, had Pascoe een stijfkoppige Dalziel er-van weten te overtuigen dat het tijd werd om te horen wat de 'experts' te zeggen hadden.

'En?' gromde Dalziel.

Urquhart krabde zich op de stoppelige kin met een geluid dat klonk alsof hij de kampioen zwaargewicht van zinnelijke frictie die vóór hem zat wilde tarten, en zei: 'Drieledig, drie-eenheid, in drie delen. Als jullie erachter kunnen komen wat hij daarmee bedoelt, zijn jullie misschien op snuffelafstand van wat die idioot beweegt.'

'Is het niet gewoon een verwijzing naar de drie klappen waarmee hij het hoofd afhakte?' opperde Pascoe.

'Dat komt er zeker in de buurt,' zei de linguïst. 'Maar een hoofd en een lichaam vormen twee delen en geen drie, dus dat is het niet. En waarom liet hij het lichaam in het water zakken en heeft hij het hoofd in de vismand gestopt? Er is iets aan de hand wat wij over het hoofd zien.'

'Is dat alles?' vroeg Dalziel. 'Dat wij iets over het hoofd zien? Nou, bedankt, Sherlock. Doctor Pottle, hebt u er nog iets aan toe te voegen, of vindt u soms dat uw collega alles al gezegd heeft?'

Pottle stak een verse sigaret op met de sigaret die hij aan het ro-ken was en zei: 'Hij is heel goed op dreef. Ik weet niet wanneer het eind in zicht komt, maar hij twijfelt er absoluut niet aan dat hij er nu in de buurt is. Dit is veruit de kortste Dialoog tot nog toe. Hoe ver-der hij komt, hoe korter ze waarschijnlijk worden. Met het in woor-den herbeleven van de laatste ervaring is voornamelijk kostbare tijd gemoeid die beter besteed zou kunnen worden aan het tegemoet zien van de volgende. Nu hij er zeker van is dat hij op het juiste pad is, kan zijn dialoog met zijn slachtoffers en zijn goeroe met evenveel gemak worden voortgezet in zijn hoofd als op papier.'

'Denkt u dat hij misschien helemáál met schrijven stopt?' vroeg Pascoe.

'Nee. Dat deel van het schrijven dat een deel van het spel is dat hij met ons speelt, zal doorgaan. Het staat in de regels, zogezegd. En hij geniet ervan. Ik zei de vorige keer dat zijn groeiende zelfvertrouwen waarschijnlijk zijn ondergang is. Ik denk dat hij hoe langer hoe meer kleine aanwijzingen in zijn Dialogen zal geven. Hij is net een squashspeler die zo zeker is van zijn enorme superioriteit dat hij op een gegeven moment met het racket in zijn verkeerde hand zal spelen of al zijn slagen tegen de achterwand laat afketsen. Maar de onbewuste bekentenissen waarnaar ik op zoek ben, zullen veel moeilijker te vinden zijn. Al kost het me moeite het te zeggen, ik denk dat van nu af aan de talenten van mr. Urquhart nuttiger zullen zijn dan die van mij.'

Dalziel slaakte een zucht die zo doortrokken was van bedroevende wanhoop dat bijna iedereen erin trapte. Bij wijze van reactie rinkelde zijn telefoon.

Hij nam op. Bij de meeste mensen is het mogelijk iets over hun relatie met de beller te peilen uit de toon van hun stem, vocabulaire, lichaamstaal, et cetera, maar Pascoe had nooit een manier weten te vinden om te ontdekken of Dalziel met de koningin of met een makelaar sprak.

'Dalziel,' grauwde hij. Luisterde. '*Aye*.' Luisterde. '*Nay*.' Luisterde. 'Wie weet?' Liet de hoorn neerkomen zodat het hele toestel ervan trilde.

Cap Marvell misschien, die vroeg of hij zin had in een potje gewelddadige seks in zijn lunchpauze? De lijkschouwer die hem een kijkje in de keuken aanbood? De Woordman die zijn leven bedreigde?

'Is dat 't, heren?' vroeg Dalziel hoopvol.

Pottle en Urquhart keken elkaar aan, waarna de Schot zei: 'Naar mijn mening vormen woorden de sleutel. Zoals je een op tekst gebaseerde code breekt. Je kunt de lange weg volgen, puur door hard te werken, of je hebt geluk en vindt de tekst of teksten waar het op aankomt.'

'Of je mag hopen dat zijn toenemende arrogantie een aanwijzing oplevert die iemand vóór in plaats van na de gebeurtenis weet op te lossen,' zei Pottle.

'Dat zal ik in mijn oren knopen,' zei de Dikke Man smalend. 'Bedankt, heren. Ik ga aan het werk. Rechercheur Bowler zal u uitlaten.'

Pottle en Urquhart schraapten hun paperassen bij elkaar. Pascoe zei demonstratief: 'Fijn dat u gekomen bent. Aarzel alstublieft niet me op te bellen, mocht zich iets voordoen.'

Bij de deur zei Urquhart vol ironie: 'Ik weet niet waarom, hoofdinspecteur, maar telkens wanneer ik zo'n bijeenkomst verlaat, vraag ik me een ietsepietsie bezorgd af hoeveel ik u volgens u heb kunnen helpen.'

'*Nay*, mr. Urquhart,' zei Dalziel overdreven gezwollen. 'Het idee zou me zeer spijten dat ik daarover enige twijfel had gelaten.'

'Zeikerd,' voegde hij eraan toe toen de deur dichtviel, of misschien nét een seconde eerder.

'Dan snap ik echt niet waarom u in godsnaam die sessies wilt bijwonen,' zei Pascoe, duidelijk geïrriteerd.

'Omdat ik, als ik niet bereid was met zeikerds om te gaan, een heel eenzaam mens zou zijn,' zei Dalziel. 'Hoe dan ook, ik heb niet gezegd dat hij een nutteloze zeikerd was. En als Pozzo zegt dat we naar hem moeten luisteren, dan moet dat misschien ook. Soms paft hij er iets verstandigs uit.'

Dit was een omslachtige concessie voor Pascoe, die een uitstekende persoonlijke relatie met Pottle had, en omdat hij wist dat hij amper op een excuus mocht rekenen, zette de inspecteur zijn irritatie opzij en zei: 'Wat gaan we nu eigenlijk doen, sir?'

'Ik, ik ga Desperate Dan opzoeken. Dat was hij aan de telefoon. Jij hebt, als ik me goed herinner, een afspraak met de gieren. Geen idee wat Wield van plan is. Misschien kan hij tijd vrijmaken om wat politiewerk te doen als er niet een of andere schurk is die hem als jurylid wil voor de mooiste-babyverkiezing.'

Desperate Dan was hoofdcommissaris Trimble. De gieren waren de media. De belangstelling voor de Woordman-moorden was bij elke moord exponentieel toegenomen en was door de laatste naar internationale faam doorgeschoten. Niet alleen was de Weledelgeborene een man van adel, maar een van de schandaalbladjes had achterhaald dat er een verre verwantschap bestond met het koningshuis die hem als de driehonderdzevenendertigste in de lijn van troonopvolgers plaatste. Amerikaanse en Europese belangstelling schoot de pan uit. Een Duitse tv-maatschappij had een vermeende televisiepersoonlijkheid opgeduikeld wiens bewering dat er tijdens de Burgeroorlog een Pyke-Strengler onthoofd was speculaties in het leven riep dat er een linkse revolutionaire beweging achter de moord zat. Pogingen eerdere moorden in een soortgelijk patroon te plaatsen bleken lachwekkend, maar een journalist gaat geen lachwekkend verhaal uit de weg als hij een smeuïg artikel kan schrijven.

Pascoe, die tegenstrijdige gevoelens had omdat men hem beschouwde als het acceptabele imago van de politie, was uitverkoren als woordvoerder op de komende persconferentie. Zijn tweestrijd kwam voort uit een weerzin om akkoord te gaan met een dergelijke typecasting die, hoe goed die ook mocht zijn voor zijn carrière, tevens andere wendingen zou kunnen nemen waaraan hij nog niet toe was. Van het milieu van politiecomités en politieke contacten op hoog niveau kon je veel gemak hebben, maar het was ver verwijderd van dat andere milieu van praktisch onderzoek waarvan je veel eerlijk vuil onder je nagels kreeg. Net als Augustinus en seks wist hij dat hij het op een dag zou moeten opgeven, maar liever nog even niet.

'Mr. Trimble wil zeker bijgepraat worden?' vroeg hij.

'Bijgepraat?' vroeg Dalziel. '*Nay*, de zak wil resultaten, en het liefst gisteren. Iemand van boven zet hem onder druk.'

Hij zei het met de grimmige voldoening van iemand die weet wat dat betekent. Pascoe keek naar hem met sympathie, maar paste er wel voor op dat hij die niet toonde. Dalziel leidde zijn troepen meedogenloos als de gelegenheid dat vereiste, maar zelf kreeg hij het ook voor zijn kiezen en hij reageerde dat zelden af op zijn ondergeschikten. Erop of eronder, het stond of viel met Andy Dalziel, en Pascoe kon slechts gissen naar de last die de Woordman-zaak op de schouders van de Dikke Man legde.

Hat keerde terug in het vertrek. Zijn reactie op de vondst van het lijk had hem een besmuikt schouderklopje van Dalziel opgeleverd, al had hij hem voor de toekomst geadviseerd dat het voor het algemeen nut beter was als je je liefje geen volleybal liet spelen met het afgehakte hoofd van het slachtoffer.

Vooral Hats onmiddellijke terugkeer naar Stangcreek Cottage, waar hij meteen de bijl in beslag nam en Dick Dee een voorlopige verklaring had afgenomen, had bijval geoogst, niet omdat het iets had opgeleverd maar omdat het de bibliothecaris als getuige ter plaatse hield. Dat hij ook als verdachte geclassificeerd moest worden, had Bowler geweten vanaf het moment dat hij het lijk zag, en als Dee niet in de cottage was geweest toen hij er met Rye terugkwam, zou de rechercheur een oproep hebben uitgevaardigd om hem te komen halen. En ook als hij geprobeerd zou hebben vóór de komst van de troepen te vertrekken, had hij hem gearresteerd, waarmee de tijd zou zijn ingegaan dat hij mocht worden vastgehouden.

Wat hij voelde, was niet alleen beroepsmatige voldaanheid omdat hij geen kostbare ondervragingstijd van een meerdere had verspild. Zoals Rye na de terugtocht naar het huisje Dees troost had ondergaan, besefte hij dondersgoed dat als ze er lucht van zou krijgen dat hij haar baas als een serieuze verdachte beschouwde, het soepele verloop van hun relatie waarschijnlijk was vastgelopen. Waarschijnlijk had ze nu de boodschap gekregen, maar dat was niets vergeleken bij de schuld die op Pascoe of de Dikke Man gestapeld zou worden in plaats van op een onderdeurtje als hij.

Het goede nieuws (als je het feit dat hij als mogelijke verdachte van de lijst was geschrapt goed nieuws kon noemen) was dat ze niets hadden kunnen vinden dat Dee in verband bracht met de dood van de Weledelgeborene.

Het klopte dat de bijl onder zijn vingerafdrukken zat waarmee, zoals de gerechtsonderzoekers bevestigd hadden, de Weledelgeborene het hoofd was afgehakt, maar aangezien er in Hats aanwezigheid houtblokken mee waren gekloofd, was dat niet verbazend. Hij had inderdaad een sneetje in zijn vinger, maar toen zijn bewering dat zijn bloedgroep O was werd bevestigd door zijn medische gegevens na te gaan (schriftelijke toestemming om uit te zoeken, wat hij zonder slag of stoot verleende met als doel 'hem als verdachte uit te sluiten'), vervloog de hoop hem te laten hangen vanwege AB-bloed aan het vishaakje.

Dalziel, die vond dat eenieder die in de buurt van een onthoofd lijk een met bloed besmeurde bijl hanteerde op z'n allerminst schuldig was aan het verkwisten van politietijd, leek geneigd de boodschapper als schuldige aan te wijzen, maar Pascoes tengere schouders waren met de jaren minder smal geworden en hij had geleerd geen acht te slaan op de beschuldigende grauwen en snauwen, dus gaf hij een exacte opsomming van ontbrekend bewijsmateriaal tegen Dee.

'Het pathologisch rapport geeft aan dat de Weledelgeborene tussen de twee en vier dagen dood was. Dee had voor het grootste deel van de relevante uren overdag een alibi op zijn werk. Na het werk, nu de avonden korter worden, lijkt een minder voor de hand liggende mogelijkheid. Als je weet hoeveel tijd het gekost zou hebben om daar te komen, zou het al bijna donker zijn geweest toen ze daar aankwamen...'

'Ze?' onderbrak Wield.

'De moordenaar is met de Landrover van de Weledelgeborene van het bergmeer teruggereden, dus is hij er ook met dat ding naartoe gereden,' zei Pascoe. 'Echter, we weten dat de Weledelgeborene daar vaak 's avonds ging vissen. Het was, interessant genoeg, zelfs Dee die ons dat vertelde. Hij is al die tijd al uitermate behulpzaam en coöperatief.'

'Dat is een punt tegen hem,' zei Dalziel hoopvol. 'Een burger die probeert de politie te helpen heeft iets op zijn geweten, dat is míjn ervaring.'

'Misschien zou u uw sociale kringen moeten verbreden, sir,' mompelde Pascoe. 'Maar dat maakt weinig uit, aangezien Dee óók een alibi voor die avonden heeft.'

'O ja? Hij lag zeker een wip te maken?' zei de Dikke Man.

'Hij heeft geen bijzonderheden over zijn privé-leven verstrekt,' zei Pascoe. 'Maar een van de bewuste avonden heeft hij in Sheffield een vergadering van plattelandsbibliotheekmedewerkers bijgewoond, waar hij met Percy Follows is heen gereden, met wie hij hier na middernacht terugkwam. De andere avond was hij bij Charley Penn thuis waar hij, omdat hij zich zeer vrijelijk van Penns whisky had bediend, op de bank is blijven slapen. Penn bevestigt dat.'

De telefoon rinkelde. Dalziel nam op, luisterde en zei: 'Als ik onderweg was, zou ik toch zeker die rottelefoon niet beantwoorden? Binnenkort!'

Hij smeet de hoorn neer.

'Mr. Trimble?' vroeg Pascoe.

'Zijn secretaresse. Als het Dan geweest was, was ik niet zo beleefd gebleven. Pete, ik laat je zo doorratelen in de hoop dat je het goede nieuws voor het laatst bewaart. Moet ik mijn adem inhouden?'

'Nee, sir. Het spijt me.'

'Laat dan maar zitten. Dan kan ik net zo goed Dan helpen zoeken waar hij zijn whisky heeft verstopt,' zei de Dikke Man, terwijl hij opstond en naar de deur liep.

'Sir,' zei Hat.

'Welke sir bedoel je, knul?' vroeg Dalziel in de deuropening.

'Wat bedoelt u, sir?'

'Is het "mr. Dalziel, sir, wilt u niet weggaan, want ik heb iets verstandigs te melden"? Of is het "mr. Pascoe, sir, nu die ouwe zak weg is, heb ik iets verstandigs te melden"?'

Hat wist dat je sommige vragen beter onbeantwoord kunt laten. Hij zei: 'Ik dacht alleen maar: stel dat het er twee zijn?'

'Twee lijken, bedoel je? Wieldy, jij was bij de sectie. Pasten de losse delen soms niet bij elkaar?'

Wield zei: 'Volgens mij bedoelt hij twee moordenaars.'

'Jezus. Waarom maar twee? Als we toch aan het verzinnen slaan, laten we er dan een bende van maken.'

'Twee zou betekenen dat geen van hen samen met lord Pyke-Strengler naar de Tarn heeft hoeven rijden,' zei Hat. 'En dat er een extra chauffeur geweest is om zijn Landrover terug te brengen.'

'En wat dan nog?' informeerde Pascoe.

'De Landrover zou daar van verre herkend worden,' zei Hat. 'Het lijk zou daar een hele tijd langer gelegen kunnen hebben, als wij er niet toevallig op waren gestuit. Hoe langer het blijft liggen, hoe minder we kunnen vinden. Of misschien had men het willen verplaatsen. Misschien was Dee dát van plan, maar hij zag ons aan de overkant van het meer lopen en toen we in de richting van de cottage liepen, is hij er snel naar teruggegaan om ons voor te zijn. Hij maakte niet de indruk dat hij er happig op was dat we verdergingen.'

'Het enige wat je in de verklaring hebt gezegd is dat de oever verderop wat drassig werd,' zei Pascoe.

'Tja, je kunt de dingen op verschillende manieren zeggen,' zei Hat met een lichte blos.

'Vooral wanneer ze niet in een theorie passen zeker?' zei Pascoe. 'Waar gaat dat naartoe, Hat? Hebben we het nog altijd over Dee? Zoals ik je al zei: hij heeft een alibi.'

'Niet als Charley Penn de andere van de twee is,' zei Hat.

Dalziel zei: 'Je valt nog steeds op Penn, hè, knul? Ik moet je nageven dat als je eenmaal iemand op het oog hebt, je de stumper niet laat zakken.'

Maar zijn spot was niet zo sterk als anders, en daaruit putte Hat voldoende moed om verder te gaan.

'Bovendien: als ze er allebei bij betrokken zijn, maakt het niet uit of Penn een alibi heeft voor de moord op Johnson.'

'Dat alibi heb jíj anders geverifieerd toen je met zijn moeder ging praten,' zei Dalziel. 'Ik wou het tóch al met je hebben over je ondervragingstechniek, knul.'

Zijn stem klonk nu regelrecht onvriendelijk.

'Is er iets gebeurd, sir?' vroeg Pascoe.

'Niets belangrijks. Alleen dat deze Sherlock het helemaal verkeerd begrepen heeft en Charley die zondag blijkbaar helemaal niet bij zijn moeder thuis is geweest.'

Hat voelde zich tegelijkertijd ontmoedigd en opgelucht.

Pascoe zei: 'En dat geeft hij toe?'

'Nu wel,' zei Dalziel. 'Maar hou je handboeien nog maar even in je zak. Hij beweert dat hij een ander alibi heeft. Volgens hem lag hij die middag met een vriendin in zijn nest.'

'En wat zegt die vriendin?'

'Niks. Ze blijkt drie weken met vakantie op de Seychellen te zijn. Met haar echtgenoot. Dus we moeten voorzichtig zijn.'

'Hoezo?'

'De dame in kwestie schijnt Margot Blossom te zijn. Ja, ja. Steun en toeverlaat van Joe Blossom, lord van de vliegen, onze geliefde burgemeester. Dus zullen we moeten wachten tot ze terug zijn met informatie inwinnen.

'Niets voor u om zo diplomatiek te zijn, sir,' zei Pascoe provocerend.

'Niet diplomatiek. Voorzichtig. Die Margot zou een vent z'n rug kunnen breken tussen haar dijen.' Toen hij Pascoes sceptische pruilmond zag, voegde hij eraan toe: 'Bovendien heeft ze een tatoeage op een plek die Charley niet zou weten, tenzij... Hoe dan ook, tenzij onze Bowler met iets beters kan komen dan een vreemd gevoel, ziet het ernaar uit dat Penn zich op het scherp van de snede bevindt.'

Hat keek wanhopig om zich heen alsof hij hoopte dat er een bode zou komen met een bekentenis waarvan de inkt nog nat was.

Pascoe zei bemoedigend: 'Niets mis met onderbouwde speculatie, Hat. Er speelt vást iets door je hoofd, waarom je de mogelijkheid oppert dat Dee en Penn misschien een complot zijn aangegaan?'

Hat zei: 'Nou, ze hebben op dezelfde school gezeten.'

'Hitler en Wittgenstein ook,' lachte Pascoe. Toen bedacht hij waar hij die informatie vandaan had. Uit Sam Johnsons verslag van zijn eerste ontmoeting met Charley Penn. Hij was uitgelachen.

'En ze doen dat malle spelletje samen,' ging Hat verder. 'Ik heb hen bezig gezien.'

'Bezig? Je bedoelt een spelletje als rollebollen?' vroeg Dalziel nieuwsgierig.

'Nee, sir. Een bordspel, zoals scrabble, alleen veel moeilijker. Ze doen het in allerlei verschillende talen en er zijn een heleboel andere regels. Ik heb zo'n bord gezien toen we in Penns flat waren, sir.'

'Dat klopt,' zei Pascoe. 'Het heeft een rare naam, wat was het ook alweer?'

'Paronomania,' zei Hat behoedzaam.

'Niet paronomasia?' opperde Pascoe.

'Nee. Absoluut mania. Dat andere betekent toch woordspel of woordspeling?' zei Hat, die blij was Pascoe te kunnen laten zien dat hij niet de enige slimmerd was.

'Ja,' zei Pascoe. 'En wat betekent dat woord van jou – wat ik, moet ik toegeven, nog nooit ben tegengekomen.'

'Het is een bestaand woord, sir,' benadrukte Hat, die enige twijfel bespeurde. 'Miss Pomona vertelde me erover nadat ik hen had zien spelen. Wacht eens, ik heb de regels gekopieerd...'

Hij doorzocht zijn portemonnee waar hij de papiertjes had gestopt die Rye hem had gegeven voordat hij aan bed werd gekluisterd.

'Hier is het,' zei hij triomfantelijk, waarna hij de verfrommelde papiertjes aan Pascoe gaf, die ze behoedzaam uitvouwde en nieuwsgierig las.

'*Oxford English Dictionary*, tweede druk. Ik sta paf.'

'En ik sta als een pik op een trouwerij,' zei Dalziel. 'Dat is erger dan jullie te moeten aanhoren, stelletje bacillen.'

'Sorry,' zei Pascoe. 'Hé zeg, moet je horen. De *OED* geeft altijd het vroegst bekende gebruik van het woord en in dit geval is dat, hoe kan het anders: lord Lyttelton, 1760, *Dialogen van de Doden*. Is dat niet toevallig?'

'Ik weet het niet. Hoe dan?' zei Dalziel. 'En wat betekent het, dat woord?'

'Nou, het is schijnbaar een fictief woord, gevormd door paronomasia en mania...'

Dalziel knarsetandde, dus las Pascoe haastig verder.

'... en het betekent oorspronkelijk "een ziekelijke neiging tot woordspelletjes". Sinds 1976 is het tevens de merknaam van dit bordspel waar Penn en Dee zo dol op zijn.'

'Nooit van gehoord,' zei Dalziel. 'Maar ik hou niet meer van bordspelletjes sinds ik erachter kwam dat het beklimmen van saaie ladders meer oplevert dan langs lekkere glibberslangen naar beneden roetsjen.'

Pascoe meed Wields blik en zei: 'Als ik de spelregels bekijk, verbaast het me dat iémand ervan gehoord heeft: "de speler die deelt, mag de taal bepalen... dubbele punten voor kruisrijm... viermaal zoveel punten voor oxymorons..." Jezus! Wie zou dít willen spelen?'

'Dee en Penn doen kennelijk niet anders,' zei Hat.

'Dat heeft miss Pomona je ook verteld, neem ik aan?' zei Pascoe. 'En hoe lang heb je deze interessante informatie aan je borst gekoesterd?'

Hij zei het met geforceerde beleefdheid, maar Hat voelde meteen wat hij bedoelde en zei: 'Niet zo lang. Ik bedoel, ik heb er pas vorige week over gehoord, en toen werd ik ziek, en eigenlijk leek het weinig voor te stellen, tot ik vandaag doctor Urquhart en doctor Pottle erover hoorde, waarna mr. Pascoe over Penn zei dat hij vorige week Dee zijn alibi voor een avond had bezorgd, en toen dacht ik...'

'*Nay*, knul, wacht tot je in het dok ligt voor je aan een resumé voor de verdediging begint,' zei Dalziel niet onvriendelijk. 'Waarschijnlijk is het tóch tien keer niks. Ik bedoel, je draait de bak niet in voor het spelen van spelletjes, zelfs niet twee kerels die samen rollebollen, zolang het met beider goedvinden tussen volwassenen in alle beslotenheid gebeurt, nietwaar, Wieldy?'

'Jawel, sir,' zei de brigadier. 'Behalve als je het ruige rugby noemt en als je mensen kaartjes verkoopt om te komen kijken, hebben ze mij verteld.'

Emotie was nooit zo een-twee-drie op het gezicht van de brigadier te zien maar dit werd met zo'n uitgestreken gezicht gezegd dat Charles Bronson er het toppunt van expressie bij leek.

'Rugby,' zei Dalziel. '*Aye*, dat is een punt. De Old Unthinkables. Heel mooi, Wieldy.'

Dat hij een compliment kreeg voor zijn poging tot sarcasme over Dalziels favoriete sport bracht een bijna als verbazing herkenbare uitdrukking op het gezicht van de brigadier.

'Sir?' zei hij.

'De Old Unthinkables,' herhaalde Dalziel. 'Zo heet het veteranenteam van Unthank College. Niet slechts voor een stelletje geile schoolpoten, met alle respect. Niet bang om erop in te hakken – ze hebben ten minste íéts geleerd voor het geld van hun pappies.'

Hij zei het goedkeurend.

Wield zei: 'Ik vrees dat ik u niet volg, sir.'

'Penn en Dee hebben op Unthank gezeten, net als John Wingate, dat tv-lekkertje, Ripleys baas. Dat weet ik omdat hij vroeger voor de Unthinkables heeft gespeeld. Scrumhalf. Goeie schijnbewegingen.'

Weer rinkelde de telefoon.

'En?' zei Pascoe.

'Hij is waarschijnlijk even oud als Penn en Dee. Kunnen we best eens mee gaan praten, Peter. Zoek uit wat ze in hun jeugd hebben uitgevreten. Jezus, het lijkt wel of ik omhoogzit, ik kan m'n eigen oren niet geloven. Ik heb veel te vaak naar je makker Pozzo geluisterd.'

De telefoon rinkelde nog steeds.

Pascoe vroeg: 'Zal ik opnemen? Misschien is dat het hoofdbureau weer.'

'Laat ze maar denken dat ik onderweg ben,' zei Dalziel onverschillig.

Hij keek op zijn horloge.

'Weet je wat, Wingate komt vást met al die andere gieren naar jouw persconferentie. Pak hem in na afloop. Jouw stijl kennende, Pete, is het dan rond halftwaalf. Die tv-lekkertjes vuren graag een vraagje af, eens kijken of hij bestand is tegen een koekje van eigen deeg.'

'Bent u dan tegen die tijd al klaar bij de baas?'

'Tenzij hij een nieuwe fles scotch openmaakt,' zei Dalziel. 'Bowler, jij komt ook. Uiteindelijk is dit jouw idee.'

'Dank u, sir,' zei Hat, in z'n nopjes.

'Niet al te enthousiast. Waarschijnlijk zal het verknoeide tijd blijken, en ik wil je alleen maar bij de hand hebben zodat ik mijn energie niet verknoei door tegen iets aan te trappen waar geen leven in zit.'

Hij ging weg. Hat wendde zich tot de anderen, glimlachend, omdat hij verwachte dat ze Dalziels grap zouden vatten.

Ze glimlachten niet terug.

Pascoe zei nadenkend: 'Niks voor de baas om spoken na te jagen.'

'Tenzij hij kriebel aan z'n paal heeft...'

Even stelden ze zich de fameuze paal van de Dikke Man als wichelroede voor, waarna Pascoe zei: 'Wieldy, de *OED* staat tegenwoordig op internet. Ellie heeft een abonnement, als ik haar jouw wachtwoord mag geven, kun jij het dan op je computer oproepen?'

'Als ik jouw zegen heb, kan ik de vakantiekiekjes van de lijkschouwer oppiepen,' zei Wield.

Ze liepen met hem mee naar zijn computer en keken toe terwijl zijn vingers over het toetsenbord vlogen.

'Mooi,' zei hij. 'Daar is het.'

'Fantastisch. Zoek nu paronomania,' zei Pascoe.

Maar Wield was hem voor.

'Paronomasia hebben we. En paronphalocele hebben we ook,

wat we zo te horen niet nodig hebben. Maar geen enkel spoor van paronomania. Dus tenzij die fantastische *Oxford English Dictionary* iets heeft overgeslagen, bestaat dat woord niet.'

'En toch,' zei Pascoe, 'hebben we het allemaal gezien, en ook de definitie. Interessant.'

'Sir,' vroeg Hat, 'hoe wist mr. Dalziel van mrs. Blossoms tatoeage?'

'Geen idee,' zei Pascoe. 'Waarom vraag je het hem zelf niet?'

38

DE PERSCONFERENTIE DUURDE RUIM EEN UUR.
De meest geliefde techniek van politiemannen als ze met de heren van de pers en hun honger naar informatie te maken krijgen, is het eenlettergrepige antwoord. *Ja* en *nee* uit fatsoen, wat kan uitgroeien tot een eufemistisch *geen commentaar* als dat niet toereikend blijkt.

Pascoe gaf echter de voorkeur aan ellenlange antwoorden. Zoals Dalziel het uitdrukte: 'Na een halfuur met mij schrééuwen ze om meer. Na een halfuur met Pete schreeuwen ze om naar buiten te mogen.' Het was algemeen bekend dat beginnende journalisten na een sessie met hem vaak diverse notitieboekjes hadden volgekalkt met aantekeningen die bij nader inzien geen enkele regel bruikbare kopij opleverden.

Slechts één keer had iemand hem bij deze gelegenheid bijna in een hoek weten te drijven. En dat was Mary Agnew, hoofdredacteur van de *Mid-Yorkshire Gazette*, wier persoonlijke aanwezigheid illustratief was voor het gewicht van het artikel.

'Mr. Pascoe,' zei ze, 'wij hebben de indruk dat die zogeheten Woordman-moorden eerder systematisch dan willekeurig zijn. Is dat ook uw mening?'

'Ik heb de indruk,' zei Pascoe, 'dat de opeenvolging van moorden én de daarmee samenvallende correspondentie, waarvan ik u om voor de hand liggende veiligheidsredenen in dit stadium geen bijzonderheden kan geven, bepaalt wat wij bij gebrek aan een betere term zouden willen aanduiden als systeem, al zouden we de algemeen bekende term niet mogen verwarren met het feit dat we dat denken te kunnen opvatten als een logische onderschatting van de manier van denken van de verdachte. We hebben hier te maken met een macabere psychologie waarin hij, zo hij die al begrijpt, voor een normale geest niet minder disjunctief en zelfs aleatoir is.'

'Dat zal ik opvatten als een ja,' zei Agnew. 'Maar, gegeven het feit dat we te maken hebben met een krankzinnige die volgens een bepaald systeem moorden pleegt, in hoeverre bent u in staat degenen te waarschuwen die – hetzij als individu, hetzij als groep – het grootste risico lopen slachtoffer te worden?'

'Een goede vraag,' zei Pascoe, waarmee hij in regeringstermen bedoelde dat hij niet van plan was daarop antwoord te geven. 'Ik kan alleen zeggen dat als er een systeem in de moorden zit, de grote meerderheid van uw lezers niets te vrezen heeft.'

'Dat zal hun deugd doen. Maar als we de lijst van slachtoffers bekijken, kan ikzelf bepalen dat ze, vanaf Jax Ripley, allemaal, direct of indirect, iets te maken hadden met het Centrum. Hebt u iedereen die in het Centrum werkt of daar nauw bij betrokken is, gewaarschuwd?'

Pascoe, die zich tekortgedaan voelde, veranderde abrupt van tactiek, en zei: 'Nee,' waarna hij zijn blik richtte op een verslaggever van *Scotsman* van wie hij wist dat hij zo'n vet accent had dat ten minste de helft van de aanwezigen er geen touw aan zouden kunnen vastknopen en zei: 'Mr. Murray?'

Na afloop vroeg hij zich, zoals zo vaak, af wat er gebeurd zou zijn als hij gekozen zou hebben voor openhartigheid in plaats van voor ontwijken. Al die zielige kruimeltjes die in zijn hoofd en op zijn bureau samenklonterden mochten ze hebben, en misschien zat er iemand tussen, iemand met een zevende zintuig of misschien een fervente lezer van detectiveromans voor wie zulke exegeses niet meer waren dan een snoepje voor het slapengaan en die zijn kop zou opsteken en zeggen: 'Zeg, ik weet wat dit betekent! Het ligt nogal voor de hand!'

Wie weet, op een dag…

Het recht zo'n keuze te maken zou een genoegdoening betekenen voor die bevordering waarvoor hij soms bang was – en soms bang was dat die nooit zou komen!

'Peter, hallo. Krijg ik zo meteen een primeurtje of sta ik alleen maar dubbel geparkeerd?'

John Wingate kwam op hem af onder begeleiding van Bowler, die Pascoe op het hart had gedrukt de tv-producent zo discreet mogelijk uit het gewoel van de vertrekkende media te plukken.

'Zeker niet het eerste. Wat het tweede aangaat, dat is een zaak tussen jou en je geweten,' zei Pascoe, die de man de hand schudde. Ze kenden elkaar, niet goed, maar goed genoeg om zeker te zijn van elkaar. Omdat hij politieman was, betekende dat dat veel relaties die zich in een ander beroep tot vriendschappen hadden kunnen ontwikkelen op dit punt bleven steken. Pascoe was zich ervan bewust dat de aarzeling meestal grotendeels bij hém lag. Anderen vergaten al snel dat ze bij de politie waren, en dat was het gevaar van intimiteit. Wat moest je beginnen als je bij een vriend thuis een joint kreeg aangeboden of dat er opeens van je werd verwacht dat je zijn listigheid bewonderde omdat hij een krat exportwhisky belastingvrij had overgehouden aan een contact bij een transportbedrijf? Hij had het ongeloof op het geschrokken gezicht van vrienden gezien toen hij informeerde of het wel verstandig was die dingen aan een hooggeplaatste rechercheur op te biechten, en dat was vaak de laatste keer geweest dat hij op dat gezicht een spontane uitdrukking had gezien.

Nu overwoog hij een indirecte benadering voor de vraag over Dee en Penn, maar verwierp die snel. Wingate was te slim om niet te beseffen dat hij voor de gek werd gehouden. De directe weg was waarschijnlijk de beste, niet de directheid zoals Andy Dalziel (die gelukkig niet was komen opdagen) die opvatte, maar iets veel terloopser en minder nadrukkelijk.

'Iets waarmee jíj ons zou kunnen helpen misschien?' zei hij. 'Jij hebt toch op Unthank gestudeerd?'

'Dat klopt.'

'Waren Charley Penn en Dick Dee daar toen ook?'

'Inderdaad.'

'Het waren toch dikke vrienden?'

'Niet van mij. Ik zat een jaar hoger. Een jaar op school is nog langer dan een week in de politiek.'

'Maar van elkaar?'

Toen Wingate niet meteen antwoordde, voelde Pascoe de terloopse ons-kent-ons-glimlach op zijn gezicht verstarren tot een grijns.

'John?' drong hij aan.

'Neem me niet kwalijk. Wat was de vraag?'

'n Goeie techniek, dacht Pascoe. Door me te dwingen de vraag in een veel stelliger vorm te gieten, heeft hij de sfeer opgewaardeerd van babbeltje naar verhoor.

'Waren Dee en Penn dikke vrienden?' vroeg hij.

'Ik geloof niet dat ik de juiste man ben om dat te beantwoorden, Peter. Ik weet ook niet precies waarom je me dat vraagt.'

'Niks aan de hand, John, niets geheimzinnigs. Dat hoort nu eenmaal tot de gewone routine van stukje bij beetje verzamelen en verifiëren van saaie informatie, waarvan het meeste totaal irrelevant zal blijken. Ik wil je absoluut niet het gevoel geven dat je gebruikt wordt.'

Dit werd gezegd met een gelaten jíj-kunt-ervan-meepraten-trek om de lippen.

'Och welnee, want dat is me tot nu nooit gebeurd. En ik denk ook niet dat dat zal gebeuren, tenzij je met een betere reden komt – of überhaupt met een reden – om me te ondervragen over mijn gelukkige schooltijd.'

'Het is geen ondervraging, John,' zei Pascoe geduldig. 'Alleen maar een paar vriendschappelijke vragen. Ik zie niet in waarom iemand in jouw beroep daar moeite mee zou hebben.'

'Mijn beroep? Laten we daar eens nader op ingaan. Au fond ben ik nog precies wat ik was toen ik begon, journalist, en in die wereld krijg je geen extra zegels als je met de politie het bed in duikt.'

'Dat heeft Jax Ripley geen kwaad gedaan.'

Dalziel had een van zijn schaduwentrees gemaakt; je weet pas dat hij er is als hij in gezang uitbarst.

'Wat?' zei Wingate, terwijl hij omkeek en paniek op zijn gezicht verscheen. Waarna hij zich herstelde, glimlachte en zei: 'Hoofdinspecteur, ik had u niet gezien. Ja, nou, Jax, God hebbe haar ziel, had zo haar technieken.'

'Reken maar,' zei Dalziel. 'Ik wil niet storen, Pete, maar ik wilde even bij mr. Wingate checken of zijn vrouw vanmiddag thuis zou zijn. Ik dacht er even aan te wippen om een praatje te maken.'

Dat zorgde ook even voor verwarring bij Pascoe over het nut ervan.

'Moira? Maar waarom zou je met Moira over Dee en Penn willen praten?' vroeg Wingate.

'Zomaar, want niet dáárom. Nee, ik had gewoon een algemeen praatje in mijn hoofd.'

'Maar waarom?' drong Wingate aan, nog altijd meer in de war dan agressief.

'Ik leid een moordonderzoek, mr. Wingate,' zei Dalziel zuchtend. 'Diverse moordonderzoeken.'

'Wat heeft dat dan met haar te maken? Met geen van de slachtoffers had ze een bijzondere band.'

'Ze heeft Jax Ripley toch gekend? Ik kan met haar over Jax Ripley praten en wat ze van plan was. Oké, ik kan haar waarschijnlijk meer vertellen dan zij mij. Maar ik klamp me vast aan strootjes, mr. Wingate, en dan kan ik net zo goed houvast zoeken bij uw vrouw, nu het ernaar uitziet dat hier weinig is wat me houvast zou bieden. Vindt u wel, mr. Wingate?'

Hij gaf een van zijn gruwelijke glimlachjes ten beste, lippen ontblootten verscheurende tanden, als de kaken van een graafmachine die op het punt staan zich in een ontwortelde boom te zetten.

Omdat Pascoe al heel lang vertrouwd was met de Dikke Man van wie je nooit verliezen kon, schoten zijn hersens op computersnelheid door een uitgebreide selectie van mogelijkheden en kozen de enige optie die het meest logisch leek.

De Dikke Man maakte Wingate net duidelijk dat hij wist dat hij Jax Ripley naaide en bood hem de simpele keuze waarvoor alle detectives de meeste criminelen op een gegeven moment zetten – praten of gegrild worden.

Wingates hersens gingen duidelijk snel, sneller zelfs, omdat hij de beste reactie moest zien te verzinnen. Niet dat er veel echte alternatieven waren.

Hij zwichtte onmiddellijk, maar je moest hem nageven dat hij dat met stijl deed toen hij zich weer tot Pascoe wendde en met een dappere poging tot hoffelijkheid zei: 'Waar waren we ook alweer? O ja, je vroeg me naar mijn schooltijd. En naar Dee en Penn. Eens even kijken wat ik me kan herinneren...'

Het was een weinig verheffend verhaal, maar het gedrag van schooljongens heeft nu eenmaal zelden iets verheffends.

Penn en Dee waren op dezelfde dag op Unthank verschenen zonder elkaar van tevoren te kennen, maar ze waren binnen de kortste keren op elkaar aangewezen vanwege een gemeenschappelijk doel: overleven.

In tegenstelling tot de meeste leerlingen van wie de ouders de studie bekostigden, waren zij beursstudenten, door de betalenden 'onderkruipers' genoemd, toegelaten onder een systeem waarbij, in ruil voor een minieme subsidie uit de schatkist, de universiteit op zich nam jaarlijks drie of vier telgen van het gewone volk op te leiden.

Schoolkinderen zijn dol op uitverkoren slachtoffers – de sterken om een legitiem doelwit voor hun kracht te hebben, de zwakkelingen om zodoende zelf aan vervolging te ontkomen.

De meeste slachtoffers, zei Wingate, werden per jaar ingedeeld: eerstejaarsonderkruipers die te lijden hadden van eerstejaarsbeulen, enzovoort. Een enkeling werd een algemeen doelwit, meestal vanwege een bijzonder kenmerk, zoals kleur of een spraakgebrek.

'Penn werd eruit gepikt toen ze erachter kwamen dat hij Duitser was,' zei Wingate. 'Zijn voornaam is Karl en niet Charles, wat nogal verdacht was. Daarna zag iemand zijn moeder toen ze de school bezocht: een grote vrouw, heel blond, die met een zwaar Duits accent sprak. De echte naam van zijn vader, ontdekten we algauw, was Penck, Ludwig Penck, wat hij had veranderd in Penn toen hij genaturaliseerd werd. Later hoorde ik dat ze uit Oost-Berlijn waren vertrokken toen de Muur werd gebouwd en vaak naar het Verenigd Koninkrijk kwamen omdat ze hier een oom hadden die als krijgsgevangene in Yorkshire had gezeten en na de oorlog was gebleven. Penck zou naar West-Duitsland teruggestuurd zijn als zijn oom niet op het landgoed van lord Partridge had gewerkt, waar hij voor de paarden zorgde. Partridge was destijds parlementslid voor de Tory's, in het kabinet, en heeft de zaak-Penck snel in behandeling genomen. Onder die oude Macmillan konden banden met de liberalen destijds nog best gunstig zijn voor een Tory, in tegenstelling tot het huidige clubje waar je vóór het ontbijt twee buitenlanders een trap moet verkopen om te bewijzen dat je uit het goede hout bent gesneden. Dus kreeg hij een verblijfsvergunning plus een baan. Mooi en hartverwarmend allemaal, maar op school had natuurlijk niemand interesse voor de politieke achtergrond, behalve misschien om te bedenken dat als iemand in het verleden was vervolgd, dat een goede reden was om hem opnieuw te vervolgen!'

'*Mof*,' zei Hat plotseling: zijn eerste bijdrage aan het gesprek.

Ze keken hem allebei aan.

'Ik heb Dee mr. Penn *mof* horen noemen,' legde hij uit.

'Dat klopt, zo werd hij op school genoemd. Karl de Mof,' zei Wingate.

'En hij schold mr. Dee óók voor iets uit... het klonk als *hoerenzoon*?'

'Dat zou best kunnen. Karl de Mof en Orson de Hoerenzoon,' zei Wingate. 'Dees moeder kwam ook af en toe naar school. Iedereen was altijd heel nieuwsgierig naar andermans ouders. Alles wat je kon gebruiken om iemand voor schut te zetten werd met beide handen aangegrepen. Mrs. Dee was op een nogal opvallende manier héél sexy. Destijds waren minirokken in, en die droeg ze tot vlak onder haar billen. Om zijn andere moeilijkheden nog erger te maken, had hij zo'n moedervlek, een soort lichtbruin streepje huid dat van zijn buik naar zijn kruis liep. De een of andere klootzak had geopperd dat het een symptoom van een gemene ziekte was die hij van zijn moeder had opgelopen, en doopte hem Orson de Hoerenzoon.'

'Je plukt een welopgevoede jongen er altijd uit vanwege zijn manieren,' zei Dalziel. 'Vanwaar Orson?'

'Dat was een van zijn namen,' zei Wingate. 'Zijn moeder had hem niet veel moois meegegeven, hè? Ik neem aan dat ze graag naar de film ging.'

'Sir,' zei Hat opgewonden. 'Herinnert u zich nog wat ik gevonden…'

Met één blik legde Pascoe hem het zwijgen op. De Pascoe-blik mocht dan wel niet de Dikke Bertha-impact hebben van Dalziels artillerie, toch lag er iets in van Medusa, wat ook zijn nut had.

'Dus,' zei de inspecteur tegen Wingate, 'we hebben een paar jochies die het zwaar te verduren kregen van hun maatschappelijke meerderen. Wat gebeurde er verder?'

'Laten we er geen klassenkwestie van maken,' zei Wingate flegmatiek. 'Oké, het waren "onderkruipers", maar dat was het niet alléén. In uw plaatselijke korps zal er net zo hard gekoeioneerd worden. Zelfs op Unthank hoefde je geen onderkruiper te zijn om gepest te worden. Er was nog een joch met wie Penn en Dee behoorlijk dik waren. De kleine Johnny Oakeshott. Dat was geen onderkruiper, integendeel: zijn familie had waarschijnlijk meer geld dan wij allemaal bij elkaar…'

'Enig verband met de Oakeshotts uit Beverley?' interrumpeerde Dalziel. 'Die half Humberside bezitten?'

'Dat is de familie,' zei Wingate. 'Toch werd Johnny gekoeioneerd. Hij was klein, een beetje meisjesachtig met prachtige blonde krullen, en het arme schaap lispelde. En zijn echte naam was Sinjon, wat ook niet echt hielp.'

'Sinjon, gespeld als St. John?' vroeg Pascoe.

'Inderdaad. Hij werd Johnny toen Dee en Penn hem onder hun hoede namen. Niet dat dat in principe veel bescherming bood, aangezien de jacht juist op hén was geopend. Ook zij waren nogal klein, niet zo klein als Johnny maar klein genoeg om een gemakkelijke prooi te zijn. Bovendien waren ze elk op hun eigen manier nogal eigenaardig. En dat is voor beulen koren op hun molen.'

'Wat gebeurde er dan? Zijn ze de hele schooltijd gepest?'

'Helemaal niet,' zei Wingate. 'Toen ik in het vierde jaar zat en zij in het derde, kwam er een kentering.'

'Ze begonnen er eindelijk bij te horen, bedoel je?'

'Welnee. Er niet bij horen, daar gaat het op school niet om. Meer de réden waarom je er niet bij hoort. Penns tactiek om geaccepteerd te worden was tamelijk conventioneel. Hij werd groter en breder. Hij was nooit een zwaargewicht geweest, begrijpt u, maar als hij vocht, vocht hij tot het bittere einde. Toen hij de grootste etter uit

347

de klas in elkaar sloeg, trokken wij daar allemaal lering uit. Toen hij ook de branieschopper van mijn jaar te grazen nam, was iedereen het erover eens dat hij geen geschikt doelwit meer was.'

'En Dee?'

'Nou, allereerst profiteerde hij van het feit dat Penn duidelijk maakte dat wie aan zijn makker kwam, aan hem kwam. Maar tegelijkertijd ontwikkelde zijn excentrieke gedrag zich op een manier die eerder tot vermaak dan vervreemding van zijn klasgenoten werkte. Hij was geobsedeerd door woorden – hoe vreemder en mooier, hoe beter – en die ging hij tijdens lessen gebruiken. Het was een schitterende manier van in de zeik nemen omdat de docenten er niet over konden klagen. Ze moesten ofwel hun onwetendheid toegeven of proberen zich eruit te bluffen. Enkelen probeerden hem te negeren als hij zijn hand opstak om een vraag te beantwoorden, maar de andere kinderen ontging dat niet en zorgden ervoor dat Dee voortaan als enige zijn hand opstak.'

'Met andere woorden: hij moest de komiek uithangen om geaccepteerd te worden?' vroeg Pascoe.

Wingate haalde zijn schouders op.

'We vinden allemaal een manier om te overleven, op elke leeftijd,' zei hij met een blik op Dalziel.

De Dikke Man gaapte met opengesperde mond, ontzettend hippopotamisch, dacht Pascoe. Als dat woord tenminste bestond.

Hij zei: 'En verzon hij ook woorden?'

Wingate glimlachte kil en zei: 'Typisch politie om meer te willen weten dan men wil toegeven. Inderdaad, dat deed hij ook, wat een nieuw element toevoegde aan dat spelletje dat hij met het onderwijspersoneel speelde, dat nu tevens het risico liep zogenaamd een woord te begrijpen dat niet eens bestond. Maar het was niet alleen *épater la pédagogie*; hij verzamelde die woordenreeksen in zijn eigen woordenboeken, die elk een specifiek terrein besloegen. Ik herinner me dat er een Europees woordenboek bestond, én een ecclesiastisch en een educatief woordenboek – dat was echt lachen. Maar wat echt zijn status in de volwassen intellectuele wereld heeft gevestigd was zijn erotisch woordenboek. Hij had, als ik me goed herinner, meer dan honderd aan de vrouwelijke genitaliën gerelateerde woorden. Ik weet niet of het een bestaand woord of een woord van hemzelf was, maar mocht u ooit een man van mijn leeftijd over de *twilly-flew*, "tuitlipjes", van zijn vrouw horen praten, dan weet u dat hij een oud-Unthinkable is.'

'E,' zei Wield.

'Eh?' vroeg Wingate.

'Alle voorbeelden die u gaf, beginnen met E. Europees, Educatief, Erotisch.'

'O ja. Dat hoorde bij de grap. Ik geloof dat onze hoofddocent Engels daarmee begon. Hij was een van de stafleden die absoluut niet geïntimideerd waren door Dees spelletjes. Hij deed zelfs mee, waarbij hij hem vaak wist te kloppen. Hij was het ook die de aandacht vestigde op de betekenis van Dees initialen. O.E.D. En daarna begon Dee voor al zijn verzamelingen E-woorden te zoeken zodat ook die OED's zouden worden. *Orson's Erotic Dictionary* bijvoorbeeld.'

'Maar waar blijft Richard dan?' informeerde Pascoe.

'Hè? O, u bedoelt Dick? Nee, dat was de grap van de hoofddocent Engels. Die begon hem Dicky de Dictionaire te noemen, en dat is blijven hangen. Dick als afkorting van "dictionaire". Snappie?'

'Aha,' zei Pascoe. Tevens zag hij Dalziel opnieuw gapen.

Hij zei: 'Dus dag met het handje naar Karl en Orson, welkom Charley en Dick, klopt dat?'

'En ook welkom Johnny. Sinjon werd niet meer in de zeik genomen.'

'Dus nu hoorden ze erbij?'

'Ze werden eerder geaccepteerd dan dat ze erbij hoorden,' zei Wingate bedachtzaam. 'Ze hebben ons er altijd aan herinnerd hoe we hen ooit hadden behandeld. Ze richtten een tijdschrift op getiteld *De Onderkruiper* – slechts twee exemplaren per editie, een voor henzelf, het andere werd verhuurd. Heel ondergronds, zo extreem subversief dat iedereen het wilde lezen, ook al werden zowel wij als de docenten met de grond gelijk gemaakt.'

Pascoe dacht terug aan zijn bezoek aan Penns appartement en zei: '"*Loblance* van een Eenzaad", zegt u dat iets?'

Wingate keek hem nieuwsgierig aan en zei: 'U hebt uw huiswerk gemaakt. Eenzaad was mr. Pine, hoofd van Dacre House. Iedereen had een hekel aan hem.'

'Dacre House… ook bekend als Hondenhok?' Een slag in de lucht van Pascoe. 'En *loblance*? Mag ik even raden? Een van Dees benamingen voor het mannelijk lid?'

'Ik weet het niet precies meer, maar het klinkt me bekend in de oren.'

'Simpson? Bland?'

'Hoofdprefect van Dacre en zijn directe ondergeschikte. De

grootste vijanden van Dee en Penn. Ze waren altijd in staat van oorlog.'

'Wie won er?'

'Toen ze naar het vijfde jaar gingen, was de strijd gestreden. Dee en Penn hadden alles zo'n beetje onder controle. Af en toe noemden ze elkaar zelfs Mof en Hoerenzoon waar iedereen bij zat, al haalde natuurlijk niemand anders dat in z'n hoofd. Het was geen uitzondering dat je hen hoorde zeggen: *Dat wij ons tot jullie gezelschap verlagen, wil nog niet zeggen dat we werkelijk iets gemeen hebben. We zijn nog altijd anders, en anders betekent beter. Is iemand het daar niet mee eens?*

'En wás iemand het er niet mee eens?'

'Soms. Maar als Dee het hun verbaal en Penn fysiek had duidelijk gemaakt, zagen ze in dat ze zich vergist hadden.'

'En die kleine Johnny Oakeshott, bleef hij lid van het team?' vroeg Pascoe.

'Johnny? Sorry, heb ik dat niet verteld? Hij is dood.'

'Dood? Zomaar? Jezus, ik weet van de *stiff upper lip* in die contreien, maar ik zou toch gedacht hebben dat ze aandacht zouden besteden aan hun dode kinderen!' zei Dalziel.

'Hoe is hij gestorven?' vroeg Pascoe.

'Verdronken. Vraag me niet hoe. Er doen allerlei verhalen de ronde, maar het enige wat ooit officieel is bekendgemaakt, is dat hij op een ochtend vroeg in het schoolzwembad werd gevonden. 's Nachts zwemmen was een geliefde verboden sport. Aangenomen werd dat hij er in zijn eentje in was gegaan, of met een groep en was achtergelaten. We weten het niet. Penn en Dee gingen door het lint. Ze brachten een speciale editie uit van *De Onderkruiper*. De voorpagina was geheel zwart, met daaroverheen in witte letters *j'accuse*.'

'Wie beschuldigden ze?'

Wingate haalde zijn schouders op.

'Iedereen. Het systeem. Het leven. Ze beweerden dat ze door middel van een ouija in contact waren getreden met Johnny en beloofden dat alles in de volgende editie zou worden onthuld.'

'En was dat zo?'

'Nee. Iemand vertelde het aan het Hoofd en die liet het er niet bij zitten. Hij liet hun weten dat ze door wat ze al hadden geschreven weggestuurd konden worden. Nog één ding, en ze zouden hun verdere opleiding krijgen in een paar belazerde scholengemeenschappen op mijlen afstand van elkaar. Dat gaf de doorslag. Met z'n

350

tweeën zouden ze dat wel overleven, zelfs opbloeien. Maar apart...?'
'Dus ze zwichtten en pasten zich aan?'
'Zwichten? Misschien. Zich aanpassen? In geen geval. Vanaf die tijd weigerden ze zich íéts aan te trekken van de officiële regels van de school. Ze zijn nooit klassenvertegenwoordiger geworden, weigerden prijzen in ontvangst te nemen, hielden zich verre van georganiseerde sport of andere buitenschoolse activiteiten. En voorzover ik weet zijn ze nooit op een reünie van de Old Boys verschenen en hebben ze nooit op een oproep gereageerd. Ze hebben de zesde klas doorlopen, konden naar de universiteit, deden hun examens, zijn na het laatste vertrokken en nooit meer op Unthank gesignaleerd.'
'Zijn ze naar dezelfde universiteit gegaan?'
'Nee. Ieder ging zijn eigen weg, wat een heleboel mensen verbaasde. Dee ging naar John's in Oxford om Engels te studeren en Penn ging moderne talen doen in Warwick. Door mijn werk kom ik hen af en toe nog tegen. We kunnen goed met elkaar opschieten. Maar als ik het ooit over onze schooltijd heb, kijken ze me met een uitgestreken gezicht aan. Alsof ze dat deel van de lei hebben gewist. Zelfs in Penns publiciteitsmateriaal zul je er niets over vinden.'
Nu viel Wingate stil. Alsof zijn herinneringen dingen hadden opgerakeld die hij liever was vergeten.
Na een poosje vroeg Pascoe: 'Kun je ons verder nog iets vertellen, John?'
'Nee, dit is alles.'
'Weet u het zeker?' vroeg Dalziel. 'U verzwijgt toch niet iets?'
'Welnee,' kaatste Wingate boos terug.
'Als u het zegt,' zei Dalziel. 'Maar ik kan me niet voorstellen waarom u in eerste instantie zo'n heisa maakte over een gesprek, als dit alles is wat u te vertellen had.'
'O, om diverse redenen, hoofdinspecteur,' zei Wingate. 'Ik zal ze opnoemen als u daar blijer van zult worden en het mijn vertrek bespoedigt... Ten eerste omdat wat ik te vertellen had mij of mijn medestudenten niet bepaald in een fijn daglicht zet; ten tweede omdat ik geen enkele reden zie persoonlijke bijzonderheden uit andermans leven door te geven aan de politie tenzij ik het gevoel heb dat die werkelijk relevant zijn voor een belangrijke zaak; en ten derde bestaat mijn werk als journalist eerder uit het verzamelen dan distribueren van informatie, tenzij ik het gevoel heb dat er beroepsmatig iets goeds tegenover staat.'
'Volgens mij zullen ten tweede en ten derde wel eens over elkaar

struikelen,' zei Dalziel. 'Hoe dan ook, u kunt nu gaan – zolang u maar bedenkt dat, ook al had het weinig om het lijf, u blij mag zijn met déze gunst. Mocht u er íéts over in uw programmaatjes zeggen, dan zal ik die moeten intrekken. Een goede dag.'

'Tot ziens, hoofdinspecteur,' zei Wingate.

Pascoe, die probeerde een verzoenende toon aan te slaan, zei enigszins overdreven: 'Hartelijk dank, John. Het was werkelijk heel nuttig.'

De producer keek hem even aan, waarna hij zei: 'En u ook tot ziens, inspecteur.'

Wéér een goede bijna-vriend minder, dacht Pascoe.

Toen de deur achter de vertrekkende man was dichtgevallen, zei hij tegen Dalziel: 'Hoe wist u eigenlijk van Wingate en Ripley?'

'Goed geraden,' zei de Dikke Man. 'Niet door mij. Die jongen van Bowler zei zoiets.'

'Is dat zo?' zei Pascoe, die de rechercheur op een weinig vriendelijke blik vergastte. 'Nou, ik denk niet dat we voortaan veel medewerking van ons lokale tv-station zullen krijgen.'

'*Nay*, ik denk dat we alle medewerking zullen krijgen die we maar willen,' zei Dalziel met een gehaaide grijns. 'We moeten niet te losjes met onze sympathie omspringen, Pete. Een getrouwde man die zijn eigen *loblance* niet onder controle kan houden, móét wel een echte *twilly-flew* zijn. De vraag is: had het nut hem in zijn kloten te knijpen? Hebben we iets nuttigs te pakken? Bowler, je keek zonet alsof je stond te trappelen om wat te zeggen.'

'Jawel, sir,' zei Hat gretig. 'Twee dingen eigenlijk. Ten eerste: Johnny, die jongen die verdronken is... In dat spel van Penn en Dee hadden ze, al is het een spel voor maar twee spelers, een derde houder voor de steentjes klaargezet en toen ik ze zag spelen – toen ze elkaar Mof en Hoerenzoon noemden – waren de letters die op de standaard stonden J,O,H,N,N, en Y. Enne... ze hebben allebei die foto van hen drieën op school, ik neem tenminste aan dat de derde die jongen is die dood is.'

'Ze hebben een foto van henzelf met een dooie jongen?' vroeg Dalziel nieuwsgierig.

'Nee, sir. Ik bedoel: hij was nog niet dood toen die foto werd genomen.'

'Jammer. Ga verder.'

'En zijn echte naam klinkt als St. John, en die tekening bij de Eerste Dialoog, zei Dee niet dat het van het evangelie van de Johannes was?'

Hij raakte buiten adem.

Dalziel zei: 'Is je eerste ding nu klaar? Laten we hopen dat je omhoogwerkt. Verder?'

'Het viel me gewoon op. Nu Dee in werkelijkheid Orson blijkt te heten, moest ik denken aan wat raadslid Steel zei voor hij doodging, wat klonk als *rosebud* – iemand zei toch dat dat het het laatste woord was dat iemand zei in die film *Citizen Huppeldepup* die Orson Welles geregisseerd heeft en waarin hij ook de hoofdrol speelde... is het niet...? Ik heb 'm zelf nooit gezien...'

Hij keek hoopvol om zich heen, niet in de hoop op applaus maar op z'n minst op een greintje belangstelling.

Pascoe glimlachte hem bemoedigend toe, Wield bleef net zo ondoorgrondelijk als altijd en Dalziel zei: 'Wat wil je nou zeggen, knul?'

'Het is alleen maar de associatie, sir... Ik dacht dat het iets zou kunnen betekenen...'

'O *aye*? Ik denk dat als Schrokker Steel een filmfanaat was, wat hij niet was, en als hij een Unthinkable-veteraan was, wat hij niet was, en als hij Dees echte voornaam wist, wat ik betwijfel, dat het dan op snuffelafstand van belangrijk zou komen. Niet huilen, knul. Je probeert het tenminste. En jullie, twee grote sterke zwijgende types? Wieldy?'

'Dat verhaal over die dooie jongen klinkt nogal raar, maar ik kan me niet voorstellen dat we er veel aan hebben,' zei de brigadier.

'Nogal raar is zwak uitgedrukt, vind je niet?' zei Pascoe.

'Wie weet. Maar het is niet iets wat Dee en Penn verborgen willen houden, toch? De foto staat daar open en bloot, de naam op de standaard die iedereen kan zien. Juist wat de mensen verborgen willen houden, betekent meestal het meest. En in mijn ogen zitten we tot over onze oren in woorden, geen echte dingen.'

'De Woordman is een en al woorden, Wieldy,' zei Pascoe zachtjes.

'*Aye*, maar woorden die binnen in hem spelen. Volgens mij laten Dee en Penn elk op hun eigen wijze hun woorden naar buiten komen in plaats van ze binnenin te laten ophopen waar ze kunnen gaan knagen.'

Dalziel slaakte, oog in oog met zo'n onverwachte psycholinguïstische analyse, een *et tu Brute*-zucht en wendde zich tot Pascoe.

'Pete, jij denkt ook dat we hier iets beethebben, hè? Een hele verandering die vuilbek van een Franny Roote van jou niet te hoeven aanhoren die, hoorde ik, waarschijnlijk de volgende Enid Bly-

353

ton wordt. Maar het zou fijn zijn te weten wat er zich werkelijk in die warrige hersens van je afspeelt.'

'Ik weet niet… ik kan gewoon niet geloven dat in Dees geval al die overeenkomsten in plaats, tijd, mogelijkheden en belangen niets belangrijks opleveren.'

'Laten we dan nog eens met hem gaan praten. Maar niet jij. Als hij de Woordman is, springt die schurk er sluw mee om en is hij je nu al te slim af. Jij gaat met Charley Penn praten: kijken of je hem loskrijgt van dat jongens-onder-elkaar-alibi. Ik zal kijken hoe mr. Dee reageert op een beetje primitief Engels. Bowler, jij gaat met me mee.'

'Ik, sir?' zei Hat met weinig animo.

'*Aye*. Bezwaren? Van wat ik heb gehoord, breng je meer tijd in die bibliotheek door dan hier, dus waarom zo verlegen opeens?'

Daarop liet de Dikke Man een spottende lach horen.

'Ik snap het. Dat scharreltje van jou, miss Ribena, heeft een hoge pet op van haar baas en jij bent bang dat je *pitch* wordt verpest als ze je erop betrapt dat jij hem in bedwang houdt terwijl ik op zijn kloten sta te stampen! Een karaktertest, knul. Ze zal ooit moeten kiezen tussen jou en hem, dus laten we de zaak maar wat forceren vóór je de ring gaat kopen. Kom, laten we wat schot in de zaak brengen, oké? We hebben al te lang achter de *pitch* aan gehold, veel kunstig voetenwerk maar geen terrein gewonnen. Als die klootzak spelletjes met ons wil spelen, laten we dan ten minste op zíjn helft van het veld gaan spelen!'

Een dergelijke peptalk, maar dan waarschijnlijk wat krachtiger gebracht, had misschien effect gehad bij een stelletje bemodderde lummels die rugby speelden, dacht Pascoe. Maar geen van de aanwezigen van de CID leek erdoor aangevuurd.

Hij zei: 'De baas heeft zich er zeker over beklaagd dat we te weinig opschoten, sir?'

'Hij weet wel beter,' zei Dalziel. 'Al is het duidelijk dat Leipe Linda nog altijd de wind eronder heeft op Binnenlandse Zaken. Maar Desperate Dan heeft dichter bij huis iets aan zijn hoofd.'

'Wat bijvoorbeeld?'

Dalziel wierp een blik in de richting van de deuropening, waar Hat en Wield hevig stonden te keuvelen.

'Bijvoorbeeld wie de presentatie gaat doen op Georges afscheid vanavond, ik of hij.'

'Ik zou gedacht hebben dat het, gezien de omstandigheden, de hoogste piet zou worden,' zei Pascoe verbaasd. 'Hoezeer George

354

ook op u gesteld is, ik denk dat hij mr. Trimbles honingzoete woorden en stevige handdruk zal verwachten bij de klok of wat we hem ook gaan geven.'

'Visgerei, hebben ze mij verteld,' zei Dalziel. 'Ach, we zien wel.'

Wield en Bowler waren uitgepraat en keken Dalziel verwachtingsvol aan.

Pascoe vermoedde dat er iets ongezegd was, maar als hij zich niet vergiste, bleef het ongezegd, voorlopig althans.

'We kunnen hier niet de hele dag blijven rondhangen,' verkondigde de Dikke Man. 'Niet als er op kloten gestampt moet worden. Kom op, knul. Op naar de bibliotheek. En ik hoop dat je daar aan de eerste twee regels van goed detectivewerk zult denken.'

'Wat zijn die dan, sir?' vroeg Bowler.

'Ten eerste: geen gevoos in diensttijd!' zei Dalziel gniffelend. 'De tweede vertel ik je wel onderweg.'

39

Ondanks de belofte van de Dikke Man voltrok de korte rit naar het Centrum zich bijna geheel in stilte, die Dalziel ten slotte verbrak toen hij verwijtend zei: 'Tong verloren?'

'Neem me niet kwalijk, sir, ik wilde u niet storen.'

Hat had besloten dat het al met al geen goed idee was om nader naar de tatoeage van mrs. Blossom te informeren.

'Niet het praten stoort een goede politieman, knul, maar het uitblijven ervan,' zei de Dikke Man veelbetekenend.

'Jawel, sir. Is dat de tweede regel, sir?'

'Hè?'

'Van goed detectivewerk. U zei dat u me de tweede regel onderweg zou vertellen.'

'De tweede is dat je niet iemand in de zeik moet nemen die zo groot is dat je er spijt van krijgt,' zei Dalziel. 'Nee, ik dacht net: nu jij en ik zo knus samen zijn, is de kans groot dat je me iets vertelt waarvan jij vindt dat ik het moet weten.'

O shit! dacht Hat. Zelfs nu die arme Jax dood is, denkt hij nog altijd dat ik het lek was! Die ouwe lul kan het niet hebben dat hij ongelijk heeft. Hij is ervan overtuigd dat ik het was, maar hij zal niet rusten voor hij het me heeft horen zeggen. Ik zou hem eigenlijk over zijn zak moeten aaien door tegen hem te zeggen: *Ja, sir, ik heb iets te vertellen over die info die naar Jax the Ripper is gelekt.* En als hij er helemaal klaar voor is, een en al zelfgenoegzaamheid en alwetendheid in afwachting van mijn bekentenis, zal ik hem mededelen dat het lek die geile ouwe proleet van hem was, die George Headingley, naar wiens afscheidsfeest hij vanavond gaat, en vragen wat hij daaraan gaat doen.

En wat zou hij eraan gaan doen? Dat was de vraag. Ik neem aan dat hij, als hij zoiets zou weten, het niet zomaar kon laten passeren. Er zou een diepgaand onderzoek moeten komen en in plaats van de zonsondergang tegemoet te varen, zou die arme ouwe Georgie Porgie... tja, hij had de mogelijke gevolgen voor Headingley al voldoende gerepeteerd.

Hij zei: 'Nou, er was één ding…'

'*Aye?*'

'U weet dat Charley Penn boeken schrijft? Nou, ik heb nage-dacht over wat doctor Urquhart zei…'

'Kijk maar uit, daar kun je blind van worden,' zei Dalziel.

'… over de Woordman die zo verslaafd is aan woordspelletjes en zo, en dat hij bepaalde gedrukte teksten waarschijnlijk ziet als een soort evangelie in code, en ik vroeg me af of het de moeite waard zou zijn Penns boeken eens beter te bekijken…'

'O *aye*? Meld jij je vrijwillig aan om ze te lezen? We rijden naar de geschikte plek om ermee te beginnen.'

'Nee, sir, absoluut niet,' zei Hat. 'Ik bedoel, ik heb geen verstand van die dingen. Ik dacht dat we misschien met iemand konden gaan praten die van die dingen op de hoogte is…'

'Heb je iemand in gedachten? Toch niet toevallig je vriendinne-tje van de bibliotheek?'

Jezus, het lijkt wel of mijn hersens een kom met goudvissen zijn waar die grote kater zijn klauw in doopt wanneer-ie maar wil, dacht Hat.

'Ja, zij zou het wel kunnen,' zei hij. Waarna hij er, omdat dat wat lauwtjes klonk, aan toevoegde: 'Ze is al heel behulpzaam geweest om mijn ideeën op een rij te zetten.'

Hij zag zijn vergissing in nog vóór hij het gezegd had.

'Nu al? Maak je er soms een gewoonte van vertrouwelijke poli-tieaangelegenheden met mooie jonge meiden te bespreken?' zei de Dikke Man. 'Ik hoop het niet, knul, want dat is de tweede regel die ik je wilde vertellen. Als iemand je bij je kloten heeft, of-ie ze nou omdraait of streelt, ga dan liggen en denk aan mij. Geen genot of pijn zal opkunnen tegen wat ik zal uitspoken met de sukkel die ik erop betrap dat hij uit de school klapt. Hoor je me, knul?'

'Ja, sir. Ik hoor u,' zei Hat, terwijl hij met heel zijn in zijn schoe-nen zakkend hart het tegendeel wenste.

Maar dat van nature sprankelende orgaan sprong weer op toen ze uitstapten en de Dikke Man zei: 'Dat was misschien geen slecht idee over Charley Penns boeken. Ga maar met dat meisje van je praten. Zo te horen, is ze je wat schuldig. En ik bedoel geen wip. Dat overleg je maar met je eigen porem, niet met het mijne.'

En het werd allemaal nog beter toen ze op Naslagwerken kwa-men en Rye alleen aantroffen, die er heel verleidelijk uitzag in een laag uitgesneden mouwloos topje en strakke heupbroek.

'Hoe is het, kindje?' vroeg Dalziel. 'Is de baas in de buurt?'

'Het spijt me, nee. Hij is net naar buiten,' zei Rye. 'Kan ik iets doen?'

'Niet dat ik weet. Ik moet hem spreken. Enig idee waar hij heen is?'

'Het spijt me, ik mag geen inlichtingen geven aan burgers...' Ze onderbrak zichzelf en keek Dalziel wat aandachtiger aan. 'O, u bent mr. Dazzle, hè? Sorry, ik had u niet herkend. Gaat het om politie-zaken? Dan zit het vast wel goed. Hij is naar het Centrum. Hij komt vast zó terug, als u wilt wachten.'

Achter Dalziel grijnsde Hat breeduit, met name toen Rye de hei-lige naam expres verkeerd uitsprak.

Maar de Dikke Man liet zich door zo'n pietepeuterig steekje niet uit het veld slaan en antwoordde hoffelijk: 'Dank u, miss Pomona, maar ik ga hem wel zoeken. Blij dat u weer zo monter bent na uw nare ervaring in het weekend. Heel wat meiden zouden tegenwoor-dig een maand vrijaf moeten nemen en een levenlang in therapie gaan. Goddank hebben we er nog een paar van de oude stempel over. Maar mocht u behoefte hebben om met iemand te praten, re-chercheur Bowler kan goed luisteren.'

Met iets van een knipoog naar Hat slenterde hij de deur door.

'Jíj speelde een gevaarlijk spelletje, zeg,' zei Hat.

Rye glimlachte en zei: 'Dat viel wel mee. Het is ook maar een holbewoner. Ik zag hem naar mijn inkijk gluren.'

Hat, die er zelf ook een genotvolle blik in had geworpen, wend-de zijn ogen af en zei: 'En hoe gaat het met je?'

'Dat gaat wel. Ik heb niet zo goed geslapen, maar dat gaat wel over.'

'Vast wel, maar luister: je mag er niet al te relaxed over doen. Dat was een lelijke schok voor je, dat hoofd en zo. Die dingen kunnen op onverwachte manieren toeslaan.'

'Jij was er ook. Ben jij soms immuun?'

'Nee. Vandaar dat ik weet hoe het je kan raken.'

Ze keken elkaar ernstig aan, waarna ze glimlachte, haar arm uit-strekte en zijn hand aanraakte. Ze zei: 'Oké, laten we elkaars psych zijn. Trek in koffie?'

'Als je het niet te druk hebt.'

Ze gebaarde om zich heen naar de zo goed als lege bibliotheek. Aan de leestafels zaten een paar bleke studenten te werken, een vrouw met wilde haren zat aan een tafel achter een muur van inge-bonden *Transactions of the Mid-Yorkshire Archaeological Society*, maar er was geen spoor van Penn of Roote of van andere vaste klanten.

'Je werkt je niet bepaald uit de naad, hè?' zei hij.

'We doen nog wel andere dingen dan het publiek bedienen,' zei ze. 'En nu Dick ergens anders bezig is, ben ik blij dat het zo rustig is.'

'Wat is er zo belangrijk in het Centrum?' vroeg hij toen ze hem voorging naar het kantoor.

'Het Romeinse Verleden. Dat wordt morgen geopend. De dood van raadslid Steel gaf de doorslag, en op de eerstvolgende raadsvergadering werd het budget toegewezen.'

'Dan hebben ze er geen gras over laten groeien om het uit te geven.'

'Alles stond al in de steigers, het wachten was alleen nog op de verklaring dat de rekeningen betaald zouden worden.'

'Maar wat heeft dat met Dick te maken?'

'Eigenlijk niets. Maar weet je nog, die machtsstrijd waarover ik je heb verteld, tussen Briesende Percy en de Laatste der Acteur-Directeuren? Nou, ze proberen allebei uit alle macht de lof voor Het Leven onder de Romeinen in de wacht te slepen, en aangezien Dick oneindig meer weet van de klassieke oudheid dan Percy, hebben ze hem opgetrommeld om Percy's beweringen gewicht te geven. Het lastige is dat Dick vanuit Percy's standpunt zo eerlijk en onpartijdig is, dat Amrose Bird geen bezwaar maakt.'

'En die vrouw, hoe heet ze ook alweer, die ziek geweest is? Doet zíj nog mee?'

'Ssst,' zei Rye, waarna ze haar stem dempte. 'Je bedoelt Philomel Carcanet, en daar zit ze, verstopt achter die muur van *Transactions*. Ze kwam vanmorgen de generale repetitie leiden. Ze weet meer dan welk levend wezen ook van het Romeinse Mid-Yorkshire. Het lastige is dat ze met geen enkel wezen langer dan vijf minuten kan praten, wat een groot communicatieprobleem oplevert. Ze kwam hier een uur geleden om even bij te komen. Daar is ze nóg niet klaar mee. Terwijl die twee daar proberen samen in aanmerking te komen wanneer ze gaan adverteren voor de functie van directeur van het Centrum. Kun jij de waterkoker aandoen?'

'En op wie wed jíj?' vroeg Hat.

'Ze zouden allebei een ramp zijn,' zei ze, terwijl ze instantkoffie in bekers schepte. 'Ze willen alleen hun eigen projecten zeker stellen. Enfin, je bent niet gekomen om de politiek van het Centrum te bespreken, nietwaar? Heeft Billy Bunter je nog opgedragen me ergens over uit te horen? Ik geloof dat het water kookt.'

Het lijkt wel of ik van glas ben, dacht Hat. Ik ben voor iedereen een open boek.

'Boeken,' zei hij, terwijl hij haar de waterkoker aanreikte. 'Je zei dat je een fan was van Penns boeken.'

'Ik geniet ervan,' zei ze, en ze schonk water in de bekers, waarvan ze er een aan Hat gaf. 'Al is dat wat minder sinds hij een fan van míj werd. Elke keer dat Harry Hacker iets scherps of suggestiefs zegt, hoor ik Penns stem. Jammer. De verafgoding van schrijvers is linke soep. Net als eten, eigenlijk. Terwijl je van een lekkere biefstuk geniet, wil je er liever niet aan denken waar die vandaan komt.'

Hat, die tot in deze levensfase zijn bekomst nog niet in gevaar had laten brengen door een dergelijke overweging, knikte braaf en zei: 'Heel waar. Maar om terug te komen op Penns boeken: toen ik er ooit een tv-bewerking van zag, heb ik het na tien minuten opgegeven, dus kun je me er in het kort wegwijs in maken?'

Waarna hij, om de vraag op te lossen die hij in haar vragende blik dacht te zien oprijzen, zei: 'Weet je, volgens die linguïst van de universiteit gaat de Woordman zo in woorden op dat we, als we een lijn konden vinden in de dingen die hij leest, onze kansen zouden vergroten om een lijn naar hem te trekken.'

'In de dingen die hij schrijft, bedoel je,' zei Rye. 'Het kan jullie niet schelen of hij de Harry Hacker-romans leest, maar of hij ze schrijft.'

'We moeten alle informatielijnen volgen,' zei Hat.

'O ja? Vandaar dat Billy Bunter Dick op z'n hielen zit, hè? Als jullie niets bereiken met de jacht op de schuldige, blijven jullie maar inhakken op een onschuldige persoon in de hoop dat je hem tot een bekentenis zult dwingen door hem te terroriseren of om de tuin te leiden?'

'Misschien heb je gelijk,' zei Hat. 'Maar dat geldt alleen voor de hoge omes. Zelf mag ik nog niet eens de knuppel in m'n handen houden dus ik moet me aan ouderwetse methoden houden, zoals mensen van grote afstand terroriseren door in hun afwezigheid vragen te stellen.'

Daar dacht ze over na, waarna ze zei: 'Harry Hacker is een mix van de dichter Heine, de held van Lermontov, Pechorin en de Rode Pimpernel met een scheutje Sherlock Holmes, Don Juan – eerder die van Byron dan van Mozart – en Raffles...'

'Wacht even,' zei Hat. 'Bedenk dat je het tegen een simpele ziel hebt voor wie goede lectuur een krant is waarin meer plaatjes staan dan woorden. Als we de literaire ballast zouden kunnen weglaten om ons tot de rechtlijnige feiten te bepalen...'

'Voor iemand die gestudeerd heeft,' zei ze koel, 'dient wat jij ballast noemt als zoiets als een naslagwerk in steno, wat honderden eenlettergrepige woorden bespaart. Maar als je erop staat. Harry is een charlatan die aan het begin van de negentiende eeuw tientallen jaren heel Europa heeft afgeschuimd, waar hij een groot deel van de belangrijke historische gebeurtenissen meemaakte, een beetje een parvenu, maar met zijn eigen morele maatstaven en een hart van goud. Zijn achtergrond staat niet vast en een van de rode draden die door al zijn boeken lopen is zijn zoektocht naar zichzelf, in psychologisch, spiritueel en genetisch opzicht. Dergelijke overpeinzingen worden vaak saai in een romantische thriller, maar Penn weet het levendig te houden door de ontmoetingen met Harry's *Doppelgänger*, een andere versie van hemzelf. Het klinkt geschift maar het werkt.'

'Ik geloof je meteen,' zei Hat. 'Die Harry is zo te horen een regelrechte mafkees. Waarom zijn die boeken zo populair?'

'Begrijp me niet verkeerd over Harry. Het is een echte held uit de romantiek. Hij kan op feesten een echte gangmaker zijn, waarbij hij vrouwen voor het uitkiezen heeft, maar er zijn ook tijden dat hij van die melancholische buien heeft, à la Byron (sorry, ik kan geen andere manier bedenken om het uit te drukken), waarin hij alleen maar met rust gelaten wil worden om met de natuur te communiceren. Maar wat hem redt is een sterk gevoel voor ironie dat hem in staat stelt om zichzelf te lachen op het moment dat je denkt dat hij zichzelf te serieus neemt. De boeken staan bol van de verbale grapjes, heel goede grappen, passages vol spannende actie, gedegen maar niet overdreven historische achtergrondbeschrijvingen en sterke plots die vaak een intelligent puzzelelement bevatten die Harry voor je oplost. Het zijn geen fantastische kunstwerken, maar heel goede, niet onintelligente lectuur. De televisiebewerkingen weten, zoals zo vaak gebeurt, die elementen die de boeken zo bijzonder maken en de unieke sfeer geven veelal te verbergen, af te zwakken of gewoonweg te laten verdwijnen.'

Toen ze even zweeg, zette Hat zijn beker koffie neer om, niet geheel zonder ironie, te applaudisseren.

'Dat was fantastisch,' zei hij. 'Vloeiend, met stijl en ik heb er bijna alles van begrepen. Maar om terug te komen op de zaak: staat er iets in wat ik rechtstreeks zou kunnen betrekken op wat wij over de Woordman weten?'

'Tja, dat hangt ervan af hoe je *wij* interpreteert. Volgens mij zijn de complete oogst van politiekennis en wat ik opmaak uit de rimpels in jouw voorhoofd twee verschillende dingen. Maar naar mijn nederige mening is het antwoord mogelijk, maar niet zonder meer.'

'Hè?'

'Ik bedoel: als de Woordman iets had geschreven in de trant van de Harry Hacker-serie, zou mijn mond er niet van openvallen. Maar ik kan heel wat andere boeken bedenken waarbij me de mond niet zou openvallen als ik zou horen dat hij die geschreven had. Behalve natuurlijk het feit dat een paar van de auteurs dood zijn, en zo niet, geen van allen in Mid-Yorkshire wonen.'

'Dat is nou net het punt. Penn woont wél in Mid-Yorkshire,' zei Hat. 'En dat andere waarin hij geïnteresseerd is, dat Duitse gedoe?'

'Heinrich Heine? Daar kan ik niets bij bedenken, behalve voorzover hij model heeft gestaan voor Harry Hacker. Harry was namelijk Heines doopnaam.'

'Harry? Ik dacht dat je zei dat dat Heinrich was.'

'Dat kwam later. Omdat Penn hem in een van zijn vertalingen Harry noemde, heb ik ernaar gevraagd en toen vertelde hij me dat Heine Harry was genoemd naar een Engelse familievriend. Dat heeft hem als kind veel narigheid bezorgd, vooral omdat wat de lokale voddenman schreeuwde om zijn ezel aan te sporen klonk als *Harry!* Heine heeft het veranderd in de Duitse vorm toen hij zich tot het christendom bekeerde, op zijn zevenentwintigste.'

Nu was Hat een en al aandacht.

'Je bedoelt dat de andere kinderen hem in de zeik namen vanwege zijn naam?'

'Blijkbaar. Ik weet niet of er toen ook al antisemitisme bestond, maar zoals Penn het vertelde, klonk het behoorlijk traumatisch.'

'Dat moet wel,' zei Hat opgewonden. 'Zoiets heeft hij zelf op school meegemaakt.'

Hij vertelde haar wat ze te weten waren gekomen over Penns achtergrond.

Ze fronste haar voorhoofd en zei: 'Jullie graven diep, hè? Ik neem aan dat jullie Dee ook op die manier natrekken.'

'Tja, je moet bij een onderzoek alle relevante feiten over iemand te weten komen. Dat is alleen maar eerlijk voor die persoon.'

Zijn zwakke verweer leverde hem de schampere lach op die het verdiende.

'Wat hebben jullie dan voor relevante feiten over Dee ontdekt?' wilde ze weten.

Hoe kwam het dat er, elke keer dat hij met Rye sprak, altijd een punt kwam waarop het, ondanks Dalziels schrapende inmenging in zijn geestesoor: *Vergeet niet dat je smeris bent!*, het gemakkelijkst leek om haar alles te vertellen?

Hij vertelde haar alles, waarbij hij de ingelijste foto van het bureau oppakte toen hij bij de dood van Johnny Oakeshott belandde en zei: 'Ik neem aan dat hij dat is, in het midden. Penn heeft dezelfde foto in zijn appartement. Hij heeft duidelijk veel voor die twee betekend.'

Rye pakte de foto en tuurde naar het engelachtig glimlachende jongetje.

'Als iemand die je na aan het hart ligt jong doodgaat, betekent dat heel veel. Wat is daar nou zo gek aan?'

Hij herinnerde zich haar broer Sergius en zei: 'Ja, dat moet natuurlijk wel, daar bedoelde ik niets raars mee. Maar de pogingen om met hem in contact te treden…' Waarna hij, voor het geval zou blijken dat Rye pogingen gedaan had om contact op te nemen via spiritisme of van die geschifte dingen die meiden wel eens deden, aandrong: 'Maar dat gedoe met die woordenboeken, dat werd toch wel raar?'

'Dat stelt niets voor,' zei ze ontwijkend. 'Iedereen die hem goed kent, weet van die woordenboeken af. En wat zijn naam betreft, jullie hadden alleen maar op de kieslijst hoeven te kijken. Of op de personeelslijst van de gemeenteraad. Of in het telefoonboek. Het feit dat wij hem kennen als Dick zegt niet meer dan dat jij Hat bent of ik Rye ben…'

'Maar *Orson*…'

'Niet erger dan Ethelbert. Of Raina in mijn geval.'

'Nee, ik bedoelde Orson *Welles*…'

Even stond ze paf, waarna ze glimlachte en uiteindelijk hardop lachte.

'Nee toch. Orson Welles… Citizen Kane… *rosebud*! Ik heb gehoord dat drenkelingen zich aan strohalmen vastklampen, maar dit is het zeegat uitvaren in een vergiet. Ik bedoel, wat krijgen we straks? *Touch of Evil* misschien? Hoewel, nu ik erover nadenk, als ik naar die mr. Dalziel van jou kijk, is dat misschien nog zo gek niet…'

'Die woordenboeken van Dee, wist je ervan?' vroeg hij.

'Ja. Ik heb er een paar van gezien.'

Hij dacht onmiddellijk aan wat Wingate over het erotische woordenboek had gezegd en zei jaloers: 'Welke?'

'Dat weet ik echt niet meer. Is dat belangrijk?'

'Nee. Waar heb je ze gezien? Hier?'

Hij keek het kantoor rond, op zoek naar de vermaledijde boeken.

'Nee. Bij hem thuis.'

'Ben je bij hem thuis geweest?'

'Enige reden waarom niet?'

'Nee, natuurlijk niet. Ik vroeg me alleen maar af hoe het was.'

Ze glimlachte en zei: 'Niets bijzonders. Een beetje vol, maar dat komt misschien omdat elke centimeter wordt ingenomen door woordenboeken.'

'O ja?' zei hij gretig.

'Ja,' zei Rye. 'Niet omdat hij geobsedeerd is of een afwijking heeft, maar omdat ze de spil zijn van zijn intellectuele leven. Hij is er een boek over aan het schrijven, een geschiedenis van woordenboeken. Het wordt waarschijnlijk een standaardwerk als het wordt uitgegeven.'

Ze sprak met een soort triomfantelijke trots.

'Wanneer zou dat zijn?'

'Over een jaar of vier, vijf, denk ik.'

'O, nou. Ik denk dat ik toch maar op de film zal wachten,' zei Hat. 'Of op het standbeeld.'

Hij ging achterover zitten, nam een slok koffie en bekeek de foto's aan de muur. Opnieuw viel hem op dat het allemaal mannen waren. Maar hij was niet van plan er een opmerking over te maken, zelfs geen neutrale. Voordien was elke hint dat Dee in het plaatje paste, aanleiding geweest tot kwaadaardige minachting. In tegenstelling daarmee was het rationele steekspel dat hij nu moest aanhoren goedmoedige spot en vast en zeker een aanwijzing dat hij vorderingen had gemaakt op zijn queeste naar haar hart. Onder geen voorwaarde was hij van plan dat op het spel te zetten door iets wat zou kunnen klinken als een homofobe sneer!

Hij zei: 'Is dit de portrettengalerij van Dees voorvaderen?'

'Nee,' zei Rye. 'Dit zijn allemaal, geloof ik, prominenten die woordenboeken hebben gemaakt of er bijdragen aan hebben geleverd. Dat is Nathaniel Baily, denk ik. Noah Webster. Doctor Johnson uiteraard. En deze hier zou iemand met jouw beroep misschien wel interesseren.'

Ze wees naar het grootste portret dat recht voor het bureau hing, een foto in sepia van een man met baard die met een boek op zijn knieeën op een keukenstoel zat, met een muts op zijn hoofd waardoor hij op een Russische vluchteling leek.

'Hoezo?'

'Nou, hij heette William Minor, hij was een Amerikaanse doctor en een eigenzinnig man die een zeer belangrijke bijdrage heeft geleverd aan vroege stadia van woordgebruik, wat uiteindelijk geresulteerd heeft in de *Oxford English Dictionary*.'

'Fascinerend,' zei Hat. 'En wat maakt hem in de ogen van de politie dan wel zo'n grootheid? Hij heeft zeker als eerste het woord "smeris" gebruikt?'

'Niet dat ik weet. Maar door het feit dat hij bijna veertig jaar, de jaren waarin hij zijn bijdragen aan de *OED* leverde, in Broadmoor achter de tralies zat wegens moord.'

'Goeie god,' zei Hat, terwijl hij met hernieuwde belangstelling naar de foto tuurde.

In tegenstelling tot de gangbare mening dat het geen kunst is hersenkronkels af te lezen aan het gezicht, leek bij veel gezichten die hij in albums met politiefoto's had gezien uit elke porie criminaliteit te stralen, maar deze serene figuur zou model hebben kunnen staan voor de Lieve Oude Man in *The Railway Children*.

'En wat is er uiteindelijk van hem geworden?'

'O, hij is naar Amerika teruggegaan en gestorven,' zei Rye.

'Je slaat het mooiste over,' zei een nieuwe stem. 'Net als die arme Minor.'

Ze draaiden zich om naar de deuropening, waar Charley Penn als Loki, de boosaardige geest der Asen, opdoemde en een sardonische glimlach zijn onregelmatige tanden blootlegde.

Hoe lang had hij binnen gehoorstafstand gestaan? vroeg Hat zich af.

'Kan ik iets voor u doen, mr. Penn?' vroeg Rye met een stem die zo ijskoud was dat een vroege teunisbloem ervan zou bevriezen.

'Ik ben op zoek naar Dick,' zei hij.

'Hij is in de kelder. Ze zijn bezig met Het Leven onder de Romeinen.'

'Natuurlijk. *Per Ardua ad Asda*, zou men kunnen zeggen. Ik denk dat ik ga kijken wat een pret ze hebben. Fijn u weer gezien te hebben, mr. Bowler.'

'Insgelijks,' zei Hat, die niet wist of Penn graag zou willen dat hij vroeg waar het mooiste over ging dat Rye had overgeslagen of dat het zijn bedoeling was dat hij uitlokte dat hij de vraag rechtstreeks stelde zodra hij weg was.

Hij nam een besluit en riep naar de vertrekkende schrijver: 'Wat was nou het mooiste wat ik nog niet had gehoord?'

Penn bleef staan en draaide zich om.

'Wat? O ja, over Minor, bedoelt u? Nou, ondanks het voortschrijden zijner jaren bleek de arme kerel constant erotische fantasieën te hebben over naakte jonge vrouwen die volgens hem niet te verenigen waren met zijn groeiende geloof in God.'

'O ja? Nou, dat komt waarschijnlijk bij een hele hoop oudere mannen voor,' zei Hat met naar zijn gevoel lofwaardige gevatheid.

Maar Penn was zo te zien onaangedaan.

Integendeel: hij grijnsde de sombere grijns en zei: 'Natuurlijk. Maar die gaan niet allemaal hun zakmes slijpen om hun pik af te snijden, of wel soms? Een prettige dag nog.'

40

'O GOD, DE GEUREN, DE GEUREN!' RIEP AMBROSE BIRD, TERWIJL HIJ IN zijn haakneus kneep. 'Ze overdrijven de geuren. Altijd overdrijven ze de geuren!'

'Geuren zijn prikkelend, misschien wel datgene wat het meest direct onze menselijke waarneming prikkelt,' kaatste Percy Follows terug.

'O ja? En prikkelend, wat jij in de diepste diepten van je klassieke kennis ongetwijfeld zult weten, is afgeleid van het Latijnse *evoco*, *evocare*, "verlokken". Uit het programma maak ik op dat een van die bewuste geuren afkomstig is van gegrilde muis. Afgezien van de vraag of je in dit ecologisch gevoelige tijdperk een slaapmuis zou moeten vangen om te roosteren, moeten we ons afvragen wat in deze geur zo verlokkend mag wezen? Je kunt niet verlokken wat er niet is. Hoeveel van onze gasten hebben volgens jou ervaring met gegrilde muis? Vandaar, als stimulus voor een latente herinnering: een dergelijke geur kan in geen geval verlokkend genoemd worden. *Sic probo*!'

'Ik begrijp dat de hoofdact begonnen is?' zei Andy Dalziel.

Dick Dee keek om en glimlachte.

'Hoofdinspecteur, wat komt u stilletjes binnen. Maar ik zou niet verbaasd moeten staan van die lichtvoetigheid van iemand die zaterdagavond nog de ster van de dansvloer was op het bal der fuseliers.'

Dit was spionage van topniveau. Oké, hij had Pascoe en Wield bestookt met vage toespelingen op zijn date voor het bal van zaterdagavond, maar zelfs die twee hadden met geen mogelijkheid kunnen weten waar hij was geweest, dus hoe had Dick Dee daar lucht van kunnen krijgen?

Het antwoord lag voor de hand.

Charley Penn, die waarschijnlijk niet geweten had hoe gauw hij naar Haysgarth moest gaan om uit te zoeken hoe Dalziel zijn alibi had doorgeprikt.

Hij zei: 'U bent goed op de hoogte voor iemand die niets anders doet dan oude boeken lezen. En over oude boeken gesproken, waarom hebt u die in de steek gelaten om hierheen af te dalen? U komt zeker scheidsrechtertje spelen?'

Hierheen was de kelder van het Centrum, puur bestemd als opslagruimte, tot de vondst van de Romeinse vloer tijdens het graafwerk naar de fundamenten. Het besluit de verdieping bij het Centrum te trekken als deel van Het Romeinse Verleden had een geniaal compromis geleken tussen het kamp van de archeologen en de gemeentelijke pragmatici die wilden dat het Centrum zo snel mogelijk af zou komen. Het was ietsje anders uitgepakt. Schrokker Steel was tegen elke cent van de daarmee gemoeide kosten, en de extra druk die op Philomel Carcanet kwam te rusten was een belangrijke factor voor haar instorting geweest.

'Zoals altijd legt u de vinger op de zere wond, hoofdinspecteur,' zei Dee. 'Mijn bescheiden reputatie dat ik goed geïnformeerd ben voert me hiernaartoe als arbiter tussen onze strijdende gladiatoren.'

'Wat doen die hier trouwens? Dit is hun terrein niet. Ik dacht dat ik Phil Carcanet zonet in onze bibliotheek zag.'

'Ja, dat klopt. Zo zonde. Het was haar baby, het Verleden, weet u. Ze heeft zo hard gewerkt om iedereen aan boord te krijgen: de archeologen en de gemeenteraad. Ze heeft het praktisch in haar eentje moeten doen – niemand anders wilde raadslid Steel erbij hebben. Omdat dat totaal tegen haar persoonlijkheid indruiste, is ze er uiteindelijk aan onderdoor gegaan. Ze ging met ziekteverlof, maar met het verscheiden van mr. Steel was het laatste obstakel voor het project van de baan: ineens was het geld er, en nu de opening nadert, heeft ze de moeite genomen vandaag te komen, maar ik vrees dat ze tot de ontdekking moest komen dat haar medetriumviraten schoorvoetend terrein prijsgeven. Ziet u, dat is ook een gevolg van de dood van Steel. Daarmee is de weg vrijgemaakt voor de aanstelling van een algemeen directeur, en onze helden blijken om zíjn departement te vechten. Bij het eerste spoor van onenigheid is onze dierbare Philomel trillend weggelopen. Vóór u ligt de vrucht van haar inzet, maar de oogst is niet voor haar. Mijn hemel.'

Hij legde zijn handen over zijn oren als reactie op een explosie van geluid.

'Zet het zachter, zet het zachter!' schreeuwde Follows.

Toen het lawaai afnam, werd het herkenbaar als een gekabbel van stemmen vermengd met hinnikende paarden, kraaiende hanen, blaffende honden, belgelui, lachende kinderen en hier en daar een

flard vaag exotische muziek met in de verte trompetgeschal en ge-
tokkel op snaren die veel dichterbij weerklonken.

'Dat is beter,' zei de bibliothecaris.

'Vindt u? U komt zeker vaak op rustige markten. Het is daar niet
zoals in Sainsbury's, hoor: een en al muzak en ritselend plastic. Daar
heerst veel lawaai,' zei Bird.

'Ach, onze befaamde menigten-expert,' zei Follows spottend.
'Wat naar ik aanneem afkomstig moet zijn van een vorige incarna-
tie aangezien je zoiets niet kunt hebben opgedaan van je schouw-
burgpubliek. Maar die taal – moet wat die mensen spreken Latijn en
Angelsaksisch voorstellen? Dat lijkt op niets wat ik ooit gehoord
heb.'

'Hoe zou dat ook kunnen? Het enige wat jij ooit hebt gehoord is
een of andere vage figuur in een stoffige jurk die Cicero of *Beowulf*
staat te declameren. Voorzover de beste paleo-demotici kunnen
achterhalen moet het in de streektaal zó geklonken hebben.'

Dalziel, die Dee in de gaten hield, dacht een sprankje zelfgenoegzaamheid te bespeuren en zei: 'Ben jij soms ook zo'n pali-din-
ges?'

Dat was een mooie wraak voor het fuseliersbal. Dees gezicht verried verbazing die hij niet trachtte te maskeren door het te verbergen maar door het aan te dikken met komedie.

'Ooo, wat bent u toch een spitse detective, hoofdinspecteur. Inderdaad, ik heb het neologisme laten vallen in een gesprek dat ik
met mr. Bird voerde, en zag tot mijn genoegen hoe hij het, met dat
fijngevoelige acteursoor van hem, aan zijn woordenstroom toevoegde. Daarbij moet ik zeggen dat het mij een volkomen logische
samenstelling lijkt en het zou me niet verbazen als ik ontdekte dat
het al bestond. Wat heeft uw eigen scherpe oor verder uit die gesprekken opgemaakt, vraag ik me af?'

Dalziel zei: 'Nou, die bevestigden wat ik al wist: dat het een stelletje schapenrukkers is. Mocht ik gissen, dan zou ik zeggen dat toen
die arme ouwe Phil het te kwaad kreeg, Ambrose de geluidseffecten
voor zijn rekening nam en Percy de geuren. Dat klopt wel zo ongeveer.'

'Alweer: chapeau,' zei Dee. 'Trouwens, *schapenrukkers* vind ik
een mooie. Een afgeleid gebruik, maar veel treffender dan het origineel. Wilt u de rest zien of zullen we de voorstelling beëindigen?
Of zullen we onder het praten wat rondlopen?'

De impliciete vraag werd gesteld met een glimlachje dat Dalziel
opsloeg voor latere verwerking, samen met heel wat andere dingen
die interessante vragen opriepen.

369

'Praten waarover?' vroeg hij.

'Waarover u met me kwam praten,' zei Dee. 'Al zou ik, als ik mocht raden, zeggen dat het gaat over de treurige dood van lord Pyke-Strengler en de plaats die dat inneemt in het wijdere perspectief van uw jacht op de Woordman.'

Al pratende gaf hij een rondleiding tussen de diverse marktstalletjes. De meeste waren puur decor, zo realistisch als licht en geluidseffecten ze vermochten te maken, maar door de uitgestalde waren en de handelaren die ze verkochten steeg het geheel boven plastic uit. Er waren echter drie of vier kramen bevoorraad met echte artikelen en bemand met echte mensen. Bij een ervan, waar ze kleine metalen artikelen verkochten, zoals gewichtjes, kroezen en ornamenten, bleef Dee staan. De marketentster, een knappe donkerharige vrouw in een eenvoudig bruin kleed dat het ranke lijf dat daaronder bewoog eerder accentueerde dan verhulde, glimlachte naar hem en zei: '*Salve, domine. Scin' Latine?*'

Dee antwoordde: '*Immo vero, domina,*' waarna hij een koperen kat oppakte en een volzin in het Latijn ten beste gaf waarop de vrouw spijtig antwoordde: 'O, shit. We krijgen er toch niet veel meer zoals u?'

'Nee, ik ben waarschijnlijk een unicum,' zei Dee lachend. 'Wat ik zei was, dat ik dat lieve poesje lief vond maar dat ene in het bruine kleed heel wat meer.'

'Is het heus? Ik snap dat ik beter Latijn en Oud-Engels kan leren voor brutale rakkers, wil ik dit overleven.'

Dalziel sloeg dit onverstaanbare tafereeltje nieuwsgierig gade, waarbij hij de gemoedelijkheid opmerkte waarmee de bibliothecaris grapjes maakte met de vrouw en het gemak waarmee zij op de flirttoer ging. Niemand had bij hem ooit de suggestie gewekt dat Dee een vrouwenliefhebber was, maar dat kwam misschien doordat hij nooit door een vrouw was ondervraagd.

Toen ze wegliepen, zei hij: 'Waar ging dat allemaal over?'

'In het belang van de geloofwaardigheid zijn een paar van de stalletjes bemand met echte mensen. Ambrose Bird levert hen van zijn bedrijf: acteurs die niet in een lopende productie staan en graag iets willen bijverdienen. Ze hebben voldoende Latijn en Anglosaksisch geleerd om goedendag te zeggen en potentiële klanten te vragen of ze een van die twee talen spreken. Als ze, zoals meestal het geval zal zijn, schaapachtig aangekeken worden, vallen ze terug in een soort gebroken Shakespeare-Engels.'

'Behalve dat ze af en toe op een slimme rakker stuiten die de taal spreekt.'

'Wat zou de wereld zijn zonder slimme rakkers?' vroeg Dee.

'Een stuk gelukkiger,' zei Dalziel. 'En verkopen ze die rotzooi echt?'

'Dat zijn hoogwaardige replica,' corrigeerde Dee zuur. 'Ja, als je op de tentoonstelling komt, kun je een *follis* vol *folles* aanschaffen...'

'Hè?'

'*Follis* betekent "zak geld", maar het kreeg ook de betekenis van "munten", met name de kleinere geldwaarden in koper en brons, die in de zak zitten. Daarmee kunnen aankopen bij de actieve kramen worden gedaan of in de *taberna* daar.'

'Dat lijkt toch op een pub?' vroeg Dalziel geïnteresseerd.

'In dit geval meer een café,' zei Dee. 'Maar misschien voor ons een geschikte plek om te praten. Let echter wél op het *calidarium* of badhuis als we erlangs komen.'

Hij wees op een deur met een glaspaneel. Toen hij erdoorheen tuurde, zag Dalziel een klein bassin met dampend water waarin een naakte man een papyrusrol zat te lezen. Daarachter en slechts vaag zichtbaar door de omhoogkringelende stoom nog meer waterbassins met daarin en langs de betegelde randen relaxte gestalten, sommige in handdoeken gehuld en andere zo te zien naakt, al bleef alles vanwege de opstijgende stoom binnen de grenzen van het Mid-Yorkshire-fatsoen. Het duurde even vóór het tot hem doordrong dat waar hij naar keek het eerste kleine bassin was, vermenigvuldigd door geraffineerd opgestelde spiegels, tegen een achtergrond van een waarschijnlijk uit een oud heldenepos uit Hollywood geplukte videoprojectie.

'Geraffineerd, nietwaar?' zei Dee.

'Valt wel mee,' zei Dalziel. 'Als je het grote bad van de rugbyclub hebt gezien... En daar kennen ze ook nog alle coupletten van "The Good Ship Venus".'

Ook de taberna kon qua provisie niet tippen aan de rugbyclub. Service ontbrak en als die er was, ging de keuze, zoals Dee uitlegde, tussen een zoet, min of meer authentiek fruitdrankje en een volkomen anachronistische kop thee of koffie.

'Een concessie aan raadslid Steel die ervan overtuigd moest worden dat het project zich voor een deel financieel zelf zou kunnen bedruipen,' zei Dee.

'Dan spijt het u dus niet dat hij uit de weg geruimd is?' merkte Dalziel op toen ze op een marmeren bankje gingen zitten.

'Die vraag zou ik misschien apert provocerend hebben gevonden, ware het niet dat ik ervan overtuigd ben dat het uw intentie is om te provoceren,' zei Dee. 'In elk geval, hoofdinspecteur, moet u begrijpen dat het slagen of mislukken van dit project weinig voor me betekent. Al met al, de educatieve argumenten ten spijt, neigt het naar mijn smaak iets te veel naar kitsch. In deze tijd van gebruikersvriendelijke, volledig geautomatiseerde high-tech exposities heb ik nog altijd heimwee naar het museum oude stijl met zijn mufheid en de sfeer van eerbiedige stilte. Het verleden is een ander land en ik krijg soms het gevoel dat we er eerder een bezoek aan brengen als voetbalhooligans op een dagje uit dan als serieuze reizigers. En u, mr. Dalziel? Hoe staat u tegenover het verleden?'

'Ik? Als je zo oud wordt als ik, wil je niet te veel terugkijken. Maar uit hoofde van mijn beroep waar ik er heel vaak rond,' zei Dalziel.

'Maar toch niet, hoop ik, op de flitsende high-tech manier van de moderne Heritage-industrie?'

'Och, ik weet niet. Houdt u van *Doctor Who*, die oude sciencefiction tv-serie? Fellow reist rond in een tijdmachine die er aan de buitenkant uitziet als een alarmtoestel. Een hoop ouwe rommel voor het grootste deel, maar ik had altijd het gevoel dat dat wel klopte. Een alarmtoestel. Want dat doe ik nou met het verleden. Zoals die doctor breng ik veel tijd door in tijden die voorbij zijn, waarin schurken dingen hebben uitgehaald om te proberen de toekomst te veranderen, en het maakt me niet uit hoe ik daar terechtkom. Het is mijn werk om voorzover ik dat kan de boel in orde te maken en ervoor te zorgen dat in de toekomst alles zo veel mogelijk bij het oude blijft.'

Dee keek hem met grote ogen aan.

'Een tijdbewaarder!' riep hij uit. 'Ziet u zichzelf als een tijdbewaarder? Ja, ja, ik geloof dat ik het begrijp. Iemand begaat een moord of berooft een bank. Dat is omdat ze de toekomst willen veranderen zoals die in hun ogen is, meestal om die voor henzelf en hun naasten gerieflijker te maken, toch? Maar door hen te vangen, herstelt u de status quo zoveel mogelijk. Als er iemand vermoord is kunt u natuurlijk weinig doen om te reanimeren, nietwaar?'

'Ik kan mensen niet tot leven wekken, dat is zeker,' zei Dalziel. 'Maar ik kan ze wél levend houden. Die Woordman bijvoorbeeld, hoeveel heeft hij er al vermoord? Het begon met Andrew Ainstable, als u iemand laten doodgaan meetelt, toen had je die jonge David Pitman en Jax Ripley, en daarna... wie was de volgende?'

'Gemeenteraadslid Steel,' zei Dee prompt. 'Daarna Sam Johnson en Geoff Pyke-Strengler.'

'Ze rolden lekker vlot van uw tong, mr. Dee,' merkte Dalziel op.

'Mijn hemel. Was dat een valstrik? Zo ja, laat me u dan een suggestie doen, mr. Dalziel. Tot op dit moment heb ik met genoegen mijn rol in de poppenkast gespeeld dat ik werd ondervraagd als een getuige. Maar door uw niet aflatende interesse vraag ik me af of het voor ons allebei niet tijd wordt dat we de kaarten op tafel leggen en we onder ogen zien dat ik verdacht word.'

Zijn gezicht was nu één gretig, bijna geraffineerd vraagteken.

'Wilt u graag verdacht worden?' vroeg Dalziel nieuwsgierig.

'Ik wil de gelegenheid krijgen mezelf van uw lijst te schrappen – als ik daar, zoals ik vrees, op sta. Sta ik erop, mr. Dalziel?'

'Jazeker,' zei de Dikke Man glimlachend. 'Net als Abou Ben Adhem.'

'Dank u,' zei Dee, die nu ook glimlachte. 'Laten we nu één enkel feitelijk punt zien te ontdekken dat voor u het bewijs levert dat ik niet de Woordman ben. U mag me alles vragen wat u wilt en ik zal naar waarheid antwoorden.'

'Of een forfait betalen.'

'Pardon?'

'Waarheid, Uitdaging, Dwang of Belofte… Dat speelde ik als kind zo vaak. Je moest er een van kiezen. Of je mocht een forfait betalen, door je broek uit te trekken bijvoorbeeld. U hebt Waarheid gekozen.'

'En ik ben van plan mijn broek aan te houden,' zei Dee.

'O ja? Staat u aan de juiste kant?'

'U bedoelt van de wet, of qua seksualiteit?'

'Allebei.'

'Ja.'

'Altijd?'

'Nou, ik heb vroeger diverse overtredingen begaan, verkeersregels bijvoorbeeld, zwartwerken en briefpapier van de bibliotheek voor eigen gebruik aanwenden. En er zijn een paar erotische eigenaardigheidjes waarvan ik geniet als ik een willige partner van de andere sekse kan vinden. Maar ik geloof dat die allemaal binnen de marges vallen van normaal menselijk gedrag, dus denk ik dat ik *ja* mag antwoorden, al ben ik strikt genomen niet in staat met *altijd* te antwoorden.'

'Dus u en Charley Penn hebben nooit aan elkaars piemel getrokken?'

'Als puber, ja, af en toe. Maar alleen, vergeef me de uitdrukking, bij wijze van stoplap om die angstige periode tussen het inzetten van de puberteit en toegang tot de meiden te overbruggen. Zodra er meisjes op het toneel verschenen, werd onze vriendschap als een non zo kuis.'

'Als een non? Niet als een monnik?'

'Na alle slechte pers die de katholieke mannenorden de laatste jaren hebben gehad, denk ik dat ik het houd op "als een non".'

'Zou Charley de Woordman kunnen zijn?'

'Nee.'

'Hoe weet u dat zo zeker? Tenzij u zelf de Woordman bent, natuurlijk.'

'Omdat Charley, zoals u al hebt vastgesteld, de eerste van de twee avonden waarover u me hebt ondervraagd, toen ikzelf in gezelschap van Percy Follows verkeerde, cultureel bezig was met zijn leesclub. En de tweede avond was hij bij mij.'

'Wie zegt dat de moord zich 's avonds voltrokken heeft? Oké, die tweede dag hebben jullie elkaar voor 's avonds een alibi verschaft, en uw werk houdt in dat u voor overdag een alibi hebt. Maar Charley niet. Hij is erg vaag over wat hij die dag heeft gedaan. Hij beweert dat hij denkt dat hij waarschijnlijk naar de bibliotheek ging, maar niemand schijnt dat te kunnen bevestigen. Tenzij u zich plotseling herinnert hem daar gezien te hebben?'

'Waarom zou ik, in godsnaam?'

'Een goede beurt, misschien. Net zoiets als wederzijdse masturbatie.'

'U bedoelt in ruil voor de goede beurt die hij bij mij heeft gemaakt door die avond mijn alibi te zijn? Maar dat zou alleen logisch zijn als we allebei de Woordman waren.'

'Een interessant idee.'

'Dat waarschijnlijk niet zojuist in uw hoofd opkwam, hoofdinspecteur. Een *folie à deux*, is dat wat u zich voorstelt? Mijn hemel, en ik maar denken dat ik alleen mezelf van uw haakje hoefde te worstelen.'

'Haakje. Vissen. Hebt u ooit zelf gevist?'

'Wel eens, ja. Hoezo?'

'Lord Geoff had een paar hengels bij zich. Alsof hij was gaan vissen met een maat.'

'Ik denk dat u misschien onze relatie verkeerd inschat.'

'O, *aye*? En uw relatie met dat vriendinnetje van u? Naait u haar?'

'Pardon?'

'Die meid met die zilveren pluk en die rare naam.'

'Rye. Ik neem aan dat u het over Rye had. Ik had wat moeite met de werkwoordsvorm.'

'Daar kunt u pillen tegen innemen. Ik zei: naait u haar? Rampetampt u met haar? Pompt u haar vol melkwit spul? Hangt u hem er bij haar in? Frutselt u aan haar *twilly-flew*?'

De enige reactie die dat opleverde, was een vage, bijna welwillende glimlach.

'Heb ik een relatie met Rye, bedoelt u? Nee.'

'Maar dat zou u graag willen?'

'Het is een aantrekkelijke vrouw.'

'Is dat een ja?'

'Ja.'

'Hebt u op het moment iets om handen?'

'Een seksuele uitlaatklep, bedoelt u? Nee.'

'Hoe speelt u het dan klaar?'

'Speel wat klaar?'

'Uzelf niet steeds in verlegenheid te brengen wanneer u opstaat. Een man in de bloei van zijn leven, alles doet het nog, u wordt telkens geil als u naar uw assistente kijkt, en u en Charley zijn het ontgroeid elkaar de helpende hand te reiken, dus hoe speelt u het klaar? Ervoor betalen?'

'Ik word niet heet van uw vragen, mr. Dalziel.'

'We hebben het nergens gehad over heet worden, alleen dat ik alles mocht vragen wat ik wilde en dat u naar waarheid zou antwoorden. Hebt u daar moeite mee?'

'Alleen intellectueel gezien. Ik had begrepen dat er geen seksuele motieven achter die moorden zaten, dus ben ik benieuwd waarom u zich zoveel zorgen maakt over mijn seksualiteit.'

'Wie zei dat er geen seksuele motieven waren?'

'U zult zich herinneren dat ik drie van de vijf Dialogen heb gelezen, dus daaruit kan ik mijn eigen conclusies trekken. Er is maar één vrouw geattaqueerd en niets wat ik in die episode heb gelezen duidt op een seksueel motief. Er hangt zelfs, hoe zal ik het uitdrukken, een bijna seksueel steriele sfeer om de hele zaak.'

'Zo te horen bent u ietwat in de verdediging.'

'Ik? Ah, ik begrijp het. U bent weer aan het provoceren. Als ik de Woordman ben en mijn motief is volkomen aseksueel, dan kunnen al die vragen over mijn seksuele leven misschien een reactie losmaken over het feit dat ik me zo ontzettend onbegrepen voel, is dat de gedachte erachter?'

'Een reactie als deze, bedoelt u?'

'Omdat ik niet de Woordman ben, zou ik niet zo specifiek kunnen zijn. Maar ik moet zeggen dat ik uit wat ik heb gelezen de indruk kreeg van iemand die slim genoeg is om uw krijgstactiek eerder te doorzien dan ik en zich niet laat provoceren.'

'Of slim genoeg om een ietsje minder slim te lijken dan hij werkelijk is.'

'Dat zou pas werkelijk slim zijn. Maar zo'n toonbeeld van slimheid zou zich toch nooit in uw klauwen werpen voor een grondig verhoor?'

'De vinger op de zere plek, mr. Dee. *Zich werpen*. Volgens mij zou de vent die ik in gedachten heb zo'n babbeltje als dit wel waarderen: oog in oog met de vijand om die een rad voor ogen te draaien.'

'Dat zou, denk ik, een lange race worden. Ik bedoel het uiteraard als metafoor. Vergeeft u mij als ik me te veel op het vertrouwelijke vlak heb gewaagd, maar ik heb werkelijk het gevoel dat wie probeert u een rad voor ogen te draaien, mr. Dalziel, zich beter kan voorbereiden op een marathon. Maar in hoeverre slaagt mijn nietige poging u ervan te overtuigen dat ik niet uw man ben? Ik moet bekennen dat ik mijn krachten voel afnemen.'

Hij trok een uitgeput gezicht en, bij wijze van bijval, ging al het licht uit en verstomde het kabaal van geluidseffecten die als achtergrond van hun gesprek hadden gediend.

De daaropvolgende stilte was van korte duur. De stemmen van Bird en Follows verhieven zich in boze harmonie in de vraag wat er in godsnaam aan de hand was, waarna die in een contrapuntsduet uiteenvielen toen ze elk een manier trachtten te vinden om de schuld op de ander te schuiven.

Op de tast verlieten Dalziel en Dee de duistere taberna en zetten koers naar het marktplein waar iedereen lucifers afstreek of met zaklantarens zwaaide om maar enig licht te verspreiden. De deur van het *calidarium* ging open en een man in zwembroek en druipend van het water stapte, gevolgd door een stoomwolk, naar buiten.

'Doek op voor de draak, linksachter op het toneel,' fluisterde Dee.

'Wat is er in godsnaam aan de hand?' vroeg de man kwaad. 'Er spatte daar iets elektrisch uit elkaar en ik zit verdomme tot over m'n reet in het water!'

Hij had alle reden om kwaad te zijn, dacht Dalziel, terwijl hij zich een weg baande naar het midden van de markt waar Bird en Follows zich hadden geposteerd. Onderweg stootte hij zijn teen tegen diverse obstakels die hij met grote kracht omver trapte.

'Wie heeft de leiding?' vroeg hij.

Voor de verandering stond geen van beide mannen te popelen om de eerste plaats.

'Nou, dan zal ik jullie allebei gratis advies geven – zorg maar dat dit in orde komt, anders zal ik ervoor zorgen dat de plaatselijke ambtenaar van de brandveiligheid jullie voorgoed komt afsluiten. Die klootzak in het bad had wel geëlektrocuteerd kunnen worden. En waarom is het zo verrekte donker? Stel je voor hoe het hier zou zijn als hier enige tientallen mensen, onder wie veel kinderen, zouden rondlopen. Waar is jullie reservesysteem, verdomme? Doe er snel iets aan of ik blader door het grote boek om te kijken wat ik jullie ten laste kan leggen. En mocht ik niets vinden wat erg genoeg is, dan zal ik jullie met dat boek je hersens inslaan!'

Hij beende weg, waarbij hij puur door op licht en lucht af te gaan de trap en de uitgang wist te vinden. Toen hij die had bereikt en even wachtte, trof hij Dee aan zijn zijde.

'Weet u, mr. Dalziel,' zei de bibliothecaris met een glimlach. 'Na die act denk ik dat ik, als ik de Woordman zou zijn, nu mijn hand zou opsteken om te bekennen.'

'Werkelijk, mr. Dee?' zei Dalziel onverschillig. 'En zal ik u eens vertellen wat ik denk? Ik denk dat een overlopende septic tank niet half zo vol stront zit als u.'

Dee trok een pruimenmondje, keek peinzend alsof die mededeling een nader onderzoek waardig was en zei: 'Het spijt me dat te horen. Houdt dat in dat ons spelletje Waarheid, Uitdaging, Dwang of Belofte uit is?'

'*Uw* spelletje. Als er dooien liggen, speel ik geen spelletjes. Tot ziens, mr. Dee.'

Hij liep met mastodontische tred weg. Achter hem, nog altijd als een oerjager, keek Dick Dee hem na tot hij uit het zicht verdween.

41

GEORGE HEADINGLEY, ADJUDANT BIJ DE RECHERCHE, MOCHT DAN NIET tot de top zijn gepromoveerd, maar hij had het in politiekringen ongewone wapenfeit op zijn conto dat hij zijn bescheiden grootheid had bereikt zonder al te zeer over lijken te gaan.

Vandaar dat de sfeer toen zijn collega's, CID en in uniform, die avond in de Social Club bijeen waren om afscheid te nemen hartelijker was dan anders. Pascoe had afscheidsfeestjes bijgewoond waar de opkomst mager was, de grappen zuur, en al had er *Veel Geluk!* op de banieren gestaan, de lichaamstaal had alles weg van *Lekker Kwijt!* Maar die avond had iedereen zijn best gedaan om erbij te zijn, waren de bijdragen voor het afscheidscadeau gul geweest en was het gelach dat al van de verzamelde manschappen opsteeg, vooral die aan de drukbezette tafel van Headingley, goedmoedig en welgemeend.

Er had een bijzondere welkomstkreet met hier en daar spontaan applaus geklonken toen de deur openging om rechercheur Shirley Novello binnen te laten. Dit was haar eerste publieke optreden na de schietpartij die haar sinds de zomer buiten gevecht had gesteld.

Ze zag bleek en bewoog zich niet met haar typische atletische tred toen ze naar voren kwam om de plaats in te nemen die haar werd aangeboden naast George Headingley, voor wie ook een gejuich opsteeg toen hij opstond om haar met een kus op de wang te begroeten.

Pascoe liep naar de tafel en boog zich over haar stoel.

'Shirley, fijn je te zien. Ik wist niet dat je zou komen.'

'Ik mocht me de kans toch niet laten ontglippen om me ervan te overtuigen dat de adjudant werkelijk weg zou gaan?' zei ze.

'Mooi, niet overdrijven,' zei hij. 'Je weet wat ze zeggen over te veel en te vroeg.'

'Ja, voor je twintigste dood,' zei Headingley.

Onder het schaterende gelach dat dat veroorzaakte zei Wield in zijn oor: 'Peter, Dan is er, maar nog steeds geen spoor van Andy.'

'Jezus.'

Hoewel Headingley zo populair was dat ook de geüniformeerden in groten getale aanwezig waren, was dit in principe een CID-feestje, en de afwezigheid van Dalziel hield in dat de plichten van gastheer op hem neerkwamen.

Hij liep naar voren om de hoofdcommissaris te begroeten.

'Blij dat u kon komen, sir,' zei hij. 'Zo te zien is iedereen vastbesloten dat het een fantastische avond gaat worden.'

Hij had het nog niet gezegd of zijn ogen vertelden hem dat hij zich vergiste. Het gezicht van Trimble droeg het masker van iemand die eerder iemand kwam begraven dan de lucht in prijzen.

'Waar is-ie?' vroeg de baas kortaf.

'George?'

'Nee, mr. Dalziel.'

'Onderweg,' zei Pascoe. 'Zal ik even een drankje voor u halen, sir?'

Onderweg was een minder aperte leugen aangezien, gesteld dat Dalziel, waar hij ook mocht uithangen, van plan zou zijn op een gegeven moment in de Social Club te belanden, beter van hem gezegd kon worden dat hij, wat hij ook uitspookte, hiernaartoe onderweg was.

Maar de aperte waarheid was dat Pascoe geen enkel idee had waar de Dikke Man uithing. Hij had hem vluchtig gezien toen hij terugkwam van het Centrum maar een telefoontje had hem weggeroepen voordat hij had kunnen uitweiden over zijn reactie op de vraag hoe hij gevaren was met Dee: 'Die schurk is veel te slim.'

Hoewel veel te slim op zich geen garantie bood voor criminaliteit, was het zeker waar dat diverse, aldus door Dalziel aangeduide mannen momenteel in een van Hare Majesteits penitentiaire inrichtingen vóór het ontbijt bezig waren met het kruiswoordraadsel uit *The Times*.

Bowler had weinig meer over Dee kunnen toevoegen, maar was goed te spreken over zijn eigen bevindingen en duidelijk bijna tot tranen toe gekrenkt doordat Wield hem afdeed als een lexicograaf met zelfvernietigingsdrang, een Duitse dichter die zijn naam had veranderd omdat hij daardoor de pispaal was, wat voor geen van beide in de onderhavige zaak enig aanwijsbaar gewicht in de schaal legde.

Voor een klein mannetje wist Dan Trimble uitstekend raad met een groot glas drank en hij had er zonder enig zichtbaar effect op zijn gemoedsgesteldheid drie van achterovergeslagen toen Pascoe op zijn horloge keek en fluisterde: 'De vertoning begint, geloof ik, sir. De inboorlingen worden wat rusteloos.'

'Hè? Nee, nee, waarom heb je zo'n haast? De adjudant schijnt zich wel te vermaken. Nog een paar minuten kunnen geen kwaad. Nog niets van Andy gehoord?'

'Helaas niet, maar dat kan elk moment gebeuren, denk ik...'

En alsof hij zijn teken had afgewacht kwam de Dikke Man door de hoofdingang binnenstormen, stralend als de Geest die Kerstmis aankondigt. Toen hij door de zaal op Trimble afliep, bleef hij even staan om Headingley op de schouder te kloppen, Novello door haar haar te woelen en een geintje te maken waardoor de hele tafel in lachen uitbarstte. Toen hij daarna bij de bar was aangekomen, pakte hij de dubbele scotch aan die er zomaar opdook, sloeg die in één teug achterover en zei: 'Net op tijd dus! Ik zou niet graag uw speech gemist hebben, sir.'

'Missen? Mijn... Andy, je zei dat je zou bellen.'

'Dat weet ik, en dat had ik ook willen doen maar het werd allemaal zo ingewikkeld...'

Hij sloeg zijn arm om Trimbles schouders, trok de baas ter zijde en fluisterde ernstig in zijn oor.

'Net lord Dorincourt die Little Lord Fauntleroy een goede raad geeft,' mompelde Pascoe tegen Wield.

'Die trok tenminste niet langer een gezicht alsof zijn budget was beknot,' zei Wield toen Trimbles gezicht eerst ontspande, zich daarop in een brede glimlach plooide toen de Dikke Man hem met veel vertoon geruststellend op de borst klopte.

'Ik denk dat hij hem net een tweedehands politieman heeft verkocht,' zei Pascoe peinzend.

Dalziel kwam bij hen staan, terwijl de hoofdcommissaris naar Headingleys tafeltje wandelde, zijn hand op de schouder van de adjudant legde en een grap maakte die net zo'n hard gelach uitlokte als eerder die van Dalziel.

'Gaat Dan hier de presentatie doen?' vroeg Pascoe.

'Dat is aldoor het plan geweest,' zei Dalziel.

'Kom ik nog te weten wat er aan de hand is?'

'Waarom niet? Lees maar.'

Hij haalde een paar verkreukelde vellen papier uit zijn zak en gaf ze aan hem. Trimble was naar het midden van de zaal gelopen, er werd tot stilte gemaand, en nadat onvermijdelijke reacties als 'Doe mij maar een pils' onvermijdelijk een lach hadden gescoord, begon hij zonder aantekeningen te spreken. Hij kon uitstekend met publiek omgaan en zoals hij welbespraakt en geestig de hoogtepunten uit de carrière van de in retraite gaande adjudant ophaalde, was het amper te geloven dat hij er ooit tegen opgezien had.

Pascoe, die je niets over de talenten van Headingley hoefde te vertellen, richtte zijn aandacht op de papieren die Dalziel hem had gegeven. Zijn blik werd algauw geconcentreerd, en na de eerste lezing las hij ze nog eens door, waarna hij Dalziel een aan insubordinatie grenzende por in de ribben gaf, althans in de laag subcutaan vet waaronder hij vermoedde dat die zich moesten bevinden, en siste: 'Waar komt dit in godsnaam vandaan?'

'Herinner je je Angie, de zus van Jax Ripley, op de begrafenis? Dit zijn kopieën van e-mails van Jax aan haar.'

'Zoiets dacht ik al. Ik bedoel, hoe ben je eraan gekomen?'

'Angie belde Desperate Dan vóór ze zondag naar de Verenigde Staten ging. Toen ze hem vertelde waar ze over gingen, zei hij dat hij graag kopieën zou willen zien, dus die heeft ze op de post gedaan. Geen lichting op zondag, dus kreeg hij ze vanmorgen.'

Hun gedempte gesprek trok aandacht, dus trok Pascoe de Dikke Man aan zijn mouw mee naar de bar achter in de zaal.

'Kijk uit,' zei Dalziel. 'Je trekt wél aan net zo'n mooi stukje kamgaren als je aan het lijf van lord Mayor of Bradford zou kunnen verwachten.'

'Snap je wat dit betekent? Jezus, natuurlijk snap je dat. Georgie Porgie. Een dikke, aanhalige hoge piet. Ripleys Deepthroat was Headingley in plaats van Bowler!'

'*Aye*,' zei Dalziel geslagen. 'Altijd al een soort zwaardvechter. Met een lul als een ezel. Maar daar eindigde de vergelijking niet.'

De hoofdcommissaris kreeg de smaak te pakken en weidde uit over ouderwetse deugden als loyaliteit jegens je collega's en betrouwbaar door dik en dun.

'Je wist het!'

'Pas toen hij ziek werd nadat zij was koud gemaakt. Toen begon ik te bedenken dat ik die jongen van Bowler misschien onrecht had aangedaan. Ik bedoel, Ripley was uitgekookt. Als je op informatie uit bent, laat je je niet naaien door de kantoorbediende.'

'En de baas... geen wonder dat hij bedenkingen had over de presentatie. Je staat voor paal als de officier die je de ene dag de hemel in hebt geprezen de volgende dag wegens corruptie achter de tralies gaat!'

'Corruptie? Is dat niet een beetje een groot woord voor zoiets kleins als je pik ergens instoppen? Heb jij die vrouw van George de laatste tijd wel eens goed bekeken? Het lijkt wel een vuilniszak vol diepvriesbroccoli. En een vent als George zat daar maar: biddend om op een ritje te worden getrakteerd door iets met grote ambities en bijpassende tieten. Ik zou beter voor hem gezorgd hebben.'

Dit blijk van paternalistisch schuldgevoel had een troost moeten zijn, maar Pascoe was er niet voor te porren.

Hij zei verontwaardigd: 'Hij heeft ons verraden voor een snelle wip!'

'Heel wat wippen, als je tussen de regels door leest, en ook niet allemaal zo snel. Die George zou ons nog wat kunnen leren.'

'Mag ik de les overslaan?' zei Pascoe preuts. 'Wat heeft Angie Ripley er in godsnaam toe gebracht om die behoorlijk ranzige details over de baas bekend te maken? Ik bedoel, dat zegt niet bepaald iets goeds over haar zuster.'

'Ze dacht niet aan de reputatie van haar zuster, ze dacht aan haar moord,' zei Dalziel.

'Haar moord... Jezus! Je bedoelt dat zij denkt dat de behoefte om haar het zwijgen op te leggen een goed motief was om haar te vermoorden? Voor George Headingley? Ze is gek!'

'Ze kende George toch niet? Nadat we op de begrafenis kennis met haar hadden gemaakt, schijnt ze zelfs te hebben bedacht dat ík aan het signalement voldeed! Maar zodra Dan ze las, wist hij dat het George moest zijn. Stomme trut!'

Hij klonk verontwaardigd. Aan de andere kant, dacht Pascoe, als ze de Dikke Man had aangezien voor de minnaar van haar zuster, viel het niet moeilijk te begrijpen dat haar volgende stap was dat ze hem ervan verdacht dat hij de moordenaar van haar zuster was!

Hij hield die gedachte voor zichzelf en vroeg: 'Maar wat gaat er gebeuren... Beter nog: wat *is* er gebeurd? Wat heb je de baas aan goed nieuws verteld?'

Toen Trimble bijzonder geanimeerd verhalen over George Headingley ophaalde, brulde het publiek van het lachen. Hij klonk niet als een man die enige vrees koesterde dat zijn afscheidslofzang ooit gepresenteerd zou worden als bewijs van zijn slechte beoordelingsvermogen en gebrek aan bestuurstalent.

'Ik heb hem wijsgemaakt dat elke gelijkenis tussen Georgie Porgie, de bijslaap van Jax Ripley, en onze George puur toeval was of dat Ripley in het ergste geval de fantasieën die ze verzon om haar zuster te vermaken op George baseerde omdat hij de officier was die zo vaak de pers te woord stond. Ik heb hem wijsgemaakt dat ik George persoonlijk had geverifieerd en dat ik hem mijn persoonlijke verzekering kon geven dat het niks voorstelde. En ten slotte heb ik hem wijsgemaakt dat dat gelul over een motief om Ripley te vermoorden absoluut nergens op sloeg en de rol van zus Angie geheel was uitgespeeld omdat wij over heel korte tijd iemand zouden aanklagen wegens de Woordman-moorden, waaronder de moord op Jax.'

'Is dat zo?'

'Wil jij Dan het tegenovergestelde vertellen?'

Ze werden onderbroken door een aanzwellend, met gejuich en gefluit gelardeerd applaus toen de hoofdcommissaris tot de climax van zijn toespraak kwam en een blozende, stralende George Headingley opstond en naar voren liep om de super-de-luxe vishengel met bijbehoren in ontvangst te nemen, wat het geschenk was dat hij had uitgekozen.

'O, en nog één ding,' zei Dalziel, terwijl hij donderend in zijn handen klapte. 'Blijkbaar was Desperate Dan niet de eerste politieman die Angie in vertrouwen heeft genomen. Blijkbaar is ze eerst met haar verdenkingen naar de jonge Hat Bowler gegaan, en pas toen ze dacht dat hij de boel traineerde besloot ze Dan te bellen voordat ze naar huis vertrok.'

'Hat? Maar hij heeft toch niets gezegd?'

'Nee. Ik heb hem zat kansen gegeven, maar hij gaf geen kik.'

'Maar waarom niet? Terwijl daardoor de verdenking van hem zou afvallen?'

'Misschien keek hij naar George en dacht: een vent met zo'n lange, eervolle staat van dienst die op zijn pensioen afkoerst, wil ik degene zijn die hem met een torpedo bestookt? Misschien dacht hij dat hij in de toekomst óók ooit op iemand zou moeten kunnen rekenen die een oogje dichtkneep voor iets wat hij had uitgehaald.'

'En welk van die twee dingen deed jou besluiten je mond te houden?' vroeg Pascoe.

'Ik? Ik hoefde niets te besluiten,' zei Dalziel. 'Laten we George geluk gaan wensen, oké? Zo te zien geeft hij een rondje.'

Terwijl ze naar de bar liepen, zei Pascoe: 'Heb je het al aan Hat verteld?'

'Wat verteld?'

'Dat hij vrij van verdenking is.'

Dalziel brulde van het lachen.

'Doe niet zo stom. Waarom zou ik?'

'Omdat… nou, omdat hij het verdient. Hij zou een goeie smeris kunnen worden.'

'Dat spreek ik niet tegen,' zei Dalziel. 'Hij is slim én hij is alert én hij heeft bewezen loyaal tot in de dood te zijn. Hij zou het ver kunnen schoppen met de juiste stimulans, en die krijgt hij van me.'

'Hoezo?'

'Nou, elke keer dat hij denkt dat hij het werk op zijn slofjes aankan, kijk ik hem met vissenogen aan om uit te drukken dat ik nog altijd mijn twijfels over hem heb, en dan maakt hij overuren zonder betaald te krijgen om te bewijzen dat ik ongelijk heb. Toch? En één ding waarover ik me nooit zorgen hoef te maken is dat hij zijn kop zou laten leiden door z'n kloten in plaats van door zijn hersens.'

O Andy, Andy, dacht Pascoe, je denkt dat je zo slim bent en misschien heb je nog gelijk ook. Maar één ding zie je over het hoofd, áls je dat ooit hebt gekend: de absolute macht van prille liefde. Ik heb gezien hoe Bowler naar Rye Pomona kijkt en ik weet niet of zelfs de angst voor de Grote God Dalziel voldoende is om hem koest te houden als zij iets vriendelijk aan hem vraagt.

De Dikke Man had zich, zich niet bewust van die verraderlijke gedachten over zijn onfeilbaarheid, als Lomu door een Engelse verdediging heen een weg door de menigte naar de bar gebaand.

'George, knul,' riep hij. 'Gelukgewenst, het is je eindelijk gelukt, de burgerwereld in, veilig en wel.'

'Andy, ik vroeg me al af waar je was gebleven. Wat drink je?'

'Pas twee minuten weg, en de schoft weet het al niet meer!' verkondigde Dalziel klaaglijk. 'Doe mij maar een stelletje. Zeg, George, pas goed op jezelf, hè, het is niet pluis daarbuiten.'

'Ik zal voorzichtig zijn,' zei Headingley.

'Daar reken ik op, als je met die nieuwe hengel door de vrije natuur doolt. Nog één wijze raad van de ene ouwe visser tegen de andere.'

Terwijl hij dat zei schudde Dalziel Headingley de hand en kneep er stevig in.

'Wat is het, Andy?'

De druk verergerde tot het bloed zowat de vingertoppen van de adjudant niet meer kon bereiken, en tegelijkertijd staarde de Dikke Man zonder met zijn ogen te knipperen in zijn tranende ogen, terwijl hij zei: 'Niet pootjebaden in verboden wateren, George, anders moet ik je misschien komen zoeken.'

Ze bleven elkaar een paar seconden aankijken. Toen ging achter de bar de telefoon.

De barman nam op, luisterde en riep toen: 'Is er politie in de zaal?'

Door het lachen heen, voegde hij eraan toe: 'Het is het bureau. Ze willen iemand spreken van de CID. Liefst mr. Dalziel of mr. Pascoe.'

Pascoe zei: 'Ik zal hem wel nemen.'

Hij pakte de hoorn, luisterde een poosje, waarna hij zei: 'In de startblokken.'

Hij legde neer. Dalziel keek naar hem. Hij gebaarde met zijn hoofd richting deur.

Tussen de pers rond de bar zei de Dikke Man: 'Laat het iets leuks zijn. Ik heb daar een pint en een borrel staan, met daaromheen klootzakken met de scrupules van een uitgehongerde gier.'

'O, reken maar,' zei Pascoe. 'Het was Seymour.'

Rechercheur Seymour had aan het kortste eind getrokken en moest op de CID-winkel passen.

'Hij had net een telefoontje gekregen van de bewaker in het Centrum,' sprak hij verder.

'Goddomme. Niet wéér een lijk.'

'Nee,' zei Pascoe, die zo lang zweeg dat Dalziel opgelucht keek, waarna hij vervolgde: 'Weer *twee* lijken. Amrose Bird en Percy Follows. Dood in het badhuis van Het Romeinse Verleden'

'O shit,' zei Andy Dalziel. 'Shit, shit en nog eens shit. Hoe dood? Verdrinkdood?'

'Nee. Elektrocuteerdood,' zei Peter Pascoe.

42

De zevende dialoog

Herinner je je nog dat ik in het begin zei dat mijn hart bijkans stilstond bij de afstand die tussen mijn vertrek en mijn bestemming lag?

Ja, dat is precies zoals ik me voelde. O, ik met mijn weinige vertrouwen, vanwaar mijn twijfels? Hoe ver ben ik gekomen en hoe snel: een kwart van mijn weg in een oogwenk, met de tred vol overmoed, waarbij ik mijn pad niet meet in mijlen maar in zeemijlen!

Een plan is niet nodig als je zelf deel uitmaakt van een plan, en toen ik de man aanschouwde die evenzeer een deel van het plan was, al leek zijn tijd op een af andere manier nog niet gekomen, maar neerdaalde als iemand die zich spoedt naar een langverbeid rendez-vous, volgde ik zonder na te denken – heerlijk woord: volgen!

In het donker was ik hem een poosje kwijt, waarna plotseling de fakkels opvlamden, het geluid aanzwol, de geuren langs mijn trillende neusvleugels scheerden en ik ver in het verleden van de Romeinse markt bleek te zijn. Tussen de kramen schoven twee gestalten naar elkaar toe van wie de ene, gehuld in de tuniek van een hoveling, purper-met-goud met in edelstenen bevatte gespen, in zijn hand een leren zak hield waaruit hij munten haalde alsof hij een aankoop wilde doen, en de andere de eenvoudige, waardige toga droeg waaraan men een senator herkent.

'Ho, Diomedes, fijn u te zien! Soupeert ge vanavond met Glaucus?' riep de eerste uit.

'Niet dat ik weet,' zei de senator. 'Wat is het een vreselijke avond! Twee of drie van ons hebben vreemde dingen gezien.'

'En zullen nog wel iets vreemders zien. Wilt u met me meelopen naar het badhuis waar we onszelf wellicht boven dit vreselijke rumoer uit kunnen verstaan?'

'Gaarne, voordat mijn neusvleugels rauw worden van de stank die hier heerst!'

Zij aan zij gingen ze het calidarium *in.*

Door de patrijspoort keek ik naar hen, nog steeds niet wetend waarvoor ik hier was ontboden of zelfs, omdat het tussenstadiun nog steeds niet duidelijk was, in het ongewisse óf ik wel was geroepen om iets te doen.

Toen, nadat de gespen van de tuniek werden losgemaakt en de toga op de grond gleed, voelde ik hoe de tijd, die hier al artificieel en misplaatst leek, vertraagde als verkoelende lava die langs de flank van de Vesuvius traag naar beneden glijdt en in een laatste omhelzing bezit neemt van teer vlees om het het eeuwige leven te schenken.

Ze stappen samen in het water, de hoveling eerst, waarbij zijn gouden haar het licht vangt van de op de muur geprojecteerde beelden van naakte baders, zijn trillende leden slank en blank; de senator achter hem, waarbij zijn zwarte paardenstaart parmantig uitsteekt, de spieren in zijn compactere, bruinere lichaam gespannen van lust. Er is geen pauze voor voorspel. De sterke bruine armen omvatten het slanke blanke lichaam terwijl, gelijk een volgevreten – Duits – everzwijn, de senator uitroept 'O!' en de hoveling bestijgt.

Ongemerkt, omdat lava die door de muren heen barst in deze fase onopgemerkt blijft, doe ik de deur open en ga naar binnen.

Als een chirurg die niet naar zijn instrument hoeft te zoeken omdat hij weet dat het altijd bij de hand is, of in dit geval bij de voet, voel ik geen verbazing als mijn teen een kabel raakt, waardoor een elektrische soldeerbout over de grond kronkelt en als een zoekende woelmuis in het water plonst. Evenmin speelt denken een rol wanneer mijn hand langs de kabel naar de bron glijdt waar mijn vingers een schakelaar vinden en indrukken.

Ze kronkelen en verstarren in één laatste orgastische spiertrekking en houden dan op met bewegen. Uit de afgeworpen tuniek van de hoveling pak ik de dolk en breng het vereiste teken aan in zijn blanke vlees, terwijl ik uit zijn zak de vereiste munt neem en die in de open mond van de senator leg.

Nu is het volbracht. Ik stap terug in de Romeinse tijd en beklim zonder haast de trap naar mijn eigen tijd.

Ik voel een intense vrede. Ik weet nu dat ik vanaf de toppen der bergen mijn naam mag noemen, doch niemand zal het horen of begrijpen en valstrikken zetten om me tegen te houden. Nooit heeft de weg die voor mij ligt zo duidelijk geleken.

A path In VIew, I neVer stray to Left or rIght.
A weDDing was, or so It seems, but wasn't whIte.
A Date I haVe, the fIrst In fun, though not by nIght.

43

'Ze waren nog – hoe zal ik het zeggen – *VERENIGD* toen we erbij kwamen,' zei Peter Pascoe.

'Zaten in elkaar vast,' gromde Dalziel. 'Je hebt toch geen meel in je mond?'

'Verenigd,' herhaalde Pascoe. 'De conciërge beweert dat hij de soldeerbout van het verlengsnoer heeft losgemaakt en het verlengsnoer uit het stopcontact op de verdieping erboven heeft getrokken, waar hij het had moeten inpluggen omdat natuurlijk alle elektriciteit in de kelder was uitgevallen toen beneden kortsluiting ontstond. Hij geeft toe, omdat hij het moeilijk kan ontkennen, dat hij, nadat hij naar boven was gegaan om de gerepareerde circuits in de hoofdschakelaar te controleren, verzuimd heeft op de terugweg de bout mee te nemen. Hij beweert dat hij die daar heeft laten liggen omdat hij van plan was vanmorgen vroeg nog eens naar het schakelschema in de kelder te kijken om te zien of alles in orde was voor de opening. Een consciëntieus werker.'

'Een verrotte leugenaar,' zei Dalziel. 'Hij schakelde de soldeerbout uit met de schakelaar aan het verlengsnoer, ging naar boven, controleerde de hoofdschakelaar, waarna een van zijn kompanen riep: "Kom je een pint halen, Joe?" en hij de hele boel vergat.'

Pascoe glimlachte hem geforceerd en bleekjes toe en vroeg zich af hoe het kwam dat de Dikke Man, terwijl hun beider nachtrust even wreed was onderbroken, zo'n alerte en energieke indruk maakte terwijl hij zich zelf zo gammel voelde.

Maar gammel was geen optie als hij verslag moest uitbrengen aan zijn CID-team en de commissaris had besloten dat hij, gezien de ernst van de situatie, zelf de eerstvolgende persconferentie zou voorzitten, samen met de heren doctoren Pottle en Urquhart, wier aanwezigheid eveneens Trimbles idee was geweest zodra hem ter ore was gekomen dat de ochtend dáárop de Zevende Dialoog was gevonden in een van de postbussen van het Centrum – niet die van de bibliotheek, die de politie in de gaten hield, maar de postbus van het museum achter in het gebouw, die niet onder de politiebewaking viel.

Dalziel had bezwaar gemaakt met de logische redenering dat bijzonderheden van vergevorderde onderzoeksprocedures en eventuele verdachten niet vrijgegeven mochten worden aan burgers, waarop Trimble enigszins zuur had geantwoord dat als hij geen vertrouwen had in de door hem aangewezen experts, hij die om te beginnen niet had moeten selecteren, en als ze het team van enig nut zouden zijn, evengoed voorgelicht moesten worden als iedereen. De Dikke Man had enigszins een koekje van eigen deeg gekregen toen de baas commentaar had geleverd op de aanwezigheid van rechercheur Novello. 'CID-regel, sir. Als je kunt drinken, kun je ook werken,' had hij gezegd. Hij had een enigszins humaner antwoord gegeven op Pascoes eigen bedenkingen toen hij zei: 'Ik heb haar opgebeld om te vragen of ze het kon opbrengen nog een uur te blijven zitten. Na wat ze heeft meegemaakt, kun je maar beter voorzichtig met haar zijn. Dat kan ook z'n nut hebben om de vrouwelijke visie op de zaak te horen. Gekker dan het gelul dat we waarschijnlijk van Jut en Jul te slikken krijgen kan het niet worden.'

'Misschien hebben die ook niet zoveel te vertellen,' probeerde Pascoe hem gerust te stellen.

'Dat hebben ze nooit. Maar dat weerhoudt die sukkels er niet van om maar door te kakelen. Doe je best om ze niet af te schrikken, hè?'

Maar Trimble was degene die het eerste sein gaf.

Als reactie op Dalziels onderbreking vroeg hij: 'Maakt het in dit stadium wel uit of de conciërge z'n hachje probeert te redden of niet?'

'Niet echt,' zei Pascoe.

'Behalve,' zei doctor Pottle, 'als zijn beweringen twijfel zaaien over de versie van de Woordman in de Dialoog.'

Hij wachtte even, woog Dalziels dreigende blik af tegen het bemoedigende knikje van de commissaris, en vervolgde: 'De Woordman-versie legt zoals altijd de nadruk op zijn gevoel dat hij het instrument van de hogere macht is, een zeer actief instrument uiteraard, maar niettemin een instrument wiens bewustzijn van zijn kwetsbaarheid voortkomt uit het feit dat zijn leidsman die conventionele drie-eenheid van een crimineel onderzoek in stand houdt: motief, middel en gelegenheid.'

'Welk motief?' wilde Dalziel weten. 'Er is geen motief, daar gaat het nou juist om wanneer je met idioten te maken hebt!'

'U vergist zich, hoofdinspecteur, al zal ik u in dit stadium niet vervelen met psychologische analyses. Maar motief in de zin dat er duidelijk een volgorde in die moorden zit, zult zelfs u niet ontkennen.'

'Wat betekent dat hij alleen mensen vermoordt die passen in een of andere geschift patroon waar hij naartoe werkt? Nou, bedankt voor dat inzicht, doctor. Het zou een stuk nuttiger zijn als u dat patroon voor ons zou ontdekken, maar ik meen dat dat nog niet in de aanbieding is?'

'Ik betreur dat de basis van de volgorde me nog altijd niet duidelijk is, maar ik ben ermee bezig,' zei Pottle, terwijl hij zijn vijfde sigaret sinds zijn komst opstak. 'Wat duidelijk is, is dat de Woordman wacht tot zijn leidsman het volgende slachtoffer of de volgende slachtoffers aanwijst, ze vervolgens in een situatie brengt waarin ze vermoord kunnen worden en ten slotte voor het middel zorgt.'

'Hij heeft zijn eigen mes meegenomen om met Jax Ripley af te rekenen,' zei Wield.

'Dat is waar, maar toch verklaart hij dat het wapen hoe dan ook voor hem was klaargelegd op een manier die hij in zijn grote plan kon inpassen. En net zo met de drug om Sam Johnson te vergiftigen.'

'Wat bedoelt u precies, doctor?' informeerde Trimble.

'Alleen dat het, als de versie van de conciërge klopt, betekent dat de Woordman de feiten van het incident herschikt zodat ze in zijn fantasie passen, of om ons ervan te overtuigen dat ze waar zijn. Wat zeer interessant zou zijn.'

'Interessant,' gromde Dalziel. 'Net zo interessant als wanneer je op de bus staat te wachten en er een giraf op straat loopt, alleen kom je er nergens mee!'

Pascoe onderdrukte een glimlach en ging verder. 'Hoe het ook zij, vaststaat dat de twee mannen zijn geëlektrocuteerd in Het Romeinse Verleden…'

'Mij leek het eerder een Grieks verleden, van wat ik hoorde,' gromde Urquhart, die nog uitgeputter leek dan Pascoe zich voelde en uit alle macht had getracht een slaapstand te vinden op een rechte plastic stoel.

'Zoals altijd geef ik experts alle ruimte,' zei Pascoe. 'Enfin, ze waren in de kelder van het Centrum…'

'Sir,' onderbrak Hat Bowler. 'Hadden ze daar afgesproken om, u weet wel, het te doen? Zoals een afspraakje, bedoel ik. Of was het toevallig? Of was het seksueel misbruik?'

'Ik denk dat het, gezien het verkleedelement en tenzij we de Dialoog buiten beschouwing laten, geheel voorbereid en vrijwillig was,' zei Pascoe. 'Volgens de dienstdoende bewaker had Bird hem gewaarschuwd dat hij vroeg in de avond ongeveer een uur lang de effecten in de kelder zou gaan testen om te zien of alles goed liep. De bewakingsvideo's waren net zo waardeloos als altijd. Een openstaande nooddeur boven aan de hoofdtrap naar de tentoonstelling onttrok de gang waardoor Follows vanuit de bibliotheek gekomen moet zijn, aan het zicht en dus eveneens de Woordman die hem volgde. In de tentoonstellingsruimte staat nog geen videocamera opgesteld. Ik neem aan dat Bird en Follows dat geweten hebben, anders zouden ze daar niet hebben afgesproken. Je lijkt er niet zeker van, Hat.'

'Nee, alleen, nou ja, leken die twee niet het type…'

Pascoe trok een wenkbrauw op, Wield krabde aan zijn neus en Hat stamelde verder: '… neem me niet kwalijk, ik bedoelde niet het type om homo te zijn, want ik weet niet hoe dat eruit zou moeten zien, maar ze schenen elkaar niet te mogen. Die paar keer dat ik hen gezien heb, leken ze elkaar zelfs de neus uit te komen.'

'Je had ook niet naar hun neus moeten kijken,' sputterde Dalziel.

Pottle zei: 'Die kennelijke vijandschap was zo goed als zeker hun manier om hun relatie verborgen te houden, al zou het heel goed kunnen dat een echte vijandschap er ook een belangrijke rol in speelde. Bepaalde ruzies tussen geliefden maken heteroseksuele relaties vaak extra spannend. De heftige verbale oorlogen tussen mannen en vrouwen die we zo vaak bij Shakespeare aantreffen zijn bijna altijd een voorspel voor hun uiteindelijke vereniging.'

'Daar zou ik aan moeten toevoegen,' zei Pascoe, 'dat de bewaker zich inderdaad andere keren herinnert dat Bird het theater gebruikte voor wat hij lichtrepetities noemde, alleen met hem en zogenaamd de lichttechnicus, hoewel de bewaker een keer een glimp heeft opgevangen van, zoals hij dat noemde, een slungelachtig blond joch in een jurk met een blote schouder voordat de deur voor zijn neus werd dichtgesmeten. Ik vermoed dat ze al enige tijd gebruikmaakten van Birds toegang tot de rekwisieten en kostuums en dat de voltooiing van Het Romeinse Verleden een kans leek die ze niet voorbij konden laten gaan.'

Trimble zei hoopvol: 'Die moord zou zeker niet een uiting van ouderwets potenrammen kunnen zijn? Dat zou de boel een stuk simpeler maken.'

Pascoe deed zijn mond open om een venijnige reactie op die grove opmerking te geven, maar daarin was Wield hem voor met: 'Neem me niet kwalijk, sir, maar niets in de Dialoog wijst erop dat de Woordman daarop tegen is. Hij is misschien wel gek, maar daarmee is niet gezegd dat hij achterlijk is.'

Daarop wierp hij Pascoe een blik toe en gaf een knipoog alsof hij zeggen wilde: *ik ben nu een grote jongen, hoor, ik kan voor mezelf opkomen.*

Pottle voegde eraan toe: 'Ik ben het met de brigadier eens. Tot nog toe heb ik weinig gevonden wat erop wijst dat de Woordman in moreel opzicht iets tegen zijn slachtoffers had. Er was absoluut geen enkel spoor van homofobie.'

'Nee, natuurlijk, het spijt me,' zei Trimble. 'Gaat u alstublieft verder, mr. Pascoe.'

'Ja, zoals ik al zei, heeft de patholoog-anatoom dood door elektrocutie bevestigd. Na hun dood waren de lichamen op een eigenaardige manier met elkaar vervlochten…'

'*Erna!*' gromde Dalziel.

'… waarbij Follows een teken op zijn voorhoofd gekrast kreeg. Krassen op de huid zijn altijd lastig, maar het is vrijwel zeker dat het de bedoeling was dat het er zo uitzag.'

Pascoe liep naar het schoolbord en tekende: $.

'Een dollarteken,' zei Trimble.

'Mogelijk,' zei Pascoe. 'En als het dat werkelijk moest voorstellen, bestaat er een zekere link met wat we in de mond van Ambrose Bird hebben gevonden.'

Hij haalde een bewijszakje te voorschijn waarin een klein metalen schijfje zichtbaar was.

'Het is een Romeinse munt: koper of brons. We hebben het aan miss Carcanet, directeur van het museum, laten zien. Zoals jullie weten, is ze ziek geweest, en het bericht over wat er in Het Romeinse Verleden heeft plaatsgevonden heeft haar toestand geen goed gedaan. Maar ze wist ons te vertellen dat de kop die in de munt gestempeld is waarschijnlijk het portret is van keizer Diocletianus, al is-ie zo erg afgesleten dat de inscriptie onleesbaar is.'

'Maar hij is authentiek?'

'Jazeker. De meeste munten in de toeristenbuidels zoals Follows bij zich had zijn replica, maar omwille van de authenticiteit hebben ze besloten er een paar echte bij te stoppen; veelgebruikte Romeinse munten die zo afgesleten zijn dat ze voor een verzamelaar geen waarde hebben. Heeft de Woordman die met opzet uitgekozen omdat hij alleen een authentieke wilde, vraag ik me af? En misschien moeten we ook bedenken dat de oude Grieken de doden een obool of een klein muntje in de mond legden zodat ze Charon konden betalen om hen de Styx over te zetten.'

'Karin?' vroeg Dalziel. 'Sticks? Hadden ze toen ook al junkenhoeren?'

Pascoe, die dit al vaker had meegemaakt, negeerde deze provocerende barbarij en concludeerde: 'Dan zijn we daar in elk geval uit: een dollarteken en een Romeinse munt. Ik neem aan dat het een statement zou kunnen zijn: dat geld de wortel van alle kwaad is?'

Hij keek de twee doctoren hoopvol aan.

Pottle schudde zijn hoofd.

'Dat betwijfel ik. Zoals ik al zei, heb ik weinig aanwijzingen gevonden voor verwrongen morele motieven. Hij vermoordt geen mensen omdat ze prostituee, zwart of Arsenal-supporter zijn. Nee, ik zou zeggen dat de munt en het teken eerder elementen van een raadsel zijn dan psychologische aanwijzingen. Wellicht kan onze semiologische expert uitkomst bieden.'

Hij blies een rookwolk in de richting van Drew Urquhart, die kennelijk alle gymnastische problemen had overwonnen die inherent zijn aan het in slaap vallen op een harde kantoorstoel.

De linguïst deed zijn ogen open, geeuwde en krabde aan het stoppelige gezicht.

'Ik heb erover nagedacht,' zei hij. 'Absoluut geen idee wat ze te betekenen hebben.'

Dalziel rolde met zijn ogen alsof het bowlingballen waren, maar vóór hij de Schot omver kon werpen, ging hij verder: 'Maar toch zijn me een paar kleinigheden opgevallen. Ik zal de Dialoog stukje bij beetje behandelen als dat mag, mr. Trimble?'

Hij keek vol ontzag naar de hoofdcommissaris. Die sluwe zak zit Andy te tergen, dacht Pascoe. Met een gegeneerde blik naar zijn CID-baas knikte Trimble.

'Het eerste hoofdstuk neemt de vorm aan van een vraag, waardoor een dialoog ontstaat tussen hem en ons. De tweede begint grofweg met "ik, met mijn kleine geloof", een variant op Mattheus 14:31. Merk daarna op: "een kwart van de weg". Tot nu toe acht doden, wat inhoudt dat er nog vierentwintig zullen volgen, al hoeft dat niet, zoals ik straks zal uitleggen.'

'Ik kan niet wachten,' zei Dalziel.

'Benen bij elkaar en aan Jezus denken, zei mijn ouwe opoe altijd,' zei Urquhart. 'Iets anders dat u, mr. Dalziel, met uw gedegen Schotse afkomst, in hetzelfde hoofdstuk niet ontgaan zal zijn.

"Overmoedige tred." Hoe gaat dat ook alweer?'

Hij begon een melodie te neuriën, waar hij even later een woord tussen wierp alsof hij moeite had de tekst te onthouden, terwijl hij de hele tijd Dalziel smekend aankeek, die hen allemaal plotseling paf deed staan door een niet onaangename bariton aan te heffen en zong: *'If you're thinking in your inner hairt the braggart's in my step, ye've never smelt the tangle o' the Isles! (Mocht u diep in uw hart de overmoed in mijn tred bespeuren, dan hebt u nooit geroken wat de eilanden onweerstaanbaar maakt!)'*

'Bravo,' zei Urquhart. 'Blij dat u niet helemáál geassimileerd bent.'

'Dus de Woordman kent het lied. En wat dan nog?'

'By heather paths wi' heaven in their wiles (Op heidepaden waar het heerlijk toeven is),' mompelde Urquhart. 'Het is allemaal heel beeldend. Volgende fragment: "Heerlijk woord". Naar ik aanneem *followed*, omdat hij Follows volgde. Welnu, we weten dat hij gek met woorden was, maar nog interessanter: kijk eens naar het fragment waar hij zegt dat Follows evenzeer deel van het plan is, "al leek zijn tijd op een af andere manier nog niet gekomen." Vraag: hoezo? Ik neem aan dat Follows niet de volgende in de rij was. De dááropvolgende misschien? Vanwaar dan *nog niet gekomen*? Kijk ook even een stuk of wat regels verderop: "het tussenstadiun nog steeds niet duidelijk". Alsof hij wil zeggen dat zelfs toen het echte volgende mikpunt, dat Bird geweest moet zijn, klaarstaat, er nog een tussenliggende stap tussen Bird en Follows ligt.'

'Net zoals laatst,' zei Pascoe, die met grote belangstelling had geluisterd. 'Had hij het niet over drie stappen? Ondanks dat er maar één lijk was.'

Urquhart knikte goedkeurend, naar zijn lievelingsleerling, leek het wel, en ging verder: 'Waardoor ik me afvraag of de munt en het dollarteken niet iets te maken kunnen hebben met die tussenstap. Maar wát, godverdomme? Laten we verdergaan. De volgende regel: niets. Dan beginnen ze te praten. Dat maakte op mij een literaire indruk. Ik heb het met mijn *wee hairie* opgenomen. "Wat is het een vreselijke avond! Twee of drie van ons hebben vreemde dingen gezien" komt uit *Julius Caesar*, eerste akte derde scène. Maar Diomedes en Glaucus schijnen niet in Shakespeare voor te komen.'

'Bulwer Lytton, *De laatste dagen van Pompeï*, eerste hoofdstuk,' zei Dalziel. 'Ik dacht dat iedereen dat wist.'

Daar stond iedereen van te kijken behalve Pascoe, die wist dat dat werk zo goed als permanent op Dalziels nachtkastje figureerde.

Die wetenschap kwam niet voort uit persoonlijke kennis over de slaapgewoonten van de Dikke Man, maar uit een van de zeldzame gelegenheden toen Ellie bij hem thuis was geweest en op zoek naar de wc 'onbedoeld' zijn slaapkamer was ingelopen, een 'vergissing' die ze bij de volgende zeldzame gelegenheden had herhaald. Het boek lag nog steeds op z'n plek maar de boekenlegger, had ze opgemerkt, was van plaats veranderd, wat wees op of een heel trage of een periodieke manier van lezen.

Ze had eveneens opgemerkt dat in het boek het stempel stond *Eigendom van het Longboat Hotel, Scarborough*, en de bladwijzer een opgevouwen kopie van de nota was voor een verblijf van een week, gericht aan mr. en mrs. A.H. Dalziel. Er was weinig bekend, of wellicht werd uit zelfbehoud weinig gezegd, over Dalziels ex-vrouw. Maar Ellie, die de datum op de nota niet was ontgaan, verklaarde: 'Dat moet hun huwelijksreis geweest zijn! En al die jaren had hij het boek dat hij had gestolen naast zijn bed liggen. Wat romantisch!' en hij was meteen op pad gegaan om een tweedehands exemplaar te kopen. Pascoe had geprobeerd het te lezen maar gaf het na een paar hoofdstukken op zodat hij genoegen had moeten nemen met de psychologische exegeses van zijn vrouw.

Dit alles flitste door zijn hoofd, tezamen met een goddelijke ingeving over de betekenis van die tweede initiaal die de Dikke Man bij zijn weten nooit had gebruikt, toen hij Urquhart hoorde zeggen: 'Ik weet het niet, Hamish. Maar hoezo?'

'Over de uitbarsting van de Vesuvius die de stad ten tijde van de Romeinen heeft verwoest.'

'Nou, dat sluit aan bij dat gedoe over lava verderop. En het citaat uit *Julius Caesar* zou kunnen suggereren dat eerdaags een tiran wordt omvergeworpen...'

'Wacht eens,' zei Pascoe. 'Dat zijn niet de woorden van de Woordman maar wat Follows en Bird tegen elkaar zeiden.'

'Dat beweert de Woordman tenminste,' zei Urquhart. 'En ik zei wél *zou kunnen* suggereren. Ik probeer alleen maar een paar theorietjes te lanceren. Even verderop: "tussenstadium, lava", dat hebben we behandeld. Aha, de zin over dat ze aan de gang gaan in het water. Wel enige opwinding. Geen moreel bezwaar, dat ben ik met onze Pottle eens, maar ik denk dat de Woordman er een ietsepietsje door geprikkeld wordt. "Gelijk een volgevreten – Duits – everzwijn..."'

Hij keek afwachtend naar Dalziel, die zei: '*Nay*, knul. Van mij kunnen jullie geen hulp meer verwachten. Ik heb m'n partijtje geblazen.'

'Wederom Shakespeare. *Cymbeline*. Posthumus fantaseert over de hypothetische coïtus van zijn vrouw Imogen met haar vermeende minnaar Iachimo.'

'Als een volgevreten zwijn zeker?' zei Dalziel genietend. 'Niet slecht. Wat haal je dááruit, meester?'

Urquhart grinnikte om die benaming en zei: 'Laat maar zitten. Laten we verdergaan. De zin die begint met "Als een chirurg": kijk naar het spelletje over *hand* en *voet*. Die trut leeft werkelijk in een wereld waar woorden en hun relaties meer betekenen dan mensen en hún relaties. "Zoekende woelmuis" is een beetje vreemd...'

'Evelyn Waugh,' zei Pascoe.

'O, *zij*,' zei Dalziel.

'Op vederlichte pootjes waadt de zoekende woelmuis door het drassige moeras. *Scoop*,' zei Pascoe.

'Van betekenis?' vroeg Urquhart zich af.

'Het is ironisch. En komisch natuurlijk. Volgens mij onderbouwt het wat jij zei over de voorkeur van de Woordman voor woorden boven mensen. Maar was er in de eerste Dialogen hoe dan ook een sfeer van oprechte, ik weet niet, bijna affectie voor mr. Ainstable en die jongen van Pitman?'

Daar dachten ze allemaal even over na, waarna Novello zei: 'Misschien was het verschil dat hij hen niet heeft gekend. Niet persoonlijk.'

Dit was haar eerste bijdrage. Ze zag er helemaal niet goed uit, dacht Pascoe, ervan overtuigd dat ze naar huis gestuurd zou worden zodra dit voorbij was.

Hat Bowler bezag de bleke teint van zijn collega met minder meelevende ogen. Wat moest dat mens hier, verdomme? vroeg hij zich af. Deze zaak was zijn grote kans om zich te profileren als speler in de opvoering van de Heilige Drie-eenheid, en hij had geen behoefte aan een oude favoriet die een streep door zijn rekening haalde.

Maar een oude favoriet schiet je niet neer, althans niet in het openbaar.

Hij zei opgewekt: 'Dat klopt. Het lijkt mij of hij er op goed geluk mee begonnen is. Maar na die twee schijnen al die anderen op een of andere manier met elkaar te maken te hebben – of met het onderzoek, of met de bibliotheek. Stel dat hij die anderen kende en redenen had hen niet aardig te vinden?'

'Of redenen waarom zijn betrekkingen met hen hem er niet van mochten weerhouden hen te vermoorden. Woordspelingen, grap-

pen en citaten kunnen nuttige middelen zijn om afstand te creëren,'
zei Pottle.

Dalziel maakte een geluid als een oude ijzeren golfbreker die
werd geteisterd door de zuigkracht van de zee en zei smachtend:
'Zijn we bijna klaar?'

'Nog niet. Het beste moet nog komen,' ze Urquhart. 'Het laatste stukje proza. Volgens mij wilde jij er iets over zeggen, Pozzo.'

'Zijn gevoel van vrede, bedoel je? Zijn geloof dat hij onaantast-
baar is, onoverwinnelijk? Ik vind het niet echt nodig iets uit te leggen wat voor de hand ligt. Zoals ik al eerder zei: uiteindelijk kan hij
ons juist vanwege dat geloof iets over zichzelf en zijn bedoelingen
vertellen zonder het risico te lopen dat dit zijn val zal worden door
tegengehouden of opgespoord te worden. Maar uiteraard hebben
we uw linguïstische kennis nodig, doctor Urquhart, om die hints te
interpreteren.'

'Nou, hartelijk dank. Goed, dat kleine stukje poëzie op het einde, dat is natuurlijk een raadseltje. Een echt raadselneefje, die man.
En wanneer je antwoorden vindt, werpen die alleen maar nog meer
vragen op.'

'En daar staat de pers nou juist om te trappelen,' zei Trimble
zuur.

Die arme Dan, dacht Pascoe. Hij was hier gekomen in de hoop
dat er met legers tegelijk konijnen uit hoge hoeden getoverd zouden worden. In plaats daarvan zijn de experts aan het eind van hun
Latijn en blijft hij zitten met het gevoel dat hij nog niet eens een
wegstuivend staartje gezien heeft!

'*Aye*, welnu, mocht het ons door de goede God gegeven zijn vanmorgen het licht te zien, dan hadden we allemaal zijde aan onze
reet, zoals mijn ouwe opoe uit Kirkcaldy vroeger altijd zei. Maar
wanhoopt niet. Pozzo heeft gelijk: hij laat hints vallen en ik ben de
jongen die ze oppakt. Is jullie iets opgevallen aan dat gerijmel?'

Ze keken allemaal naar hun exemplaar van de Dialoog, waarna
Bowler en Novello tegelijkertijd zeiden: 'De belettering,' waarna ze
elkaar afwachtend aankeken.

'Juist. De belettering. Al die kapitalen. Zouden die iets kunnen
betekenen, vraag ik me af?' zei Urquhart.

'Dat hij rottig typt, bijvoorbeeld,' zei Dalziel.

'Maar voor de rest niet,' zei Urquhart. 'Nee, volgens mij is dit
een chronogram.'

Hij keek triomfantelijk rond. De blikken die hij opving stonden
wazig.

'Een chronogram,' legde hij uit, 'is een tekst waarin bepaalde letters zijn benadrukt om een belangrijke datum of periode weer te geven. Meestal werden Romeinse cijfers gebruikt omdat die natuurlijk in letters worden uitgedrukt. Bijvoorbeeld: Gustavus Adolphus, de Zweedse koning die in de Dertigjarige Oorlog werd gedood, had in 1632 een medaille met zijn inscriptie laten slaan om een overwinning te herdenken.'

Hij liep naar het bord en schreef op:

$$\text{Chr}I\text{st}V\text{s } DVX\text{: ergo tr}IVM\text{ph}V\text{s}$$

'Hetgeen uiteraard betekent...'

Hij bleef afwachtend zwijgen, waarbij hij inhoud gaf aan de meesterrol waarmee Dalziel hem had geplaagd.

'Onder leiding van Christus hebben we dit in no time opgelost,' zei Novello bijdehand.

Omdat iedereen lachte, zelfs Trimble, vergastte Urquhart hem op een louche glimlach waarvoor waarschijnlijk heel wat studentes platgingen, dacht Hat gemelijk.

'Zo kan-ie wel weer,' zei de linguïst. 'Welnu, denk in Romeinse cijfers en bekijk de hoofdletters. In Latijnse geschriften wordt uiteraard de U normaal als V afgedrukt. Wat ons oplevert –' hij schreef op 100+1+5+500+5+10+1+5+1000+5 – 'opgeteld is dat 1632. Dit kan ook in het Engels. Een beroemd voorbeeld is...'

Opnieuw sloeg hij aan het schrijven.

$$\text{Lor}D \text{ ha}V\text{e } Me\text{r}CIe\ V\text{pon } V\text{s}$$

'Als we dit optellen, zul je zien dat we uitkomen op 1666. Hetgeen tussen haakjes niet verwijst naar de Grote Brand maar naar een andere belangrijke gebeurtenis die Dryden herdenkt in zijn *Annus Mirabilis*, de zeeslag tussen Engeland en Holland.'

Interessant, dacht Pascoe. Hoe meer hij in zijn lerarenrol kwam hoe opvallend minder zijn Schotse tongval werd.

'Hier wordt eveneens gebruikgemaakt van U's en V's, hoewel het geen Latijn is,' zei Wield.

'Een artistieke vrijheid die is overgehouden aan het ambacht van uit steen beitelen,' zei Urquhart. 'Voordat ze over elektrisch apparatuur beschikten, was het voor steenhouwers veel makkelijker om rechte lijnen en hoeken uit te houwen dan ronde vormen. Onze Woordman, echter, is een purist. In zijn triplet tellen alleen V's nu-

meriek mee. En u zult zien dat net als in alle betere chronogram-
men elke numeriek belangrijke letter als hoofdletter wordt geschreven en daardoor meetelt. Het is veel eenvoudiger als je alleen
die eruit haalt die bij elkaar opgeteld de door jouw gewenste som
geven. Enfin, eens kijken wat dat ons oplevert.'

Hij schreef op:

$$1+5+1+1+5+50+1+500+500+1+1+1+500+1+5+1+1+1 = 1576$$

'Alsjeblieft,' zei hij zelfvoldaan, terwijl hij weer naar zijn plaats terugliep.
    Ze zaten met z'n allen naar het bord te kijken als Belsazars hove-
lingen naar de muur.
    'En dat is alles?' vroeg Andy Dalziel.
    'Tenzij mijn rekenkunst niet klopt.'
    'Maar wat betekent het in godsnaam?'
    'Zeg, vent, ik ben maar de taalman, jij bent verdomme de detec-
tive. Maar wanneer hij zegt "a date I have", neem ik aan dat dat op
zijn volgende slachtoffer slaat, dus moet 1576 een aanwijzing zijn.'
    'Het spijt me, maar ik ben behoorlijk slecht in mijn geschiede-
nis,' zei Peter Pascoe. 'Is er iets belangrijks gebeurd in 1576?'
    'Waarschijnlijk niet veel goeds, zoals altijd,' zei Urquhart onver-
schillig. 'Luister, dit is alles wat mij betreft. Tenzij jullie vragen hebben waarop ik een antwoord weet, moet ik nu een lezing geven.'
    'Ik moet me ook aan beloften houden,' zei Pottle. 'Dus tenzij er
verder nog iets is…'
    '*Nog iets!*' echode Dalziel, niet direct binnensmonds.
    Pascoe keek het vertrek rond en zei: 'Nee, dat is het voorlopig,
geloof ik. Wederom van harte bedankt, allebei. U hoort nog van
me. En natuurlijk, mocht u iets te binnen schieten, aarzelt u dan
niet me te allen tijde te bellen.'
    De twee geleerden vertrokken. Na een ongemakkelijk moment
zei de hoofdcommissaris: 'Nou, daarmee is ten minste één probleem opgelost, Andy. Nu komen we eindelijk toe aan al die details
over moderne onderzoekstechnieken en eventuele verdachten die
je niet met burgers wilde delen.'
    'Juist,' zei de Dikke Man. 'Peter?'
    Nou, jullie worden bedankt, dacht Pascoe.
    Hij zei: 'Sir, we zetten alles op alles. De hele forensische mik-
mak, computerprogramma's plus alle manschappen over wie we

kunnen beschikken om iedereen te ondervragen die gisteravond op een straal van een kilometer van de bibliotheek is geweest. Alle bewakingstapes van de bibliotheek en alle tapes van elke plek binnen het winkelcentrum zijn minutieus nagekeken. En zoals u hebt gemerkt met doctor Pottle en doctor Urquhart, we trekken elke vorm van hulp van buiten aan die we maar kunnen bedenken.'

'Verdachten?' vroeg Trimble.

'Jawel, sir. Meteen nadat gisteravond was vastgesteld dat er een misdrijf was gepleegd, hebben we er agenten op uitgestuurd om de gangen na te gaan van de drie mannen die wij op het oog hebben.'

'Die zijn...'

Pascoe haalde diep adem en zei: 'Charley Penn, Franny Roote en Dick Dee.'

De commissaris had moeten weten dat er geen anderen waren, desondanks keek hij nog teleurgesteld.

'Aha,' zei hij. 'Dus na acht moorden gaan jullie gedachten niet verder dan deze drie die jullie, naar ik heb begrepen, nauwlettend in de gaten hebben gehouden. Charley Penn, de enige mediacoryfee die voor ons in aanmerking komt. En Franny Roote, bij wie u, naar ik heb begrepen, sterk persoonlijk betrokken bent. En Dick Dee, de man die er in eerste instantie voor heeft gezorgd dat we deze zaak serieus zijn gaan nemen.'

Hij keek vragend naar Pascoe, die had willen zeggen: 'Nou, u wordt bedankt, sir, dat u het ons, stelletje arme stomme detectives die we zijn, nog even inpepert. Waarom sodemieter je niet op naar je grote kantoor, zodat wij verder kunnen gaan met onze onderbetaalde baantjes?'

Maat hij zei beheerst: 'De Woordman is óók een mediacoryfee. En ik heb een sterke *beroepsmatige* betrokkenheid bij mr. Roote. Wat Dee betreft, brandexperts adviseren altijd de man onder de loep te nemen die de brand meldt, ook de belangrijkste man die er staat wanneer je bij de brandhaard komt.'

Daar dacht Trimble over na, scheen de dubbele bodem te ontdekken, glimlachte vaag en zei: 'Ik hoop werkelijk dat we niet ook nog hoeven te verwachten door brandstichters belaagd te worden. Leverde het nog wat op toen je hun gangen naging?'

'Niets positiefs. Maar geen van hen had een gedegen alibi voor vroeg in de avond.'

Toen Trimble abrupt opstond, kwamen de anderen ook overeind.

'Ik zal jullie niet langer van je werk houden. Ik hoef geen van jullie op het hart te drukken hoe urgent het is deze zaak tot een snel en bevredigend eind te brengen, evenmin als ik het nodig vind dat ons plaatselijke parlementslid mij dat vanmorgen op het hart drukte. Andy, zorg dat je me op de hoogte houdt van vorderingen, oké?'

'Mocht er iets gebeuren, dan bent u de eerste die het hoort,' verzekerde de Dikke Man hem.

Toen de deur zich achter de baas sloot, zakten ze allemaal onderuit in hun stoelen en tuurden ze naar de grond dan wel het plafond alsof ze hoopten dat een van de anderen met een inspirerend idee op de proppen zou komen.

Ten slotte zei Dalziel: 'Ik vind het niks, maar we zullen Dan moeten arresteren. Jullie hebben gehoord dat hij zei dat hij geen alibi had. Tenzij Bowler iets beters weet.'

'Sir?'

'Nou, je zit daar met samengetrokken lippen als een kattenreet. Daar moet óf een scheet óf een tekst uit komen. Dus moeten we luisteren of wegduiken?'

'Neem me niet kwalijk, sir. Ik zat net naar die datum te kijken die hij op het bord had geschreven – 1576. Het lijkt wel of die datum me iets zou moeten zeggen.'

'O, *aye*? Was je goed in geschiedenis?'

'Ik heb het wél gehad,' zei Hat ontwijkend.

'Nou dan. Ga dan als de sodemieter naar de bibliotheek om alles na te gaan wat er in dat jaar is gebeurd. Als je niets anders weet, zeg dan tegen Dee en misschien ook tegen Charley Penn dat de boodschap ons duidelijk is.'

Zijn vreugde verbergend om het feit dat hij een excuus had om Rye te zien, wilde Hat op de deur af lopen.

Maar zijn vreugde werd enigszins doorgeprikt toen Dalziel hem nariep: 'En zorg ervoor dat dat het enige jaartal is dat je in je kop hebt in de bibliotheek. Een jonge meid kan heel wat kwaad aanrichten in de carrière van een jonge detective.'

De Dikke Man knipoogde naar Pascoe, waarna hij zei: 'En jij, Ivor? In staking?'

'Neem me niet kwalijk, sir, had u het tegen mij?' vroeg Novello met gespeelde schrik.

Het had enige tijd geduurd voor ze wist waarom Dalziel haar Ivor noemde maar toen ze eenmaal zo ver was, had ze een meewarig trieste nonchalance aan de dag gelegd tegenover het zoveelste voorbeeld van mannelijk infantilisme. Maar heimelijk, vooral toen na de oproep van de correcte Pascoe aan alle anderen om die bijnaam niet te gebruiken, de Dikke Man als de enige bron was overgebleven, moest ze toegeven dat ze er een zeker genoegen in schepte dat het háár overkwam. Uiteindelijk had Samuël, toen hij hoorde dat God hem in de tempel ontbood, ook niet gepikeerd gezegd: 'Zeg jij maar menéér Samuël.'

'Ben je van die kogel ook nog doof geworden? Jezus, wat zie je er vreselijk uit. Hoog tijd dat je naar huis gaat.'

Het kwam in haar op te suggereren dat als er vreselijk uitzien reden zou zijn om mensen naar huis te sturen, Dalziel en Wield nooit hun huis uit zouden komen, maar natuurlijk deed ze dat niet. In werkelijkheid voelde ze zich niet al te best, maar dat in dit gezelschap bekennen, was geen optie.

'Er was iets,' zei ze. 'De munt in Birds mond. Maar Follows had er geen in zijn mond. Misschien vond de Woordman het tot daaraan toe dat Bird via de Styx naar de hemel zou gaan, maar had hij zo'n hekel aan Follows dat hij hem tot diep in het graf wilde blijven kwetsen.'

Pascoe knikte goedkeurend. Die slimme schurk had dat al eerder bedacht, dacht Novello, maar denkt niet dat het zo belangrijk is.

De slimme schurk zei: 'Dat is een idee, al moeten we natuurlijk uitkijken de klassieke onderwereld niet te verwarren met de christelijke hemel. Bovendien zitten we dan nog altijd met dat dollarteken.'

'De almachtige dollar, misschien?' opperde Novello. 'Wie weet, denkt de Woordman dat de hel zoiets is als Amerika.'

Pascoe grijnsde om te laten zien dat hij dat echt grappig vond. Een fraaie afwisseling voor dat neerbuigend bemoedigende van zijn glimlach, dacht Novello. Hoewel ze zich, paradoxaal genoeg, wel zo gesterkt voelde om eraan toe te voegen: 'Ik heb zo het gevoel dat, terwijl de munt op de een of andere manier de overbrugging vertegenwoordigt waar hij het over heeft, het dollarteken verband houdt met de keuze van het slachtoffer. Ik heb alle Dialogen doorgelezen en er was nog zo'n moment waarop hij iets in het hoofd kraste. Was dat niet bij raadslid Steel? Voorzover we weten, was dat maar één stap, dus wat betekende die inkerving?'

'Was dat niet RIP in cyrillisch schrift?' zei Pascoe. 'Een grap, zo leek het, gegeven het feit dat hij Cyril heette. De Woordman houdt wel van een grap, vooral als het op woorden aankomt.'

'Inderdaad, sir. Dat zouden we niet mogen vergeten, vindt u niet? We moeten nooit de woorden uit het oog verliezen, om het even welk woord, zolang we met de Woordman van doen hebben.

Ik bedoel, woorden zijn niet alleen nuttige etiketten. Net als met religie: als je bepaalde woorden uitspreekt, gebeuren er dingen of hóren er dingen te gebeuren. Ook bij magie. Of zoals bij sommige culturen, waar je niemand je speciale naam vertelt omdat namen meer zijn dan etiketten: een naam ben jezelf op een bijzondere manier. Het spijt me, ik leg het allemaal niet zo goed uit. Maar ik bedoel dat woorden, misschien een speciale woordvolgorde, voor de Woordman een bijzondere betekenis hebben. Elk woord markeert een stap voorwaarts, en soms kan hij een afzonderlijk woord in verband brengen met een mens, en die wordt vervolgens vermoord, maar misschien brengt hij soms meer dan een enkel woord met een persoon in verband en hebben we slechts één lijk maar een drietal stappen, zoals hij zegt in de Dialoog waarin hij de moord op lord Pyke-Strengler beschrijft.'

Ze zweeg even, omdat ze zich afvroeg of ze uit haar nek kletste. Zonder twijfel keek Dalziel haar aan alsof hij dacht dat ze ijlde.

Ze kreeg steun uit een onverwachte hoek.

Wield zei: 'Je bedoelt dat de reden waarom hij de lord zijn hoofd afhakte iets met woorden te maken zou kunnen hebben, meer nog met die stappen waarover je het hebt dan met de geestelijke gesteldheid van de Woordman. Van buitenaf, in plaats van innerlijk?'

'Precies,' zei ze. 'Alsof hij dacht: oké, ik heb een lichaam, dat is een stap. Als ik daar nu dit en dat mee doe, zou dat nóg twee stappen zijn. Hij wil maar verder op dat pad waarover hij het steeds heeft en als er iets als dit gebeurt, geeft niet wat, wijt hij dat aan goddelijke tussenkomst of zoiets.'

'Wat wil je eigenlijk zeggen?' vroeg Pascoe.

'Misschien moeten we, in plaats van ons te concentreren op aanwijzingen in de conventionele betekenis, misschien woorden gaan verzamelen. Ze opslaan op elke manier die we maar kunnen, totdat in een van die lijsten een soort lijn komt te zitten.'

'Voorbeelden, alsjeblieft,' zei Pascoe bemoedigend.

Dalziel zou gegromd hebben: 'De daad bij het woord, lieve kind, anders hou je je klep maar stijf dicht.' Ze wist dat ze dat liever gewild had, wierp vervolgens een blik op hem, zag hoe hij keek en veranderde van gedachten.

'Welnu, het lichaam van Pyke-Strengler werd in de rivier gevonden, oké, en zijn hoofd in een vismand in zijn boot: mand... vlechtwerk... fuik...'

Ze werd ontzettend moe en die maalstroom van gedachten die elk moment enige vastigheid leken te kunnen krijgen, begonnen als een ochtendnevel op te lossen, maar ze gaf niet op.

'En die laatste, Bird en... hoe-die-ook-mag-heten... woorden als munt... en dollar... en geld...'

Ze voelde een soort snik in haar keel opkomen en verviel tot zwijgen omdat dat een beter alternatief leek.

Dalziel en Pascoe wisselden een blik, waarna de Dikke Man zei: 'Ivor, dat is grandioos. Blijf ermee bezig, oké? Ik vind het echt fantastisch dat je toch hebt willen komen, en dat zal ook de baas niet ontgaan zijn. Volgens mij wordt het nu tijd dat je naar huis gaat om uit te rusten.'

Het sein om te zeggen: nee, ik voel me prima, maar tegenover zo'n klunzig medeleven liet de stem het des te meer afweten, dus stond ze op, gaf een kort knikje en liep in een rechte lijn naar de deur.

Dalziel zei: 'Wieldy, zorg voor haar. Ik weet niet wat jóú bezielde, Pete, om haar zo onder druk te zetten, terwijl ze nog maar net aan de beterende hand is.'

'Wacht eens even,' zei Pascoe verontwaardigd. 'Het was niet mijn idee dat ze erbij zou zijn.'

'O nee? Goed. Terug naar de zaak. Wat hebben we nog meer voor ideeën?'

'Blijven hameren op Penn, Roote en Dee, zou ik zeggen.'

'Dat klinkt als een stelletje uitgekookte advocaten. Verder niks?'

'Jawel. Neem me niet kwalijk. En u, sir?'

'Ik?' Dalziel gaapte met wijdopen mond en krabde zich in zijn kruis alsof hij zich beledigd voelde. 'Ik denk dat ik naar huis ga om een goed boek te lezen.'

En ik kan raden welk boek dat waarschijnlijk gaat worden, *Hamish*, dacht Pascoe.

Maar als een verstandig man, met een vrouw, een kind, de hond van het kind en een hypotheek die hij moest aflossen, sprak hij dat niet uit.

44

Aan zijn weinig vruchtbare flirt met het vak Geschiedenis uit zijn jeugd had Hat Bowler de vage indruk overgehouden dat de zestiende eeuw een periode was geweest die de Engelse bevolking grotendeels in de schouwburg had gesleten.

Aanvankelijk was het een geruststelling toen Rye Pomona erop had gewezen dat er toen ook in de realiteit heel wat te beleven viel.

Hendrik VIII had de paus een straatje om gestuurd, terwijl hij zichzelf een weg hakte door zes echtgenotes, al was het teleurstellend dat hij er uiteindelijk maar twee geëxecuteerd bleek te hebben. Vervolgens liet Bloody Mary in groten getale haar onderdanen verminken, de ledematen afhakken, de buik openrijten en op diverse andere manieren afmaken met het zeer verstandige motief dat de kleur van hun religie haar niet aanstond. Nauwelijks minder extreem op het religieuze front, had Elizabeth niet geaarzeld als politiek statement de bijl te hanteren, zelfs toen het erop aankwam de hoofden van haar Schotse nicht en haar minnaar uit Essex te laten rollen. En natuurlijk was er te land en ter zee oorlog gevoerd, voornamelijk tegen de Spanjaarden wier grootse Armada werd teruggedreven en in de pan gehakt door een combinatie van Engels zeemanschap en Engels weer.

Met zo'n geschiedenis van bloedvergieten door de eeuwen heen had Hat alle hoop in het jaar 1576 op iets relevants te stuiten in verband met de plannen van de Woordman.

Helaas, zelfs toen Rye van haar eigen geheugen was overgeschakeld naar dat van de computer werd het spoedig duidelijk dat uitgerekend dat jaar een van de minst bewogen jaren was geweest. Hij probeerde uit de informatie dat James Burbage in Shoreditch de eerste schouwburg had gebouwd waarvan de exploitant, Martin Frobisher, de eerste van zijn drie reizen naar de Noord-Amerikaanse kust had ondernomen op zoek naar de noordwestelijke doorvaart, een veelzeggende metafoor te halen voor de plannen van de Woordman, maar het ging zijn vindingrijkheid te boven.

Een beroep op Ryes ruimere fantasie had geen resultaat. Hij had haar zoals altijd alles verteld omdat halve kennis gevaarlijker is dan volledige onwetendheid maar voor de verandering had ze weinig belangstelling voor zijn indiscretie getoond. Ze leek al net zo bedrukt als de rest van het bibliotheekpersoneel, tussen wie de gigantische geruchtenstroom die aanvankelijk op gang kwam door het bericht, de manier waarop en de omstandigheden van de moord op Percy Follows, snel was afgevlakt tot een bijna vriendschappelijke stilte waaronder ieder afzonderlijk zat te broeden op wat dit allemaal te betekenen had. Zelfs de praatgrage studenten in de naslagbibliotheek leken erdoor aangeslagen en profiteerden amper van het feit dat Charley Penn, wiens snauwerige vermaningen meestal de orde onder hen handhaafden, niet in zijn hokje zat.

Ook Dick Dee was nergens te bekennen, dus was van het tweede van de door Dalziel geopperde plannen – de twee hoofdverdachten duidelijk te maken dat een van de puzzels uit de Dialogen was ontraadseld – even weinig terechtgekomen als van het eerste.

'Moeten we het soms dichter bij huis zoeken?' opperde Hat. 'Was er in 1576 iets speciaals aan de hand in Mid-Yorkshire?'

'Ik heb geen idee,' zei ze. 'Luister, daar staat een computer. Dus als je een beetje met de historische archieven wilt stoeien, ga je gang. Nu Dick er niet is, heb ik zat te doen.'

'Waar is hij dan?' vroeg Hat.

'Crisisberaad van het personeel met de voorzitter van het Centrum-comité,' zei Ryan.

'Dan ben jij nu de baas,' zei hij. 'Gefeliciteerd. Waarom maak je dan geen gebruik van je autoriteit om een lange koffiepauze te nemen?'

Hij keek haar glimlachend aan, overtuigend naar hij hoopte.

Vergeefse hoop.

Ze zei: 'Jezus christus, snap je dan niet dat ik moet werken? En volgens mij kun je je veel nuttiger maken door het jouwe ergens anders te doen in plaats van tijd te verdoen door hier rond te hangen om naar een stom afspraakje te solliciteren. Er zijn mensen dood, Hat, snap je dat niet? Het lijkt wel of je het als een spelletje beschouwt.'

O, maar dat is het ook! klonk de repliek in zijn hoofd. Maar nu vertelden zijn ogen hem wat zijn hart al veel eerder had moeten merken: dat hier een jonge vrouw zat die, nog maar een paar dagen nadat ze een afgehakt hoofd in een mand had gevonden, opnieuw van heel nabij in aanraking was geweest met dat monster: de dood.

Hij zei: 'Rye, het spijt me... Ik dacht, omdat ik je alles vertel, nou ja, ik denk dat ik je óók als een smeris begon te beschouwen... Ik wou niet... wat ik bedoel is, ermee omgaan zoals wij... dat moet wel omdat het ons werk is... maar niet het jouwe... Het spijt me.'

Ze keek hem even aan, waarna ze zei: 'We moeten er allemaal mee omgaan, Hat. Kijk onder *Local History Legal Chronology*,' voordat ze zich omdraaide en zich terugtrok in het kantoor.

Als dat een zoenoffer was, bedacht hij, mocht hij al blij zijn.

Toen hij aan de computer ging zitten, moest hij lachen toen hem te binnen schoot hoe hij nog maar een paar weken geleden net had gedaan of het hem allemaal finaal boven de pet ging, als excuus om met Rye in contact te komen. Als truc had het niet gewerkt, behalve dat hij zich nuttig kon maken als ze weer eens een politieman konden gebruiken. Nu hij erover nadacht: als één factor hen had samengebracht, was dat wel de Woordman. Een griezelige basis voor een relatie? Hoezo? Er was geen enkele reden om níét dankbaar te zijn als het goede voortkwam uit het kwade.

De site Lokale Geschiedenis onthulde dat 1576 een heel goed jaar voor Mid-Yorkshire was geweest voor grensgeschillen, veediefstal en blasfemie, waarvoor de straffen varieerden van een vette boete voor het ijdel gebruiken van de naam des Heren tot een gat dat met een roodgloeiend ijzer in je tong werd gebrand als je had durven suggereren dat de dominee, volgens de Schrift, tienden van zijn bezit en inkomsten aan armlastige parochianen hoorde te geven in plaats van andersom. De dominee in kwestie heette Jugg en de man met de heilloze tong heette Lamperley. Hat zocht of hier een aanwijzing in zat, kon niets vinden, maar noteerde niettemin de namen.

Hij ging alle gebeurtenissen na – sociaal, cultureel en religieus – maar vond niets van zijn gading.

Nu had hij geen excuus mee om nog langer in de bibliotheek te blijven, maar hij betrapte zich erop dat hij aarzelde, of liever: zichzelf bekeek door de ogen van een politieman, zoals hij bij de balie rondhing. Maar Rye, die hij door de gedeeltelijk openstaande deur kon zien, hield haar ogen strak op haar werk gericht. Je kon op een knop drukken als je hulp nodig had, en hij stond net moed te vatten om erop te drukken toen een stem in zijn oor zei: 'Hallo, mr. Bowler.'

Toen hij zich omdraaide, keek hij naar een vriendelijk glimlachende Franny Roote met even achter hem, turend naar het computerscherm dat nog niet gewist was, Charley Penn die er afgepeigerd uitzag.

'Hallo, mr. Roote,' zei Hat heel formeel, waardoor Pascoes waarschuwingen over het feit dat de jongeman veel te slim was om iets prijs te geven in rook opgingen.

'Verdiept u zich tegenwoordig al even grondig in de plaatselijke geschiedenis als in vogels?' vroeg Penn toen hij bij hen kwam staan. 'Of bent u alleen maar uit op de eerste signalering van de Minder Betepelde Tiet in de zestiende eeuw?'

'Ornithologische geschiedenis kan heel interessant zijn,' zei Hat, die probeerde te bedenken of die man ziek was of eerder een kater had.

'O ja? Vroeger wel, maar als jullie een interessant nieuw specimen ontdekten, schoten jullie het dan niet dood om het beter te kunnen bekijken? Nogal extreem, vind ik, iets dood maken omwille van een hobby.'

Hij spoog *hobby* uit als een losse vulling, waarna hij tussen Roote en Hat in zijn hand uitstak om op de knop te drukken, maar tegelijkertijd schreeuwde: 'Vol-luk!'

Rye kwam te voorschijn, met een gezicht dat even uitgestreken was als Hat het zijne probeerde te houden.

'Hallo, kindje,' zei Penn. 'Waar is uw oude baas?'

'Mr. Dee heeft een vergadering. Ik weet niet wanneer hij terugkomt.'

'Een vergadering? Natuurlijk, ze debatteren over de opvolging. Moeten we uitkijken naar opkringelende witte rook?'

'Ik vind dat onder de omstandigheden een behoorlijk grove en kwetsende opmerking, mr. Penn,' zei Rye, terwijl ze de auteur recht aankeek.

'Vind je? Nou, zolang het maar een behoorlijke opmerking is. Ik wilde alleen maar een nieuwe versie van *Der Scheidende* op hem uitproberen. Maar met jou kan het ook. Wat vind jij ervan als je het vertaalt met "Man op weg naar de uitweg"? Te vrij misschien?'

Terwijl Penn Rye een vel papier onder de neus duwde, wendde Hat zich af om geen gevolg te geven aan de verleiding zich ermee te bemoeien, waarmee hij zich ongetwijfeld alleen maar de spot van de man en de ergernis van de vrouw op de hals zou halen.

'Ik zou niet op Charley letten, mr. Bowler,' fluisterde Roote toen hij hem achternaliep. 'Hij voelt zich vandaag niet zo lekker. Hoe dan ook, het zijn bij hem alleen maar woorden. Woorden, woorden en nog eens woorden. Ze hebben niets te betekenen. Of misschien betekenen ze juist wat hij maar wil dat ze betekenen. Kop op, oké?'

Woedend omdat hem uit deze bron troost werd geboden, zei

Hat agressief: 'Ik zie dat uzelf nogal vrolijk bent, mr. Roote. Hebben we soms iets te vieren?'

'O god, is het te zien?' zei Roote geschrokken. 'Het spijt me, ik begrijp dat dat, na wat er gisteravond is gebeurd waarschijnlijk totaal misplaatst is, vooral hier. Maar misschien hebben alleen uw detectivegaven het opgemerkt, en zie ik er in de ogen van de leek niet anders uit dan anders.'

Wordt er iemand in de zeik genomen? vroeg Hat zich af. En zo ja, wat kan ik er in godsnaam tegen doen?

Hij zei: 'Wat hebt u dan wel te vieren, mr. Roote?'

De jongeman aarzelde alsof hij overlegde hoe betrouwbaar zijn ondervrager was, waarna hij een besluit genomen scheen te hebben en met gedempte stem zei: 'Het is heel opmerkelijk gezien de omstandigheden, weet u, dat ik hier terugkom vanwege Sam, doctor Johnson, waarna die arme Sam zomaar doodgaat en ik plotseling mijn beste vriend ben kwijtgeraakt, en ook mijn leermeester ben kwijtgeraakt, de enige die me kon helpen mijn studie door te zetten. Ik was nogal down, dat zult u vast begrijpen, mr. Bowler. Vervolgens won ik ineens de korte-verhalenwedstrijd, en dat was een heel welkome oppepper. En daaruit... nu ja, het is nog wat pril, maar Charley, mr. Penn, vond het verhaal zo goed dat hij het heeft laten zien aan zijn uitgevers, die het ook goed vonden, en de volgende keer dat zijn uitgever bij hem komt, zal Charley me aan hem voorstellen met de bedoeling over nog een paar verhalen te gaan praten, een heel boek, voor kinderen, begrijpt u? Is dat niet geweldig?'

'Fantastisch,' zei Hat. 'Gefeliciteerd.'

'Dank u, maar dat is nog niet alles. Weet u, Sam Johnson was bezig aan een boek over Beddoes… de dichter,' legde hij uit als reactie op de wazige blik die Hat waarschijnlijk in de ogen kreeg, 'begin negentiende eeuw, fascinerend schrijver, de laatste der Elizabethanen, noemde Strachey hem altijd, hij komt ook in mijn studie voor, ik ben eigenlijk steeds meer gefascineerd door hem geraakt, wat een van de factoren was waardoor Sam en ik naar elkaar toe groeiden. Nu ja, Sam heeft geen testament nagelaten, schijnt het, dus zijn enig naaste familielid, zijn zuster, Linda Lupin namelijk, lid van het Europese parlement, erft alles en ze werd zo pisnijdig vanwege al die academici die als gieren om haar heen hingen en stuk voor stuk beweerden dat ze Sams beste maatje zijn geweest en degenen van wie hij gewild zou hebben dat ze zijn onderzoeksmateriaal zouden krijgen om het boek af te maken, dat ze tegen iedereen heeft gezegd dat ze moesten opsodemieteren! En ze heeft mij bij haar thuis uitgenodigd en nadat we een poosje hadden gepraat, zei ze dat Sam het in zijn brieven heel vaak over mij had gehad en uit wat hij schreef had zij de indruk gekregen dat, als ik dat zou willen, ik degene was die hij in zijn hoofd had om het boek af te maken! Is dat niet geweldig?'

'Ja, fantastisch!' zei Hat, die het vooruitzicht andermans boek af te maken ongeveer even aanlokkelijk vond als het vooruitzicht andermans soep op te eten. 'Gefeliciteerd.'

'Dank u, mr. Bowler. Ik zie dat u het begrijpt. Een heleboel mensen zouden het misschien raar vinden dat ik zo blij kan zijn na het verlies van zo'n dierbare vriend, maar het lijkt wel of mijn leven na de dood van Sam een andere wending genomen heeft. Opeens zie ik voor me een pad dat voert naar een toekomst die enige vorm en betekenis heeft gekregen. Het lijkt wel of het zo heeft moeten zijn, alsof daarboven iemand, misschien wel Sam zelf, van me houdt en over me waakt. Ik ben vanmorgen vroeg meteen naar het kerkhof gegaan om aan Sams graf mijn dank uit te brengen, en even had ik het gevoel dat ik daar met hem samen was, erop los kletsend zoals we vroeger deden.'

Hat keek Roote in de ogen, die schitterden met het vuur van een bekeerling, weerstond de verleiding om te zeggen: *Kunnen we dat dan niet op een permanente basis regelen?* maar zei: 'Fantastisch. Als u me nu wilt excuseren.'

Hij keerde terug naar de balie en zag dat Rye en Penn uitgepraat schenen te zijn, althans zij was klaar met hem.

De schrijver had zich van de balie afgekeerd en knipoogde hem bemoedigend toe toen ze elkaar passeerden.

Rye liep het kantoor weer in.

Toen hij haar naam zei, stond ze niet stil. Hij bleef aan de balie staan en keek door de open deur hoe ze opnieuw aan het bureau ging zitten.

Er lag een vel papier op de balie. Hij keek ernaar en las wat erop geschreven stond.

Man on his way out

Within my heart, within my head,
Every worldly joy lies dead,
And just as dead beyond repeal
Is hate of evil, nor do I feel
The pain of mine or others' lives,
For in me only Death survives!

410

Dat was zo te lezen, tenzij die literaire knakkers hun eigen erotische code hadden, tenminste geen seksuele intimidatie. Misschien dat die leipe ouwe Pascoe en die leipe gestudeerde vriendjes van hem er iets uit konden opmaken, en ook iets uit Rootes euforie.

Hij keek op van het gedicht.

Aan haar bureau in het kantoor zat Rye naar hem te kijken.

Toen hij opnieuw haar naam zei, strekte ze een elegant been uit en trapte de deur dicht.

45

Op de dag van Percy Follows' begrafenis was de bibliotheek gesloten.

Officieel om zijn collega's de gelegenheid te geven de plechtigheid bij te wonen.

'Mis,' zei Charley Penn tegen Dick Dee. 'Het is om zijn collega's te *dwingen* de plechtigheid bij te wonen.'

'Ik denk dat je cynisme voor één keer de plank misslaat, Charley,' zei Dee. 'Percy had vele kwaliteiten, zowel als mens als als bibliothecaris. Hij zal oprecht gemist worden.'

'O ja?' zei Penn. 'In elk geval komt het verdomd rot uit. Ik kan bij mij thuis niet werken met al die harige werklui met dat gebonk en geschreeuw die een wedstrijdje doen wiens gettoblaster het hardst kan brullen. Hoe dan ook, als de begrafenis om één uur is, snap ik niet waarom de tent de hele middag gesloten moet zijn.'

'Dat vond men een blijk van respect...' Hij zag dat hij geen indruk op de schrijver maakte, dus zei hij er haastig achteraan: 'Bovendien is er na afloop een klein hapje in het Lichen Hotel, gelegenheid om over Percy te praten en zijn leven te herdenken. Tegen de tijd dat dat voorbij is...'

'Dan is iedereen ladderzat. Maar jij gaat toch terug, veronderstel ik? Haantje de voorste als het op straf aankomt maar niet voor een borrel bij de lunch. Waarom kan ik dan niet om een uur of drie langskomen...'

'Nee,' zei Dee beslist. 'Ik moet een paar dingen doen.'

'Wat dan?'

'Als je dat zo graag wilt weten, ik had naar Stangdale willen gaan om mijn spullen uit de cottage te halen.'

'Waarom? Heeft de nieuwe eigenaar je op je lazer gegeven?'

'Welnee, aangezien ze naar het schijnt nog steeds naar hem op zoek zijn. Een of andere neef die in de sixties naar alle waarschijnlijkheid naar Amerika is gegaan. Nee, ik heb geen enkele zin om er weer naar toe te gaan sinds... sinds wat er is gebeurd. Dat zal wel slijten natuurlijk, maar tot die tijd is het onzin om al mijn spullen daar te laten rondslingeren tot de een of andere zwerver ze komt inpikken. Een beetje gezelschap zou ik best leuk vinden. Zin in een uitje?'

'Dat meen je niet!' zei Penn. 'Je weet dat ik het land heb aan het buitenleven. Eén keer was genoeg. Nee, het zal de universiteitsbibliotheek wel worden, denk ik. Al die kwetterende eerstejaars. Ik geloof dat ik gek word.'

Dee zuchtte en zei: 'Goed, Charley, je mag mijn flat gebruiken. Maar je blijft van mijn espressoapparaat af, afgesproken? De vorige keer mocht ik kiezen tussen bruin water en prut.'

'Ik zweer het,' zei Penn.

Percy Follows was (en zou dat nog steeds geweest zijn, gesteld dat alles volgens plan verlopen zou zijn) een toegewijd lid van de Church of England in haar glorietijd, vanwaar het een stapje verder was om een mens naar Rome te laten afzakken. De simpele alledaagse mis was niets voor hem. Als er geen wierook, kaarsen, hysop, wijwater, processies, knievallen, heftig koorgezang en vergulde kleding aan te pas kwamen, telde het niet. De predikant van zijn parochie die dat uiteraard met hem eens was, trok alle stoppen eruit en liet zich de kans niet ontgaan een meditatie over de dood en een lofrede over de overledene ten beste te geven die in zijn ogen geheel in de stijl waren van doctor Donne van St. Paul's Cathedral.

Pascoe, vol bewondering voor zijn Grote Leider zonder diens voorbeeld te kunnen volgen, die het hoofd gebogen had en aan wiens lippen nu en dan een gemurmel ontsnapte dat vrijwel overeenkwam met het geluid van golven op een schelpenstrand, bladerde op zoek naar afleiding koortsachtig door zijn gebedenboekje. De psalmen leken het dichtst in de buurt te komen bij de verlossing die hij hier zou kunnen vinden – een en al mooie zinswendingen en goede raad. Wat zou het prettig geweest zijn als de predikant bijvoorbeeld de hint gevat zou hebben van de eerste twee die zo nodig op de uitvaartdienst gelezen moesten worden (waarvan er maar één had gehoeven maar ze kregen ze alletwee), waarvan het tweede vers als volgt ging: 'Ik zal zwijgen als ware mijn mond een breidel; wanneer ik de goddeloze ontwaar.'

Met het gesnurk van Andy Dalziel vóór zich, kon hij amper twijfelen aan de aanwezigheid van de goddeloze!

Pascoe bladerde door de bladzijden, waarbij hij ze naar willekeur liet openvallen, en toevallig viel zijn blik op woorden die hij kortgeleden had gelezen.

De Here is mijn licht en mijn heil, voor wie zou ik vrezen? De Here is
mijns levens veste, voor wie zou ik vervaard zijn?

Psalm 27 waar de Woordman zo op gesteld leek, omdat hij zich
er gesterkt door voelde (als Pottle gelijk had) in zijn gevoel dat hij
handelde naar instructies uit de Andere Wereld wat hem onkwetsbaar maakte.

Niet precies dezelfde bewoordingen, zoals zijn uitstekende
(maar in tegenstelling tot Wield niet eidetische) geheugen hem
ingaf. In de versie die hij in de bijbel had gelezen was er geen sprake van *dan*. En er had boven gestaan *Een Psalm van David*, terwijl je
hier in het psalmenboek de eerste woorden van het oorspronkelijke
Latijn kreeg: *Dominus illuminatio*. Nee, natuurlijk niet het origineel. Een Latijnse vertaling uit het Hebreeuws, waarschijnlijk in St.
Jeronimus' *Vulgate*. Van *vulgatus* – geopenbaard.

Eigenaardig dat er een tijdperk was waarin dingen geopenbaard
werden door ze in het Latijn te vertalen!

Had dit alles enig belang voor de jacht op de Woordman? Helemaal niets. Het leek wel de jacht op de Snark. Die, zoals de Bakker
al vreesde, waarschijnlijk een Boojum zou blijken.

De Bakker. Raar, zoals die dingen terugkwamen. Tijdens zijn
studie was er een jongen geweest, een iel apart type, dat zo weinig
indruk maakte dat een of andere geinponem die Engelse Literatuur
studeerde (de bakermat van geintjes) hem Bakker had gedoopt omdat – hoe ging het ook alweer? –

> *He would anwer to 'Hi!' or any loud cry,*
> *Such as 'Fry me!' or 'Fritter my wig!'*
> *To 'What-you-may-call-um!' or 'What-was-his-name?'*
> *But especially 'Thing-um-a-jig!'*

Uiteindelijk was iedereen hem Bakker gaan noemen, zelfs de docenten. Had hij Bakker boven zijn examenformulieren geschreven
en was hij op naam van Bakker afgestudeerd? Had hij het nu allemaal voor elkaar als mr. Baker, de ambtenaar of verzekeringsexpert,
met een mrs. Baker en een huis vol kleine Bakkertjes?

Rare dingen, namen. Neem Charley Penn. Doopnaam Karl
Penck. Karl de Mof. Wat moet het kwetsend zijn als je naam je als
scheldwoord in je gezicht wordt gesmeten. Net als zijn dichter en
held Heine. Die Harry heette. Met ge-ia bespot. Tot hij van naam
veranderde én ook van geloof. Maar de innerlijke littekens verander
je niet.

414

Of Dee. Nog iemand met problemen. Orson Eric. Geen namen die de kleine barbaren op het schoolplein ontgaan. Maar die hadden hem tenminste de initialen bezorgd die een ontsnappingsroute boden. OED, Dick de Dictionaire. Maar wat had hij niet een bagage mee te torsen op die ontsnappingsroute?

Ontsnappingsroute. Escape Roote. Kón hij dat maar. In dit geval geen naamsverandering, behalve de verkorting van Francis tot Franny. Maar nog steeds moest hij denken aan dat gedicht dat bij Johnny's begrafenis werd voorgelezen: '...in je woorden ligt een gekmakend geheim verborgen... tussen rots en wortel...' en hoe de ogen van de voordrager de zijne hadden gezocht, spottend, toen hij een subtiele nadruk legde op het woord *roots*, 'wortels'.

Of had hij het zich alleen maar verbeeld? En was zijn poging iets van betekenis in die naamsveranderingen te lezen eerder een symptoom van zijn eigen persoonlijke paronomania? Uiteindelijk was een bewuste verschuiving uit een ongewenste, opgelegde naam vrij gebruikelijk. Hij hoefde niet verder te kijken dan de knaap die naast hem zat, die de roerende illusie scheen te koesteren dat het bijwonen van begrafenissen van moordslachtoffers het hoogst haalbare was voor een ambitieuze detective. Normaliter was het in enige mate waarschijnlijk een bron van ergernis voor iemand die Bowler heette als hij werd aangesproken met Hat, maar als je werkelijk Ethelbert heette, sloot je die bijnaam met niet geringe opluchting in de armen! Verder had je de heimelijkere en intiemere vormen van naamsverandering, zoals Jax (nóg een) Ripley die Headingley Georgie Porgie had genoemd. Wat allerminst inhield dat Bowler of de adjudant op de verdachtenlijst werd gezet!

Hoewel, nu hij erover nadacht, de manier waarop George Headingley zijn betrekkingen met Ripley verborgen had weten te houden illustreerde wat voor een CID-man geen illustratie behoefde – dat de mens van alle dieren het moeilijkst te doorgronden en minst voorspelbaar was.

Het sonore zeventiende-eeuwse gewauwel van de dominee kabbelde eindelijk naar z'n eind. Als ooit iemand het verdiend had aan Gods rechterhand plaats te nemen was dat, als je hem mocht geloven, Percy Follows wel.

Al had hij, naar verluidt, waarschijnlijk veel liever aan geeft niet welke hand van Ambrose Bird willen zitten.

Omdat dat zo'n gedachte is waarbij je plotseling het gevoel hebt dat je die hardop hebt uitgesproken, keek hij schuldbewust om zich heen, maar niemand keek verontwaardigd. Dick Dee zat aan de andere kant van het gangpad met zijn ogen gefixeerd op de preekstoel, met een gezicht vol vervoering of ontzetting. Naast hem zat zijn assistente Rye Pomona. Wier aanwezigheid waarschijnlijk de ware reden was dat Bowler er zo happig op was geweest om de begrafenis bij te wonen! Hij had opgevangen dat het op dat front allemaal niet meer zo vlot ging sinds hun onzalige expeditie naar Stang Tarn. Als je het hem zou vragen, zou hij enige wijze woorden tot de rechercheur kunnen spreken. Politiewerk fascineert bepaalde burgers, vooral een zaak als deze, waar mysterieuze communicatie, puzzels en alle mogelijke kronkelige wendingen aan te pas komen. Hij twijfelde er niet aan dat Bowler, bewust of onbewust, van die van God gegeven spanning gebruik had gemaakt om meer informatie met dat meisje uit te wisselen dan goed was voor een jonge politieman, met name een politieman die voor dikke Andy werkte, wiens opstelling tegenover informatie uitwisselen met burgers inhield: als je hun vertelt wat ze willen weten, hoeven de sukkels niet eens zoveel te weten! Maar als je jong en verliefd bent, kan zelfs een beer als Dalziel in een muis veranderen.

Er was echter een obstakel waar veel moeilijker overheen te komen was, want onvoorzien. Dat gevoel dat je bijzonder was, dat je kreeg wanneer je de kern van een onderzoek kreeg ingefluisterd, was iets heel intiems. Maar je begaf je op een smal pad, en als er iets gebeurde waardoor je vertrouwelinge oog in oog kwam te staan met de wrede realiteit van de zaak, kon haar fascinatie algauw omslaan in afkeer.

Rye Pomona was snel achter elkaar tweemaal over die lijn gesleurd: de eerste keer vreselijk ruw toen ze aanwezig was bij de vondst van het lijk van Pyke-Strengler, kort daarop gevolgd door de moord op Percy Follows en Ambrose Bird, wat, al was ze er minder direct bij betrokken, toch het effect van die dag in Stangdale waarschijnlijk versterkt moest hebben.

Dus nu, veronderstelde Pascoe, kwam die arme Hat tot de ontdekking dat de geheimen, die tot dan toe de sleutel naar haar hart hadden geleken, ongewenste herinneringen waren waarin ze wezenlijk van elkaar verschilden en waarvan ze afstand wilde nemen.

Als je het hem zou vragen, zou hij iets hebben gezegd als: als ze je werkelijk graag mag, Hat, komt ze er wel overheen en al houdt ze misschien niet van wat je doet, ze zal je erom respecteren.

Maar dat was, zoals bijna elke wijsheid, banaal om te zeggen en achterafgepraat, dus hield hij het voor zichzelf, al merkte hij nu de rouwenden na de plechtigheid achter elkaar langs het graf liepen, dat Hat Rye, die even voor hem in de rij rustig met Dee in gesprek was, geen moment uit het oog verloor. Zij waren tenminste gespaard voor de aandacht van de media die Linda Lupin op de begrafenis van haar broer zo woedend had gemaakt dat ze een officiële klacht had ingediend wegens 'gevoelloos, aan geperverteerd grenzend gedrag'. Resultaat: een combinatie van redactievoorschriften en politieafsluitingen op straat die de Gideonsbende op afstand hadden gehouden.

'Geen slecht afscheid,' zei Dalziel. 'Mooie opkomst. Wat zeggen ze ook alweer? Geef de massa wat-ie wil, dan komen ze met duizenden tegelijk. Wat zit je nou met die magere kop van je te trekken? Smakeloos? Ik luisterde tenminste naar de preek, terwijl jij in het psalmboek zat te bladeren op zoek naar schunnigheden.'

Dalziel ontging slapend nog minder dan menig wakend mens.

'Ik zat na te denken over de psalmen,' zei Pascoe. 'Psalm 27, om precies te zijn. "*De Heer is mijn licht en mijn heil, voor wie zou ik vrezen?*" Favoriet van de Woordman.'

En het zat nog altijd in zijn hoofd, maalde nog steeds door zijn gedachten...

'Alles goed?' vroeg Dalziel.

'Ja, neem me niet kwalijk.' Hij keerde terug in het hier en nu, zich bewust van het feit dat de Dikke Man iets had gezegd wat hij had gemist.

'Ik zei net: voor hem schijnt het nut te hebben gehad.'

'Wat?'

'De zevenentwintigste psalm,' zei Dalziel lankmoedig. '"Want Hij bergt mij in zijn hut ten dage des kwaads, Hij verbergt mij in het verborgene van zijn tent, Hij plaatst mij hoog op een rots." Die sukkel zit zeker goed verborgen. Misschien zelfs nu we naar hem kijken. Ik zie daar onze vriend Dee. Maar geen spoor van Penn of Roote.'

'Ik denk niet dat dat veel zegt,' zei Pascoe. 'Follows was Dees baas.'

'Zei ik dan dat het iets zegt? Nou, daar ga je, Percy. Laten we hopen dat die engelenharen van je je van pas zullen komen. Tot ziens!'

Toen ze bij het graf waren aangeland, bleef Dalziel staan om een hoeveelheid aarde in zijn grote knuist te pakken waar je een aspidistra in kon poten en gooide die met een harde bons op het deksel van de kist.

Het was maar goed, dacht Pascoe, dat Follows geen instructies had achtergelaten voor een ecologisch verantwoorde kartonnen

417

kist, anders hadden ze hem misschien eerder gezien dan verwacht.

Toen ze het kerkhof in de richting van de rij geparkeerde auto's af liepen, zag hij Dee en zijn assistente in hun auto's stappen, waarna ze in konvooi wegreden. Toen ze bij de grote weg de splitsing hadden bereikt, sloeg geen van beiden linksaf naar het Lichen Hotel waar na de begrafenis de dis wachtte, maar staken ze allebei recht over in de richting van het stadscentrum. Hebben ze Briesende Percy de eer bewezen, gaan ze meteen weer aan het werk. De koningin is dood, lang leve de koningin. Of koning. Ongetwijfeld was de strijd om de opvolging in de bibliotheek al in volle gang.

Ook Dalziel keek naar hen, waarna hij, alsof hij het als een hint opvatte, zei: 'Ik denk dat ik de wake laat lopen. Ik heb het voer in Lichen bekeken. Dan snap je hoe het aan die naam komt. Maar een man krijgt altijd dorst van begrafenissen. Om de hoek is The Last Gap. Een vreemd gevoel voor humor hebben die uitbaters. Daar mogen jullie me op een pint met *pie* trakteren. Met z'n tweeën.'

Schoorvoetend liepen Pascoe en Bowler, die allebei wat anders aan hun hoofd hadden, achter hun Grote Meester aan.

Dalziels aangekondigde plan was pas half uitgevoerd. Na zijn eerste pint (Bowlers rondje) hield hij de *pie* in petto en halverwege de tweede (van Pascoe) gaf hij luidkeels te kennen: 'Dat bier is bijna net zo plat als het gezelschap. Ik vertrouw het voer hier niet. Laten we naar de Black Bull verkassen. Jolly Jack weet tenminste hoe je bier moet bewaren.'

Maar nu, na gehoor gegeven te hebben aan plicht en zelfbehoud, vond Pascoe het tijd worden om obstinaat te worden.

'Nee, bedankt. Ik moet nog heel wat doen,' zei hij beslist. Hetgeen waar was maar niet de waarheid. In werkelijkheid wilde hij ergens alleen zijn om na te denken.

'Ik kan m'n oren niet geloven,' zei Dalziel perplex. 'Bowler, en jij, jongeman?'

'Nee,' zei Hat kortaf, omdat hij moed putte uit Pascoes voorbeeld.

Ook hij had Dee en Rye in konvooi zien wegrijden en wilde op andere zaken broeden.

'Nou, dan weet ik het ook niet meer,' zei Dalziel, die wist wanneer hij verloren had. 'Misschien moet ik een andere aftershave nemen. Maar let wel: ik verwacht wél de resultaten van al die bedrijvigheid.'

Terug op het bureau haalde Pascoe een kop koffie en een chocoladereep uit de automaat en liet zich op zijn kantoorstoel zakken, terwijl de damp van het vocht neersloeg en de versnapering in zijn wikkel bleef.

In het CID-kantoor zat Hat in een houding die zo op die van de inspecteur leek, dat iemand die ze tegelijkertijd zag misschien in *Doppelgängers* zou gaan geloven.

Er was niemand anders op de kantoorvloer. Elders in het gebouw ging de bedrijvigheid gewoon door maar hier bereikte het bijbehorende lawaai het oor alsof het van zo veraf kwam dat je het gevoel kreeg dat je op een windstille dag op een mistig strand stond of in een besneeuwd winterbos.

Pascoe wilde nadenken over de strategie bij het Woordmanonderzoek en waarom het mislukt was. Hat wilde nadenken over Rye Pomona en of ze nog steeds met Dee was. Maar die zorgelijke gedachten leken hun ruimte en energie te verliezen nu ze op die onzichtbare barrière van dit niemandsland botsten.

Net als, dacht Pascoe (en zelfs díé gedachte deed zijn bloed niet sneller kloppen), net als die momenten die in de Dialogen worden beschreven, waarin de tijd langzaam tot stilstand komt... alsof de Woordman zijn aura achter zich aan laat slepen en ik op de grens van zijn dimensie zit: die passieve wereld waarin hij het enig actieve element is.

Hier moet ik hem zoeken, niet in die drukke buitenwereld van procedures, elimineren en logica. *Hier* is de geheime plek waar hij zich ophoudt.

Hij liet zijn lichaam nog verder ontspannen.

Psalm 27. Hij is weer in de kerk waar hij psalm 27 leest. De Heer is mijn licht. Hij probeert zich naar een andere locatie te verplaatsen, dat deel van zijn hersens dat nog altijd een inspecteur is die wil dat dit eigenaardige gevoel de zaak als geheel beheerst zonder ook maar één antwoord op de besturing te vinden. Zo voelt de Woordman zich vast ook, denkt hij. Het enige wat ik in deze tijdloze tijd doe, is wat ik moet doen, niet wat ik wíl doen.

Nog steeds in de kerk, de psalm lezend, maar ook in zijn kantoor op het bureau, strekt hij zijn arm om het Woordman-dossier naar zich toe te schuiven. Hij wil het openslaan om naar verwijzingen in de psalm te zoeken die zijn aangestreept. Maar in plaats daarvan slaat hij het helemaal aan het begin open, bij de eigenaardige tekening, het *In Principio*. Zijn vingers missen de kracht om verder te bladeren. Waar ben ik naar op zoek? vraagt hij zich af. De ossentweeling. De twee *alefs*. De wegenwachtman. Dit ken ik al. En verder?

In principio erat verbum.

De eerste zin van het evangelie van Johannes.

Dee heeft op St. John's College gestudeerd.

Roote is lid van de St. John Ambulance Brigade.

Johnny Oakeshott heette in werkelijkheid St. John.

St. John oftewel de heilige Johannes, 'zoon van de bliksem', St. John, gesymboliseerd door een adelaar, St. John die zijn volgelingen verveelde met zijn te vaak herhaalde aansporingen aan hun adres om 'elkaar lief te hebben' omdat je dan 'genoeg doet'; die onder de vervolging door keizer Domitianus bijna in een ketel kokende olie werd gedompeld maar wist te ontkomen en op zeer hoge leeftijd een natuurlijke dood was gestorven in Efeze waar hij onenigheid had met een hogepriesteres van de godin Diana, wier aanbidding Paulus ook heel wat moeilijkheden had opgeleverd...

Erg interessant maar niet relevant, niet op dit moment althans – of liever gezegd: niet op dit non-moment, niet in dit segment van non-tijd. Iets anders, hij weet dat er nog iets anders is.

En aan de andere kant van zijn deur, in de CID-kamer, minder zelfbewust misschien, zit Hat Bowler op dezelfde eblijn van de tijd waar hij voelt hoe de enorm turbulente oceaan zich terugtrekt. Rye, Rye, hij wil aan Rye denken maar het enige wat hij zich voor de geest kan halen is het jaartal in de Dialoog: 1576. Vijftienzesenzeventig. Dat zegt hem wel wat... Nog één keer somt hij alles op wat hij erover heeft kunnen achterhalen maar er is niets wat hem toeschreeuwt... of liever gezegd niets raakt uitgeschreeuwd, want zó voelt het... alsof je een baby in een groot leeg huis hoort schreeuwen en als je van de ene kamer naar de andere loopt, tot de ontdekking komt dat ze allemaal leeg zijn... en de baby blíjft maar schreeuwen...

Er rest nog één deur... achter die laatste deur moet de waarheid liggen...

De deur zwaait open...

'Sorry, heb ik je wakker gemaakt, knul?' vraagt brigadier Wield. 'Is mr. Pascoe er?'

En zonder een antwoord af te wachten stormt hij even onbeschoft het kantoor van Pascoe binnen en tegelijkertijd keert het onverbiddelijke tij van de tijd in golven terug.

'Wieldy,' zei Pascoe, terwijl hij zijn koude koffie pakte. 'Waarom zou je kloppen? Kom vooral binnen. Doe alsof je thuis bent.'

Met een zelfverzekerdheid dat hij welkom is en die hem immuun maakt voor elk blijk van ironie zegt Wield: 'Dit móét je zien. Om te beginnen, dat verwisselen van de sloffen van Ripley, we hebben een

420

passende gevonden.'

'Een passende? Ik kan je niet volgen. In het rapport had niemand het over een bijbehorend exemplaar.'

'*Aye*, maar dat was voordat er in het verslag sprake was van een passende afdruk,' zei Wield. 'Weet je nog dat we Dees vingerafdrukken hebben genomen om die te vergelijken met de vingerafdrukken op de bijl waarmee de lord...'

'Dee. Wil je zeggen dat we er een paar gevonden hebben die overeenkomen met Dee?'

'Niet een compleet paar, maar tien punten, wat, als je in aanmerking neemt hoe weinig we om te beginnen hadden, een hele stap is,' zei Wield, terwijl hij Pascoe een paar vellen papier onder de neus schoof.

'Tien is nog lang geen zestien,' zei Pascoe tot zijn teleurstelling. 'En waar is dit in godsnaam ineens vandaan gekomen? Officieel is Dee nooit meer dan een getuige geweest en zijn vingerafdrukken zijn louter genomen ter eliminatie omdat hij met zijn bijl had gehakt.'

De regels waren glashelder. Alle vrijwillig ter eliminatie verleende vingerafdrukken moesten vernietigd worden zodra het eliminatieproces voltooid was.

'Ik weet niet wat er gebeurd is,' zei Wield. 'Ze zijn waarschijnlijk terechtgekomen in het systeem van contra-expertise tegen het verslag en toen ze eindelijk kwamen bovendrijven, stond de bijbehorende slof van Ripley al in het verslag vermeld. Zoiets, geloof ik.'

Wanneer het toonbeeld van precisie vaag gaat worden, kun je beter de andere kant op kijken, vooral als de eventuele wetsovertredingen naar Dalziel rieken.

Pascoe keek de andere kant op en zei: 'Oké, maar ik word er niet opgewonden van, Wieldy. Het is onbruikbaar in de rechtszaal en al zouden we een zestienpunts overeenkomst hebben, vanwege de slechte pers die we de laatste tijd hebben gehad, zullen we heel wat meer kunnen gebruiken.'

Met iets van verwijt zei Wield: 'Dat had ik zelf ook al bedacht. Ik dacht: wat anders. En ik weet de beet nog.'

'De beet? O, ja. We waren de beet vergeten. En?'

'Ik ben mr. Kies gaan opzoeken. Ik heb hem uit een lezing moeten halen, dat vond hij niet leuk. Maar het was de moeite waard. Hij heeft Dees gebitsgegevens vergeleken met de beet en volgens hem bestaat er een aan zekerheid grenzende waarschijnlijkheid van een mogelijkheid dat die tanden die beet veroorzaakt hebben.'

'Dees gebitsgegevens?' Het begon Pascoe te duizelen. 'Hoe ben je in godsnaam aan Dees gebitsgegevens gekomen?'

'Helemaal legaal,' zei Wield kordaat. 'Hij heeft ons schriftelijk toestemming gegeven om zijn gebitsgegevens in te zien toen we hem spraken over de dood van de lord, weet je nog? Daarvoor heeft hij zich het vuur uit de sloffen gelopen. Tja, tanden vallen onder medisch, en aangezien die toestemming nog in het dossier zat...'

Hier dobberden meer illegaliteiten rond dan in een zwembad in Marbella, dacht Pascoe.

Ze konden hem wat!

Hij schudde ze uit zijn hoofd, deed zijn mond open om Hat te roepen, toen hij zag dat dat niet nodig was.

De rechercheur stond in de deuropening, zijn gezicht gloeiend bij het idee Dick Dee er mooi bijgelapt te hebben.

Pascoe zei: 'Mooi. Laten we nog eens met Dee gaan praten, maar héél zachtjes. Het heeft geen zin hem hard aan te pakken tot we weten wat we vasthebben. Dit is alles of niks.'

Het gebruik van Dalziëleske fraseologie benadrukte wat hij duidelijk wilde maken. Er waren de laatste tijd te veel incidenten geweest waarbij de politie er met te weinig bewijzen te hard tegenaan was gegaan, waardoor de schuldigen niet vervolgd konden worden of de onschuldigen aanleiding hadden gegeven officiële klachten in te dienen.

'Iemand moet hier blijven om de zaak te coördineren. En de baas uit de Black Bull zien te krijgen.'

Hij keek Hat aan, zag de teleurstelling in zijn smekende ogen en zei: 'Dat kun jij het beste doen, Wieldy. We hebben een spoor dat best wat bijgeschaafd mag worden als het ergens toe leidt, en daar ben jij de aangewezen man voor.'

Daar was geen speld tussen te krijgen. Op het moment zou dat beetje dat ze hadden met één snuif van de neusvleugels van een kiene advocaat weggeblazen worden.

'Hat, jij gaat met me mee naar de bibliotheek.'

'Maar die is vandaag gesloten. Uit piëteit.'

'Jezus, dat was ik vergeten. Maar dat betekent niet dat het personeel er niet zal zijn. Dee en Rye Pomona zijn meteen na de begrafenis weggereden. Ze gingen duidelijk niet naar Lichen.'

'Nee, sir,' zei Hat ongelukkig.

Pascoe dacht even na en zei toen: 'Weet je wat, jij probeert Dees flat, om te zien of hij daar is. Dan doe ik de bibliotheek, die mij nog altijd de grootste kans lijkt. Oké?'

'Prima,' zei Hat.

Ze stapten elk tegelijkertijd in hun eigen auto, maar het sportwagentje scheurde de parkeerplaats af vóór Pascoe zijn veiligheidsgordel om had.

Hij voelde zich vrij zeker dat hij Dee in de bibliotheek zou aantreffen en toen hij bij het Centrum aankwam en zag dat de hoofdingang openstond, leek zijn vertrouwen terecht. Een bewaker hield hem tegen om te vertellen dat het Centrum die dag voor het publiek gesloten was. Pascoe toonde hem zijn badge en ontdekte dat, zoals hij al verwacht had, een groot deel van het personeel de kans waarnam om werk in te halen dat onder de druk van het dagelijkse werk op een laag pitje werd gezet.

Hij liep naar de naslagbibliotheek, terwijl hij op de zoete woordjes oefende die Dee naar het bureau moesten lokken. Maar er bleek niemand te zijn, afgezien van een jonge bibliotheekassistente die hij niet kende en die pijnlijk zorgvuldig de boekenkasten navlooide om vast te stellen of alle naslagwerken weer in de juiste volgorde op hun juiste plek waren teruggezet.

Opnieuw liet hij zijn badge zien en hij vroeg of Dee op het werk was geweest. Ze zei dat ze hem niet had gezien, maar dat ze er zelf net was. Pascoe ging achter de balie langs om de deur van het kantoor te proberen omdat er een kleine kans bestond dat de man daar zat te werken, te zeer verdiept om gesprekken erbuiten te horen

Toen de deur openging, kreeg Pascoe plotseling een visioen dat hij Dee daar met doorgesneden keel aantrof.

Het kantoor was leeg. Pascoe stapte naar binnen en ging aan het bureau zitten om zijn gedachten te ordenen.

Het leek wel of hij hard werd. Hij voelde zich opgelucht dat die absurde verbeelding niet meer bleek te zijn dan dat, maar het was geen opluchting omdat een menselijk wezen niet dood was maar eerder een opluchting dat een veelbelovende ondervragingstactiek niet in de kiem gesmoord was – of in de halsslagader gesmoord!

Hoe veelbelovend was die tactiek trouwens?

Dee paste aardig in het profiel dat Pottle en Urquhart met z'n tweeën hadden samengesteld. Die obsessie met woordspelletjes, het genieten van zijn eigen slimheid en als hij zich op die andere wereld wilde richten zoals de Dialogen leken te illustreren, hoefde hij waarschijnlijk niet verder te kijken dan die foto op het bureau. De drie jongetjes, van wie er twee helder en scherp, die zich uit de moeilijke puberteit naar voortijdige volwassenheid ontworstelden, de derde nog kinderlijk, onschuldig, met behoefte aan liefde en bescherming.

Hij dacht terug aan het gedicht dat op de openliggende pagina stond van het book in Sam Johnsons dode handen.

If there are ghosts to raise,
What shall I call,
Out of hell's murky haze,
Heaven's blue pall?
Raise my loved long-lost boy
To lead me to his joy…

Maar met dergelijke gedachten wenste de openbare aanklager niet geconfronteerd te worden. Die wilde iets met veel meer vorm en substantie, harde tastbare bewijzen, het liefst vergezeld van een waterdichte bekentenis.

En hij had… een duimafdruk en een tandafdruk. Geen van beide sluitend. Beide van twijfelachtige aanvaardbaarheid. Hij sloot zijn ogen en probeerde weer terug te zinken in die toestand van tijdloosheid waarin het antwoord bijna binnen zijn bereik had gelegen… De zevenentwintigste psalm: 'De Heer is mijn licht…' *Dominus illuminatio mea…*

Toen sloeg hij zijn ogen op en zag alles.

Hats hart maakte een sprongetje toen hij de MG de hoek om stuurde van de straat waarin Dees appartement was gesitueerd. Hij was bang geweest dat hij Ryes auto buiten geparkeerd zou zien staan ter bevestiging van een fantasie waar hij mee worstelde maar die hij niet kon weerstaan: van Dees deur die als reactie op zijn koortsachtig kloppen openging, waardoor hij over 's mans blote schouder een slaapkamer en een bed te zien kreeg en Ryes warrige kastanjebruine haren met die ene grijze pluk die over het kussen gespreid waren…

Maar natuurlijk ontbrak elk spoor van de auto. Nee, ze was vast veilig thuis. Hij overwoog haar nummer te bellen, maar besloot toen dat het beter was ieder contact uit te stellen tot Dee veilig achter de tralies zat en hij er zicht op had welke kant het allemaal opging. Als hij geluk had, zou ze nooit hoeven weten dat hij zelf de arrestatie had verricht.

Niet de arrestatie, corrigeerde hij zichzelf. Pascoe wilde dat hij zich zou inhouden. Een glimlachende uitnodiging om een vriendelijk babbeltje te komen maken.

Dus niet koortsachtig aankloppen. Helemaal niet nodig aan de hoofdingang die openstond. Kalm liep hij de trap op en klopte zachtjes op de deur.

Die ging bijna onmiddellijk open.

'Wat is dit? Een inval?' vroeg Charley Penn. 'Laat me raden. Andy Dalziel ligt daarbuiten zeker met een kalasjnikov?'

'Mr. Penn. Ik was op zoek naar mr. Dee…'

'Nou, dan ben je aan het juiste adres, maar niet op het juiste moment,' zei Penn. 'Kom binnen voordat iemand me neerschiet.'

Hat ging naar binnen.

'Mr. Bowler, wat aardig.'

Franny Roote glimlachte hem toe uit een stoel die aan de tafel stond waarop een open paronomania-bord.

Verder was er niemand in de kamer.

Ongelukkig liet Hat zijn blik naar de slaapkamerdeur dwalen.

'Is mr. Dee…'

Penn liep erop af en gooide de deur open.

'Nee, hier niet. Tenzij hij onder het bed ligt. Evenmin in de keuken of op de plee, kijk maar. Sorry.'

Hat herstelde zich en zei: 'Mr. Penn, wat doet u hier?'

'Mijn oude gabber Roote lesgeven, de beginselen van paronomania. Ik had u willen vragen om mee te doen, maar er kunnen maar twee personen spelen.'

Hats blik flitste naar de derde standaard waarop hij de naam *Johnny* zag, waarna hij terugkeek naar Penns ironische masker.

'Ik bedoel, waarom bent u hier, in mr. Dees flat?'

'Omdat mijn huidige onderkomen, zoals u zich zult herinneren, onbewoonbaar is. Die helse werklieden maken er nog steeds een inferno van. De bibliotheek is gesloten om de verlossing te vieren van het dode handje en het slappe polsje van die arme Percy. Dus is Dick zo vriendelijk geweest me toestemming te geven in zijn nederige stulp mijn studie voort te zetten. Maar ik liep onderweg hiernaartoe de jonge Roote tegen het lijf en heb me door hem laten verleiden hem in te wijden in de riten van het op één na meest fantastische spel ter wereld.'

Hat luisterde met groeiende ongedurigheid.

'Waar is mr. Dee dan?' wilde hij weten.

'Aha, wilt u dát weten? Waarom hebt u dat dan niet gevraagd?' zei Penn. 'Mr. Dee is voorzover ik weet in dat schilderachtige krot waar hij het om de een of andere reden zo fijn vindt. Vroeger althans. Recente gebeurtenissen hebben verandering gebracht in zijn perceptie, heb ik begrepen. *Et in Arcadia ego*. Sinds de tragische dood van de huisbaas voelt Dick zich daar niet langer op zijn gemak en hij is zijn spullen gaan terughalen.'

'U bedoelt dat hij naar Stangcreek Cottage is gegaan?'

'Ik ben blij dat u het ermee eens bent dat ik dat bedoel omdat dat nou net is wat ik tracht mede te delen,' zei Penn.

Zijn gezicht was vertrokken in die kruising tussen een glimlach en een grimas die Rye zijn *grimlach* noemde. Hij heeft nog iets anders op zijn lever, iets, vermoedde Hat, wat ik volgens hem niet graag zou horen.

Zijn hart stond bijna stil, terwijl hij zich afsloot voor wat Penn te zeggen had. Maar toch moest hij het aanhoren.

'Inderdaad,' zei de schrijver. 'Het vreet echt aan hem, die plek nu. Hij zag er zelfs tegenop er in zijn eentje heen te gaan. En de spullen die hij daar heeft zouden nooit in die brik van hem passen. Dus heeft hij een paar hints gegeven dat ik hem wel zou willen helpen. Maar ik moest weigeren. Slechte rug, mijn auto hapert en ik heb sowieso een hekel aan dat verdomde buitenleven. Toch is het allemaal goed gekomen. Hij kwam zo vrolijk als een lentebriesje van Percy's begrafenis terug.'

'Hoezo?' vroeg Hat onnodig. Het suisde in zijn oren, de lucht leek donker en onheilspellend en door de nevel heen zag hij dat Franny Roote met een ernstig bezorgd gezicht naar hem keek.

'Naar het schijnt heeft hij de jonge Rye gevraagd om zijn hand vast te houden, en die kans greep ze met beide handen aan. Ja, die ouwe Dick rukte zijn begrafeniszwart van z'n lijf, trok een trainingspak en gympen aan en ging op weg naar het afspraakje met die jongemeid van Pomona. Wie weet? Misschien krijgt hij in zulk aangenaam gezelschap weer de smaak voor de natuur te pakken. Zou u dat niet liever beantwoorden? Misschien wil Andy Dalziel wel weten of het tijd wordt met traangasbommen te gooien.'

En Hat besefte dat het suizen in zijn oren voor een deel veroorzaakt werd door zijn mobiele telefoon die rinkelde.

Vanaf zijn plaats in het kantoortje van de bibliotheek kon Pascoe ze door de openstaande deur aan de overkant van de informatiebalie zien staan: twintig donkerblauwe delen, keurig kaarsrecht als bewakers in het gelid. En boven alle twijfel uit wist hij wat die mysterieuze vorm in de ronding van de P van het *In Principio* aan het begin van de Eerste Dialoog betekende.

Geen bijbel of missaal zoals Urquhart had gesuggereerd, maar een deel van de grote *Oxford English Dictionary*.

Geen belettering op de tekening natuurlijk – dat zou het allemaal té gemakkelijk gemaakt hebben – maar het smalle lint dat over de bovenkant van de rug van het omslag liep was er wel, terwijl het witte rondje onderin het blazoen van de universiteit weergaf. Van deze afstand kon hij de letters van het motto niet onderscheiden, maar hij had het vaak genoeg gezien op zijn eigen studieboeken om te weten welke woorden ze vormden.

Dominus illuminatio mea.

De inhoud van de delen werd aangegeven door het eerste en laatste woord van elk deel.

Die kon hij van daaruit lezen, maar toch stond hij op om naar de boekenkast te lopen.

Het eerste deel was makkelijk.

A - Bouzouki

De wegenwachtman, Andrew Ainstable. De jongen die de bouzouki speelde.

Het volgende:

BBC - Chalypsography

Jax Ripley. En het andere?

Hij haalde het boek uit de kast.

Staalgravure.

Wat een afschuwelijke woordspeling! Raadslid Steel was met een burijn vermoord. En de cyrillische letters die in zijn hoofd gekerfd waren dienden slechts om de grap te onderstrepen.

Het derde deel.

Cham - Creeky

Cham. Illustratief citaat uit 1759:

'... *die grote Cham uit de literatuur, Samuel Johnson.*'

Vervolgens *creeky*...?

Stang Creek? Op naar het volgende deel.

Creel (korf) - Duzepere

Creel. Lijk in kreek, hoofd in korf en **duzepere?**

Enkelvoud van douzepers *hetgeen betekent illustere edelen, ridders of* grandes *(Spaanse edellieden)*.

Arme Pyke-Strengler. Misschien als je vader niet was doodgegaan...
Het vijfde deel.

Dvandva - Follis

Dvandva. *Een samengesteld woord waarin elementen als met een copula, koppelwerkwoord, worden verbonden.*

Acteur-Directeur.

Follis. *Kleine Romeinse munt,* zoals die in Ambrose Birds mond werd gevonden.
En het eerste woord van het volgende deel.

Follow

De $ was geen dollarteken geweest, eerder een doorgehaalde letter $.
Bird en Follows. Wie doodging om het hele gebeuren nog completer te maken, werd door een copula verbonden.
Hij ging terug naar het kantoor vanwege de privacy, sloot de deur en haalde zijn mobiele telefoon te voorschijn.
De zaak zat anders. Voordien had hij er met zijn verstand niet bij gekund dat die zachtmoedige, zwijgzame bibliothecaris werd aangezien voor al die moorden. Nu was het enige waaraan hij kon denken dat hij een eenzame jonge agent erop uit had gestuurd om een man op te sporen die plotseling de gruwelijke eer te beurt viel de hoofdverdachte te zijn.
'Neem op, zakkenwasser, neem op!' schreeuwde hij in de telefoon.
'Hallo?'
'Bowler, waar ben je?'
'In de flat van Dee maar...'

428

'Oké, niet naar binnen gaan…'

'Ik bén al binnen.'

'Shit. Oké. Glimlach poeslief en zeg dat je iets uit de auto moet halen. Maak dan dat je wegkomt. Geen gemaar. Doe het!'

Hij wachtte. Toen hoorde hij tot zijn opluchting de stem van de jongeman zeggen: 'Sir, wat is er aan de hand?'

Snel somde hij op wat hij had gezien, wat hij vermoedde en voegde eraan toe: 'Het kan zijn dat het totaal mis is of niets met Dee te maken heeft maar ik wil dat je wacht tot…'

Maar Hat schreeuwde tegen hem.

'Sir, wat is het volgende woord? Zeg me verdomme het volgende woord!'

Pascoe fronste zijn voorhoofd, besloot dat dit niet het moment was voor een reprimande over wie het commando voerde, liep het kantoortje uit naar de bibliotheek en las voor: '*Follows - Haswed*', wat hij uitsprak zoals het gespeld was – met een duidelijke W.

'Het kan me geen reet schelen hoe je het spelt, wat betekent het?'

Opnieuw reageerde Pascoe op de urgentie en niet op de insubordinatie en hij keek het na.

'*Gemarkeerd met grijs of bruin,*' zei hij. 'In het gedicht in de Dialoog stond *"maar was niet wit"*, weet je nog? Konden we maar… Hat? Ben je er nog? Alles goed? Hat!'

Maar Hat luisterde niet. Hij zag een hoofd vol diep kastanjebruin haar met daarin een flits zilvergrijs. En hij zag nog iets, trillend op zijn netvlies als de schelle lichtdraadjes die een migraine aankondigden.

1576

Niet een jaar. Een datum.

Ik heb een datum, stond in het gedicht.

Eén mei 1976.

Ryes verjaardag.

De schoft had hun verteld dat zij de volgende was, en hij was te blind geweest om het te zien!

'Hat? Wat is er verdomme aan de hand? Is Dee daar? Hat!'

'Nee, hij is er niet,' gilde Hat, die met treden tegelijk de trap af rende. 'Hij is in Stangcreek Cottage. En hij heeft Rye bij zich. Zij is *haswed*, haar haar is *haswed*, en ze is één mei zesenzeventig – 1976 geboren, weet u nog?'

'Hat, blijf daar wachten, ik ben onderweg. Wacht daar, dat is een bevel.'

'Krijg de kolere jij,' krijste Hat in zijn telefoon.

Die smeet hij op de passagiersstoel van zijn auto zonder het ding uit te zetten en Pascoe, die nu de trappen in het Centrum afsjeesde met een bijna even grote vaart als zijn jonge collega, hoorde het kraken van de versnellingen, het gieren van de banden en het geloei van de motor toen de MG wegreed.

46

De stoel waarin ze zat, als op een glanzend gepoetste troon, glom in het haardvuur.

Verlokkelijk liet ze haar vingers langs de sierlijke kronkellijnen van het barokke houtsnijwerk in de leuning glijden tot ze plotseling de harde welving van de leeuwenkoppen bereikte.

Ze glimlachte naar Dick Dee die voor haar neer hurkte op het krukje met drie poten. Tussen hen in stond een paronomania-bord dat volledig opengeklapt leek op een exotische middeleeuwse kaart van de kosmos.

'Neem je die mee?' vroeg ze. 'De stoel, bedoel ik.'

'Strikt gesproken, is-ie niet van mij,' zei hij.

'En spreek je altijd zo strikt, Dick?'

'Strikt,' zei hij peinzend. 'Van *strictus*, verleden deelwoord van *stringere*: trekken of vastsnoeren. Dat is natuurlijk een synantoniem...'

Omdat zij aan de beurt was, zei ze: 'Een wat?'

'Een synantoniem. Een van die interessante woorden die hun eigen tegenovergestelde kunnen zijn.'

Rye dacht na, waarna ze zei: 'Die snap ik, maar *strikt*?'

'In het Schots wordt het ook wel gebruikt in de betekenis van snel, met name in relatie tot stromend water. Dus ja, volgens mij ben ik hoe dan ook een strikte spreker.'

'Maar ben je van plan de stoel te houden?'

'In de betekenis van hem bewaren, ja. Toen ik hem ooit aan die arme Geoffrey liet zien, suggereerde hij op zijn eigen stuntelige manier dat ik hem als een geschenk mocht beschouwen, al betwijfel ik of mijn niet te bevestigen herinnering voor de wet zou volstaan om er aanspraak op te maken. Ik vrees dat je het gevaar loopt ontmaagd te worden, kindje.'

Rye keek op het bord. Ze had net gelegd, niet zonder zelfgenoegzaamheid: *azalea*. Nu maakte Dee daar gebruik van door dwars daarop *genitalia* te leggen, waarna hij behoedzaam haar overige steentjes weghaalde.

'Ik heb het toch over de rijmregel gehad, nietwaar?' vroeg hij. 'Als je dwars op het woord van je tegenstander een rijmwoord legt, scoor je beide woorden en win je eveneens het recht de steentjes van je tegenstander te verwijderen voor je eigen gebruik, desgewenst.'

'Maar dat betekent dat je bij je volgende beurt mijn *azalea* weer mag terugleggen,' zei ze quasi verontwaardigd.

'Precies. Daarom is het misschien verstandig een manier te bedenken om mijn *genitalia* te blokkeren.'

'O, reken maar, wees maar niet bang. Als ik had geweten dat je me hier had uitgenodigd om me te ontmaagden, was ik nooit meegegaan.'

Ze wás ook bijna niet meegegaan.

Na de begrafenis van Percy Follows, toen Dick Dee haar had verteld dat hij Stangcreek ging ontruimen, had ze gezegd: 'Geef je het op? Last met de nieuwe lord?'

'Aangezien ze met moeite kunnen vaststellen wie dat gaat worden, nee, nog niet. Alleen last met mijn relatie tot die plek. Ik ben sinds het gebeurde nog maar één keer terug geweest en ik wist niet hoe gauw ik weer in de auto moest stappen om terug te rijden naar de stad. Ik voel me daar niet meer op mijn gemak.'

'Wat vervelend,' zei ze. 'Je leek daar helemaal op je plek. Heb je veel spullen?'

'Tamelijk. Zelfs als je in de openlucht kampeert, schijnt dat steeds aan te groeien.' Een kort zwijgen, waarna: 'Luister, je hebt zeker geen zin om mee te gaan om een handje te helpen? Twee handjes eigenlijk, en een extra auto zouden heel nuttig zijn.'

Ze zou vierkant nee gezegd hebben als hij er niet haastig aan had toegevoegd: 'En om je de waarheid te zeggen: ik sta niet te popelen om er weer in mijn eentje heen te gaan.'

Nu had ze geaarzeld maar was nog steeds geneigd te weigeren, tot hij plotseling zei: 'O Jezus! Rye, natuurlijk, je hebt nog meer reden dan ik om ertegen op te zien er weer naartoe te gaan. Mijn angsten zijn altijd zo associatief. Jíj hebt die arme stumper gevonden. Wat onattent van me om het je te vragen. Het spijt me.'

Wat beter werkte dan overredingskracht.

'En het is laf van me om te aarzelen,' zei ze. 'Natuurlijk ga ik mee.'

Hij had haar vol twijfel aangekeken.

'Weet je het zeker? Voel je alsjeblieft niet verplicht.'

'Omdat je mijn baas bent?' Ze had gelachen. 'Ik geloof niet dat ik ooit íéts gedaan heb omdat je mijn baas bent.'

'Ik ben blij dat te horen. Wat ik bedoelde was, omdat we vrienden zijn.'

Daar dacht ze over na, waarna ze glimlachend zei: 'Dat is waar. En ja, ik ga mee. Maar eerst moet ik naar huis om deze treurige kleren uit te trekken. Het is de enige outfit die ik heb voor begrafenissen en die schijnen dit seizoen dé sociale hoogtepunten te zijn.'

'Dat is goed. Ik wil me ook verkleden. Moeten we ons excuseren omdat we na afloop niet komen eten?'

'Bij wie? Laten we maar gewoon gaan, en wie ons mist, mist ons en wie niet die niet.'

'Ik had het zelf niet beter kunnen zeggen.'

En nu, een uur daarna, bevonden ze zich in de cottage, en tot zover had Rye helemaal niets van de gevreesde weerstand gevoeld, net zo min als haar gezelschap, voorzover ze wist.

Ze waren weinig opgeschoten met het inpakken. Het was eerst klam en kil in de cottage, waarop Dee de as van het rooster had verwijderd, een heel pak aanmaakhoutjes had aangestoken, waarop hij een paar blokken hout had gegooid.

'Eigenhandig gehakt,' zei hij. 'Dan mogen we er ook best van profiteren.'

'Goed idee.' Ze warmde haar handen aan het snel oplaaiende vuur en snoof de geur op van het brandende hout.

'Ik ben dol op die geur,' zei ze.

'Ik ook. As, denk ik. Niets lekkerder. As tot as is heel wat logischer als je het als een proces bekijkt in plaats van een manier om van je vuil af te komen. Branden en doodgaan, warmte en een heerlijke geur afgeven, is geen slecht beeld van leven, vind je niet?'

'Hoort daar ook bij dat we alvast op een wedergeboorte mogen rekenen?' vroeg Rye glimlachend.

'Je vraagt of ik er vrede mee heb dat die arme Percy misschien ooit bij ons zal terugkeren?' zei hij, op zijn beurt glimlachend.

'Maar dan zullen we niet meer dezelfde zijn, weet je wel?'

'In dat geval… Maar genoeg met taal gespeeld. Aan het werk. Ik heb genoeg vuilniszakken en een paar kartonnen dozen. Stop de rotzooi er maar in. Alles kan tegen een stootje, behalve de schilderijen, en dat zijn niet bepaald oude meesters.'

'De jonge meesters misschien?' zei Rye.

'Heel vriendelijk van u, miss,' zei hij.

Ze begonnen te pakken, maar waren er misschien een kwartier mee bezig toen Rye op het bord van het spel stuitte. Zelfs opgevouwen zag het eruit als een exclusief design, met bewerkte koperen scharnieren die goudkleurig tegen het gepoetste rozenhout afstaken.

'Mag ik het openklappen?' had ze gevraagd.

'Natuurlijk.'

'O, wat prachtig,' riep ze uit toen ze zag hoe de getekende sterrenbeelden tussen de lettervakjes meanderden. 'Ik heb het bord gezien waarop jij met Charley op kantoor speelde, maar dit is nog mooier versierd.'

'Ja, ze zijn allemaal anders,' zei hij. 'Maar dit beschouw ik als het meesterbord. De sterrenbeelden hierop betekenen dat bepaalde woorden extra waarde kunnen krijgen als ze op bepaalde belangrijke plaatsen terechtkomen. Bijvoorbeeld – dat weet je vast wel, maar dat kun je maar beter zeker weten bij een dame – help me je geboortedatum herinneren.'

'Eén mei 1976.'

'Eén mei zesenzeventig. *Mayday, Mayday*. Ja, nu weet ik het weer. Dat is Stier, natuurlijk. Dus als jij de steentjes had om je eigen naam in je eigen sterrenteken te leggen, zou je extra punten krijgen. Echter, als je eerst de betreffende planeten in het teken zou kunnen plaatsen in conjunctie met de datum, of liever nog volgens de tijd van je geboorte, zou je puntenscore, vergeef me de beeldspraak, astronomisch zijn. Maar vergeef me. Ik ben verslaafd aan het distillaat van mijn eigen gefermenteerde fanatisme. Niets vervelenders dan het gebazel van een dronkelap!'

'Niet vervelend,' verzekerde ze hem. 'Misschien een ietsje ongrijpbaar. Ik heb die kopie van de regels bekeken die je me hebt gegeven, maar om eerlijk te zijn, vond ik die nog verwarrender dan toen ik begon.'

'Dat is altijd zo,' zei hij. 'De beste spellen zijn als de beste levens – al doende leer je. Maar ik zal proberen je wijzer te maken...'

Het was een kleine stap voorwaarts van wijzer maken via demonstratie naar spel.

Toen hij de derde standaard voor steentjes klaarzette die de naam *Johnny* vormden, keek ze hem vragend aan.

'Een jeugdvriend van school die is doodgegaan,' zei hij.

'Dat jongetje op de foto?'

'Ja, die. Kleine Johnny Oakeshott. Hij had het liefste karakter van alle schepselen die ik ooit heb gekend. Charley Penn en ik waren een goed team maar op de een of andere manier waren we pas compleet met Johnny. Voordien vormden we een heel sterke combinatie van intellect en fantasie. Wat Johnny aanvulde met menselijkheid. Klinkt dat sentimenteel?'

434

'Nee,' zei ze. 'Helemaal niet.'

Hij keek haar glimlachend aan en zei: 'Ik had altijd al gedacht dat je het zou begrijpen. We speelden het spel destijds met ons drieën. Johnny is er nooit goed in geweest, maar hij genoot van het gevoel dat hij erbij hoorde.'

'En toen ging hij dood?'

'Ja,' zei hij somber. 'Ingepikt door een afgunstige god. Sindsdien hebben we altijd een standaard voor hem klaargezet. En er is een ongeschreven regel volgens welke het een speler is toegestaan de letters op Johnny's standaard te gebruiken als hij er als aanvulling op zijn eigen letters een heel woord mee kan vormen in een willekeurige taal.'

'En dan? Wint hij dan onbeslist?'

Dee haalde zijn schouders op en zei: 'Wie zal het zeggen? Het is nog niet gebeurd. Soms stel ik me voor dat als het zo zou gaan, we Johnny op zijn plaats zouden zien zitten, klaar om te spelen. Een echt wonder, in elk opzicht, snap je? Maar dit is morbide. Laat me je inwijden in mijn geheim.'

En zo begon het spel. Dee genoot zichtbaar van de rol van geduldige leraar, al kreeg Rye de indruk dat hij, telkens wanneer ze dacht dat ze het te pakken kreeg, een nieuw en nog ingewikkelder element toevoegde. Niet dat ze dit als een wedstrijd zag. Ze kreeg zelfs het gevoel dat het spel meer het volwassen gevoel gaf dat je als danspartner had dan schermutselingen in een wedstrijd. De prachtige tekeningen straalden van het bord af en de van glad ivoor gemaakte lettersteentjes gleden door haar vingers als zijden vissen als je je hand in hun doosje liet glijden om je voorraad aan te vullen. Dit doosje was op zichzelf een schoonheid: geen blikken of gehavende kartonnen doos, maar een uit robijnrood glas gesneden doosje met gouden scharnieren.

'De enige erfenis van mijn moeder,' zei hij toen ze ernaar vroeg. 'Hoe haar moeder eraan gekomen is, weet ik niet, noch hoe ze het, gezien de familieomstandigheden, bij zich heeft weten te houden terwijl al het andere van waarde waarschijnlijk naar de veiling of lommerd is verdwenen. Daar zaten de weinige sieraden in die ze bezat, voornamelijk prullen. Nu zit er iets veel kostbaarders in. Het zaad van woorden dat op zijn schepper wacht. Alle taal zit erin, wat betekent het leven zelf, want er bestaat niets tot deze zaadjes gezaaid zijn.'

En hij had met de glazen doos geschud zodat de stukjes ivoor ruisend over elkaar heen gleden en haar naam leken te vormen.

Geleidelijk, onontkoombaar was een erotische ondertoon in hun spel geslopen, een soort sexy flirt met slinkse dubbelzinnigheden, hitsige zijdelingse blikken, verbale strelingen zonder enige bedreiging. Al die tijd voelde ze dat ze, mocht ze een stapje terug willen doen, slechts het minste signaal hoefde uit te zenden en het normale vriendschappelijke decorum van hun werkrelatie zou zonder enige poespas of verwijt hersteld zijn. Maar ze zond zo'n signaal niet uit. Zich koesterend in het veranderlijke clair-obscur van het vuur voelde haar lichaam warm en ontspannen. Waar dit spel heen voerde, wist ze niet, evenmin hoe ver ze wilde dat het zou gaan. Op een gegeven moment had Dee een fles dieprode wijn en een tweetal glazen te voorschijn gehaald, en het kruidige vocht in haar keel was als de eerste sidderingen van het minnespel: tegelijkertijd bevredigend en lustverhogend voor de drinker. De wereld van steen, water en vegetatie aan de andere kant van de in het donker gehulde kleine ramen leken ver weg en nog verder verwijderd leek die andere wereld van mensen, gebouwen, machines en technologie. Als hun geheugen duister en rusteloos leek, kwam dat doordat al hun warmte, licht, gerief en genot zich in deze smalle kamer leken te concentreren. Wat betreft de oneindige lucht van het mysterieuze universum waarin de hele wereld zich bevindt: waarom zou je naar buiten gaan om naar de hemel te staren als al die schoonheid en wijsheid hier op dit magische bordspel aanwezig was dat als de kosmos onder het oog van God aan hun voeten lag?

En ver weg, nog altijd in die verre uithoek, laveerde Hat Bowler zijn auto als een gek door het middagverkeer, terwijl een eindje achter hem en steeds meer achteroprakend, Peter Pascoe in dezelfde richting reed met wat meer angst voor zijn eigen leven maar even kwetsbaar als de andere weggebruikers.

De houtblokken in de haard brandden snel op, op elkaar gestapeld, waarna ze neervielen in een omgewoeld bed van gloeiende as waarvan het rode hart pulseerde van de verzengende hitte.

'Een geweldig vuur voor toast,' mompelde Rye. 'Ik herinner me dat we toen ik klein was voor net zo'n vuur zaten als dit, en we roosterden dikke sneden witbrood tot ze bijna zwart waren en ze dan met boter besmeerden tot die door de luchtgaatjes in het deeg heen smolten. Ik dacht eraan toen we hier laatst waren…'

'Toast,' echode Dick. 'Ja, toast is een goed idee. Straks misschien. Als het spel uit is.'

En hij gooide nog wat houtblokken op het vuur, en weldra bloeiden de zaadjes van de hitte in de as opnieuw op tot vlammen die die nieuwe houten ledematen omarmden zodat ze zuchtend en kreunend over elkaar heen schoven terwijl het vuur in hun binnenste heter en heter werd tot het ondraaglijk warm werd in de kamer.

Dee trok het bovenste deel van zijn trainingspak uit, waarbij een hemdje met korte mouwen te voorschijn kwam dat zich spande om een onverwacht gespierd, atletisch lichaam. Rye volgde zijn voorbeeld door haar dikke wollen trui, die ze vanwege de verwachte kille buitenlucht aanhad, over haar hoofd te trekken. Pas toen de ruwe vezels langs haar gezicht streken, bedacht ze dat ze er geen topje onder aanhad, alleen een dunne zijden beha die ze onder haar begrafenistenue had aangetrokken. Of deed ze misschien alsof ze zich dat nu pas herinnerde? Er viel absoluut geen aarzelende pauze toen ze de trui helemaal uittrok en naast de stoel liet vallen, waarna ze zich vooroverboog om het woord *vreugde* te leggen.

Dee sloeg niet zijn ogen neer, keek evenmin kwijlend naar haar borsten, maar knikte, goedkeurend bijna, en zei: 'En nu, als we de dichtersversie speelden waarbij als het ene woord het woord kruist dat volgt op of voorafgaat aan een woord in een gedicht, dat natuurlijk juist geciteerd dient te worden, zou ik nu goed kunnen scoren door *vreugde* te kruisen met *scharlaken*.'

'Blake,' zei ze. 'Dus zou ik hetzelfde kunnen doen door jouw *geheim* hier te kruisen met mijn *liefde*?'

'Nog steeds Blake. Uitstekend.'

'Eigenlijk dacht ik aan Doris Day,' zei ze.

Hij gooide zijn hoofd achterover en lachte, en zij lachte ook, maar op een of andere manier, in plaats van de seksuele spanning tussen hen te verlichten zoals ze had gedacht, stelde dit gezamenlijk lachen opnieuw een elektriciteitssnoer in werking dat hen alleen nog maar dichter naar elkaar toe trok, waardoor hun wederzijdse sympathie en plezier in elkaars gezelschap toenamen zonder dat hun net ontdekte fysieke aantrekkingskracht er een greintje minder om werd.

Waarom niet? dacht ze. Ik ben zo vrij als een vogeltje, ben op geen enkele manier gebonden en ben dat wat Dick betreft ook niet van plan. Dus waarom zou ik niet een paar rozenblaadjes verzamelen zolang dat nog mag?

Maar tegelijkertijd schoot haar te binnen dat ze in de toekomst nog met Dick moest samenwerken. Zouden er dan dingen veranderen? Ze had het gevoel dat ze er wat hem betreft op kon rekenen dat alles bij het oude zou blijven, als zij dat zo zou willen. Ja, ze was zeker van zijn discretie, maar zou zelfs de allergrootste discretie bestand zijn tegen de priemende ogen van Charley Penn? De gedachte aan die alwetende ogen, die suggestieve grijns, de dubbelzinnige opmerkingen die op een plaatsvervangende intimiteit zinspeelden, was niet leuk voor haar.

En ook sloop, ondanks haar oprechte overtuiging dat ze zo vrij als een vogel was, zonder verplichtingen, een beeld van Hat Bowler haar hoofd binnen.

Die nu vrij van verkeer zó snel over de stille landweggetjes raasde dat de schapen die in de weiden graasden amper de tijd kregen hun koppen op te steken voor hij weer uit het zicht was en slechts een wolk uitlaatgassen achterliet als bewijs dat ze niet hadden staan dromen. Nog altijd een eind achter hem maar nu hij de stad achter zich had gelaten en op tempo bleef, kwam Pascoe met, nóg een eind verder achter zich aan, de sirene en blauwe lichten van de patrouillewagen die Andy Dalziel bij de Black Bull had opgepikt.

De Dikke Man kwam nu binnen op zijn mobilofoon.

'Waar ben je nu, Pete?'

Pascoe vertelde het hem.

'En Bowler?'

'Nog nergens te bekennen.'

'Nou, rijd dan niet langer als een oud wijf! Zorg dat je daar tegelijk met hem aankomt. Als er iets met dat joch gebeurt, hou ik jou aansprakelijk.'

'Ik maak me eerder zorgen over wat er met Dee gebeurt als Hat hem te pakken krijgt.'

'Die? Mocht hij de Woordman blijken te zijn, dan zal er geen haan naar kraaien,' zei Dalziel smalend. 'Nee, Bowler is degene op wie we moeten passen. Als hij een paar jaar de tijd krijgt die universiteitsstudie van zich af te schudden, zou hij een goeie smeris kunnen worden. Wat doe je in godsnaam met dat ding? Ben je aan het fietsen?'

Die laatste twee zinnen, nam Pascoe aan, waren gericht tot de bestuurder van de patrouillewagen, maar toch voelde ook hij de uitwerking ervan en hij drukte zijn voet nog harder op het gaspedaal zodat dezelfde schapen die even daarvóór verstoord werden door het passeren van de MG opnieuw hun oren spitsten maar omdat ze, in tegenstelling tot hun imago, snel leerden, namen ze ditmaal niet de moeite hun koppen op te tillen.

438

Dus, dacht Rye, zal ik het doen of niet?

Ze was zich ervan bewust dat haar lichaam, terwijl haar geest aarzelde, onafhankelijk veel positievere signalen uitzond.

Ze rekte zich uit in de stoel, wachtend tot Dee, in elk opzicht, zijn eerste zet zou doen. Haar linkerbehabandje was van haar schouder gegleden en haar borst was bijna uit zijn zijden cup ontsnapt, maar ze deed geen poging hem weer te vangen. Omdat ze wel degelijk een zekere mate van aarzeling bij Dee voelde, en daar wellicht enigszins gepikeerd over was, liet ze even haar schouders hangen zodat de tepel van de ondeugende ronding volledig in zicht kwam.

Nu had ze zijn aandacht. Maar zijn ogen waren niet gefixeerd op haar gezwollen tepel.

Hij keek naar haar hoofd.

Ze zei: 'Wat is er?'

Hij reikte over het bord heen om de zilveren streng in haar haar aan te raken.

'Om te controleren dat het niet op je vingers afgeeft?' zei ze spottend. 'Het is aangeboren, sir. Het zal regen en wind trotseren.'

'Daar heb ik nooit aan getwijfeld,' zei hij. En nu liet hij zijn blik naar haar boezem neerglijden.

Hij zei: 'Rye...'

Zij zei: 'Ja?'

Hij zei: 'Rye?'

Zij zei: 'Ja?'

Zo gemakkelijk was dat.

Hij stond zo plotseling op dat een van zijn voeten tegen het paronomania-bord stootte waardoor de letters van hun plaats verschoven en nu geen betekenis meer hadden.

Hij zei: 'Ik ga even... ik moet... neem me niet kwalijk....'

Hij draaide zich om en liep de kamer uit.

Glimlachend kwam ze nu overeind en maakte haar beha los, die ze op de grond liet vallen terwijl ze haar spijkerbroek en slipje van zich af liet glijden.

Ze liep naar het raam. Het kostte enige moeite door het patina van regenspetten en aanslag op het glas haar blik scherp te krijgen, maar uiteindelijk kwam trillend het grijze mysterieuze oppervlak van het meer in zicht.

Er verroerde zich niets. Geen wind die het water rimpelde. Geen vogel te bekennen.

Vogels deden haar opnieuw aan Hat denken. Die lieve zoete

Hat, zo wetend argeloos, zo argeloos wetend. Hij zou nooit over Dick hoeven te weten. Behalve natuurlijk dat sommige mannen een instinct voor die dingen hadden dat even gevoelig was als bij sommige vrouwen. En in elk geval vermoedde ze dat Charley Penn, mocht hij erachter komen, ervoor zou zorgen dat Hat er ook achter zou komen.

Was het al te laat om nee te zeggen tegen Dick? Dat hing af van je instelling. Een vrouw heeft het recht te allen tijde nee te zeggen, in elk stadium; dat was goed en zo hoorde het ook. Maar zoals ze hier stond, spiernaakt, als Dick de kamer weer in kwam, zou ze net zo goed JA! tegen hem kunnen schreeuwen wat voor menige man, volgens haar, een simpel nee waarschijnlijk zou overstemmen.

In godsnaam, als je nee gaat zeggen, trek dan je kleren weer aan, wijf, spoorde ze zichzelf aan.

Te laat. Achter zich hoorde ze de deur opengaan.

Dat moet dan maar, dacht ze met amper een steek van spijt. Veel plezier!

Bijna ter bevestiging van haar besluit zag ze nu een zwakke schittering in de onheilspellende lucht die de verste oever van het meer aan het oog onttrok. De ondergaande zon die doorbrak om deze verbintenis te zegenen, maakte ze zichzelf half spottend wijs.

Behalve dat het natuurlijk pas halverwege de middag was en ze naar het oosten keek in plaats van westwaarts.

Bovendien ging de zon onder en kwam niet razendsnel op je af!

Daar sta je dan met je vrije wil en zelfstandige besluit. Net als je voor de ene koers had besloten, kuchte het lot in je oor en zette je op een andere.

Want op dat moment was het duidelijk dat de schittering veroorzaakt werd door de koplampen van een auto die vrolijk over het pad scheurde dat om het meer heen naar de cottage liep. En er klonk ook lawaai: een claxon die toeterde alsof de nieuw aangekomene met alle geweld zijn komst wilde aankondigen. En uiteindelijk herkende ze zelfs op deze afstand het voertuig als Hats sportwagen en ze glimlachte om haar eigen rake associatie van zo-even met *scheuren*. Behalve dat hij nu niet meer scheurde: hij hobbelde zonder vaart te minderen hortend en stotend over het pad dat vol kuilen en stenen lag. Wat dacht Hat wel voor dringende boodschap te hebben dat hij zijn geliefkoosde MG zo mishandelde?

Dat betekende hoe dan ook het einde of ten minste het uitstel van het beloofde genieten.

Terwijl ze een spijtige glimlach voorbereidde, draaide ze zich om

440

om haar kleren bij elkaar te zoeken en zich aan te kleden.

Maar van wat ze zag, versteende ze ter plekke.

Daar stond Dee. Hij was naar voren gelopen zodat zijn voeten op het speelbord stonden. Ook hij was spiernaakt, had zijn armen naast zich uitgestrekt en hij hield iets in zijn linkerhand. Wat het was kon ze niet zien want in zijn rechterhand had hij een lang smal mes. En zij voelde dat haar blik via zijn buik naar zijn kruis werd getrokken waar zijn pik uit een driehoek van blond haar naar voren stak.

De claxon toeterde nu harder, de koplampen moesten nu te zien zijn door de vuile ruiten achter haar. Hat was er bijna, maar of hij op tijd zou zijn? Terwijl ze als gefixeerd naar de dreigende gestalte vóór haar staarde, wist ze zonder enige twijfel dat hij te laat zou komen.

De MG was nog amper vijftig meter van de cottage vandaan, toen die in een kuil belandde die zelfs voor zijn stevige vering te diep was om er weer uit terug te stuiteren. De motor hijgde nog een laatste keer en sloeg toen af. Maar daarmee was het nog niet stil.

Hat hoorde gegil toen hij uit zijn zitting opveerde.

Terwijl hij iets schreeuwde, hij had geen idee wat, sprintte hij op de cottage af waarvan uit de ramen een rode gloed scheen met de matrode flikkering van de hellepoort in een mirakelspel.

Achter hem, het meer naderend, zag hij nog meer lichten en klonk het schelle, klaaglijke uilengehuil van een sirene. Er was hulp onderweg, maar voor Hat was hulp even zinloos als gebeden voor de doden en de troost van het geloof. Blijf gillen! dacht hij. Blijf gillen. Het gegil was het gruwelijkste wat hij ooit gehoord had, maar zolang hij het kon horen, wist hij dat Rye in leven was.

Door het groezelige raam zag hij twee gestalten worstelen, een omhooggeheven hand met daarin een lang smal mes dat rood glinsterde...

Hij rende naar de zijkant van de cottage, trapte de deur in alsof die van triplex was, en dook de hellepoort in.

Oplichtend in het flakkerende schijnsel van een hoog oplaaiend vuur worstelden de twee naakte figuren midden in de kamer, in een stevige greep boven het paronomaniabord, alsof het als een worstelmat het terrein van hun gevecht afbakende. De leeuwenstoel was omgestoten en lag op het rooster, waar de rug al begon te smeulen. Maar daar had Hat geen oog voor. Het enige wat hij zag was dat hooggeheven mes... het mes dat al droop van het bloed...

Hij wierp zich naar voren en greep met zijn ene arm Dick Dee van achteren om zijn nek vast, terwijl de andere naar de arm met het mes tastte en hij probeerde hem bij Rye uit de buurt te sleuren. Hij gaf met zo'n gemak mee dat het Hat overviel en hij achterover tuimelde. Maar hij liet niet los en zonder zijn armen om zijn val te breken, kwam hij met een smak op de grond terecht, waarbij zijn hoofd tegen de glazen doos voor de steentjes knalde. De vlammen in de haard leken in zijn hoofd rond te dansen, waardoor het vol rook en grillige schaduwen kwam te staan, Hij voelde iets nats op zijn toch al tranende ogen plensen – bloed? tranen? – hij wist niet wat, behalve dat het prikte en verblindde. Het gewicht van Dee drukte hem neer. Hij gooide hem van zich af en terwijl hij probeerde overeind te gaan zitten, voelde hij aan de linkerkant van zijn ribbenkast iets wat leek op een soldeerbout. Wéér gilde Rye. Niet voor zichzelf ditmaal, omdat hij het lichaam van Dee nog dicht tegen zich aan voelde. Waarschijnlijk was het om hemzelf, en die gedachte gaf hem kracht. Opnieuw probeerde hij overeind te komen. Er knalde iets tegen de zijkant van zijn hoofd. Blindelings haalde hij uit, zijn vingers raakten iets van staal – grepen, strekten zich toen een lemmet in zijn vlees sneed – herstelden zich.

En nu sloten ze zich om een benen heft.

Hij had het mes te pakken.

Maar zijn belager had het vervangen voor iets bijna even dodelijks dat wederom tegen de zijkant van het hoofd van de detective knalde.

Minimale kracht. Om de een of andere reden schoot Hat die zin te binnen uit zijn trainingsperiode van nog niet zo lang geleden. Kracht mag worden aangewend om een arrestatie te verrichten, maar altijd met de minimale kracht evenredig aan de wettelijk toegestane dwangmaatregel voor een verdachte.

Wanneer je op je rug lag, én verblind was, én gewond, én het bewustzijn verloor, én met een moordlustige maniak worstelde, was *minimum* moeilijk te definiëren.

Hij zwaaide zijn arm omhoog en dreef het mes met kracht naar onderen. Dat voelde als minimum. En nog een keer. Het voelde nog steeds als minimum. En nog eens… ja, nog steeds ver binnen de perken… en nog eens… als dit minimum was, wat zou in dit geval dan maximum zijn?

De vraag danste de flakkerende vlammen en grillige schaduwen in zijn geest in en uit, op jacht naar een moeilijk te vangen antwoord tussen de flarden van definities en woorden. Toen zwol het gejank, waarin hij een sirene herkende maar dat in zijn oren nog altijd klonk als die onheilspellende nachtvogel, aan tot een climax.

Hield toen op.
En toen werd het donker.

47

HET BLEEF HEEL LANG DONKER.

Of misschien maar heel kort. Wist hij veel? Er kwamen interpuncties van heldere flitsen waarin zijn zintuigen functioneerden, maar dan heel warrig. Hij rook beweging, voelde kleuren, zag geluiden. Die indrukken hadden geen enkele logica en leken absoluut niets met elkaar te maken te hebben. Of ze zich afspeelden in werkelijke tijd of in een soort droomtijd die oneindigheid in een zandkorrel kan vatten, wist hij niet.

Dus toen hij eindelijk wakker werd, was hij erop voorbereid dat hij nog altijd op de grond in Stangcreek Cottage zou blijken te liggen.

Zijn ogen functioneerden niet naar behoren maar registreerden tenminste beelden, zij het vaag op zijn netvlies en hij zag half en half dat er iemand over hem heen gebogen stond.

O shit. Hij had gelijk gehad. Hij was nog altijd in de cottage.

Hij probeerde zich te bewegen. Lukte niet. Het werd er niet beter op. Hij was vastgebonden.

Hij probeerde iets te zeggen. Zijn mond was zo droog als…

Er waren wel tien platte kwajongensvergelijkingen in de kroeg in omloop maar hij kon zich geen enkele herinneren.

De voorovergebogen gestalte kwam dichterbij.

De trekken werden scherper. Gruwelijk, vertrokken, angstaanjagend.

De afschuwelijke lippen bewogen.

'Het gaat goed met haar, knul.'

En de kannibalistische trekken verdwenen en losten op in de troost biedende want vertrouwde dissonanten van Edgar Wields gezicht, terwijl tegelijkertijd de ketenen die hem vasthielden veranderden in de gesteven, strak ingestopte lakens van een ziekenhuisbed.

'Het gaat goed met haar,' herhaalde Wield.

Als Wield zoiets zei, moest het waar zijn. En hij wist dat hij de brigadier eeuwig dankbaar zou zijn omdat hij de enige vraag wist die zijn ondoelmatige tong had willen stellen.

Hij deed zijn ogen weer dicht.

Toen hij ze de volgende keer opendeed, was Pascoe er.

De inspecteur riep een zuster die hem hielp zijn hoofd op te tillen, waarvan hij nu wist dat het dik in het verband zat, en die hem water gaf.

'Bedankt,' zei hij hijgend. 'Mijn strot was zo droog als het kruis van een krassende uil.'

Aasgier had hij willen zeggen. Maar het kwam allemaal terug.

De zuster zei tegen Pascoe: 'Maak hem niet te moe. Laat hem niet te veel bewegen. Ik zal tegen de dokter zeggen dat hij is bijgekomen.'

Zeg, ik ben niet alleen bijgekomen, ik ben er! dacht Hat. Maar hij was qua lichaam en wil te zwak om te protesteren.

'Waar… Hoe lang?' piepte hij.

Pascoe zei: 'Je ligt in het Central Hospital. Je bent hier al elf dagen.'

'Elf…? Ben ik elf dagen buiten westen geweest?'

Elf dagen was zorgelijk. Elf dagen was een enorme stap op weg naar hersendood.

Pascoe glimlachte.

'Dat geeft niet. Mr. Dalziel kijkt het altijd twee weken aan voordat hij hun laat weten dat ze alles kunnen uitschakelen. In elk geval ben je nooit comateus geweest. Maar je hebt wel een latente schedelbasisfractuur en er was sprake van druk op de hersenen. Dat is niet erg. Ze hebben je onderzocht. Je zult het kruiswoordraadsel van *The Times* weer kunnen oplossen.'

'Dat heb ik nog nooit gekund,' zei Hat. Waarna hij dacht: Jezus! Ga nu niet de kranige oorlogsheld uithangen, je bent verdomme doodsbang!

Hij zei: 'U neemt me toch niet in de zeik, sir? Ik bedoel, elf dagen…'

Pascoe zei: 'Rustig nou maar. De voornaamste reden dat je zo lang buiten westen was, is dat je bent platgespoten. Het lastige was dat je, áls je wakker werd, steeds zó in de war was dat ze bang waren dat je jezelf nog meer schade zou doen.'

'In de war?'

'Je ging door het lint, zo je wilt. Je ging tekeer alsof je in een modderbad lag met Sharon Stone.'

Sharon Stone? dacht Hat. Dankjewel. Ik zoek mijn eigen fantasieën wel uit.

445

Die reactie vrolijkte hem meer op dan de geruststellingen van de inspecteur. De tijd om zich niet om zichzelf te bekommeren en naar Rye te vragen, bracht enige nuance in Wields verzekering dat het goed met haar ging. Hij had haar gegil gehoord, haar naakte lichaam gezien dat door die klootzak van een Dee geplet werd en zich afgevraagd hoeveel nuance hij nu hebben kon. Maar dat hoorde hij gauw genoeg.

Maar nu nog niet. Pascoe was nog aan het woord.

'En wat je allemaal riep...' De inspecteur schudde zijn hoofd alsof hij het nog steeds niet kon geloven.

'Wat dan?'

'Maak je niet ongerust, we hebben het allemaal vastgelegd zodat het als bewijs tegen je gebruikt kan worden wanneer je weer naar je werk kunt.'

Troostende woorden. Een toffe peer, die Pascoe. Fijn ziekenbezoek. Had huisarts moeten worden.

'Vanmorgen vertelde brigadier Wield ons dat je weer onder ons was. En dat je naar miss Pomona vroeg.'

Wield. Wist nog eerder wat je dacht dan dát je het had gedacht.

Hij zei: 'Zei de brigadier niet dat alles goed was met haar?'

'Prima. Wat blauwe plekken en schrammen. Verder niets.'

'Niets?'

'Niets,' zei Pascoe nadrukkelijk. 'Je kwam daar precies op tijd, Hat. Hij heeft de tijd niet gehad haar iets aan te doen, geloof me.'

Hij zegt dus dat die klootzak haar niet verkracht heeft, dacht Hat. Waarom zegt hij zoiets niet ronduit?

Misschien omdat ik het niet ronduit vraag.

Maar stel dat Dee haar wél verkracht zou hebben? Wat had dat uitgemaakt?

Voor mij? Of voor haar? vroeg hij zich boos en vol walging af. Háár zou het heel wat hebben uitgemaakt. En wie kan het een reet schelen wat het míj uitmaakt?

Dat komt omdat ik ziek ben, probeerde hij zichzelf te sussen. Als je ziek bent, ben je egoïstisch.

Hij vroeg: 'Ligt ze ook in het ziekenhuis?'

'Welnee. Eén nacht ter observatie. Daarna is ze ervandoor gegaan. Ze schijnt niet van ziekenhuizen te houden.'

'Nee, ik denk dat ze een keer een rotervaring heeft gehad... dus er niet zou willen blijven...'

'Ze is je elke dag komen opzoeken,' zei Pascoe grinnikend. 'En ik heb gehoord dat ze elke ochtend en 's avonds laat opbelt om te horen of het goed met je gaat. Dus haal die verwaarloosde uitdrukking maar van je gezicht. Hat, je hebt een dijk van een meid aan de haak geslagen. Toen je lag te rollebollen met Dee, heeft ze een fles wijn op zijn kop stukgeslagen. Hij had het mes laten vallen, hebben we begrepen, en probeerde je de hersens in te slaan met die glazen doos die een ton woog. Die wist ze hem afhandig te maken en ze gaf hem een koekje van eigen deeg. Een moordmeid.'

'En ik kreeg het mes te pakken,' zei Hat fronsend, omdat hij moeite had het zich te herinneren. 'En ik... wat is er met Dee gebeurd? Is hij...?

Hij wenste hem dood, maar wilde toch dat hij leefde, want als hij dood was... Hij herinnerde zich het mes dat omhoogging en neerkwam, omhoogkwam en neerkwam. Minimale kracht.

'Hij is dood,' zei Pascoe voorzichtig.

'Shit.'

'Bespaart de kosten van een proces,' zei Pascoe. 'En bespaart Rye de ellende van een proces.'

'Ja.'

'Natuurlijk komt er een onderzoek,' ging Pascoe luchtig verder. 'Dat gebeurt altijd wanneer een politieman bij een sterfgeval betrokken is. Daar hoeft niemand van ons zich zorgen over te maken, alleen een formaliteit.'

'Natuurlijk,' zei Hat.

Hij weet net zo goed als ik dat er tegenwoordig geen sprake is van een formaliteit, dacht Pascoe. Een dooie, smeris erbij betrokken, maling aan de omstandigheden, en er komt een heel korps tamboers op gang van burgerrechtenactivisten via godsdienstwaanzinnigen tot sterf-allemaal-de moord-anarchisten die staan te popelen om elk hun eigen trom te roeren in de hoop dat, als de kakofonie ophoudt, de carrière van een politieman voor dood ligt.

Met een beetje geluk zullen de media bij deze zaak het triomfgeschal zó hard laten klinken dat de tegenstanders overstemd worden. De Woordman uitgeschakeld. De moordenaar van minstens zeven mensen zelf gedood. Dame in nood gered door heldhaftige jonge politieman. Geruchten over een romance. Die knul verdient een medaille!

Pascoe hoopte dat hij die zou krijgen. Wat geen van de betrokken partijen van beide kanten had gezien, was die kamer in Stangcreek Cottage zoals hij die zelf had gezien toen hij uiteindelijk was komen binnenstormen.

Overal bloed. Hat, in zijn zij en hoofd gewond, die bewusteloos

447

op zijn rug lag. Het naakte meisje, onder de troep als een met mos bedekte Pictische zwerfster uit de oudheid, naast hem neergeknield met zijn bloedende hoofd in haar armen. En Dee, uitgestrekt over het paronomaniabord als een os die ten offer werd gedragen, zijn lichaam doorboord met zo veel verwondingen dat het bloed hem als een scharlaken cape bedekte, terwijl over zijn hele lichaam, flonkerend als sterren aan een onbekend soort rood buitenaards firmament, over de vloer verstrooid als de melkweg, de lettersteentjes lagen, die een esoterische boodschap inhielden voor wie lezen kon.

Voor een neutrale observant leek het misschien alsof Dee het slachtoffer was van een krankzinnige aanslag.

Toen Dalziel vlak op Pascoes hielen was gearriveerd, had hij aan één blik genoeg gehad.

Nadat ze een ambulance hadden gebeld, zo goed en zo kwaad als ze konden voor Hat en Rye hadden gezorgd, had de Dikke Man gezegd: 'Laten we maar wat reanimatie toepassen.'

'*Nay* sir, hij is dood,' had zijn chauffeur gezegd, met de autoriteit van iemand die heel wat meer verkeersongelukken had gezien dan hem lief was.

'Doe toch maar. Dan kan niemand zeggen dat we niet ons best gedaan hebben,' zei Dalziel kordaat. 'Pete, kom eens helpen.'

Pascoe wist waar ze mee bezig waren. Dat werd verstoring van een plaats van misdrijf genoemd. Dat werd ook zo genoemd als je ervoor zorgde dat als het onderzoeksteam ter beoordeling ergens in een mooie schone vergaderzaal zat met blokjes maagdelijk papier om aantekeningen op te maken en bekers kristalhelder water om hun keeltjes te verfrissen als die droog werden van het stellen van een teveel aan duistere vragen, niemand in staat zou zijn foto's van een abattoir rond te delen.

Geen schijn van kans dat ze het rapport van de patholoog-anatoom konden veranderen, natuurlijk. Maar in medische termen gegoten mondelinge beschrijvingen van de verwondingen, of zelfs foto's van het gereinigde lichaam op een tafel in het mortuarium, waren in staat ook maar enigszins weer te geven wat zich bij Stangcreek Cottage had afgespeeld.

Deze lugubere overpeinzingen werden uit zijn hoofd verdreven door opschudding op de gang.

'Waar heeft-ie zich verstopt?' riep een vertrouwde stem. 'Daarbinnen? Rustig aan, zei je, kindje? *Nay*, ik heb met meer smiechten te maken gehad dan jij vapeurs hebt gehad.'

De deur vloog open, en Dalziel was alom aanwezig.

'Ik wist het. Al een aardig grote mond. Geen wonder dat de Nationale Gezondheidszorg een beddentekort heeft als die bezet worden door gezonde schooiers als jij.'

Achter hem darde een verontwaardigde hoofdzuster zenuwachtig heen en weer tot Dalziel haar buitensloot door de deur dicht te doen.

'En, hoe gaat het, knul? Alles kits?' vroeg de Dikke Man, terwijl hij op de rand ging zitten van het bed dat daarop reageerde met het overdreven gekwaak van een matrone die in haar reet geknepen wordt.

'Het gaat wel, geloof ik,' zei Hat.

'Over een paar weken is hij weer de oude, vermoed ik,' zei Pascoe beslist.

'Een paar weken?' zei Dalziel ongelovig.

'Nee, eerlijk gezegd, ik denk, eerlijk gezegd, dat ik al eerder op de been zal zijn,' zei Hat.

Dalziel keek hem aandachtig aan, waarna hij zijn hoofd schudde.

'Laat dat maar uit je hoofd,' zei hij. 'De inspecteur heeft gelijk. Een paar weken op z'n minst. Daarna nog een paar weken bijkomen.'

'Nee, echt…' zei Hat, beduusd door deze omslag.

'Echt, aan m'n reet,' zei Dalziel. 'Luister, knul. Daarbuiten ben je, zolang je hier ligt, een gewonde held. Dus hier zul je blijven tot we dat officieel bevestigd hebben. Daarna, áls je hieruit komt, kunnen die lui, die zich afvragen waarom je die lul van een Dee zo nodig dertien keer moest steken, kletsen wat ze willen. Een held is een held.'

'Ik heb ze niet geteld,' zei Hat. 'En misschien was het niet nodig, maar ik had er wel degelijk zin in.'

'Dat eerste is een goed antwoord. Dat tweede een kutantwoord,' zei Dalziel. 'Geef maar liever geen antwoord. Zorg dat je er bleek uitziet, kreun een beetje van pijn, zeg dan dat het allemaal één waas is, dat je je alleen maar herinnert dat dat monster dat hulpeloze argeloze meisie wilde vermoorden. Het enige wat je wist was dat je hem moest tegenhouden, zelfs als je daarvoor je eigen leven op het spel moest zetten. En als je een medaille krijgt, zeg dan dat dat meissie hem zou moeten krijgen, dat je alleen maar je werk hebt gedaan, dat zullen ze vreten.'

'Jawel, sir,' zei Hat. 'Sir, en Penn?'

'Hoezo Penn?'

'Hij had Dee een alibi bezorgd voor de moord in Stangcreek Cottage, weet u nog?'

'Misschien had-ie zich in de avond vergist. Misschien wilde hij z'n gabber een plezier doen. Of misschien heeft Dee ons belazerd over wat hij die andere keren gedaan heeft. Jouw zorg niet, knul. Laat Charley Penn maar aan mij over.'

'Jawel, sir,' zei Hat, die even zijn ogen sloot en zijn gezicht vertrok.

'Gaat het een beetje?' vroeg Pascoe bezorgd.

'Prima,' zei Hat. 'Ik wist niet dat het zo hard aanpoten was om een held te zijn.'

'En duur ook,' zei Dalziel. 'Het eerste rondje in de Black Bull is voor jou wanneer je terugkomt. Kom op, Pete. Die knul heeft zijn rust nodig en iémand van ons moet het werk doen.'

Buiten op de gang zei Pascoe: 'Moeten we ons echt zorgen maken over Penn?'

'Alleen als hij het gevoel heeft dat hij zich zorgen moet maken om mij. Hallo, wat moet dit voorstellen? Meestal zie je in dit soort instellingen geen mensen naar binnen rennen, alleen naar buiten.'

De deur aan het eind van de gang was opengevlogen, en daar kwam Rye Pomona binnen rennen. Ze maakte niet de indruk dat iémand haar moest tegengehouden, maar Dalziels lijf was een obstakel waar je niet gemakkelijk omheen kon.

'Ik heb de boodschap gekregen dat hij wakker geworden is,' zei ze naar adem happend.

'Wakker, compos mentis, en hij vraagt naar je,' zei Pascoe glimlachend.

'Gaat het goed met hem? Echt waar?'

Ze had het tegen Dalziel. Nou ja, dacht Pascoe. Ik ben altijd goed genoeg om gerust te stellen, maar voor zekerheid kun je alleen bij Dikke Andy terecht.

'Het is uitstekend met hem, kindje. Nog wat zwak, maar zo te zien heb je hem in no time overeind. En jij? Alles goed?'

Ze zag er goed uit. Uitstekend zelfs, met een blos op haar goudkleurige huid van het rennen, en zoals haar diep kastanjebruine haar met die aparte zilveren schicht door de war zat, zou ze model hebben kunnen staan voor een pre-Raphaëlitisch schilderij van Atalante die tijdens haar race wordt afgeleid door de gouden appels van Aphrodite. Alleen waren dat er maar drie, en met Andy als afleiding zou de kunstenaar een hele ton vol hebben moeten schilderen.

'Ja,' zei ze ongeduldig. 'Met mij is het prima. Ik ben vandaag weer aan het werk gegaan.'

'Wat? Die krentenkakkers. Ik had gedacht dat ze je minstens een maand vrij zouden geven.'

Om de verontwaardiging van iemand die geloofde dat toegang per rolstoel tot politiebureaus alleen mogelijk was gemaakt zodat revaliderende smerissen zo snel mogelijk weer achter hun bureau konden zitten, moest Pascoe eigenlijk lachen.

De jonge vrouw ook, zag hij.

'Waarvoor?' zei ze. 'Ik heb de kwakzalvers en de advocaten gesproken, de lange wandelingen in de openlucht gemaakt, ik heb het slachtoffer uitgehangen. Ik ben beter af op het werk, en zij zitten momenteel een beetje verlegen om personeel. We zijn de laatste tijd een paar bibliothecarissen kwijtgeraakt, of hebt u dat niet gehoord? Als u me nu wilt excuseren, ga ik Hat opzoeken.'

Ze wrong zich langs hen heen en ging de kamer binnen.

'Een goeie meid,' zei Dalziel. 'Niet bepaald op haar mondje gevallen, maar dat vind ik niet erg in een vrouw zolang ze er de bijpassende tieten voor heeft. Doet me een beetje denken aan die Ellie van jou toen ze nog een meiske was.'

Terwijl hij zich voornam die aankondiging van dreigende ouderdom aan Ellie door te geven, gluurde Pascoe door het glaspaneel.

Rye zat aan het bed, terwijl ze een van Hats handen tussen de hare geklemd hield en hem in de ogen keek. Ze zwegen. Pascoe wist niet waar ze waren, wist niets van die magische nevel die zich om hen heen gesloten had toen ze langs het randje van Stang Tarn liepen, maar hij wist dat ze ergens ver weg waren in een geheim oord waar zelfs zijn ver reikende blik inbreuk zou maken.

'Dat brengt je een paar jaar terug, hè?' zei Dalziel, die over zijn schouder gluurde.

'Veel verder nog,' zei Pascoe. 'Dat tilt je boven de tijd uit. Kom op. We zijn hier vreemden.'

'Nay, knul. Geen vreemden. Alleen veel te druk om erg vaak op bezoek te komen,' zei Andy Dalziel.

48

De laatste dialoog

DICK DEE: *Waar ben ik?*

GEOFF PYKE-STRENGLER: *Dick Dee, alsof het allemaal niet op kan! Hoe is het met je, ouwe jongen?*

DICK: *Ik eh… ik weet eigenlijk niet hoe het met me is. Geoffrey ben jij het? Het spijt me vreselijk…*

GEOFF: *Wat in godsnaam? Het is niet jóúw schuld dat we hier zitten.*

DICK: *O nee? Ik dacht dat… waar zijn we hier?*

GEOFF: *Moeilijk uit te leggen, mijn vriend. Eigenlijk helemaal nergens, als je voelt wat ik bedoel. Hoe ben jíj hier trouwens beland?*

DICK: *Het is allemaal nogal verwarrend… er was zo'n tunnel met een heel fel licht aan het eind…*

SAM JOHNSON: *Wat vreselijk conventioneel. Er waren bellen en explosies en vogelgezang, een beetje als 1812 in een nieuw arrangement van Messiaen.*

DICK: *Doctor Johnson… u ook… het spijt me…*

SAM: *Reken maar. O ja, reken maar.*

GEOFF: *Let niet op hem. Hij is een beetje depri. Dat van die tunnel, dat is alleen maar een uitdrukking over het proces om hier te komen. Reuze populair trouwens. Ik bedoel, wat gebeurde er om het proces in gang te zetten?*

DICK: *Dat weet ik niet meer... er was... nee, het is weg.*

GEOFF: *Kalm maar. Het duurt meestal even voordat de herinnering terugkomt.*

SAM: *Geniet er zolang maar van. Pas wanneer je het je gaat herinneren, komt de pijn. O god, daar komt het. We zijn misschien wel van het toneel verdwenen, maar het sprookjespaard hebben we nog.*

PERCY FOLLOWS:
AMBROSE BIRD: } *Hallo, Dick.*

PERCY: *Hoe is het daar? Wie heeft mijn baan gekregen? Ik had half verwacht dat jíj dat zou zijn.*

BROSE: *Dat kan hij toch niet zijn als hij hier bij ons is?*

PERCY: *Je weet wat ik bedoel.*

BROSE: *Alleen doordat mijn interpretatietechniek jouw gemis aan expressie compenseert. Hoe jij ooit gemeentelijke bibliothecaris bent geworden is me een raadsel.*

PERCY: *Volgens hetzelfde proces als een windbuil van niks als jij De Laatste Der Acteur-Directeurs bent geworden volgens mij. Waar denk je dat we naartoe gaan?*

BROSE: *Een wandeling langs de rivier maken.*

PERCY: *Maar we hebben vanmorgen al langs de rivier gewandeld.*

BROSE: *Toen was het jóúw keuze. Nu mag ik en ik kies om er weer heen te gaan. Trouwens, er is niets anders. Kom op, geen gelanterfant.*

PERCY: *Niet porren. Je bent weer aan het porren. Ik waarschuw je, als jij begint te porren, zal ik gaan trekken.*

DICK: *Ik had hun iets willen zeggen maar ze geven me de kans niet er een woord tussen te krijgen. En waarom lopen ze zo dicht tegen elkaar aan?*

GEOFF: *Zo zijn ze ook gekomen, vastgegroeid, lijkt het wel. En zoals je ge-*

komen bent, blijf je blijkbaar, tenminste tot je de rivier oversteekt. Misschien heb je opgemerkt dat ik mijn hoofd moet ophouden, bijvoorbeeld.

DICK: *Ja, het spijt me vreselijk...*

GEOFF: *Een slechte gewoonte, hoor, om je alsmaar te verontschuldigen.*

DICK: *Maar je arme hoofd...*

GEOFF: *Ik weet het. Maar kijk eens, vriend, jij bloedt alles onder en ik zeg toch ook niet dat het me spijt?*

ANDREW AINSTABLE: *Sorry, heren, maar ik ben op zoek naar een brug. U kunt me zeker niet vertellen of het stroomopwaarts of stroomafwaarts is? Ik moet een startprobleem verhelpen en ik had daar... ik kan me niet precies herinneren wanneer, maar ik weet dat hij wacht.*

GEOFF: *Probeer stroomopwaarts, vriend.*

DICK: *Wie is dat in 's hemelsnaam?*

GEOFF: *Op de aarde was hij wegenwachtman. Hij is nog steeds een beetje in de war, al is hij hier al langer dan wij allemaal. Loopt de hele tijd naar een brug te zoeken.*

DICK: *Een brug? Zo te zien heeft hij geprobeerd over te zwemmen.*

GEOFF: *Uitgesloten, vriend. Nee, zo is hij gekomen, druipnat. Hij wil die brug zoeken omdat hij zijn busje daar heeft laten staan.*

DICK: *Dit is erg verwarrend. Ik hoor maar steeds muziek...*

GEOFF: *O ja, dat is die jongen van Pitman. Hij ligt de godganse dag op de oever op de bouzouki te spelen. Hij lijkt volkomen tevreden en de vissen kan hij niet bang maken omdat die er niet schijnen te zijn. Wél een teleurstelling. Ik weet dat het niet echt is – niet in de ware betekenis – maar als je een niet echte rivier hebt, kun je er net zo goed niet echte vissen in doen. In plaats daarvan hebben we die rare kleur mist. Purperachtig. Het lijkt mij industrieel, alsof er een of andere fabriek met kachels is en zo dichtbij. En dat is Pollutie met een hoofdletter P. Dat vond ik zo heerlijk aan het bergmeer. De beek stroomde er regelrecht vanuit de heuvels naar-*

toe. Daar had je niets wat chemicaliën en riolering in het water pompte. Ik mis het, weet je. Ik hoop dat we als we overgestoken zijn een mannetje kunnen vinden dat een lijn kan uitgooien en dan hoop ik iets anders aan de haak te slaan dan een oud ledikant.

SAM: *Mijn god, moet je hem toch horen. Het is voorbij, goede vriend. Dat hoort allemaal ergens anders. Hier is het voorbij, finito, kaputt. Alleen rechtop kom je misschien ooit nog bij die beek waar je maar niet over uitgepraat raakt, zonder peddel. O shit, daar is ze, ik ga pleite.*

GEOFF: *Arme kerel, het is hard aangekomen bij hem. Je weet nooit hoe mensen het zullen opvatten. Persoonlijk houdt het me op de been als ik terugdenk aan hoe het vroeger was. Daar wordt die arme Sam juist gek van. Daarom kan hij Jax niet uitstaan. Ze wil alleen maar over het verleden praten. Jax, liefje, hoe gaat het me jou? Kijk eens wie er net is aangekomen.*

JAX RIPLEY: *Dick, ben jij het? Heerlijk om je te zien. Is mijn Woordman-verhaal nog altijd aan de gang? Krijg ik nog steeds een credit als iemand een stuk schrijft? Hoe staat het met de filmrechten? Of wordt het een docudrama? Docudrama's scoren tenminste goed. Wie hebben ze om mij te spelen? God, ik hoop niet dat het die meid uit* Eastenders *wordt, je weet wel, met al dat haar. Ik weet dat ze het juiste figuur heeft, maar voor de rest is alles mis aan haar. Die mond…!*

DICK: *Ik heb geen idee eigenlijk. Jax… wat er is gebeurd… het spijt me…*

JAX: *Werkelijk? Dat is niet bepaald een compliment. Ik schijn me te herinneren dat ik er reuze van genoten heb.*

GEOFF: *Hij is nog een beetje in de war.*

JAX: *Dan heb ik niets aan hem. Tenzij het je gelukt is een gsm binnen te smokkelen. Nee? Dacht ik al. Jezus, wat zou ik niet geven voor een gsm! Ik zie je nog wel, Dick. Doe geen stoute dingen.*

GEOFF: *Heerlijk wijf. Ze heeft me ooit geïnterviewd, weet je. Ik dacht dat ik achteraf misschien een kans maakte, het ging heel goed, toen ging die verdomde telefoon van haar. En jij? Ze leek oprecht blij je te zien. Hebben jullie ooit…?*

DICK: *Ik weet het niet zeker... Er is me iets bijgebleven... maar ik weet het niet zeker...*

GEOFF: *Het gaat niet goed met je, hè?'*

DICK: *Ik probeer het allemaal te begrijpen. We zijn dood, klopt dat?*

GEOFF: *Goed begrepen, ouwe gabber. Ja, er is geen ontkomen aan. Dat klopt, we zijn dood.*

DICK: *En dit hier...*

GEOFF: *Daar heb ik veel over nagedacht. Conclusie – het is hier eigenlijk nergens, het is meer een toestand. Niet zoals Mississippi... behalve in zoverre dat er die verdomde brede rivier is... maar zoals ik net al zei: het is ook niet een echte rivier... meer een soort zichtbare metafoor... hoor mij nou toch, ik praat als een criticus!... maar je weet wat ik bedoel... het helpt onze hersens bij elkaar te houden... zo ongeveer als jij doodgaan ziet als een tunnel... het is allemaal wat moeilijk te bevatten in het begin...*

DICK: *Maar jij schijnt het het beste te bevatten van allemaal, Geoff. Hoe komt dat?*

GEOFF: *Geërfd waarschijnlijk.*

DICK: *Je bedoelt omdat je een titel hebt?*

GEOFF: *Goeie hemel, nee. Allemaal gelul, dat gedoe. Alleen, nou ja, ik heb connecties, weet je. In goddelijke kringen, zeg maar.*

DICK: *Je bedoelt dat je God bent?*

GEOFF: *Natuurlijk niet. Zeg niet van die rare dingen. Daar heeft een van mijn voorouders ooit veel last mee gekregen. Nee, maar ik ben familie, zogezegd. Een vierdegraads neef of zo, ik weet niet hoe ver weg. Het zijn de gevallen engelen, weet je. Een paar van hen mochten kiezen of ze liever mens wilden worden dan een eeuwigheid in de hel door te brengen. Een moeilijke keuze, zou ik denken. Terug op aarde heeft de connectie weinig nut, maar hier schijnt het ons afstammelingen een streepje voor te geven. Niet dat ik veel meer weet dan dat we hier zijn en dat we hier zullen blijven tot we hier allemaal zijn, en dat we daarna gaan oversteken.*

DICK: *Wie zijn allemaal? En wat oversteken? En hoe lang moeten we wachten?*

GEOFF: *Vergeet hoe lang, goeie vriend. Er is hier geen tijd. Tijd is ergens anders heen vertrokken. Geen idee waar dat vandaan kwam, vast iets wat ik op school geleerd heb, maar het is waar. Wat ons allemaal betreft, ik bedoel iedereen die de Woordman vermoordt.*

DICK: *De Woordman... maar ben ik niet de Woordman?*

GEOFF: *Jij? Mijn waarde Dick! Hoe komt die gedachte in godsnaam bij je op?*

DICK: *Ik weet het niet... gewoon, iets... op de een of andere manier voel ik me verantwoordelijk...*

GEOFF: *Vandaar dat je je links en rechts excuseert! Mijn beste vent, wees gerust. Je zou geen vlieg kwaad kunnen doen. Ik weet nog dat ik je voor het eerst een paar forellen gaf en jij inzag dat je ze zelf moest schoonmaken. Je werd spierwit! Nee, net als wij allemaal ben je hier een slachtoffer. Kijk nou eens naar jezelf: zo rusteloos als een das die prooi ruikt. Raadslid, vertel jij het hem maar.*

SCHROKKER STEEL: *Wat?*

GEOFF: *Die beste jongen denkt dat hij de Woordman is.*

SCHROKKER: *Dat is hij ook. Al die sukkels die in dat patserige Centrum van je werken, allemaal geschifte woordmannen, hebben nooit één dag eerlijk werk verricht.*

GEOFF: *Daar zou u best eens gelijk in kunnen hebben, raadslid. Maar ik bedoel Woordman met een hoofdletter W, die al die moorden heeft gepleegd.*

SCHROKKER: *O, die sukkel. Nee, mr. Dee, u mag heel veel zijn, vooral nutteloos, maar u bent in geen geval die Woordman, als dat tenminste de schoft is die mij heeft vermoord.*

DICK: *Goddank, goddank. Maar als ik het niet ben, wie dan wel? Wie heeft u dan vermoord, raadslid?*

457

SCHROKKER: *Weet u dat echt niet?* Aye , *eerlijk is eerlijk. Het duurde even voor ik het snapte toen ik hier was. Ik bedoel: je staat je handen te wassen op een herenplee, je kijkt op en dan zie je een mooie jonge meid in de spiegel, dan denk je toch niet direct: die komt me afmaken!*

DICK: *Een jonge meid... o, mijn god...*

SCHROKKER: *Het komt nu terug, weet u?* Aye *nou, ik keek naar haar en zij keek naar mij, met zo'n brede geruststellende glimlach op haar gezicht. En ik zei: wat doe je hier in godsnaam, meid? En zij zei: ik wilde u alleen maar vertellen dat ik het eten waar u om gevraagd hebt voor elkaar heb gekregen. U weet wel, een runderlapje met Yorkshire-pudding en een heleboel gepofte piepers. En ik dacht: nou, dat klinkt niet slecht. Vervolgens voelde ik iets in mijn nek en voor ik het weet lig ik op de grond en wordt alles donker. Daarna stond er zo'n jonge kerel over me heen gebogen, die me vroeg of alles goed met me was en ik wist dat het niet goed met me was, ik wist dat het met me gedaan was en ik had geen idee waarom, en dat hinderde me.*

DICK: *En u zei* rosebud *tegen hem. Waarom zei u* rosebud?

SCHROKKER: *Daar kan ik me niets van herinneren, maar als dat wel zou kunnen, wist ik verdomme zeker dat het niet rosebud was! Nee, dat is vast* roast spuds *geweest! Zie je, wat ik maar niet snapte was waarom ze het maar steeds over mijn eten had gehad. Maar sindsdien ben ik erachter. Ze wilde dat ik blij dood zou gaan.* Aye, *dat is het vast geweest. Ze wilde niet dat ik doodging, terwijl ik dacht: O Jezus, iemand gaat me hier doodmaken. Ze wilde dat ik ging met de gedachte dat ze me zo meteen mijn eten zou brengen. Daar is híér verdomme weinig hoop op voorzover ik kan zien, maar het was tóch vriendelijk,* aye, *dat moet ik haar nageven. Het was aardig bedoeld.*

DICK: *En dat was echt Rye? Was dit miss Pomona?*

GEOFF: *Dat weet je best, Dick. Het komt nu terug, nietwaar? Zoals het raadslid zegt, het duurt even voor je het beseft. Toen ik zag dat ze de Purdy op mij richtte, zei ik alleen maar: voorzichtig, kindje. Niet beleefd om een revolver op iemand te richten. Hij kan afgaan. En toen gebeurde dat. Nog steeds dacht ik dat het een ongeluk was geweest toen ik merkte dat ik hier was, maar toen ik met de anderen ging praten... Nou, ik had het kunnen weten: een mooie jonge meid die naar me lonkt en zegt dat ze ont-*

zettend geïnteresseerd is in 's nachts vissen en dat ze gehoord had dat ik bij Stang Creek een boot had liggen – dat heeft ze waarschijnlijk van jou gehoord, Dick – nee, daar klopt niets van, dacht ik, tenzij ze misschien op me viel. Ik geloof ook niet dat dát klopte, maar ooit viel er wel eens iemand op me, en een oude cavalerieknol heeft weinig aandacht voor iets anders als hij de bügel hoort spelen! Wie weet, op het land, een paar forelletjes verschalken, die boven een vuurtje roosteren, flesje vino, alles is mogelijk. En ja hoor!

DICK: Het komt nu terug maar ik kan het nog steeds niet geloven. We stonden in vuur en vlam. Zij zond alle signalen uit. Die waren onmiskenbaar, maar ik wilde eerst absoluut zeker zijn. Onder geen voorwaarde wilde ik onze werkrelatie op het spel zetten door haar het idee te geven dat ik misbruik maakte. Dus heb ik haar laten sudderen om haar tijd te geven om na te denken, af te koelen, als ze daar behoefte aan had, maar toen ik door de deur gluurde, stond ze bij het raam haar kleren uit te trekken. Nou, dat was het sein. Ik wist niet hoe snel ik mijn plunje moest uittrekken en pakte toen, om het allemaal luchtig te houden, een brood en een mes... we hadden zitten praten over hoe lekker toast smaakte bij een open haard... en toen ik weer naar binnen ging zei ik dat ik dacht dat we erna toast zouden kunnen maken. Maar ze keek me aan alsof ze niet luisterde... nou ja, eerlijk gezegd scheen ze naar mijn erectie te kijken... Ik was goed opgewonden, en daar leek ze zich helemaal op te focussen... behoorlijk vleiend eigenlijk... en ze kwam naar me toe, en ik voelde hoe ze het mes uit mijn hand pakte, en voor ik het wist had ik dat gevoel in mijn buik, raar genoeg geen pijn, eerst niet, alleen een heel vreemd en helemaal niet echt onprettig gevoel dat op de een of andere manier door elkaar liep met mijn verlangen naar haar, en toen ze me heel dicht tegen zich aan drukte, voelde ik dat ik wegzakte. Ik had ooit in Charley Penns boeken gelezen over jonge meiden die flauwvallen van verlangen en ik weet nog dat ik dacht: ik moet Charley vertellen dat het kerels ook gebeurt, en Rye schreeuwde het uit van passie, tenminste dat vatte ik zo op al was het wat snerpend, maar toen was het opeens alsof ik van achteren werd vastgepakt en achteruit op de grond werd getrokken, en daarna heb ik geen idee wat er gebeurd is...

GEOFF: Zo te zien ben je als schietschijf gebruikt. Hallo, wat is dat allemaal voor lawaai bij de rivier?

SCHROKKER: Ik zal even gaan kijken.

459

GEOFF: *Heb je iets aan het raadslid gemerkt?*

DICK: *Behalve dat gat in zijn nek? Nee.*

GEOFF: *Zijn adem. Geen stank. Een van de weinige voordelen van deze plek. Een groot deel van de zintuigen uitgeschakeld. Al die wonden, geen pijn. En geen reuk. Bovendien kun je die verrekt aantrekkelijke tv-meid in haar bijna blootje zien rondrennen zonder geil te worden, al voel jij dat misschien niet als een voordeel. Ze maken daar werkelijk een rotherrie. Vast iets aan de hand. Laten we gaan kijken.*

DICK: *Ik kan er niet over uit. Rye Pomona. Maar waarom…*

GEOFF: *Er zullen ongetwijfeld langzamerhand antwoorden komen. Raadslid, wat is er aan de hand?*

SCHROKKER: *Ach, die twee. Ze beweren dat ze iets in de nevel boven de rivier hebben gezien.*

PERCY: ⎫ *Ja, echt waar. Het is een boot, het is een boot, en we kunnen zien*
BROSE: ⎭ *dat er iemand op staat. Ze komen ons redden. Hoera! Hoera!*

SAM: *Ze hebben gelijk, hoor. Kijk, daar, achter de nevel. Maar laten we niet te snel zijn met aandacht trekken. Je weet maar nooit wat voor plannen die vent voor ons in petto heeft.*

JAX: *Wat kan het schelen, als hij maar een gsm heeft. Joe-hoe! Joe-hoe! Hier ben ik!*

ANDREW: *Komt er iemand aan? Misschien hebben ze mijn busje gezien. O ja, nu zie ik hem. Maar is het een hem? Ik geloof het niet. Dit zou heel nuttig kunnen zijn. Ik weet zeker dat het die meid is van wie ik de auto heb gerepareerd. Zij weet vast wel waar de brug is. Miss! Miss! Hierheen!*

DICK: *Lieve god, hij heeft gelijk. Zij is het. Het is Rye, het is Rye Pomona. Zie je nou, ik wist dat zij niet de Woordman kon zijn, wat zou ze anders híér doen? Rye! Rye! Hier.*

SCHROKKER: *Aye kom maar hier, m'n kind, ik wil je even spreken.*

GEOFF: *Wacht even. Moeilijk te zien met al die mist, lijkt precies op miss Pomona, maar ik kan amper, je weet wel, wiebeldingen zien. En die rare pluk die ze in haar haar had, waar is die?*

SAM: *Als dat die meid is en ze is niet dood, zal ik haar vermoorden. Rye Pomona, ben jij het?*

SERGIUS POMONA: *Pomona, ja zeker, maar niet Rye. Sergius van datzelfde kaliber. Raina's tweelingbroer.*

SAM: *Sergius… Raina… goh, bizar.*

SCHROKKER: *Waar lacht hij om?*

GEOFF: *Dat weet ik niet, maar het is fijn om hem wat vrolijker te zien. Mr. Pomona, bent u gekomen om ons over te zetten?*

SERGIUS: *Ja, maar vóór ik aan wal kom en jullie aan boord klimmen, kunnen we eerst een paar antagonismen uit de weg ruimen? Dit is niet zo'n grote pont en jullie zijn met velen, dus zullen we nogal laag in het water liggen en we willen absoluut niet dat iemand deining veroorzaakt. Jullie zouden niet graag in deze rivier terechtkomen, geloof me. Dus als jullie vragen hebben, stel die dan nu.*

DICK: *Ja, ik heb een vraag. Ryes daden, lukraak mensen vermoorden, heeft dat iets te maken met dat ongeluk waarbij u bent omgekomen?*

SERGIUS: *Heeft ze u ervan verteld?*

DICK: *Ja, het begon met haar haar. Ik heb het niet gevraagd maar ze had vast gezien dat ik nieuwsgierig was en toen kwam alles aan het licht: dat u de auto in de prak reed en nóg twee mensen zijn omgekomen en uzelf natuurlijk…*

SERGIUS: *Aha, is dat de versie die ze u verteld heeft? Een paar kleine onnauwkeurigheden. Ik was niet degene die achter het stuur zat, om te beginnen. Dat was Rye. Ze was er zó op gebrand het theater te bereiken voor dat stomme rolletje van haar dat ze er alles voor over gehad zou hebben. Toen ik zag dat ze in moeders auto wilde vertrekken, ben ik haar nagerend en omdat ze moeite had met schakelen, ben ik op de stoel naast haar gesprongen. Zij heeft de botsing veroorzaakt. Zij heeft mij gedood en die an-*

461

dere twee mensen. Maar in één ding hebt u gelijk. Toen is het allemaal begonnen.

SAM: *U bedoelt dat ze, omdat ze zich schuldig voelde omdat ze al die jaren geleden per ongeluk drie mensen had gedood, ons nu ging afmaken? Ik hoop dat u Beddoes bij zich hebt. Hij zou dit zalig gevonden hebben. Bijzonder gothic!*

SERGIUS: *Het is wat ingewikkelder. We stonden heel dicht bij elkaar, echte tweelingen, zo erg dat we vaak dezelfde gedachten leken te hebben, en als er iets met de ene gebeurde wanneer we niet bij elkaar waren, voelden we dat allebei. Dus natuurlijk was ze van de kaart toen ik doodging, vooral omdat het haar schuld was, en toen ze me om vergeving wilde vragen, leek het niet raar om via onze gezamenlijke gedachten contact met me te zoeken zoals we gewend waren toen ik nog leefde. Enfin, in haar hoofd kwam er een dialoog tussen ons op gang, maar ze was er nooit zeker van of het echt was of dat ze haar gedachten aan het ordenen was...*

GEOFF: *En het was echt?*

SERGIUS: *Hoe kan ik dat weten? Ik was er ook niet zeker van of de Dialoog die ik dacht met haar te hebben echt was of alleen maar mijn verbeelding. Ik bedoel, als je allebei leeft en elkaar kunt ontmoeten om indrukken te vergelijken, kun je dat bij elkaar nagaan, nietwaar? Maar nu ik hier beneden was en zij daarboven, kon immers geen van ons tweeën dat weten? Tenzij we natuurlijk een teken kregen.*

SAM: *Een teken? O, god, bespaar ons tekens!*

SCHROKKER: *Aye, in de politiek heb ik één ding geleerd: elke gek die op zoek is naar tekens, vindt ze ook, en je kunt er van geenéén op aan!*

SERGIUS: *Misschien hebt u gelijk, raadslid. Zeker toen ze begon te zoeken, kwamen ze duidelijk en snel door. Maar eerlijk is eerlijk, u moet haar geestelijke toestand begrijpen. Niet alleen schuldgevoel over mijn dood deed rare dingen in haar hoofd. Ook de manier waarop haar hele leven op z'n kop was gezet. Haar toneelcarrière was het enige waaraan ze vóór het ongeval ooit had gedacht, maar nadat ze was genezen gaf ze die totaal op. Wat ze iedereen wijsmaakte – wat ze eigenlijk zichzelf wijsmaakte – was dat ze dat deed uit weerzin tegen het kunstmatige en de pretenties van het toneel. In feite zat het veel dieper. Begrijp je, ze kwam tot de ontdekking dat ze de teksten niet meer kon onthouden!*

DICK: *Maar ze had altijd een schitterend geheugen voor citaten.*

SERGIUS: *Buiten de bühne was alles prima, bijna een perfect geheugen. Maar zodra ze de planken betrad, zakte het helemaal weg.*

BROSE: : *Wat vreselijk! Ik herinner me een keer dat ik alles kwijt was toen ik naast dame Judi Mirabell speelde in het Garrick...*

PERCY: *O, hou toch je mond, Brose, en laat die man uitpraten. Hoe eerder we aan de overkant van die afschuwelijke rivier komen, hoe eerder we uit deze hoogst gênante positie komen.*

SERGIUS: *Dank u, mr. Follows. U moet begrijpen, mr. Bird, dat het niet alleen haar geleerde tekst was die wegzakte, maar haar hele vocabulaire. Kunt u zich voorstellen hoe het is om geen enkel woord meer te weten? Waar je ook kijkt, nergens zit een etiket op. Dat je niets van je gevoelens kunt uitdrukken? Wat je ook denkt... enfin, eigenlijk kun je niet denken! Dat was er aan de hand als ze het toneel op ging. Vandaar dat ze in de bibliotheek is gaan werken, zodat ze haar leven op plekken kon doorbrengen waar woorden gekoesterd werden, veilig opgeborgen voor toekomstige generaties. Maar al die tijd was ze uit op mijn vergeving. In haar herinnering tilde ik haar van achter het stuur uit het wrak van de auto en legde haar op het trottoir, waarna ik een tak plukte van een cipres die over de muur van het kerkhof hing, op haar borst legde en een lief bemoedigend woord in haar oor fluisterde om vervolgens mijn plaats bij het portier aan de bestuurderskant in te nemen zodat zij niet de schuld van de botsing zou krijgen.*

DICK: *Daar kan ik me iets bij voorstellen...*

SERGIUS: *Natuurlijk. Volgens mij denkt u aan een van de vertalingen van uw vriend Charley Penn die hij liet rondslingeren in zijn immer ijdele poging Rye's genegenheid te winnen. Het komt uit een gedicht dat begint met 'De hele nacht als ik ervan droom je gezicht te zien...'*

DICK: *Dat klopt. Hoe gaat de laatste strofe?*
   Een woord dat je heimelijk zegt
   En mij een zoete cipressentwijg schenkt.
   Waarna ik ontwaak, en de twijg kwijt ben
   En het woord me totaal ontschiet.

SERGIUS: *Goed geheugen. Jammer dat Rye's geheugen minder goed werkte. Ze werd uit de auto geslingerd en ik kon haar onmogelijk achterna. Ik ben op een of andere manier achter het stuur in elkaar gezakt en doodgegaan. En we zijn niet tegen de muur van een kerkhof gebotst, maar tegen een tuinmuur, en wat voor een cipressentak moest doorgaan was zo'n onooglijke ligusterheg. Maar Rye had zo'n sterke valse herinnering dat ze, toen ze deze bijzondere poging van mr. Penn las, er onmiddellijk zo'n teken in zag waarnaar ze aldoor op zoek was. Er waren legio andere. U draagt hier zelf ook verantwoordelijkheid voor, mr. Dee. U liet haar kennismaken met dat spel van u, paronomania, en lang voordat u het haar vertelde, had zij al de betekenis bedacht van die derde standaard met de naam Johnny. Dat leek haar een perfect voorbeeld van iemand opnieuw tot leven wekken door de kracht van woorden.*

DICK: *Maar met Johnny is het nooit zo geweest... daar weiger ik enige verantwoordelijkheid voor te nemen... het is alleen maar spel... was.*

SERGIUS: *Natuurlijk. Bij Rye ook, in het begin was het maar spel. Maar vóór we uw spel de rug toekeren, mr. Dee, zou u moeten weten dat in feite louter de naam een van de meest veelzeggende aanleidingen is geweest voor haar daden. Ik den beginne was het woord, weet u nog? En het woord was in dit geval* PARONOMANIA.

DICK: *Ik begrijp het niet. Hoe kon een naam...? Aha.*

SERGIUS: *Volgens mij begint u het door te krijgen. Uiteindelijk bent ook u een woordman. Jawel! Probeer de letters maar in een andere volgorde te zetten.*

DICK: *O god... Paronomania... Riana Pomona! Maar u kunt mij de schuld niet geven van een anagram!*

SERGIUS: *Waarom niet? U hebt uw hele leven kracht geput uit woorden en hun constructie, deconstructie en reconstructie. De man die atomen splitst is tot op zekere hoogte toch ook verantwoordelijk voor alles wat eruit voortkomt? Die dierbare Rye zag daarin en in vele andere geringe tekens bewijzen dat ik haar een pad wilde wijzen dat zou leiden naar een directe communicatie met mij.*

GEOFF: *Door mensen te doden? Ik snap het niet, vriendje.*

SERGIUS: *Dat moest nog komen. Een op het oog onmiskenbaar teken kwam toen de boekenplank instortte tijdens de grote rondleiding door de bibliotheek. Bijna iedereen van u was erbij, wat achteraf natuurlijk significant leek. U herinnert zich de gelegenheid, mr. Dee?*

DICK: *Nou en of. De manier waarop iedereen uit elkaar stoof toen de boeken naar beneden stortten was eigenlijk behoorlijk komisch.*

PERCY: *Ik vond het niet komisch. Ik heb me van m'n leven niet zo gegeneerd.*

BROSE: *Zelfs niet nu, lieve jongen.*

PERCY: *Je noemt dit toch zeker geen leven? Sliep uit!*

DICK: *Maar wat... o ja. Dat was de* OED. *Alle twintig delen. Wat een klap gaf dat! En dit was de aanl...?*

SERGIUS: *Inderdaad. Rye zag het niet als een ongeluk. Ze zag alle woorden in de taal van de boekenplanken vliegen om alles wat mooi en goed was aan Mid-Yorkshire op een onwaardige vlucht te jagen. In den beginne was het Woord, en het Woord was met God, en het Woord was God. Het pad naar vereniging met mij moest, voelde ze, door al die woorden leiden, maar hoe? Het waren er zoveel, zo vreselijk veel... hoe kon je zo'n enorme afstand overbruggen... ze had een kaart nodig om haar het pad te wijzen... en toen diende het zich aan... stel dat* OED *haar kaart was... stel dat de begrenzingen van elk deel wegwijzers waren...? Van A tot Bouzouki... van* BBC *tot* Chalypsography... *maar hoe? En nu maakte ze zichzelf wijs, of verbeeldde ze zich dat ze mij tegen haar zeggen dat je voor boodschappen naar en van de doden boodschappers nodig hebt, en willen die boodschappers efficiënt te werk gaan, moeten ze haar levend verlaten en dood bij mij komen. Die ideeën tolden allemaal als een bezetene door haar hoofd en zouden nog steeds op niets uitgelopen zijn, als ze die fatale ochtend niet was uitgereden, panne had gekregen en u vrolijk over de weg had zien racen, mr. Ainstable.*

ANDREW: *Hier snap ik geen barst van. Staat mijn busje dan aan de overkant, vriend?*

SERGIUS: *Natuurlijk. Alles wat jullie nodig hebben is daar. Na uw dood, mr. Ainstable, waarbij ze alleen toekeek, was ze bijna overtuigd. Na de* dood van mr. Pitman, waaraan ze een bijdrage leverde die niet direct fataal geweest hoeft te zijn – uiteindelijk had hij voor hetzelfde geld niet de controle over zijn motor verloren en had hij zijn huis bereikt om daar vrouwelijke bestuurders te vervloeken – wist ze zeker dat dit het pad was dat ik voor haar had uitgestippeld. En toen u, geachte dame, op de televisie verscheen en haar praktisch verzocht een nieuwe Dialoog voor te bereiden, leek alles glashelder.

JAX: *Wat een verhaal! U zegt dat alles wat we nodig hebben aan de overkant is. Computerterminals? Faxapparaten? Gsm? Fantastisch! Kom op, laten we niet nog meer tijd verknoeien. Laten we gaan!*

SCHROKKER: *Hou je in. Ik wil weten wat haar bedoeling was toen ze in mijn oude hoofd kraste. Ik bedoel, dat ze me vermoordde was al erg genoeg, maar daarmee maakte ze de kwetsuur ook nog kwetsend!*

SERGIUS: *O ja. Dat was eigenlijk hoogst amusant. Ze moest u markeren om het idee van een staalgravure over te brengen. Maar de politie-experts legden het uit als een poging om er RIP in te graveren, in cyrillisch schrift. Over het schrift hadden ze het bij het rechte eind – een macabere grap van mijn zusje – maar in feite schreef ze alleen maar haar initialen R.P., zoals een kunstenaar een kunstwerk met zijn naam signeert. Dat was deels door haar verlangen naar bevestiging van mijn protectie, om zeker te weten dat haar niets kon gebeuren. Bazuin maar rond dat zij het was geweest; zelfs in uw geval leidt de politie naar het lijk. Het maakte niet uit wat ze deed, ze had het gevoel dat ze niet gepakt kon worden, wat ze ook aan sporen achterliet.*

SAM: *En dat maakt het zeker allemaal goed? Wat heeft die muts eigenlijk voor sporen achtergelaten nadat ze mij van kant had gemaakt?*

SERGIUS: *Nou, ze heeft het boek laten openliggen bij dat gedicht over dat lieve jongetje dat al zo lang weg was. Dat was ik natuurlijk. En dan had je ook nog die chocoladereep...*

SAM: *Welke chocoladereep in godsnaam?*

SERGIUS: *De Yorkie-reep. In Yorkie-repen staat de naam in hoofdletters gedrukt, één in elk stukje. Ze had hem in stukjes gebroken en die in een andere volgorde gelegd op de schoorsteenmantel boven de haard. Mocht iemand je lijk hebben gevonden voordat de chocola gesmolten was, dan hadden ze de boodschap gelezen.*

SAM: *Boodschap? Wat voor boodschap? Een verwijzing naar het* CHOCO-LADESOLDAATJE *soms? Heel subtiel!*

SERGIUS: *O nee. Veel slimmer. De letters vormden* I RYE OK. *Dat had toch zelfs de grootste debiel uit Mid-Yorkshire gesnapt? Misschien ook niet. Ik bedoel, niemand had opgemerkt dat de geornamenteerde P aan het begin van de eerste Dialoog een boom voorstelde en dat er tussen de stapel letters appels naast de wortels lagen. Pomona, de godin van het fruit, weet u nog? Van begin af aan vertelde ze u wie ze was. Later hebt u dat jonge agentje zelfs een lesje geleerd over waarom man in samenstellingen als chairman niet geslachtsbepaald hoeft te zijn, en geen van u heeft dat herleid tot woordman. Maar vanwaar uw verbazing? Zelfs toen de politie haar min of meer betrapte toen ze u, mr. Dee, aan het afslachten was, ging ze nog vrijuit. Natuurlijk: liefde is blind, en toen dat arme jonge agentje kwam binnenstormen, zag hij dat u zijn geliefde belaagde. Gelukkig voor Rye stootte hij zich, toen hij achterovertuimelde toen hij u van haar aftrok, zo hard dat hij bijna bewusteloos raakte. Wat zij alleen maar erger maakte doordat ze een fles op zijn schedel stuksloeg en hem met wijn verblindde. Vervolgens was het voor haar een fluitje van een cent om te zorgen dat zijn hand zich om het mes sloot waarmee hij u met zo veel geestdrift in u stak. Niet dat dat nodig was. U zou toch al sterven aan de eerste steek die Rye u in de buik had toegebracht.*

DICK: *Maar waarom? Waarom heeft ze dat gedaan? We zouden gaan vrijen. Zij en ik waren het eens, dat weet ik zeker.*

SERGIUS: *U hebt gelijk. Ze mocht u graag; en ze was uitermate geil; en als moderne vrouw zag ze niet in waarom ze zichzelf niet een pleziertje zou gunnen. Maar toen ze de jongeman van wie ze werkelijk hield op zich af zag komen, veranderde ze van gedachten. Zo modern is ze niet! Vervolgens zag ze u naakt, en dat was dat. Maar ik vrees dat het niet uw enorme uitrusting was die haar blik gevangen hield, mr. Dee, maar eerder de rossiggrijze moedervlek die u op uw buik heeft. Als er ooit een man has-wed was, bent u dat wel. Dat was een teken van Serge, dacht ze. Voor haar stond de tijd stil. Wat natuurlijk betekende dat zeer binnenkort ook voor u de tijd moest stilstaan. Vat u het niet persoonlijk op. Beschouw het, zo u wilt, als een troost dat uw dood haar het meest heeft aangegrepen van allemaal. En natuurlijk verschafte dat de politiemacht de extra bonus: de best denkbare kant-en-klare verdachte: een dooie, die hun het ongerief en de kosten van een proces bespaarde.*

DICK: *O god. U bedoelt dat ik zo in de herinnering voortleef? Als een se-riemoordenaar?*

SERGIUS: *Ach, het is altijd uw streven geweest uw stempel te drukken als een man van het woord, nietwaar? En u hebt zelf aan uw ondergang mee-gewerkt. Ze was niet met u meegegaan naar de cottage als u het haar niet gevraagd zou hebben. En ze zou uw moedervlek niet gezien hebben als u geen aanstalten gemaakt zou hebben om haar te verleiden. En de politie zou u niet zo sterk in de gaten gehouden hebben als u openlijk had toege-ven dat u de dag dat ze was vermoord met miss Ripley naar bed was ge-weest. Dat was eigenlijk zowel grappig als ironisch. Rye had uw aanwe-zigheid daar weten te verhullen door uw horloge weg te halen dat u onder het kussen had laten liggen! Dat deed ze uit sympathie voor u. Maar als de politie het had gevonden en u eerder aan de tand gevoeld zou hebben over uw relatie met miss Ripley, wie weet? Misschien zouden de gebeurte-nissen dan een heel ander verloop hebben gekregen. Tja, dat is het lot. Goed, tenzij er nog andere vragen zijn, laten we aan boord gaan. U eerst, heren Bird en Follows, aangezien u waarschijnlijk het slechtste uit de voe-ten kunt...*

PERCY: *We worden aan de andere kant toch gescheiden?*

SERGIUS: *Ja zeker. Waar u naartoe gaat, zult u niets Dantesk vinden. Kom, miss Ripley... uitstekend... mr. Ainstable, misschien kunt u mr. Pitman een handje helpen... hij ligt een beetje uit elkaar... u zult het er heel rijk vinden, mr. Pitman. Erg Grieks. Mr. Steel...*

SCHROKKER: *Wat hebben ze daar te nasjen, vriend?*

SERGIUS: *Ambrozijn. Met gebakken aardappeltjes. Doctor Johnson...*

SAM: *Ik wéét het niet, hoor...*

SERGIUS: *Zie het maar alsof we naar de rots in de golven van de oudheid varen, doctor. En er staat een jonge vriend van u te popelen om u te zien. Jawel. Misschien heeft-ie u een paar dingen te vertellen waarvan u ver-baasd zult staan. Goed zo. Kom, mr. Dee...*

DICK: *Begrijp ik goed dat we mensen gaan ontmoeten die we van vroeger kennen...?*

SERGIUS: *Maakt u zich geen zorgen. De jonge Johnny weet dat we in aantocht zijn. Hij is dolenthousiast. En lest best, lord…*

GEOFF: *Och gut, kalm aan met dat ge-lord, oké? Zo te horen kan men zich wat dat betreft beter gedeisd houden.*

SERGIUS: *U zult versteld staan hoe hiërarchisch we zijn. En natuurlijk wanneer je connecties hebt…*

GEOFF: *Als we maar een beetje fijn kunnen jagen en vissen. Zal ik maar afduwen? Mooi. Daar gaan we. Eén ding zit me een beetje dwars, zoals ze in romans zeggen. Heeft die hele toestand Rye geholpen? Ik bedoel, was u werkelijk degene die haar al die tijd heeft geleid. En als ze haar motieven met u heeft overlegd, waarom kunnen we haar dan niet horen? Of heeft ze alle twintig delen van OED moeten doorwerken voordat ze ermee klaar is? Zo ja, dan heeft ze zeker nog een lange weg te gaan? En zou de politie niet een beetje argwaan krijgen als de Woordman-moorden blijven doorgaan nu zelfs Dick dood is? Iets naar bakboord, geloof ik, ouwetje. Ik heb geen zin om die rots te raken of wat daar ook ligt… ik zie geen barst in die mist… o ja, tóch… het wordt wat duidelijker… het is… het is… O, mijn god…!*

En zo verdwijnen hun stemmen in de mist, of liever gezegd in mijn hoofd, wat misschien hetzelfde is, waardoor Geoffs vragen onbeantwoord blijven.

Stilte. Dezelfde stilte die inzette toen ik terug in de tijd stapte en Dicks uit elkaar gereten, bebloede lijk op de grond zag liggen, en Hats dierbaarder bleke, bloederige gezicht.

O Serge, Serge, waarom heb je me in de steek gelaten? In al die andere Dialogen kon ik je horen, nu eens zwak, dan weer luid en duidelijk, altijd onmiskenbaar jij. Hier heb ik de woorden uitgevonden, voor jou, voor jullie allemaal, hopend jullie als een verpleegkundige leven te kunnen inblazen, dat mijn leven jullie uiteindelijk nog één keer de kracht zou geven om op eigen kracht verder te gaan.

Maar nu ik hier zit in wat vroeger Dicks stoel was, terwijl al die oude woordmannen aan de muren op me neerkijken, weet ik dat ik alleen ben. Afgezien van mijn herinneringen.

Wat een herinneringen.

Hoe kan ik ermee leven?

Ik ben uiteraard gek volgens normale normen die gezondheid beoordelen.

En zal gek blijven naar mijn eigen oordeel als ik tot de conclusie mocht komen dat dit allemaal een schijnvertoning was, helemaal voor niets.

De vragen die ik Geoff in de mond legde schreeuwen om een antwoord.

Misschien zullen anderen die voor me beantwoorden. Ook als de politie zo blind is dat ze me niet zullen vervolgen: hun ogen zijn niet de enige die ik te vrezen heb.

Door de openstaande deur van de bibliotheek kan ik Charley Penn aan zijn tafel zien zitten, terwijl hij mijn kant op kijkt met een blik die om beurten taxerend, sceptisch en verwijtend is, maar steeds boos.

Naast hem zit die Franny Roote, eigenaardige jongeman, die me, steeds wanneer hij mijn blik vangt, een vaag, bijna samenzweerderig glimlachje schenkt.

Of zie ik dit uit schuldgevoel?

Iets anders wat ik door mijn open deur zie, is tamelijk realistisch, zo niet realistischer.

De twintig delen van de Oxford English Dictionary *die trots hoog op hun plank prijken.*

Ik zet een pad uit dat bewegwijzerd wordt door de veertig woorden op die twintig delen.

Haswed heeft me naar het einde van deel VI *geleid.*

En die andere veertien? Moet ik werkelijk over dat lange, kronkelige pad ploeteren om er de waarheid in te ontdekken? Moet ik deel VII *doorwerken?*

Of hebben die zes me op mijn bestemming gebracht?

Is deze stilte, mijn lieve Serge, jouw laatste boodschap aan mij om me duidelijk te maken dat ik niet langer mijn oren hoef te spitsen om de Dialoog met de doden te voeren omdat ik nu eindelijk een bevredigende Dialoog met de levenden voer?

Die wetenschap is heel belangrijk. En niet voor mij alleen.

Als ik kijk naar het eerste van de twee woorden die de begrenzing van deel VII *aangeven, doet mijn hart pijn van liefde, maar ook van angst.*

Want ik weet dat ik heel snel zal moeten beslissen of die drie simpele letters een richting aangeven, of een bestemming.

Hat *hat hat hat*

Is dit het begin van een nieuw spel?

Of is het alleen maar **einde***?*